KASPER · DER GOTT JESU CHRISTI

DAS GLAUBENSBEKENNTNIS DER KIRCHE

1

WALTER KASPER

Der Gott Jesu Christi

MATTHIAS-GRÜNEWALD-VERLAG · MAINZ

CIP-Kurztitelaufnahme der Deutschen Bibliothek

Kasper, Walter: Der Gott Jesu Christi /
Walter Kasper. – Mainz: Matthias-Grünewald-Verlag, 1982.
(Das Glaubensbekenntnis der Kirche; 1)
ISBN 3-7867-0987-4
NE: GT

2. Auflage 1983
© 1982 Matthias-Grünewald-Verlag, Mainz
Umschlaggestaltung: Kroehl Design Gruppe
Satz und Druck: Georg Aug. Walter's Druckerei GmbH, 6228 Eltville am Rhein
Bindung: Großbuchbinderei Georg Gebhardt, 8800 Ansbach

INHALT

II. DIE BOTSCHAFT
VOM GOTT JESU CHRISTI

III. DAS TRINITARISCHE GEHEIMNIS GOTTES

VORWORT

Die Gottesfrage ist die Grundfrage der Theologie. Sie wieder dazu zu machen, dafür will dieses Buch mit Entschiedenheit plädieren. Zwar fehlt es wahrlich nicht an Veröffentlichungen zur Gottesfrage. Meist beschränken sie sich jedoch auf die Auseinandersetzung mit dem neuzeitlichen Atheismus. Das christliche Gottesverständnis, der Gott Jesu Christi und damit das trinitarische Bekenntnis kommen dabei meist nur anhangsweise und ohne tieferes Eindringen in die Sachproblematik zur Sprache. In der gegenwärtigen evangelischen Theologie zeichnet sich eine gegenläufige Tendenz ab. Aufgrund eines gegenüber den Reformatoren radikalisierten »Solus Christus« und »Sola fide« sucht man nach einem Standpunkt jenseits von Atheismus und Theismus, auf den die erstere Position hinausläuft. Beide Standpunkte scheinen mir gleich unhaltbar zu sein. Die Antwort auf die moderne Gottesfrage und die Situation des neuzeitlichen Atheismus ist einzig und allein der Gott Jesu Christi, das trinitarische Bekenntnis, das es wieder aus dem Winkeldasein herauszuholen und zur Grammatik der gesamten Theologie zu machen gilt.

Um dies leisten zu können, bin ich nochmals bei den Kirchenvätern und bei den großen Kirchenlehrern in die Schule gegangen. Was ich bei ihnen gelernt habe, ist aber eben kein geistloser Traditionalismus, sondern ein uns heute kaum mehr vorstellbarer Mut zum eigenen Denken. Beides, Tradition und Spekulation, gilt es, gerade in der gegenwärtigen, viel beklagten Flaute der Theologie zu erneuern. Denn eine pastoral orientierte, d. h. auf die Fragen des heutigen Menschen eingehende Theologie, die sich selbst recht versteht, verlangt nicht ein Weniger, sondern ein Mehr an wissenschaftlicher Gründlichkeit. Diese Dreiheit von Kirchlichkeit, Wissenschaftlichkeit und Zeitoffenheit ist, was immer man sonst gelegentlich dafür ausgibt, authentische Tübinger Tradition, aus der heraus auch dieses Buch entstanden ist.

So richtet sich der vorliegende Band in erster Linie an Studierende der Theologie, aber auch an alle, die sich tiefer für die Fragen des Glaubens in der Theologie interessieren: Priester und Laien im kirchlichen Dienst, Christen, denen die Teilnahme an der theologischen Diskussion zu einem Teil ihres Glaubens geworden ist, die wachsende Zahl von Menschen, die sich in der gegenwärtigen Sinnkrise auch außerhalb der Kirchen neu für die Gottesfrage interessieren.

9

Leider folgt dieser Band über die Gottes- und Trinitätslehre viel später als ursprünglich geplant dem 1974 erschienenen Band über die Christologie. Mannigfaltige Verpflichtungen innerhalb und außerhalb der Universität, nicht zuletzt stürmische, Zeit, Kraft und Nerven kostende Entwicklungen an unserer Universität haben die Arbeit erheblich verzögert. Vor allem war es die schwierige Sachproblematik selbst, die immer wieder ein tieferes Nachforschen und Nachdenken erforderlich machte.

Daß das Buch zu guter Letzt doch noch zustande gekommen ist, verdanke ich dem selbstlosen Einsatz meiner Mitarbeiter, meinen Assistenten Giancarlo Collet und Hans Kreidler, die mir viel Arbeit abgenommen haben, Fräulein Martina Lunau, den Herren Wolfgang Thönissen, Erich Pöschl und Brad Malkovsky, die unermüdlich technische Kleinarbeit geleistet und die Register erstellt haben, meinen Sekretärinnen Frau Elli Wolf und Frau Renate Fischer, die das Manuskript gewissenhaft betreut haben, schließlich den Mitarbeitern des Matthias-Grünewald-Verlags in Mainz.

Was ich jetzt vorlege, ist alles andere als fertig. Doch wer hat die Gottesfrage jemals fertig hinter sich? Bei allem die Diskussion sichtenden und zusammenfassenden Charakter dieses Buches will es doch nur ein Diskussionsbeitrag sein, den andere kritisch weiterführen mögen. Wenn irgendwo, dann gilt bei dieser Thematik das Wort des großen Augustinus, bei dem ich so viel gelernt habe, auch wenn ich ihm manchmal zu widersprechen wage: »Möge daher jeder, der dies liest, wo er meine sichere Überzeugung teilt, mit mir weiterschreiten, wo er mit mir schwankt, mit mir suchen, wo er einen Irrtum seinerseits erkennt, zu mir zurückkehren, wo einen meinerseits, mich zurückrufen. So wollen wir gemeinsam auf dem Weg der Liebe einhergehen, uns nach dem ausstreckend, von dem es heißt: ›Suchet sein Antlitz immer‹ (Ps 104, 4)« (De trinitate I, 3).

Widmen möchte ich dieses Buch dem Andenken meiner Mutter, die mich als erste das Sprechen von Gott lehrte.

Tübingen, am Fest des Apostels Matthäus 1982.

I. Die Frage nach Gott heute

I. GOTT ALS PROBLEM

1. DIE PROBLEMSTELLUNG DER TRADITION

Das Glaubensbekenntnis, das seit den ersten christlichen Jahrhunderten bis heute alle großen Kirchen des Ostens und des Westens verbindet, beginnt mit dem Satz: »*Credo in unum Deum*«, »ich glaube an den einen Gott«[1]. *Dieser erste Satz ist zugleich der Grund-Satz des ganzen Credo; er enthält implizit den ganzen christlichen Glauben.* Denn wer glaubt, daß Gott ist und daß er denen, die ihn suchen, Leben geben wird, der ist im Heil (Hebr 11,6). Das will besagen: Wer glaubt, daß Gott der eine Gott ist, der sich im Alten und Neuen Testament geoffenbart hat, der Gott nämlich, der hilft und befreit, der Leben ist und Leben gibt, der ist im Heil. Zwar sprechen die anderen Glaubenssätze inhaltlich von vielem anderen außer von Gott: von Anfang und Ende der Welt – von Ursprung, Sünde, Erlösung und Vollendung des Menschen – von der Kirche, ihrer Verkündigung, ihren Sakramenten und Ämtern. Doch diese vielfältigen Aussagen sind nur insofern Glaubensaussagen, als sie einen Bezug haben zu Gott, insofern es um Aussagen über das Heilshandeln Gottes oder über die Vermittlung dieses Heilshandelns Gottes geht[2]. *Gott ist darum das eine und das einende Thema der Theologie*[3]. *Gott – das Heil der Welt und des Menschen – ist sozusagen das eine Wort in den vielen Wörtern der Theologie. Insofern ist die Theologie verantwortete Rede (λόγος) von Gott (θεός), Gotteswissenschaft, wie die Alten sagten*[4].

Doch, wer ist das eigentlich – Gott? Diese Frage von Kurt Tucholsky ist verständlich, ja notwendig. Denn Gott ist, wie M. Buber in einem vielzitierten Wort feststellt, »das beladenste aller Menschenworte.

---

[1] DS 150; NR 250 u. ö.

[2] Vom Glauben insgesamt gilt, was das Vatikanum II speziell von der Hl. Schrift sagt. Es geht um »die Wahrheit, die Gott um unseres Heiles willen« geoffenbart hat (Dei Verbum, 11). Mit dieser Aussage beabsichtigt das Konzil keine Eingrenzung des Materialobjekts der Glaubens- bzw. Schriftaussagen, sondern eine Bezeichnung des Formalobjekts, unter dem alle Glaubens- bzw. Schriftaussagen zu verstehen sind.

[3] Vgl. Thomas v. A., Summa theol. I q. 1 a. 7: »Omnia autem pertractantur in sacra doctrina sub ratione dei, vel quia sunt ipse deus; vel quia habent ordinem ad deum, ut ad principium et finem. Unde sequitur quod deus vere sit subiectum huius scientiae.«

[4] Vgl. Augustinus, De civitate Dei VIII, 1 (CCL 47, 217), der die Theologie bestimmt als »de divinitate ratio sive sermo«.

Keines ist so besudelt, so zerfetzt worden... Die Geschlechter der Menschen haben die Last ihres geängstigten Lebens auf dieses Wort gewälzt und es zu Boden gedrückt; es liegt im Staub und trägt ihrer aller Last. Die Geschlechter der Menschen mit ihren Religionsparteiungen haben das Wort zerrissen; sie haben dafür getötet und sind dafür gestorben; es trägt ihrer aller Fingerspur und ihrer aller Blut... Sie zeichnen Fratzen und schreiben Gott darunter; sie morden einander und sagen in Gottes Namen... Wir müssen die achten, die es verpönen, weil sie sich gegen das Unrecht und den Unfug auflehnen, die sich so gern auf die Ermächtigung durch Gott berufen«[5].

Bevor man also fragt: »Existiert Gott?« und bevor man antwortet: »Gott existiert« oder behauptet: »Gott existiert nicht«, muß man wissen, was mit dem vieldeutigen Wort »Gott« überhaupt in Frage steht. Ohne einen klaren Begriff oder zumindest einen Vorbegriff sind solche Fragen nicht zu beantworten und entsprechende Antworten reine Leerformeln.

Die Frage ist deshalb: Wie können wir zu einem solchen *Vorbegriff von Gott* kommen? Womit sollen wir in der Theologie einsetzen? Sicherlich nicht damit, daß wir scheinbar voraussetzungslos mit einem Gottesbeweis beginnen. Denn wer einen Gottesbeweis unternimmt, muß bereits eine Ahnung von dem haben, was er beweisen will; jede sinnvolle Frage setzt ein gewisses Vorverständnis des Erfragten voraus; auch ein Gottesbeweis setzt einen Vorbegriff von Gott voraus. Allgemeiner formuliert: Es gibt gar kein voraussetzungsloses Erkennen. Alles menschliche Erkennen geschieht im Medium der Sprache, die uns immer schon Symbole und Schemata der Wirklichkeitsdeutung vorgibt. Wir können darum auch in der Theologie nicht anders beginnen, als daß wir fragen, was die Religionen und was die theologische Tradition unter Gott verstanden haben. Wir müssen die Geschichte des Redens von Gott befragen, um uns so erst das Problem aufschließen zu lassen, um das es in dem Wort Gott überhaupt geht.

Beginnen wir mit einem der großen Meister der Theologie, mit *Thomas von Aquin* (1225–1274). Er gibt zu Beginn einer theologischen Summe gleich mehrere Umschreibungen dessen, was »alle« meinen, wenn sie von Gott sprechen: Gott ist der letzte, selbst grundlose Grund aller Wirklichkeit, der alles trägt und alles bewegt; Gott ist das höchste Gut, an dem alle endlichen Güter teilhaben und das sie alle begründet; Gott ist das letzte Ziel, das alles lenkt und ordnet[6]. *Anselm von Canterbury* (1033–1109), der Vater der mittelalterlichen Scholastik, hat Gott deshalb definiert als das »id quo maius cogitari nequit«, »das, worüber

[5] M. Buber, Begegnung. Autobiographische Fragmente, Stuttgart ²1961, 43.
[6] Thomas v. A., Summa theol. I q. 2 a. 3.

hinaus nichts Größeres gedacht werden kann«[7], ja als das, was größer ist als alles, was gedacht werden kann[8]. Diese Definition ist kein Superlativ, Gott ist nicht das »maximum, quod cogitari potest«, sonst wäre er die höchste mögliche Steigerung des Menschen. Gott ist vielmehr ein nie erfüllbarer Komperativ, der je größere, umfassendere, und bei aller Ähnlichkeit der je unähnlichere, je andere und je geheimnisvollere. Ganz anders ist die Definition, die *Luther* im »Großen Katechismus« gibt. Sie ist ganz unphilosophisch und bringt den existentiellen Ernst des Gottesverständnisses zum Ausdruck: »Was heißt einen Gott haben oder was ist Gott? Antwort: Ein Gott heißet das, wozu man sich versehen soll alles Guten und Zuflucht haben in allen Nöten.«»Worauf Du... Dein Herz hängest und verlassest, das ist eigentlich Dein Gott«[9]. Aus dem notwendigen Sein der scholastischen Definition ist bei Luther der Not-wendende geworden, der den Menschen in seiner Existenznot trägt und hält, derjenige, auf den unbedingter Verlaß ist, auf den man seine Existenz bauen kann. Kein Zweifel, daß damit Grundmotive des biblischen Gottesglaubens gültig benannt sind. Einige neuere Definitionen suchen die abstrakt-philosophische und die konkret-existentielle Dimension in eins zu fassen. Nach *P. Tillich* ist Gott »das, was den Menschen unbedingt angeht«[10]. Nach *R. Bultmann* ist er »die alles bestimmende Wirklichkeit«[11]. *G. Ebeling* nennt Gott »das Geheimnis der Wirklichkeit«[12], *K. Rahner* »das heilige Geheimnis« als das letzte Woraufhin und Wovonher des Menschen, das »als das Unverfügbare, Namenlose und absolut Verfügende in liebender Freiheit waltet«[13]. Alle diese Definitionen zeigen, so verschieden sie im einzelnen auch sind, eines: Das Wort Gott, so wie es in der Tradition verstanden wird, will nicht eine Frage neben anderen Fragen beantworten. Gott ist für die Tradition nicht eine Wirklichkeit neben oder über der sonstigen Wirklichkeit. Es ist kein Gegenstand des Fragens und des Wissens wie andere Gegenstände. Gott gibt es nicht so wie es Menschen und Dinge gibt. Gott ist vielmehr die Antwort auf die Frage in allen Fragen, er ist die Antwort auf die Fraglichkeit des Menschen und der Welt schlechthin[14].

[7] Anselm von Canterbury, Proslogion 2.
[8] Ebd. 15 (110 f).
[9] BSLK 560.
[10] P. Tillich, Systematische Theologie I, Stuttgart ³1956, 21 f u. ö., bes. 251 ff.
[11] R. Bultmann, Welchen Sinn hat es, von Gott zu reden?, in: ders., Glauben und Verstehen. Gesammelte Aufsätze I, Tübingen ⁵1964, 26.
[12] G. Ebeling, Dogmatik des christlichen Glaubens. Bd. 1. Tübingen 1979, 187.
[13] K. Rahner, Grundkurs des Glaubens. Einführung in den Begriff des Christentums, Freiburg – Basel – Wien ⁶1976, 74.
[14] Hier liegt der berechtigte Ansatz von W. Weischedel, Der Gott der Philosophen. Grundlegung einer philosophischen Theologie im Zeitalter des Nihilismus. 2 Bde., München ³1975.

Mit Gott wird eine alles andere umgreifende und übergreifende Antwort gegeben. Die alles andere umfassende und übergreifende Antwort, die mit dem Wort »Gott« gegeben wird, trifft exakt die *Grundsituation des Menschen.* Im Unterschied zu allen übrigen Lebewesen ist der Mensch ja das Wesen, das nicht instinktsicher und insofern fraglos in eine bestimmte Umwelt eingepaßt ist. Der Mensch ist das Wesen, das – wie die Anthropologen sagen – weltoffen ist[15]. Er lebt nicht in naturwüchsiger Harmonie mit sich und seiner Umwelt; er muß sich und seine Umwelt selbst gestalten. Er ist sich selbst gegeben und aufgegeben. Der Mensch kann deshalb fragen, und er ist mit seinen Fragen stets unterwegs. Dieses Fragenkönnen ist die Größe des Menschen, der Grund seiner Transzendenz, d. h. seines alles übersteigenden und überschreitenden Wesens, der Grund auch seiner Freiheit. Das Fragenkönnen ist aber auch das Elend des Menschen. Der Mensch ist das einzige Wesen, das sich langweilen kann, das unzufrieden und unglücklich sein kann. Seine Erfüllung findet der auf das Ganze der Welt hin offene Mensch nur, wenn er eine Antwort weiß auf den Sinn seines Seins und den Sinn der Wirklichkeit überhaupt. Nach der Überzeugung der religiösen Überlieferung ist die mit dem Wort Gott gemeinte Wirklichkeit diese Antwort. Deshalb ist Gott nach dieser Überlieferung keine Wirklichkeit neben der übrigen Wirklichkeit, sondern die alles umfassende, alles begründende und alles bestimmende Wirklichkeit, das Unbedingte in allem Bedingten, das Ein und Alles des Menschen. Anders ausgedrückt: *In der Gottesfrage handelt es sich nicht um eine kategoriale, sondern um eine transzendentale Frage* in dem doppelten Sinn: eine alles Seiende umgreifende Frage (transzendental im Sinn der scholastischen Transzendentalienlehre) und eine Frage, die die Bedingung der Möglichkeit aller anderen Fragen und Antworten betrifft (transzendental im Sinn der neuzeitlichen Transzendentalphilosophie).

Weil Gott die Frage in allen Fragen ist, kann er auch selbst in Frage gestellt werden. Auch die klassische Theologie bewegte sich nicht in der keimfreien Atmosphäre der Widerspruchslosigkeit und in der Idylle einer falsch verstandenen heilen Welt[16]. In seiner theologischen Summe leitet Thomas von Aquin den Artikel über die Frage »Ob Gott ist« mit den beiden Einwänden ein, die bis heute grundlegend geblieben sind: Er verweist auf das Übel in der Welt als Instanz gegen die Annahme eines Gottes, der das unendliche Gute ist, und er verweist auf die Möglichkeit, die Welt »supposito quod Deus non sit« rein immanent zu

---

[15] Zusammenfassend und mit Bezug auf die Gottesfrage: E. Fromm, Psychoanalyse und Religion, Zürich 1966, 31 ff.
[16] So G. Ebeling, aaO., 168 f.

erklären[17]. Thomas nimmt also die neuzeitliche Erklärung der Wirklichkeit »etsi Deus non daretur« vorweg. Doch nicht nur daß Gott ist, auch wer Gott ist, war für Thomas in seiner Auseinandersetzung mit den Heiden (gentiles), vor allem mit dem Islam, umstritten. Andernfalls hätte er keine ganze »Summa contra gentiles« schreiben müssen. Auch für den mittelalterlichen Denker, der Thomas war, ist Gott also nicht einfachhin eine Selbstverständlichkeit, und die Rede von Gott alles andere als eine sturmfreie Zone musischer Beschaulichkeit. Angesichts der bestehenden Wirklichkeit war der Glaube an Gott schon immer ein fragender und suchender Glaube, und das Bekenntnis zu dem einen Gott schon immer ein angefochtenes Bekenntnis. Immer schon mußten die Menschen sprechen: »Ich glaube; hilf meinem Unglauben« (Mk 9,24). Der Glaube war darum für die klassische Tradition eine »fides quaerens intellectum«, ein Glaube, der nach dem Verstehen fragt.

Damit stehen wir bei der *klassischen Wesensbestimmung der Theologie*, der verantworteten Rede von Gott. Im Anschluß an Augustinus bestimmt Anselm von Canterbury die Theologie als »fides quaerens intellectum«[18], als Glaube, der nach dem Verstehen fragt. Nach dieser Definition kommt weder das Fragen noch das Verstehen äußerlich zum Glauben hinzu. Der Glaube selbst wird als ein fragender und verstehenwollender Glaube verstanden. Der Glaube ist ja ein Akt des Menschen (so sehr er unter anderem Gesichtspunkt auch ganz gnädiges und erleuchtendes Tun Gottes am Menschen ist); es gibt den Glauben nur im Medium menschlichen Hörens, Verstehens, Zustimmens und auch Fragens. Die Theologie greift also eine im Glauben und aus dem Glauben selbst anhebende Bewegung auf und bringt sie zur Entfaltung. Sie ist im eigentlichen Sinn des Wortes *Glaubenswissenschaft*. Das Eigene der Theologie als Wissenschaft besteht darin, daß sie das dem Glauben immanente Suchen nach Verstehen in einer methodischen und systematischen Weise aufgreift, sie auf die Probleme der jeweiligen Situation bezieht und mit den Mitteln, die das Denken einer Zeit zur Verfügung stellt, zu klären versucht[19].

---

[17] Thomas v. A., Summa theol. I q.2 a.3 arg.1 und 2.
[18] Anselm von Canterbury, Proslogion, prooem. 1.
[19] Es ist nicht möglich, in diesem Zusammenhang auf die ganzen wissenschaftstheoretischen Probleme der Theologie einzugehen. Vgl. W. Kasper, Methoden der Dogmatik. Einheit und Vielheit, München 1967; ders., Dogmatik als Wissenschaft. Versuch einer Neubegründung, in: ThQ 157 (1977) 189–203; ders., Wissenschaftliche Freiheit und lehramtliche Bindung der katholischen Theologie, in: Essener Gespräche zum Thema Staat und Kirche 16, Münster 1982, 12–44, bes. 26 ff (jeweils mit Literatur).

2. Die Problemstellung heute

Auch wenn Gott niemals eine pure Selbstverständlichkeit war, so hat sich die Situation, in der und in die hinein von Gott die Rede sein soll, seit Beginn der Neuzeit doch grundlegend geändert. War für den religiösen Menschen Gott bzw. das Göttliche die eigentliche Wirklichkeit, die Welt dagegen in Gefahr, als bloße Schein- und Schattenwirklichkeit angesehen zu werden[20], so verhält es sich für das durchschnittliche Bewußtsein des Menschen am Ende des 20. Jahrhunderts genau umgekehrt. Selbstverständlich ist für ihn die sinnlich faßbare Wirklichkeit; die Wirklichkeit Gottes dagegen steht unter dem Verdacht, ein bloßer Widerschein der Welt, eine reine Ideologie zu sein. F. Nietzsches Wort vom Tod Gottes gilt heute weithin als kulturdiagnostische Chiffre. In ähnlichem Sinn spricht M. Heidegger im Anschluß an Hölderlin vom Fehl des Gottes[21], M. Buber von der Gottesfinsternis unserer Zeit[22]. In der inneren und äußeren Bedrängnis der Gestapohaft sahen der evangelische Theologe D. Bonhoeffer[23] und der katholische Jesuit A. Delp[24] ein religionsloses, ein gottloses Zeitalter heraufziehen, in dem die alten religiösen Worte kraftlos und unverständlich sind. Diese Situation ist in der Zwischenzeit so universal geworden, daß es längst nicht nur um den Atheismus der anderen, sondern zuerst um den Atheismus im eigenen Herzen geht. *Nach dem II. Vatikanischen Konzil gehört der Atheismus »zu den ernstesten Gegebenheiten dieser Zeit«[25]; er gehört zu den »Zeichen der Zeit«.*

Der Hintergrund dieses erstmals in der Geschichte der Menschheit auftretenden Massenatheismus wird gewöhnlich mit *Säkularisierung* umschrieben: Man versteht darunter den Prozeß, der zu einem Verständnis der Welt und ihrer Sachbereiche (Politik, Kultur, Wirtschaft, Wissenschaft u. a.) und zu einem Umgang mit ihnen geführt hat, die von deren transzendenter Begründung zumindest absehen und sie rein immanent betrachten und behandeln[26].

---

[20] Vgl. M. Eliade, Kosmos und Geschichte. Der Mythos der ewigen Wiederkehr, Hamburg 1966, 9 f.

[21] M. Heidegger, Erläuterungen zu Hölderlins Dichtung, Frankfurt a. M. 1951, 27.

[22] M. Buber, Gottesfinsternis. Betrachtungen zur Beziehung zwischen Religion und Philosophie (WW I, München 1962), 503–603.

[23] D. Bonhoeffer, Widerstand und Ergebung – Briefe und Aufzeichnungen aus der Haft (ed. E. Bethge), München ²1977.

[24] A. Delp, Im Angesicht des Todes. Geschrieben zwischen Verhaftung und Hinrichtung 1944–1945, Frankfurt a. M. ⁸1963.

[25] Vatikanum II, Gaudium et spes, 19.

[26] Zum Thema Säkularisierung: K. Löwith, Weltgeschichte und Heilsgeschehen. Die theologische Voraussetzung der Geschichtsphilosophie, Stuttgart ⁹1979; T. Rendtorff, Kirche und Theologie. Die systematische Funktion des Kirchenbegriffs in der neueren

Dieser Vorgang hat schon die gegensätzlichsten Wertungen erfahren. Als Reaktion auf die freisinnige programmatische Bejahung der Säkularisierung konnte die *traditionelle Theologie* in der neuzeitlichen Säkularisierung nur einen einzigen großen Abfall von Gott und vom Christentum erkennen, von dem man glaubte, daß er notwendig in die Katastrophe führen muß. Man meinte deshalb dem Programm der Säkularisierung mit dem christlichen Gegenprogramm der Restauration begegnen zu sollen. Im Gegensatz zu dieser traditionell-restaurativen These behauptet eine neuere, mehr progressive Richtung, die sogenannte *Säkularisierungstheologie* der 50er und 60er Jahre im Anschluß an Hegel, M. Weber, E. Troeltsch und K. Löwith: Die neuzeitliche Säkularisierung ist eine Auswirkung des Christentums, ja in gewissem Sinn dessen weltliche Verwirklichung (F. Gogarten; J. B. Metz). Denn es war die biblische Unterscheidung zwischen Gott und Welt, die den Weg freigemacht hat zu einer weltlichen Auffassung der Welt. In dieser Sicht ist der seinen christlichen Ursprung vergessende und gegen ihn protestierende neuzeitliche Atheismus eine mögliche, aber nicht die einzig mögliche und schon gar nicht eine zwingend notwendige Interpretation des neuzeitlichen Säkularisierungsprozesses. Deshalb wollte man unterscheiden zwischen der legitimen Säkularisierung und dem illegitimen Säkularismus. Diese »progressive« Theorie ermöglicht gegenüber der zuerst genannten restaurativen Theorie eine christliche Bejahung der neuzeitlichen Befreiungsprozesse. Doch sie bleibt angesichts des konkreten Verlaufs der neuzeitlichen Geschichte abstrakt. Denn die konkrete Geschichte der Neuzeit hat sich weitgehend gegen das Christentum und unter Protest der Kirchen abgespielt. Im Ergebnis ist die säkularisierte Welt keine christliche, sondern eine gegenüber dem Christlichen indifferente Welt. Dies kann man nicht verharmlosend als Mißverständnis von beiden Seiten abtun. H. Blumenberg hat deshalb in Kritik der Säkularisierungsthese ein *drittes Erklärungsmodell* aufgestellt: das Entstehen der Neuzeit als *Akt der humanen Selbstbehauptung* gegenüber einer übermächtigen, den Menschen versklavenden Transzendenz wie gegenüber verhärteten, reaktionär und repressiv gewordenen kirchlichen Strukturen. Hier wird die Neuzeit als kritische Reaktion auf das Christentum und als ein Versuch der autonomen Selbstbegründung des Menschen interpre-

Theologie, Gütersloh 1966; ders., Theorie des Christentums. Historisch-theologische Studien zu seiner neuzeitlichen Verfassung, Gütersloh 1972; F. Gogarten, Verhängnis und Hoffnung der Neuzeit. Die Säkularisierung als theologisches Problem, München – Hamburg 1966; J. B. Metz, Zur Theologie der Welt, Mainz 1968; ders., Glaube in Geschichte und Gesellschaft. Studien zu einer praktischen Fundamentaltheologie, Mainz 1977; P. L. Berger, Zur Dialektik von Religion und Gesellschaft. Elemente einer soziologischen Theorie, Frankfurt a. M. 1973; H. Lübbe, Säkularisierung. Geschichte eines ideenpolitischen Begriffs, Freiburg – München ²1975; H. Blumenberg, Die Legitimität der Neuzeit, Frankfurt a. M. 1966; ders., Säkularisierung und Selbstbehauptung, Frankfurt a. M. 1974 (dazu: W. Pannenberg, Gottesgedanke und menschliche Freiheit, Göttingen 1972, 114–128); W. Kasper, Autonomie und Theonomie. Zur Ortsbestimmung des Christentums in der modernen Welt, in: Anspruch der Wirklichkeit und christlicher Glaube. Probleme und Wege theologischer Ethik heute (FS A. Auer), hrsg. v. H. Weber / D. Mieth, Düsseldorf 1980, 17–41; K. Lehmann, Prolegomena zur theologischen Bewältigung der Säkularisierungsproblematik, in: ders., Gegenwart des Glaubens, Mainz 1974, 94–108; U. Ruh, Säkularisierung, in: Christlicher Glaube in moderner Gesellschaft 18, Freiburg–Basel–Wien 1982, 59–100 (Lit.).

tiert. Diese Theorie wird dem faktischen Verlauf der neuzeitlichen Geschichte sicherlich mehr gerecht als die reichlich abstrakte Säkularisierungsthese. Sie kann jedoch deren berechtigte Gesichtspunkte nicht voll abdecken und stellt darum ebenfalls noch keine voll befriedigende Theorie der Neuzeit dar.

Um zu einer angemessenen Beurteilung der Situation zu kommen, müssen wir sehen, daß die Neuzeit, speziell der spätneuzeitliche *Atheismus, eine vielschichtige Größe* darstellt, die man nicht monokausal aus einem einzigen Prinzip ableiten kann[27]. *Geistesgeschichtlich* kann man mit H. Blumenberg von dem Konflikt zwischen Autonomie und einer übermächtigen Theonomie ausgehen, muß aber sofort verschiedene andere Gesichtspunkte hinzufügen. Die Emanzipation vom Christentum hatte nämlich selbst nochmals christliche Voraussetzungen. Die Idee von der Freiheit und Würde jedes einzelnen Menschen ist ja mit dem Christentum in die Welt gekommen[28]. Die neuzeitliche Emanzipation setzt diese christliche Freisetzung des Menschen ebenso voraus wie die Verkennung der christlichen Freiheit im spätmittelalterlichen Nominalismus und in den verhärteten kirchlichen Strukturen des konfessionellen Zeitalters. So ist die humane Selbstbehauptung gegen das Christentum selbst nochmals christlich vermittelt. Der Rückgriff auf den antiken Humanismus und die Renaissance der Antike kam als Hilfsmittel für die Begründung des neuen Humanismus hinzu[29]. Hinzu kamen auch die oft mißverstandenen Ideen der Reformation von der Freiheit eines Christenmenschen, von den zwei Reichen, vom weltlichen Beruf[30].

Neben diesen geistesgeschichtlichen Motiven darf man die eng damit verbundenen *realgeschichtlichen Faktoren* nicht übersehen: die Kirchenspaltung des 16. Jahrhunderts und das Aufkommen des modernen Bürgertums[31]. Nachdem

---

[27] So E. Troeltsch, Das Wesen des modernen Geistes (Ges. Schriften IV, Tübingen 1925 = Aalen 1966), 334.

[28] Hegel, Grundlinien der Philosophie des Rechts (ed. J. Hoffmeister), 70, 112, 167 f.

[29] Diesen Aspekt hat vor allem W. Dilthey, Weltanschauung und Analyse des Menschen seit Renaissance und Reformation (WW II, Stuttgart–Göttingen ⁵1957), 254 ff u. ö. herausgestellt.

[30] K. Holl, Die Geschichte des Worts Beruf, in: ders., Gesammelte Aufsätze zur Kirchengeschichte III: Der Westen, Tübingen 1928, 189–219; M. Weber, Die protestantische Ethik und der Geist des Kapitalismus, in: ders., Gesammelte Aufsätze zur Religionssoziologie I, Tübingen ⁶1972 (1920), 17–206.

[31] Aufbauend auf Untersuchungen von J. Habermas, R. Koselleck, M. Riedel, B. Groethuysen, D. Schellong, L. Goldman u. a. wurde die Kategorie »bürgerliche Gesellschaft« vor allem durch die neue politische Theologie von J. B. Metz grundlegend für die Hermeneutik des Christentums in den Verhältnissen der gegenwärtigen geschichtlichgesellschaftlichen Situation. Vgl. J. B. Metz, Glaube in Geschichte und Gesellschaft. Studien zu einer praktischen Fundamentaltheologie, Mainz 1977; ders., Jenseits bürgerlicher Religion. Reden über die Zukunft des Christentums, Mainz–München 1980. Eine gute und ausgewogene Zusammenfassung gibt W. Müller, Bürgertum und Christentum, in: Christlicher Glaube in moderner Gesellschaft 18, Freiburg–Basel–Wien 1982, 5–58 (Lit.). Dieser Versuch ist anregend und weiterführend. Man muß aber auch seine Grenzen sehen. Denn das Bürgertum, das vom 12. bis ins 19./20. Jahrhundert dauert, hat in diesem langen Zeitraum erhebliche Wandlungen erfahren, und wer weiß, wie wandlungsfähig es sich auch in Zukunft erweisen wird. »Bürgerlich« ist also historisch ein Allgemeinbegriff von erheblichem Abstraktionsgrad, der als solcher nicht geeignet ist, die konkrete

im *Gefolge der Reformation* die Glaubenseinheit und damit die Einheitsgrundlage der bisherigen Gesellschaft zerbrochen war, mußte die ganze Gesellschaftsordnung aus den Fugen geraten. Die Folge waren die Religionskriege des 16. / 17. Jahrhunderts, die die Gesellschaft an den Rand des Ruins brachten. Das machte deutlich, daß die Religion ihre Integrationsfunktion verloren hatte. Um des Überlebens der Gesellschaft willen mußte man sich unter Absehen von der Religion auf eine neue, alle verbindende und für alle verbindliche Basis besinnen. Um des Friedens willen mußte man die Religion zur Privatsache erklären und als neue Basis des Zusammenlebens die alle Menschen verbindende Vernunft bzw. die vernünftig erkannte Naturordnung anerkennen, von der man der Meinung war, daß sie gelte »etsi Deus non daretur« (H. Grotius)[32]. Gott war damit gesellschaftlich funktionslos geworden. Diese Entwicklung konvergierte mit dem *Emporkommen des modernen Bürgertums.* Es entstand – vorbereitet seit dem 12. Jahrhundert, wesentlich unterstützt durch die Reformation – durch Emanzipation aus überkommenen politischen, gesellschaftlichen und geistigen Mächten und gründete sich auf das Prinzip der Autonomie, des sich durch Wissen, Arbeit, Leistung und Fleiß selbst verwirklichenden Menschen. Wo der Lebens- und Sinnzusammenhang in dieser Weise aufgrund eigener Einsicht und durch eigene Praxis autonom hergestellt wird, da wird die Religion, die die Wirklichkeit als göttliche Stiftung und Fügung anerkennt, wenn nicht überflüssig und sinnlos, so doch auf private Moral reduziert, also als Antwort auf die Frage: »Was sollen wir tun?« qualifiziert und als solche wegen ihres sozialen Nutzens für das Volk anerkannt. Die Religion konnte leicht zur Ideologie des bestehenden Systems mißraten, wenn von ihr nur noch ein feierlicher, aber kein konstitutiver Gebrauch mehr gemacht wurde. Nicht vergessen werden darf schließlich das *Aufkommen der modernen Wissenschaften,* die eine neue Weltsicht ermöglichten, die unabhängig von jeder transzendenten Begründung war,

Situation von heute zu umschreiben. Sagt man nicht sehr genau, was jeweils damit gemeint ist, dann wirkt der Begriff heute faktisch diffamierend; durch solche emotionale »Aufladung« blockiert er eine rationale Diskussion. Er verdeckt außerdem die großen Errungenschaften der bürgerlichen Kultur zugunsten einer eindimensionalen, mehr oder weniger marxistischen Kritik: die Würde individueller Freiheit und die allgemeinen Menschen- und Freiheitsrechte, die Idee der Toleranz u. a. m. Statt vorschnell eine nachbürgerliche Religion zu proklamieren, sollte man sich zunächst dafür einsetzen, daß diese letztlich christlich inspirierten Ideen in den Religionen und Kirchen realisiert und respektiert werden. Die Grenzen und die Krise der bürgerlichen Kultur sind damit nicht geleugnet. Sie können indes nicht durch abstrakte Negation des Bürgerlichen, sondern nur durch Transformation von dessen positivem Erbe in größere Zusammenhänge hinein überwunden werden. Wie gleich noch zu zeigen sein wird, besteht dieser größere Zusammenhang nicht allein in der politischen Dimension der Religion im Gegenzug zu deren Privatisierung im Bürgertum. Die bürgerliche Religion war nämlich, genau betrachtet, gar nicht so unpolitisch; sie war nur zu politisch. Nicht weil sie unpolitisch war, hat sie die neuen sozialen Probleme verschlafen, sondern weil sie in den bestehenden Sozialstrukturen befangen war und diese legitimierte, hat sie die sozialen Probleme nicht zur Kenntnis nehmen wollen. Der Verlust der politischen Dimension kann also nicht der Grund des Versagens der sogenannten bürgerlichen Religion sein. Deshalb ist auch ein umfassenderer Neuansatz als der der politischen Theologie notwendig.

[32] H. Grotius, De iure belli ac pacis, Prolegomena 11 (ed. P. C. Molhuysen, Lugduni Batavorum 1919, 7).

ja sogar in Widerspruch stand zu der auch in der Bibel und in der kirchlichen Tradition vorausgesetzten Sicht der Dinge[33].

Die Emanzipation des öffentlichen Bereichs aus den theologischen Begründungszusammenhängen führte zum *Verlust der dem Gottesgedanken eigenen Universalität.* Die Religion wurde rein innerlich und verlor damit ihren Wirklichkeitsbezug. Der Pietismus und die verschiedenen Erweckungsbewegungen machten die Religion vollends zu einer Sache der frommen Subjektivität, zur Herzensreligion. Hegel hat diese Situation unübertrefflich beschrieben: »Die Religion baut im Herzen des Individuums ihre Tempel und Altäre, und Seufzer und Gebete suchen den Gott, dessen Anschauung es sich versagt, weil die Gefahr des Verstandes vorhanden ist, welcher das Angeschaute als Ding, den Hain als Hölzer erkennen würde«[34]. Hegel erkennt, daß die Objektivierung der Wirklichkeit und der Rückzug der Religion in die Subjektivität sowohl zur Verflachung der Wirklichkeit wie zur Entleerung der Religion führt. Die Welt wird gottlos, Gott weltlos und – im eigentlichen Sinn des Wortes – gegenstandslos. So wird ihm der Satz des lutherischen Gesangbuchlieds »Gott selbst ist tot« zum Ausdruck neuzeitlicher Bildung und des Gefühls, »worauf die Religion der neuen Zeit beruht«[35].

Als *Ergebnis* können wir festhalten: Die neuzeitliche Säkularisierung hat verschiedene Wurzeln. Als Möglichkeit vom Christentum freigesetzt, entspringt sie einer im Namen der Freiheit vorgetragenen Reaktion gegen ein absolutistisches Gottesbild. Sie ist unlösbar mit der neuzeitlichen Subjektivität verbunden, die ihre Autonomie nicht mehr theonom, sondern immanent, ja religionskritisch begründet und dafür auch auf den Humanismus der Antike zurückgreift. So entsteht aus vielen, einander teilweise widerstrebenden Motiven die autonome neuzeitliche Kultur, die sich in ihrer immanenten Orientierung vom augustinisch geprägten, transzendent orientierten, mittelalterlichen Weltbild klar unterscheidet. In dieser säkularisierten Welt wird die Hypothese Gott als Erklärung innerweltlicher Phänomene zunehmend überflüssig; Gott wird weltlich funktionslos. Man muß in der Welt leben »etsi Deus non daretur«. Der Gottesglaube wird so immer unanschaulicher, erfahrungsärmer und wirklichkeitsleerer; Gott wird immer unwirklicher. Am Ende konnte der Satz »Gott ist tot« zur plausiblen Deutung des neuzeitlichen Lebens- und Wirklichkeitsgefühls werden.

Man kann die Wirklichkeit Gottes freilich nicht streichen und erwarten, daß dann alles andere beim alten bleibt. Das Wort »Gott« steht in der

[33] Vgl. u. 34 ff.
[34] Hegel, Glauben und Wissen oder die Reflexionsphilosophie der Subjektivität, in der Vollständigkeit ihrer Formen als Kantische, Jakobische und Fichtesche Philosophie (WW I, ed. H. Glockner), 281 f.
[35] Ebd. 433; vgl. ders., Phänomenologie des Geistes (ed. J. Hoffmeister), 523, 546; ders., Vorlesungen über die Philosophie der Religion, 3. Teil: Die absolute Religion (ed. G. Lasson, 157 f.)

Geschichte der Menschheit für den letzten Grund und das letzte Ziel des Menschen und seiner Welt. Wenn Gott ausfällt, dann fällt die Welt ins Grund- und Ziellose, dann droht alles sinnlos zu werden. Denn Sinn hat etwas nur, wenn es in einem größeren, aus sich sinnvollen Zusammenhang steht. Mit dem Wegfall des Sinns des Ganzen, mit dem Wegfall der alles bestimmenden, durchwaltenden und tragenden Wirklichkeit Gottes wird auch alles einzelne letztlich sinnlos. Es fällt alles in einen Abgrund des Nichts. So steht, wie J. Paul, Jacobi, Novalis, Fichte, Schelling, Hegel es schon geahnt haben, *der Nihilismus am Ende dieser Entwicklung.* F. Nietzsche war einer der wenigen, die den Mut hatten, den nihilistischen Konsequenzen des Atheismus ins Auge zu schauen. In der »Fröhlichen Wissenschaft« fügt er seiner Botschaft vom Tod Gottes die Frage an: »Was taten wir, als wir diese Erde von ihrer Sonne losketteten? Wohin bewegt sie sich nun? Wohin bewegen wir uns? Fort von allen Sonnen? Stürzen wir nicht fortwährend? Und rückwärts, seitwärts, vorwärts, nach allen Seiten? Gibt es noch ein Oben und ein Unten? Irren wir nicht wie durch ein unendliches Nichts? Haucht uns nicht der leere Raum an? Ist es nicht kälter geworden? Kommt nicht immerfort die Nacht und mehr Nacht?«[36]
Nietzsches Denken ist heute in einer bestürzenden Weise aktuell. Es ist aktueller als die verschiedenen Entwürfe eines humanistischen Atheismus, aktueller auch als der marxistische Atheismus, den bis vor kurzem viele als *die* Herausforderung an das Christentum verstanden haben. *Denn mit dem Geheimnis Gottes entschwindet auch das Geheimnis des Menschen.* Man sieht im Menschen nur noch ein biologisches Bedürfniswesen oder das Ensemble der gesellschaftlichen Verhältnisse. Wo das, was größer ist als der Mensch und seine Welt, nicht mehr ist, da kommt es zur Ideologie der totalen Anpassung an die Bedürfniswelt und an die gesellschaftlichen Verhältnisse, da erstirbt die Freiheit, da entwickelt sich der Mensch zurück zu einem findigen Tier, da endet auch aller Hunger und Durst nach unbedingter Gerechtigkeit. *Der Tod Gottes führt zum Tod des Menschen.* So stellt man gegenwärtig eine entsetzliche Leere, ein Sinnvakuum und Orientierungsdefizit fest, das der tiefste Grund ist für die Daseinsängste vieler Menschen. Mehr noch als der Atheismus ist der daraus resultierende Nihilismus die eigentliche Signatur der Zeit.
»Mit dem Selbstvertrauen des Glaubens ist« nach L. Kolakowski »das Selbstvertrauen des Unglaubens zerbrochen. Im Gegensatz zu der gemütlichen, durch die wohltuende, freundliche Natur geschützten Welt des aufklärerischen Atheismus wird die gottlose Welt von heute als ein bedrückendes, ewiges Chaos wahrgenommen. Sie ist jeden Sinnes,

---

[36] F. Nietzsche, Die fröhliche Wissenschaft (WW II, ed. K. Schlechta, 127.)

jeder Richtung, jeder Orientierungszeichen, jeder Struktur beraubt... Seit hundert Jahren, seitdem Nietzsche den Tod Gottes verkündet hatte, sah man kaum mehr heitere Atheisten... Die Abwesenheit Gottes wurde zu der immer offenen Wunde des europäischen Geistes, mag sie auch durch künstliche Betäubungsmittel der Vergessenheit anheimfallen... Der von der Aufklärung mit Freude erwartete Zusammenbruch des Christentums erwies sich – in dem Maße, wie er zustandekam – fast gleichzeitig als Zusammenbruch der Aufklärung. Die neue strahlende Ordnung des Anthropozentrismus, die an Stelle des gestürzten Gottes aufgebaut werden sollte, kam nie«[37].

In dieser Situation wird für den Theologen *das Sprechen von Gott als Grund und Ziel aller Wirklichkeit um des Menschen willen zu einer dringenden Aufgabe, ja zu der dringendsten Aufgabe überhaupt.* Der jüdische Religionsphilosoph M. Buber, mit dessen Feststellung, das Wort Gott sei »das beladenste aller Menschenworte«, wir begonnen haben, schließt mit der anderen Feststellung: »Wir können das Wort ›Gott‹ nicht reinwaschen, und wir können es nicht ganz machen; aber wir können es, befleckt und zerfetzt wie es ist, vom Boden erheben und aufrichten über einer Stunde großer Sorge«[38].

3. Die theologische Problemstellung

Die Frage ist nun: Wie können wir in dieser Situation verständlich von Gott reden? Sicherlich nicht in der Weise, daß wir unvermittelt von einem mehr oder weniger selbstverständlichen Gottesglauben ausgehen und rein positivistisch mit dem Gott der biblischen Offenbarung beginnen. Dieser unvermittelte Ansatz »*von oben*« ist uns heute verwehrt. Denn jede Antwort ist nur dann verständlich, wenn man zuvor die Frage begriffen hat, auf die sie Antwort sein soll. Wir können deshalb auch nicht von einem – scheinbar oder wirklich – voraussetzungslosen Standpunkt aus Schritt für Schritt Gott beweisen wollen. Auch dieser Weg »*von unten*« ist unmöglich. Denn jede Frage setzt bereits ein Vorverständnis der erfragten Wirklichkeit voraus. Hätten wir nicht schon einmal von Gott gehört, kämen wir nie auf den Gedanken, von ihm zu reden oder ihn gar zu beweisen. Im übrigen sind Gottesbeweise meist nur für solche Menschen überzeugend, die schon

---

[37] L. Kolakowski, Die Sorge um Gott in unserem scheinbar gottlosen Zeitalter, in: ders., Der nahe und der ferne Gott. Nichttheologische Texte zur Gottesfrage im 20. Jahrhundert. Ein Lesebuch, Berlin 1981, 10.
[38] M. Buber, Begegnungen, aaO., 44.

24

an Gott glauben. *Wir sind deshalb in unserem Reden von Gott an die Tradition gewiesen und auf sie angewiesen*[39]. Der Einsatz bei der überlieferten Rede von Gott ist deshalb möglich, weil diese nie nur Tradition ist. Die religiöse Tradition konnte und kann sich nur deshalb halten, weil sie Antwort ist auf eine bleibende Frage, die Frage, die sich der Mensch selber ist. Die Frage nach Gott kann der Mensch deshalb nie vergessen, weil sie mit dem Menschen selbst gegeben ist. Zwar vermögen ein oder zwei Generationen lang betriebene atheistische Kulturpolitik und Erziehung vieles. Doch hilft auch die Gottlosenpropaganda auf ihre Weise mit, das Gottesproblem wachzuhalten. Wollte man Gott ganz totschweigen, dann müßte man auch die menschlichen Fragen totschweigen, auf die die Menschheitsüberlieferung mit Gott geantwortet hat. Deshalb ist es wohl nicht nur Zufall, daß solches Totschweigen bisher auch totalitären Systemen nicht gelungen ist. Im Gegenteil, die Gottes*frage* erlebt gegenwärtig überall in der Welt eine erstaunliche Erneuerung. *Wir gehen also aus von dem uns in dem geschichtlich überlieferten Wort »Gott« angezeigten Problem.* Ein Problem ist ein Vorentwurf (problema), eine Antwort, die zugleich eine Frage enthält, ein Richtungspfeil, der angibt, in welcher Richtung man suchen muß, um zum Ziel zu kommen.

Schon Aristoteles vertrat die These, die Wissenschaft, auch und gerade die Metaphysik, müsse von Problemen ausgehen, die sich aus dem Gang der bisherigen Forschung ergeben[40]. Dies gilt mutatis mutandis auch von der theologischen Wissenschaft. *Theologie* geht aus von der im kirchlichen Bekenntnis überlieferten Rede von Gott (θεός) und sucht diese angesichts der Fragen des Menschen vor der Vernunft (λόγος) zu rechtfertigen und tiefer zu verstehen. Theologie will also Rechenschaft geben (ἀπολογία) von der Hoffnung, die sich in dem Bekenntnis zu Gott ausspricht, und sie tut dies angesichts des Unglaubens in der Welt (1 Petr 3,15). Insofern ist Theologie »fides quaerens intellectum«, Gottesglaube, der nach dem Verstehen fragt. Dabei ist der Gläubige von der Situation des Unglaubens und der Gottesfinsternis mitbestimmt. Das Entscheidende ist nicht der Atheismus der anderen, sondern der Atheismus, der im eigenen Herzen nistet. So wird sich der Glaube selbst zur Frage. Die Theologie will nichts anderes, als das Verstehen, das Suchen (quaerere) und das Fragen, das zum Glauben selbst gehört, in einer wissenschaftlich reflektierten Form aufgreifen. Wenn sie die Frage des Glaubens in die Gestalt eines wissenschaftlichen Problems transfor-

---

[39] Zur näheren Begründung vgl. u. 105 f, 116 ff.
[40] Aristoteles, Met. II, 994 a–b. Zum Begriff des Problems bei Aristoteles vgl. Top. 104 b.

miert, konstruiert sie damit nicht etwas *anderes* (aliud) als den Glauben, sondern sie artikuliert den einen und selben Glauben *anders* (aliter), sie bringt ihn in die Form methodisch-wissenschaftlicher Reflexion. Den einen und selben Glauben anders artikulieren heißt nicht, aus dem Glauben eine Gnosis machen. Da die mit Gott gegebene Frage nicht eine kategoriale Einzelfrage ist, sondern die transzendentale Grundfrage darstellt, kann das Ziel der Theologie von vorneherein nicht das rationalistische Begreifen Gottes sein. Jedes Begreifen setzt einen übergreifenden Standpunkt und Gesichtspunkt voraus. Wenn nun aber Gott die alles umgreifende Wirklichkeit ist, ist er auch das »id quo maius cogitari nequit«, das, was nicht mehr von einem umfassenderen Horizont her begriffen werden kann. Eine Theologie, die Gott begriffen hätte, hätte sich an ihm vergriffen, ihn seiner Göttlichkeit beraubt und ihn zu einem endlichen Götzen depotenziert. Eine Theologie, die sich einem alles, auch Gott begreifenwollenden Rationalismus verschriebe, könnte den Aberglauben, gegen den auszuziehen sie vielleicht vorgibt, nicht austreiben, sie wäre selbst finsterster Aberglaube. Das aber heißt: Gott ist für die theologische Vernunft kein Problem wie die vielen anderen Probleme, die man wenigstens grundsätzlich sukzessiv einer Lösung entgegenführen kann. *Gott ist ein bleibendes Problem, er ist das Problem katexochen, das wir als Geheimnis bezeichnen*[41]. Das Ziel der Theologie ist darum nicht primär die Auflösung (solutio) von Problemen, auch nicht das Fortschreiten (progressio) von Problem zu Problem, sondern die Zurückführung alles Wissens und Fragens in das Geheimnis Gottes (reductio in mysterium). *Das Ziel der Theologie kann es nicht sein, den Gottesglauben im Denken aufzuheben, vielmehr nur, Gottes Geheimnis als Geheimnis zu begreifen.*

Diese Aufgabe ist nach allem Gesagten nur so zu erfüllen, daß wir *das Geheimnis Gottes als Antwort auf das Geheimnis des Menschen* verstehen. Konkret: sie ist nur möglich im Streit um das Geheimnis der Wirklichkeit und des Menschen und in Auseinandersetzung mit den Deutungen, die heutige Atheismen als Entwürfe von Sinn und Hoffnung anzubieten haben. Dieser Streit kann seiner ganzen Natur nach nicht ein rein theoretisches Problem sein; er tangiert auch nicht nur den privaten und persönlichen Bereich. *Der Streit um Gott ist als Streit um den Menschen auch ein eminent praktisches Problem, das* – weil es den Menschen in allen seinen Dimensionen betrifft – auch eine politische Dimension hat.

Wer an Gott als die alles bestimmende Wirklichkeit glaubt, kann sich nicht mit der bürgerlichen Trennung eines profanen öffentlichen Bereichs und eines privaten Bereichs, in dem die Religion allein zugelassen ist, abfinden. Sofern die

---

[41] Zum Begriff des Geheimnisses vgl. u. 161 ff.

neue *politische Theologie* auf diesen Sachverhalt aufmerksam macht und fordert, Gott als die Wahrheit über den Menschen und das menschliche Zusammenleben öffentlich zur Geltung zu bringen, ist ihr lebhaft zuzustimmen. Sofern sie freilich die politische Dimension zur programmatischen Grundlage und zum alles umfassenden Rahmen und Horizont ihrer Argumentation macht, ist ihr ebenso entschieden zu widersprechen. Schon innerweltlich ist das Politische nicht der Inbegriff der Wirklichkeit und damit der Rahmen, innerhalb dessen die Freiheit der Person zu verhandeln wäre. So sehr die Person sozial verfaßt ist und zu ihrer konkreten Verwirklichung auf eine gesellschaftliche Ordnung der Freiheit angewiesen ist, so hat sie gegenüber der Gesellschaft doch ein originäres Recht, ja sie ist ihrerseits Wurzelgrund, Träger und Ziel aller gesellschaftlichen Institutionen[42]. Ausgangspunkt unserer eigenen Argumentation ist darum nicht die Gesellschaft als solche, sondern der Mensch, der als Person eine gesellschaftliche Dimension besitzt, diese aber zugleich überschreitet auf ein Ganzes der Wirklichkeit hin, das er immer nur im Vorgriff, aber nie im Begriff besitzt, zu dem er also suchend, fragend, hoffend und wagend immer erst unterwegs ist.

Die Rede von Gott als der alles umfassenden und bestimmenden Wirklichkeit, als deren Grund und Ziel und als das id quo maius cogitari nequit versteht sich als Antwort auf die mit dem Menschen als Person gegebene Frage nach dem Ganzen der Wirklichkeit, und sie läßt sich nur im Blick auf diese umfassendste aller Fragen artikulieren. Man nennt die Wissenschaft, die nicht nach einzelnen Seienden und Seinsbereichen, sondern nach dem Sein als solchem und im ganzen fragt, die Metaphysik[43]. *Die Rede von Gott setzt die metaphysische Frage nach dem Sein voraus und hält sie zugleich wach.* Die Theologie als Rede von Gott wird damit gerade in unserer Situation auch zur Hüterin und Verteidigerin der Philosophie als Frage nach dem Sein als solchem. »Der Christ ist jener Mensch, der von Glaubens wegen philosophieren muß«[44]. Das bedeutet keine Option für eine ganz bestimmte, etwa die aristotelische Philosophie und Metaphysik, wohl aber die Option für eine Philosophie, die gegen alle Eingrenzungen und Verfinsterungen des menschlichen Horizonts die Frage nach dem Sinn des Ganzen offenhält und eben dadurch der Menschlichkeit des Menschen dient. Denn erst die Entgrenztheit und Offenheit des Menschen über alles Bestehende hinaus setzt ihn gegenüber allem Bestehenden frei und gibt ihm Freiheit und Würde innerhalb der bestehenden wie jeder künftigen gesellschaftlichen Ordnung.

[42] Vatikanum II, Gaudium et spes, 25.
[43] Vgl. Aristoteles, Met. III, 1003 a. Auf die Geschichte des Begriffs Metaphysik und auf die Wandlungen des Metaphysikverständnisses und der entsprechenden unterschiedlichen Bedeutung der Rede vom Ende der Metaphysik kann in diesem Zusammenhang noch nicht eingegangen werden. Ebensowenig ist an dieser Stelle schon eine genauere Verhältnisbestimmung von Theologie und Philosophie möglich. Vgl. dazu u. 92 ff; 124 ff.
[44] H. U. von Balthasar, Herrlichkeit. Eine theologische Ästhetik. Bd. III/1: Im Raum der Metaphysik, Einsiedeln 1965, 974.

Wenn die Rede von Gott jedweden innerweltlichen Bereich, auch die politische Dimension, transzendiert, dann wahrt sie mit der Transzendenz Gottes auch die Transzendenz der menschlichen Person und d. h. die Freiheit des Menschen und seine unveräußerlichen Menschenrechte[45]. *So ist um Gottes wie um des Menschen willen »die Rückkehr zum Sacrum« die wesentliche Aufgabe heute[46]. Angesichts der vielen reduktionistischen theologischen Programme ist es leider kein Pleonasmus mehr, wenn man formuliert, daß eine theologische Theologie zumal heute das Gebot der Stunde und die einzig sachgemäße Antwort auf den modernen Atheismus ist.*

[45] Vatikanum II, Gaudium et spes, 76.
[46] L. Kolakowski, aaO., 21.

II. DIE NEGATION GOTTES IM MODERNEN ATHEISMUS

1. DIE NEUZEITLICHE AUTONOMIE ALS GRUNDLAGE DES MODERNEN ATHEISMUS

Atheismus im strengen Sinn des Wortes gibt es erst in der Neuzeit. Sogar das Wort Atheismus scheint erst um die Wende vom 16./17. Jahrhundert in Umlauf gekommen zu sein[1]. Der Inhalt dieses Begriffes darf nicht allein aus der Analyse der beiden Wortkomponenten (Theismus und die Verneinungspartikel alpha-privativum) abgeleitet werden. Es wäre also eine Verengung und zugleich eine ungebührliche Ausweitung, wollte man unter Atheismus nur die Leugnung des (monotheistischen) Theismus verstehen und damit etwa auch den Pantheismus als Atheismus qualifizieren. *Als Atheismus hat vielmehr nur die Anschauung zu gelten, die jede Art eines Göttlichen bzw. Absoluten, das nicht schlechthin identisch ist mit dem Menschen und mit der Welt unserer empirischen Erfahrung und deren immanenten Prinzipien, leugnet.* Der Atheismus ist also die Gegenposition zu jedweder Behauptung von Gott und Göttlichem. Das bedeutet, daß es nicht nur verschiedene Formen der Gottesvorstellung, sondern auch verschiedene Formen des Atheismus geben kann und gibt.

Wird der Begriff Atheismus so gefaßt, dann kann man sagen: Kein *Naturvolk* ist schlechthin atheistisch; denn bei allen Naturvölkern findet sich irgendeine Art der Vorstellung oder der Verehrung einer göttlichen Wirklichkeit. Auch die asiatischen *Hochreligionen,* die kein personal verstandenes Absolutes annehmen (Buddhismus, Taoismus), sind nicht, wie fälschlicherweise manchmal behauptet wird, atheistisch. Auch die *klassische Antike* kennt aufgrund ihrer numinosen Weltauffassung keine Atheisten im oben beschriebenen Sinn. Zwar gibt es seit dem 2. Jahrhundert v. Chr. Namenslisten von sogenannten átheoi. Damit

---

[1] Zum Begriff und zur Begriffsgeschichte des Atheismus vgl. W. Kern, Atheismus – Marxismus – Christentum. Beiträge zur Diskussion, Innsbruck 1976, 15 ff. Grundlegende Werke über den Atheismus: H. Ley, Geschichte der Aufklärung und des Atheismus, 3 Bde., Berlin 1966–1971; F. Mauthner, Der Atheismus und seine Geschichte im Abendlande, 4 Bde, Stuttgart-Berlin 1920–1923 (Nachdruck Hildesheim 1963); C. Fabro, Introduzione all'Ateismo moderno, Rom ²1969; W. Schütte, Art. Atheismus, in: HWPH I, 595–599.

sind jedoch Leute gemeint, die die Staatsgötter und ihren öffentlichen Kult mißachten, nicht jedoch Leute, die das Göttliche überhaupt leugnen[2]. In diesem Sinn werden später auch die Christen als átheoi beschimpft und verfolgt. Justin erklärt dazu: »Wir gestehen zu, in bezug auf derartige falsche Götter Gottesleugner zu sein, nicht aber hinsichtlich des wahren Gottes...«[3]. Es ist deshalb eine Art von Etikettenschwindel, den sogenannten Atheismusvorwurf gegen die frühen Christen zur Begründung eines heutigen christlichen Atheismus heranzuziehen. *Der eigentliche Atheismus, der Göttliches überhaupt leugnet, ist erst in der Neuzeit möglich geworden.* Er setzt das Christentum voraus und ist insofern ein nachchristliches Phänomen[4]. Der biblische Schöpfungsglaube hat nämlich mit der numinosen Weltauffassung der Antike gebrochen und eine Entnuminisierung der Wirklichkeit vollzogen, indem er Gott den Schöpfer und die Welt als Schöpfung klar und eindeutig unterschieden hat. Damit hat die Bibel die Welt weltlich, Gott göttlich und beide als unendlich qualitativ unterschieden gedacht. Erst nachdem Gott radikal als Gott gedacht war, konnte man ihn auch radikal leugnen. Erst das Ernstnehmen der Transzendenz Gottes ermöglichte die Erfahrung der Immanenz der Welt, und erst nachdem die Welt als bloße Welt anerkannt war, konnte sie zum Gegenstand einer objektivierenden wissenschaftlichen Forschung und technischen Veränderung werden. Ein solches autonomes Weltverständnis bahnt sich schon im 12. und 13. Jahrhundert an. Albertus Magnus und Thomas von Aquin sind dessen hervorragendste Repräsentanten. Die vom Schöpfungsgedanken her begründete Autonomie der Welt verblieb jedoch innerhalb eines theonomen Gesamtzusammenhangs, ja die Autonomie wurde geradezu theonom begründet[5]. Die Emanzipation der Autonomie aus ihrem theonomen Verweisungszusammenhang und damit die Voraussetzung für die Entstehung des neuzeitlichen Atheismus hat selbst nochmals theologische Ursachen. Diese sind im spätmittelalterlichen Nominalismus gegeben. Der Nominalismus steigerte den Gedan-

[2] Vgl. W. Kern, aaO., 17ff.

[3] Justin, Apologia I, 6 (Corpus Apol. I, ed. v. Otto, 20–22). Vgl. dazu: A. Harnack, Der Vorwurf des Atheismus in den drei ersten Jahrhunderten, Leipzig 1905 (= Texte und Untersuchungen zur Geschichte der altchristlichen Literatur, Bd. 28); N. Brox, Zum Vorwurf des Atheismus gegen die alte Kirche, in: TThZ 75 (1966), 274–282.

[4] Vgl. G. Ebeling, Elementare Besinnung auf verantwortliches Reden von Gott, in: Wort und Glaube. Bd. 1. Tübingen 1960, 360f.

[5] Vgl. dazu W. Kasper, Theonomie und Autonomie. Zur Ortsbestimmung des Christentums in der modernen Welt, in: Anspruch der Wirklichkeit und christlicher Glaube. Probleme und Wege theologischer Ethik heute (FS Alfons Auer), hrsg. v. H. Weber/D. Mieth, Düsseldorf 1980, 17–41.

ken der Allmacht und der Freiheit Gottes bis zum Extrem eines absolutistischen Willkürgottes. Die Revolte gegen diesen die Freiheit des Menschen nicht freisetzenden, sondern unterdrückenden Gott, der auch Unwahres und Ungerechtes befehlen könnte, war ein Akt humaner Selbstbehauptung.

Der Umschlag wird besonders bei *Descartes* (1596–1650) deutlich. Er wird gepeinigt von dem Gedanken eines genius malignus, »der zugleich höchst mächtig und verschlagen ist« und der »allen seinen Fleiß« darauf verwendet, ihn zu täuschen. Endlich findet Descartes ein unerschütterliches Fundament der Wahrheitserkenntnis. Triumphierend stellt er fest: »Er täusche mich, soviel er kann, niemals wird er es doch fertig bringen, daß ich nichts bin, solange ich denke, daß ich etwas sei«[6]. Descartes kleidet seine neue Einsicht in die Formel: »cogito ergo sum«[7]. Damit ist keine syllogistische Folgerung gemeint, sondern die im Akt des Denkens unmittelbar mitgegebene Einsicht: »Ich bin ein denkendes Seiendes«[8]. Dieser Ausgang vom ego cogitans, vom sich als Subjekt begreifenden Subjekt wird in der Folge für die ganze Neuzeit zum archimedischen Punkt; die Subjektivität wird zur neuzeitlichen Denkform und Denkhaltung. Kant hat dies als kopernikanische Wende bezeichnet[9]. *Subjektivität* darf jedoch nicht, wie es immer wieder geschieht, mit Subjektivismus verwechselt werden. Der Subjektivismus, der seinen begrenzten Standort und seine privaten Interessen verabsolutiert, ist ein partikulärer Standpunkt; die neuzeitliche Subjektivität dagegen ist eine universale Denkform, ein neuer Zugang zum Ganzen der Wirklichkeit.

Die neuzeitliche Subjektivität hat vor allem Konsequenzen für die Gottesfrage. Descartes und alle großen Denker der Neuzeit bis ins 19. Jahrhundert waren alles andere als Gottesleugner. Descartes greift in der 3. und 5. Meditation auf traditionelle Argumentationsschemata zurück (Beweis, der von der Wirkung auf die Ursache schließt, und Beweis, der vom Begriff Gottes ausgeht). Die Gotteserkenntnis geschieht bei ihm aber im Medium der menschlichen Subjektivität. Gegenüber der nominalistischen Übersteigerung der Theonomie wird die Autonomie zur kritischen Instanz. Der Gottesgedanke wird zugelassen als Grund und Medium menschlicher Autonomie. *Damit wird*

---

[6] R. Descartes, Meditationen über die Grundlagen der Philosophie I, 16 (12) (ed. L. Gäbe, Hamburg 1959, 38–41).
[7] Ebd. II, 3, 42–45.
[8] R. Descartes, Discours de la méthode IV, 1 f (ed. L. Gäbe, Hamburg 1960, 50–55); Meditationen II, 3 (aaO. 42–45); Die Prinzipien der Philosophie I, 7 (A. Buchenau, Hamburg ⁷1965, 2 f).
[9] I. Kant, Kritik der reinen Vernunft B XVI (WW II, ed. W. Weischedel, 63).

Gott in letzter von Descartes noch nicht gezogener Konsequenz zu einem Moment im Selbstvollzug des Menschen[10].

Diese neue, von Descartes begründete Grundeinstellung wurde fortan als *Autonomie* bezeichnet[11]. Antike und Mittelalter kannten diesen Begriff nur als *politische Kategorie;* sie verstanden darunter die Freiheit, nach eigenem Gesetz zu leben, also die politische Selbstbestimmung. Zu einer umfassenderen Bedeutung kam der Begriff Autonomie im Zusammenhang der Konfessionskriege des 16. / 17. Jahrhunderts. Einheit, Freiheit und Friede konnten nun nicht mehr theonom begründet werden; man mußte sich auf das alle verbindende und allein einsichtige Naturrecht zurückziehen, innerhalb dessen den religiös Andersdenkenden Autonomie gewährt werden kann. So kam es unter Einfluß stoischer Ideen bei J. Bodin und H. Grotius zur neuzeitlichen Naturrechtslehre. Sie setzte die lex naturae zwar mit der lex divina gleich; sie begründete diese jedoch nicht mehr theonom, sondern autonom mit Hilfe der menschlichen Vernunft »etsi Deus non daretur«[12]. Die Autonomie des Rechts führte in der Folge zur *Autonomie der Moral.* Während in Antike und Mittelalter Recht, Sitte und Moral weithin ein unlösbares Ineinander bildeten, mußte sich die Moral nunmehr, nachdem sich Staat und Recht emanzipiert hatten, auf sich selbst besinnen. So kam es zu einer autonomen, innerlich begründeten Überzeugungsmoral[13]. Ihre philosophische Grundlegung ist das Verdienst von Kant. Er geht aus von der Würde des Menschen, der niemals nur Mittel zum Zweck werden darf, sondern »Zweck an sich selbst« ist[14]. Diese Autonomie findet ihre Grundlage in der Freiheit, die »unabhängig von fremden sie bestimmenden Ursachen wirkend sein kann«[15]. Die Freiheit kann sich deshalb nur selbst Gesetz sein. Diese ihre Autonomie ist keine Willkür, sie hat ihre Norm in der eigenen Freiheit wie in der Freiheit aller anderen. Deshalb lautet Kants kategorischer Imperativ: »Handle so, daß die Maxime deines Willens jederzeit zugleich als Prinzip einer allgemeinen Gesetzgebung gelten könne«[16]. Dieses Prinzip ist nur scheinbar formal, in Wirklichkeit begründet es die Moral in der

---

[10] Zu dieser Interpretation vgl. W. Schulz, Der Gott der neuzeitlichen Metaphysik, Pfullingen 1957, 22 ff; 31 ff. Zwar kennt schon Augustinus ähnliche Gedankengänge in den Confessiones X, 6, 9 ff; 8, 12 ff; 25, 36 ff (CCL 27, 159 f; 161 f; 174 f). Bei Augustinus findet sich sogar die Formel: »Si enim fallor sum« (De civitate Dei XI, 26 : CCL 48, 345 f). Doch bewegt sich Augustins Denken noch ganz innerhalb der theologischen Ordnung.

[11] Vgl. R. Pohlmann, Art. Autonomie, in: HWPH I, 701–719; M. Welker, Der Vorgang Autonomie. Philosophische Beiträge zur Einsicht in theologische Rezeption und Kritik, Neukirchen-Vluyn 1975; W. Kasper, Autonomie und Theonomie, aaO.; K. Hilpert, Ethik und Rationalität. Untersuchungen zum Autonomieproblem und zu seiner Bedeutung für die theologische Ethik (Moraltheologische Stud., Systemat. Abt. 6), Freiburg 1978; E. Amelung, Art. Autonomie, in: TRE V, 4–17.

[12] Vgl. u. 41 ff.

[13] Vgl. E. Troeltsch, Das Wesen des modernen Geistes (Ges. Schriften IV, Tübingen 1925 = Aalen 1966), 324; W. Dilthey, Weltanschauung und Analyse des Menschen seit Renaissance und Reformation (WW II, Stuttgart–Göttingen 1969), 90 ff u. ö.

[14] I. Kant, Grundlegung zur Metaphysik der Sitten BA 66 (WW IV, ed. W. Weischedel, 60 f).

[15] Ebd. BA 97 (aaO., 81).

[16] I. Kant, Kritik der praktischen Vernunft A 54 (WW IV, ed. W. Weischedel, 140).

Würde der menschlichen Person; es begründet keine individualistische, sondern eine interpersonale Ethik in einer universal-menschheitlichen Perspektive. Die Emanzipation des Rechts und der Moral aus theologischen Begründungszusammenhängen brachte die Religion in eine neue Situation. Wenn die *Religion* nicht mehr die notwendige Voraussetzung für Ordnung, Recht und Sitte in der Gesellschaft ist, dann wird sie konsequenterweise zur *Privatsache.* Nachdem die weltlichen Sachbereiche sich aus ihren theonomen Bezügen gelöst hatten, wurde die Religion immer mehr zu einer innerlichen Größe. Religion wird, vorbereitet durch den Pietismus und dann in den verschiedenen Erweckungsbewegungen, zu einer Sache der frommen Subjektivität, zur Herzensreligion. Hegel erkannte, daß dieser Rückzug der Religion in die Subjektivität zur Verflachung der Wirklichkeit einerseits und zur Entleerung der Religion andererseits führt. Die Welt wird gottlos, Gott weltlos und – im eigentlichen Sinn des Wortes – gegenstandslos. Atheismus und Nihilismus sind die Konsequenzen[17].

Auf der Grundlage des neuzeitlichen Denkens sind *unterschiedliche Formen des Atheismus* entstanden. Man bezeichnet mit dem Wort Atheismus also sehr verschiedene Phänomene, die in der philosophischen und theologischen Literatur in durchaus unterschiedlicher Weise klassifiziert werden[18]. Im Grunde lassen sich die atheistischen Systeme auf *zwei Grundtypen* reduzieren, die dem doppelten möglichen Verständnis von neuzeitlicher Autonomie entsprechen: *Autonomie der Natur und der weltlichen Sachbereiche* (Kultur, Wissenschaft, Kunst, Wirtschaft, Politik u. a.), zu deren Erkenntnis und Verwirklichung man der Hypothese Gott zunehmend nicht mehr bedarf (naturalistischer, materialistischer, szientistischer, methodischer Atheismus bzw. Agnostizismus). Zum andern: *Autonomie des Subjekts,* dessen Würde und Freiheit der Annahme eines allmächtigen Gottes widerstreitet (humanistischer Atheismus der Freiheit und politischer Atheismus der Befreiung). Davon zu unterscheiden sind die Formen des Atheismus, die einem Protest gegen das Übel und das Böse in der Welt entspringen. Sie sind für viele Menschen existentiell viel entscheidender als die theoretischen und ideologischen Bestreitungen Gottes. Davon soll nicht hier, sondern im Zusammenhang der Theodizeefrage die Rede sein[19].
Es wäre freilich verkehrt, dabei nur die systematischen philosophischen Entwürfe und die modernen Großideologien[20] im Auge zu haben. Diese setzen eine vorgängige Plausibilität atheistischer Grundhaltungen voraus. K. Rahner hat dafür das Wort vom *bekümmerten Atheismus*

---

[17] Hegel, Glauben und Wissen oder die Reflexionsphilosophie der Subjektivität, in der Vollständigkeit ihrer Formen als Kantische, Jacobische und Fichtesche Philosophie (WW I, ed. H. Glockner), 433.
[18] Wichtig die Differenzierung und Klassifizierung in »Gaudium et spes« 19f.
[19] Vgl. u. 199–205.
[20] Vgl. K. Lehmann – A. Böhm, Die Kirche und die Herrschaft der Ideologien, in: Handbuch der Pastoraltheologie. Bd. II/2, Freiburg–Basel–Wien 1966, 109–202.

geprägt: das Überwältigtwerden von der profan gewordenen Welt, das Gefühl, das Göttliche nicht mehr realisieren zu können, die Erfahrung des Schweigens Gottes, verbunden mit dem Erschrecken über das Leer- und Sinnloswerden der Welt[21]. Atheismus also als plausible Interpretation der neuzeitlichen Säkularisierung. Dabei sind die bekümmerten Atheisten, die über die Abwesenheit Gottes erschrecken und deren Herz unruhig ist, noch ein pastoraler Glücksfall. Daneben gibt es den *indifferenten Atheismus,* eine völlige Gleichgültigkeit gegenüber religiösen Fragen, einen – scheinbar oder wirklich – nur allzu beruhigten und selbstverständlichen Atheismus, der die großen Fragen der Religionen verdrängt, nicht mehr stellt oder gar heruntersetzt. F. Nietzsche hat diesen »letzten Menschen« sarkastisch beschrieben. Dieser letzte Mensch hat für die großen Fragen nur noch ein Blinzeln übrig: »Was ist Liebe? Was ist Schöpfung? Was ist Sehnsucht? Was ist Stern?‹ – so fragt der letzte Mensch und blinzelt. Die Erde ist dann klein geworden, und auf ihr hüpft der letzte Mensch, der alles klein macht. Sein Geschlecht ist unaustilgbar wie der Erdfloh; der letzte Mensch lebt am längsten. ›Wir haben das Glück erfunden‹ – sagen die letzten Menschen und blinzeln... Man arbeitet noch, denn Arbeit ist eine Unterhaltung. Aber man sorgt, daß die Unterhaltung nicht angreife. Man wird nicht mehr arm und reich: beides ist zu beschwerlich. Wer will noch regieren? Wer noch gehorchen? Beides ist zu beschwerlich. Kein Hirt und eine Herde! Jeder will das Gleiche, jeder ist gleich: wer anders fühlt, geht freiwillig ins Irrenhaus.«[22] Damit hat Nietzsche freilich auch schon die Konsequenzen des neuzeitlichen Atheismus vorweggenommen. Entgegen allen humanistischen Impulsen des neuzeitlichen Atheismus führt der Tod Gottes letztlich zum Tod des Menschen[23].

2. DER ATHEISMUS IM NAMEN DER AUTONOMIE DER NATUR

Der erste große Konflikt, der entscheidend mit zum modernen Atheismus geführt hat, war die *Auseinandersetzung zwischen der Theologie und den heraufkommenden modernen Naturwissenschaften*[24].

[21] K. Rahner, Wissenschaft als Konfession?, in: Schriften. Bd. 3. 461; ders., Glaubende Annahme der Wahrheit Gottes, in: Schriften. Bd. 12. 216; ders., Kirchliche und außerkirchliche Religiösität, in: Schriften. Bd. 12. 596; ders., Art. Atheismus, in: Sacram. mundi I, 372.
[22] F. Nietzsche, Also sprach Zarathustra (WW II, ed. K. Schlechta), 284.
[23] So vor allem im Behaviorismus. Vgl. B. Skinner, Jenseits von Freiheit und Würde, Reinbek 1973.
[24] Zur Problemgeschichte der Naturwissenschaften und zur Geschichte des Verhältnisses von Theologie und Naturwissenschaften: A. C. Crombie, Von Augustinus bis Galilei. Die Emanzipation der Naturwissenschaft, Köln–Berlin 1964; F. Wagner, Die Wissen-

Von exemplarischer und epochaler Bedeutung ist vor allem der Galileiprozeß, der 1633 mit einer Verurteilung von dessen Lehre endete[25]. *Galilei* war bekanntlich in Weiterführung der Entdeckungen von Kopernikus und Kepler zur Ablehnung des alten, auch in der Bibel vorausgesetzten geozentrischen Weltbilds gekommen und vertrat die These, daß sich nicht die Sonne um die Erde, sondern die Erde um die Sonne dreht. Die römische Inquisition dagegen verteidigte – übrigens in Übereinstimmung mit den Reformatoren – mit einem unhistorischen Verständnis der Bibel ein vergangenes Weltbild. Doch bei wenigen geschichtlichen Ereignissen klaffen historische Wirklichkeit und deren Wirkungsgeschichte so auseinander wie beim Fall Galilei, der schon bald zum Mythos wurde. In Frage stand nämlich nicht nur ein aus heutiger theologischer Perspektive legitimer Anspruch auf naturwissenschaftliche Autonomie; es ging auch um den Anspruch Galileis, die Auslegung der Schöpfungsaussagen der Bibel sei Sache der Naturwissenschaft, also um den Anspruch, im Namen der Naturwissenschaft die Reichweite theologischer Aussagen bestimmen zu können. Grenzüberschreitungen gab es auf beiden Seiten, ganz abgesehen von der Tatsache, daß die Inquisition zufrieden gewesen wäre, hätte Galilei seine These als Hypothese ausgegeben – was sie nach heutigem Verständnis ja durchaus ist. Der Fall Galilei blieb in eben dieser Zwiespältigkeit leider kein isolierter Einzelfall. Vor allem in der Auseinandersetzung mit der Evolutionstheorie von *Ch. Darwin* kam es im 19. Jahrhundert zu ähnlichen Konflikten, die – wie der Streit um P. Teilhard de Chardin zeigt – bis in unser Jahrhundert fortbestehen. So kam es zu einer der größten Katastrophen der Kirchengeschichte, zu einem Schisma zwischen Naturwissenschaft und Theologie, noch mehr: zwischen Kirche und neuzeitlicher Kultur[26]. Denn die modernen Naturwissenschaften sind der harte Kern der Neuzeit[27]. Erst die von ihnen ermöglichte moderne

schaft und die gefährdete Welt, München 1964; N. Schiffers, Fragen der Physik an die Theologie. Die Säkularisierung der Wissenschaft und das Heilsverlangen nach Freiheit, Düsseldorf 1968; W. Heisenberg, Physik und Philosophie, Stuttgart ²1972; C. F. v. Weizsäcker, Die Tragweite der Wissenschaft. Bd. 1. Stuttgart ⁵1972; N. M. Wildiers, Weltbild und Theologie. Vom Mittelalter bis heute, Zürich – Köln 1974. Zur scholastischen Vorgeschichte sind die Arbeiten von A. Meier wichtig, bes. An der Grenze von Scholastik und Naturwissenschaft. Studien zur Naturphilosophie des 14. Jahrhunderts, Essen 1943.
[25] Zum »Fall Galilei«: F. Dessauer, Der Fall Galilei und wir. Abendländische Tragödie, Frankfurt a. M. ³1951; A. C. Crombie, Galileo's Conception of Scientific Truth, in: Literature and Science. Proceedings of the Sixth Triennial Congress Oxford 1954, Oxford 1955, 132–138; E. Schumacher, Der Fall Galilei. Das Drama der Wissenschaft, Darmstadt 1964; G. de Santillana, Galileo e la sua sorte, in: Fortuna di Galileo. Biblioteca di cultura moderna 586, Bari 1964, 3–23; P. Paschini, Vita e opere di Galileo Galilei, Rom ²1965; H. Blumenberg, Das Fernrohr und die Ohnmacht der Wahrheit, in: Galileo Galilei, Sidereus Nuncius u. a., hrsg. v. H. Blumenberg, Frankfurt a. M. 1965, 7–75; O. Loretz, Galilei und der Irrtum der Inquisition. Naturwissenschaft-Wahrheit der Bibel-Kirche, Kevelaer 1966.
[26] Dieses Versagen wird durch das Vatikanum II, Gaudium et spes, 36, in vorsichtiger Form anerkannt; gleichzeitig ist dort von der legitimen Autonomie der Wissenschaften die Rede.
[27] C. F. von Weizsäcker, Der Garten des Menschlichen. Beiträge zur geschichtlichen Anthropologie, München-Wien 1977, 22, 93, 460 u. ö.

Wirtschaft und Technik schufen die Grundlagen jener bürgerlichen Kultur, in der die neuzeitliche Philosophie der Subjektivität zur Entfaltung kommt und in der sich jene immanent orientierte neuzeitliche Mentalität ausbreiten konnte, von der die Rede war. Umgekehrt wurzeln die Naturwissenschaften in der neuzeitlichen Subjektstellung des Menschen, durch die die Natur erst zum Objekt wissenschaftlicher Beobachtungen und technischer Beherrschung werden konnte. Ein neues Sprechen von Gott muß sich also, will es ernsthaft sein und ernst genommen werden, an der harten Realität naturwissenschaftlichen Wirklichkeitsverständnisses bewähren.

Für das Mittelalter war die Natur Bild und Symbol Gottes. Noch bei Nikolaus Kopernikus und vor allem bei Johannes Kepler stand eine solche symbolische Betrachtung des Kosmos im Hintergrund. Kepler will in seinem »Mysterium cosmographicum« und in seinen »Harmonices mundi« (Kosmische Harmonie) die Schöpfungsgedanken Gottes nachdenken. Doch indem Kopernikus durch die Überwindung des alten geozentrischen Weltbilds den Menschen aus seiner kosmologischen Mittelpunktposition verdrängte, hat er ihn zum geistigen Zentrum und Bezugspunkt der Welt gemacht; der Mensch ist nicht mehr physikalisch an sich, sondern aktiv-geistig durch sich selbst Mittelpunkt der Welt[28]. Es beginnt die Zeit jenes Weltbilds, das sich der Mensch wissenschaftlich, künstlerisch, philosophisch entwirft. Aus der Zentralposition ist die Zentralfunktion geworden. Deshalb durfte sich Kant zu Recht als Vollender der kopernikanischen Revolution verstehen.

Bei Galilei und Newton wird diese revolutionäre neue Denkform für die naturwissenschaftliche Methode wirksam[29]. Die Naturgesetze werden ja nicht rein objektiv der Natur abgelesen, sie ergeben sich vielmehr aus einer Wechselbeziehung von Hypothese und Erfahrung. Der Naturwissenschaftler zwingt die Natur gleichsam, auf die von ihm gestellten Fragen eine Antwort zu geben. Doch schon bei Newton taucht die Gefahr auf, daß dieser Weg der Naturerkenntnis mit dem Weg der Natur selbst verwechselt wird, daß die naturwissenschaftlichen Gesetze zu ehernen Naturgesetzen werden und daß aus der naturwissenschaftlichen Methode selbst eine neue Metaphysik wird. Diese Gefahr wurde in der durch Newton grundgelegten mechanischen Weltbetrachtung akut. Die Natur gleicht hier einem riesigen Uhrwerk, das nach genau festgelegten Gesetzmäßigkeiten abläuft.

Zunächst war man ziemlich allgemein von der Vereinbarkeit von Glauben und Wissen überzeugt. Repräsentativ für diesen Versuch einer neuen Synthese von Glauben und Wissen war das Werk von *G. W. Leibniz* (1646–1716), eines der letzten Universalgelehrten. Doch je mehr die Naturwissenschaften die Gesetzlichkeiten der Natur erkannten, um so mehr mußten sie Gott aus der Welt heraushalten. Sie brauchten ihn nur noch an den Rändern und für Lücken menschlicher Erkenntnis, Newton etwa zur Korrektur von Abweichungen der Planetenbahnen. Durch solche Rückzugsgefechte wurde Gott immer

---

[28] H. Blumenberg. Die kopernikanische Wende, Frankfurt a. M. 1965. Vgl. vor allem M. Heidegger, Die Zeit des Weltbildes, in: Holzwege, Frankfurt a. M. 1957, 69–104.

[29] W. Heisenberg, Das Naturbild der heutigen Physik, Hamburg 1965, 7 ff, 59 ff, 78 ff.

mehr an den Rand der Welt und ins Jenseits der Welt gedrängt. Auf der anderen Seite war man immer mehr von der Unendlichkeit der Welt überzeugt. Sollten am Ende der Welt selbst göttliche Prädikate zukommen, sollten Gott und Welt zusammenfallen? Daraus ergaben sich *zwei konträre Lösungsmöglichkeiten* für eine neue Verhältnisbestimmung von Gott und Welt: Pantheismus und Deismus. Der Atheismus dagegen ist erst eine relativ späte Frucht dieser Entwicklung.

Unter *Pantheismus*[30] versteht man die Seins- und Wesenseinheit Gottes mit dem All (pan) der Wirklichkeit. Der Begriff findet sich erst in der Neuzeit. Pantheisierende Elemente dagegen finden sich in allen religiösen Kulturen, vor allem in den asiatischen Hochreligionen, aber auch in der antiken Stoa und im Neuplatonismus, ja sogar im Mittelalter (Amalrich von Bena, David von Dinant). Die Ausbildung eines pantheistischen Systems stellt jedoch ein erst neuzeitliches Phänomen dar.

G. *Bruno*[31] (1548–1600) ist der erste in der Reihe pantheistischer Denker der Neuzeit. Er ist von antiken Vorbildern angeregt, kommt aber entscheidend von dem neuen Welt- und Lebensgefühl der Renaissance her und ist ergriffen von der Schönheit der Welt. Durch die Entdeckungen des Kopernikus wird ihm der Widerspruch zwischen der neuen Wissenschaft und dem hergebrachten Weltbild deutlich. So wagt er es als erster, die Unendlichkeit des Kosmos und damit den Ineinsfall von Welt und Gott zu denken. Die Welt ist ihm die notwendige Explikation Gottes. Im Jahre 1600 wurde er wegen dieser Ideen in Rom auf dem Campo dei fiori auf dem Scheiterhaufen verbrannt.

Das konsequenteste pantheistische System entwarf B. *Spinoza* (1632–1677). Er zehrte aus neuplatonischen und jüdisch-mystischen Quellen, vor allem aber aus dem Ideengut der Renaissance. Gott ist für ihn die eine, absolut-unendliche Substanz, die sich in immanenter Ursächlichkeit in ihren unendlichen Attributen und endlichen Modi auszeugt. Das Grundprinzip dieses Pantheismus lautet: Deus sive natura[32]. Damit ist keine platte Identität von Gott und Welt (Natur) behauptet; beide bleiben als natura naturans und natura naturata unterschieden[33]. Der Einfluß dieser Lehre war gewaltig. Sie wurde durch die Vermittlung von Lessing zur Grundlage der Weltfrömmigkeit der Goethezeit; sie bestimmte noch den jungen Hölderlin, Schelling und Hegel wie F. Schleiermacher in seinen Reden über die Religion[34]. Die Faszination, die der Gottesbegriff Spinozas bis heute gerade auf Naturwissenschaftler ausüben kann, zeigt nicht zuletzt die kosmische Religiosität von A. Einstein, der Gott in der gesetzlichen Harmonie des Seienden erkannte, aber an keinen Gott glaubte, der sich mit den Schicksalen

---

[30] Vgl. den Überblick bei S. Pfürtner, Art. Pantheismus, in: LThK VIII, 25–29; Zum neuzeitlichen Pantheismus vgl. W. Dilthey, aaO., 283 ff; 326 ff; 391 ff.

[31] Vgl. den Überblick bei F. Überweg, Grundriß der Geschichte der Philosophie. Bd. 3. Darmstadt 1957, 30 f, 48 f, 632 f.

[32] B. Spinoza, Die Ethik nach geometrischer Methode dargestellt (ed. O. Baensch, Hamburg 1955), 187, 194.

[33] Ebd. 32.

[34] Vgl. E. Spranger, Weltfrömmigkeit. Ein Vortrag (Ges. Schriften IX, hrsg. v. H. W. Bähr, O. F. Bollnow u. a., Tübingen 1974), 224–250.

und Handlungen der Menschen abgibt. Gott greift nicht ein, – er würfelt nicht![35]

Schon Jacobi machte dieser pantheistischen Ineinssetzung von Gott und Welt den Vorwurf des Atheismus, weil sie Gott in der Natur und die Natur in Gott aufhebe[36]. Der Streit, ob der Spinozismus ein verhüllter und vornehmer Atheismus sei, dauerte bis ins 19. Jahrhundert fort[37]. Mit Hegel kann man den Spinozismus freilich ebenso als Akosmismus bezeichnen, weil nach ihm die Welt nur eine Affektion und ein Modus der einen göttlichen Substanz, aber selbst nichts Substantielles ist[38]. Der Pantheismus ist also ein zutiefst zweideutiges System.

Die eigentliche Religionsphilosophie der Aufklärung war jedoch nicht der Pantheismus, sondern der *Deismus*[39]. Er nahm im 17. / 18. Jahrhundert seinen Ausgang von England (H. von Cherbury, Th. Hobbes, J. Locke, J. Toland, M. Tindal, A. Collins u. a.), er war das religionsphilosophische Bekenntnis der französischen Aufklärung (P. Bayle, Voltaire, D. Diderot u. a.) und fand schließlich auch in Deutschland Eingang (H. S. Reimarus u. a.).

Der Deismus war der Inbegriff der unabhängig von allem Supranaturalismus jedermann einsichtigen religiösen Normalwahrheit, die »natürliche Religion«. Die Autorität der übernatürlichen Religion war durch die Entdeckung anderer Religionen relativiert; sie konnte in den Konfessionsstreitigkeiten der beginnenden Neuzeit ohnedies nicht mehr das alle verbindende Band sein; ihr absoluter Anspruch war außerdem durch die neuen naturwissenschaftlichen Erkenntnisse in Frage gestellt. So konnte die natürliche Religion des Deismus zu der allen gemeinsamen und allen einsichtigen modernen religiösen Auffassung werden. Dabei wurde die im Sinne der Stoa verstandene Natur zur kritischen Instanz und Norm für die Religion.

Der Gottesbegriff des Deismus schillert von der absoluten Transzendenz eines untätigen Gottes (Deus otiosus), der die Welt nach Art eines Weltbaumeisters und Uhrmachers konstruiert hat, sie aber nunmehr nach ihren eigenen natürlichen Gesetzen ablaufen läßt, bis hin zu mehr

---

[35] A. Einstein, Brief an Max Born vom 4. 12. 1936, in: Albert Einstein, Hedwig u. Max Born, Briefwechsel 1916–1955, München 1969, 129 f; vgl. 118 f, 204.
[36] F. H. Jacobi, Über die Lehre des Spinoza, in Briefen an Herrn Moses Mendelssohn (WW IV/1, ed. F. Roth u. F. Köppen, Leipzig 1819 = Darmstadt 1976), 216.
[37] L. Feuerbach, Vorläufige Thesen zur Reform der Philosophie (1842), in: Kleine Schriften, hrsg. v. K. Löwith, Frankfurt a. M. 1966, 125.
[38] Hegel, Enzyklopädie der philosophischen Wissenschaften im Grundrisse (1830) §50 (Ed. F. Nicolin u. O. Pöggeler), 76.
[39] Vgl. den Überblick: J. Th. Engert, Art. Deismus, in: LThK III, 195–199; E. Troeltsch, Der Deismus (Ges. Schriften IV, Tübingen 1925 = Aalen 1961), 429–487; W. Dilthey, aaO., 90 ff, 246 ff; J. Th. Engert, Zur Geschichte und Kritik des Deismus, in: Bonner Zeitschrift für Theologie und Seelsorge 7 (1930), 214–225; W. Philipp, Das Werden der Aufklärung in theologiegeschichtlicher Sicht, Göttingen 1957.

immanentistischen pantheistischen Vorstellungen. Deismus, Pantheismus und Theismus waren also zunächst weder begrifflich noch sachlich eindeutig unterschieden. Die klare Unterscheidung von Deismus, Pantheismus und Theismus ist erst das Werk späterer klassifizierender Dogmatik. Nach ihr reduziert der Deismus Gott auf Transzendenz, während er seine Weltimmanenz verkennt. Schon öfters erkannte man in diesem Deismus zu Recht die Gefahr eines feinen Atheismus[40]. Denn ein Gott, der nicht mehr lebendig in der Welt handelt, ist letztlich tot. Dennoch wirken deistische Motive manchmal bis heute nach, etwa in der Diskussion um die Möglichkeit von Wundern, um den Sinn des Bittgebets und um den Glauben an die Vorsehung Gottes. Pantheismus und Deismus konnten nicht das letzte Wort sein; sie hatten beide eine latente Tendenz zum *Atheismus*. Ausschlaggebend für die Herausbildung eines expliziten Atheismus war der empirisch-sensualistisch-materialistische Naturbegriff der Naturwissenschaften im 18. und 19. Jahrhundert[41]. Die fortschreitenden Rückzugsgefechte des Gottesglaubens angesichts der siegreich vordringenden Aufklärung machten Gott immer mehr ort- und funktionslos. So konnte P. S. Laplace, als Napoleon ihn fragte, wo in seinem »System der Natur« Platz für Gott sei, antworten: »Sire, ich brauche diese Hypothese nicht«[42]. Sein Zeit- und Zunftgenosse Lalande konnte erklären, daß Gott nicht beweisbar ist, »weil alles ohne ihn erklärt werden kann«[43]. Durch die immer mehr fortschreitende rein immanente Erklärung der Wirklichkeit wurde der Boden bereitet für das Einströmen materialistischer Ideen der Antike (Demokrit, Epikur)[44]. Wir begegnen ihnen schon bei P. Gassendi, Th. Hobbes und R. Descartes. In der französischen Aufklärung fanden sie vor allem durch die von D. Diderot herausgegebene Encyclopédie (1751–1780) weite Verbreitung. J. A. de Lamettrie wandte sie in seinem Buch »L'homme machine« erstmals auf den Menschen an. P. H. D. von Holbach und C. A. Helvétius wurden zu ihren Propagandisten. Den Höhe- oder besser gesagt den Tiefpunkt erreichten diese Anschauungen aber erst im sogenannten *Vulgärmaterialismus* in der Mitte des 19. Jahrhunderts bei J. Moleschott, L.

[40] Vgl. Hegel, Vorlesungen über den Begriff der Religion II (ed. Lasson), 11.
[41] Vgl. W. Heisenberg, Das Naturbild der heutigen Physik, 78 ff; 86 ff.
[42] Zit. bei W. Kern, aaO., 27.
[43] Zit. ebd.
[44] Zur Geschichte des Materialismus: F. A. Lange, Geschichte des Materialismus und Kritik seiner Bedeutung in der Gegenwart, 2 Bde., Leipzig 1921; E. Bloch, Das Materialismusproblem, seine Geschichte und Substanz, Frankfurt a. M. 1972; N. Lobkowicz / H. Ottmann, Materialismus, Idealismus und christliches Weltverständnis, in: Christlicher Glaube in moderner Gesellschaft. Bd. 19, Freiburg-Basel-Wien 1981, 65–141.

Büchner und vor allem bei E. Haeckel, dessen »Welträtsel« in etwa 400000 Exemplaren und in 25 Übersetzungen erschienen. Haeckel konnte Gott nur noch als ein höheres gasförmiges Säugetier verstehen; er verspottete ihn als »Dr. ing. ersten Grades«[45]. Von ungefähr derselben Qualität war N. Chruschtschows Fangfrage an die ersten Kosmonauten, ob sie bei ihrem Weltraumflug Gott gesehen hätten.

Der mechanische Materialismus und der daraus abgeleitete szientistische Atheismus gelten heute als überholt[46]. Dazu hat nicht zuletzt die naturwissenschaftliche Entwicklung selbst beigetragen. Durch die Relativitätstheorie (A. Einstein) und die Quantenphysik (N. Bohr und W. Heisenberg) wurde das aus der klassischen Naturwissenschaft oft abgeleitete mechanische Weltbild aus den Angeln gehoben. Dieses Weltbild war nur möglich durch eine methodisch unverantwortliche Grenzüberschreitung der Naturwissenschaften. An die Stelle des doktrinären Atheismus tritt heute ein *methodischer Atheismus* (der Ausdruck stammt ursprünglich von J. Lacroix), der besagt, daß der Naturwissenschaftler als Naturwissenschaftler methodisch von der Frage der Existenz Gottes absehen kann und muß. Der Naturwissenschaftler kann mit seiner Methode nur naturwissenschaftliche Aussagen machen und deshalb als Naturwissenschaftler den Glauben an Gott weder widerlegen noch positiv begründen. Umgekehrt kann der Theologe mit seiner Methode naturwissenschaftliche Aussagen weder bestreiten noch bestätigen. Gott ist per definitionem keine weltliche Größe neben anderen weltlichen Größen; Gott ist deshalb auch keine Hypothese, die man empirisch zuverlässig überprüfen kann. Wer solche empirisch nicht verifizierbare und falsifizierbare Aussagen als sinnlose Aussagen abtut, der überschreitet selbst die Reichweite empirisch verifizierbarer oder wenigstens falsifizierbarer Aussagen. Er widerspricht sich selbst, denn diese seine These kann naturgemäß selbst nicht

[45] Vgl. dazu G. Altner, Schöpfungsglaube und Entwicklungsgedanke in der protestantischen Theologie zwischen Ernst Haeckel u. Teilhard de Chardin, Zürich 1965; ders., Charles Darwin und Ernst Haeckel. Ein Vergleich nach theologischen Aspekten, Zürich 1966.

[46] W. Heisenberg, Der Teil und das Ganze. Gespräche im Umkreis der Atomphysik, München 1969, 116–130; 279–295; ders., Naturwissenschaft und religiöse Wahrheit, in: Schritte über die Grenze. Gesammelte Reden und Aufsätze, München ³1973, 335–351, bes. 347; P. Jordan, Der Naturwissenschaftler vor der religiösen Frage. Abbruch einer Mauer, Oldenburg-Hamburg ²1948; W. Weidlich, Zum Begriff Gottes im Felde zwischen Theologie, Philosophie und Naturwissenschaft, in: ZThK 68 (1971), 381–394; C. F. von Weizsäcker, Die Einheit der Natur. Studien, München ²1971; ders., Der Garten des Menschlichen, aaO., 441ff; ders., Gottesfrage und Naturwissenschaften, in: M. Hengel/ R. Reinhardt (Hrsg.), Heute von Gott reden, München-Mainz 1977, 162–180; M. Schramm, Theologie und Naturwissenschaften – gestern und heute, in: ThQ 157 (1977), 208–213.

empirisch überprüft werden⁴⁷. Er verabsolutiert und ideologisiert die in ihrem Bereich legitime Wissenschaft, zu deren Wesen es gehört, sich ihrer Grenzen bewußt zu sein, zu einem Wissenschaftsglauben (Szientismus), der nur ein Aberglaube sein kann.

Naturwissenschaftliche und theologische Aussagen liegen also auf verschiedenen Ebenen, was nicht heißt, daß sie sich indifferent gegenüberstehen und nichts miteinander zu tun haben. *Moderne Naturwissenschaft, die sich ihrer Grenzen bewußt ist, stößt heute in zwiefacher Weise auf die Frage nach Gott:* Wenn sie nach ihren *letzten Voraussetzungen* fragt, die selbst nicht mehr naturwissenschaftlicher Art sind, und wenn sie nach der *ethischen Verantwortung* des Naturwissenschaftlers angesichts der Konsequenzen seiner Forschung vor allem im atomaren wie im genetischen Bereich fragt. Der Grundfehler des szientistischen Atheismus wie der ihm widersprechenden kirchlichen Apologetik und ihrer Harmonisierungsversuche war jedoch, daß sie dabei Gott und Welt gleichsam auf einer Ebene miteinander verrechnen wollten. Gott und Welt wurden damit in ein Konkurrenzverhältnis gebracht, in dem unterstellt wurde, man müsse alles, was man Gott zuspricht, der Welt absprechen und alles, was man der Welt zuspricht, Gott absprechen. Dieses Konkurrenzschema verkennt sowohl die Absolutheit Gottes wie die Freiheit des Menschen. Denn Gott kann als die alles umfassende Wirklichkeit gar nicht eine Größe neben oder über der Welt sein, sonst wäre er ja durch die Welt begrenzt und selbst ein begrenztes, endliches Wesen. *Gerade wenn Gott in seiner Göttlichkeit ernstgenommen wird, setzt er die Weltlichkeit der Welt frei.* Umgekehrt gilt: Wenn die Welt und ihre Gesetze absolut gesetzt werden, dann ist in einem solchen deterministischen System nicht nur Gott, sondern auch der Mensch tot, weil kein Raum mehr für die menschliche Freiheit ist. Es ist das *Elend des mechanischen Materialismus und des daraus folgenden Atheismus,* daß er die große Erkenntnis der Neuzeit, wonach der Mensch der Bezugspunkt der Welt ist, aufgibt und den Menschen zu einer Funktion der Welt und der Materie macht. So ist es nur konsequent, daß sich die weitere Diskussion um die Gottesfrage auf die Frage nach dem Verhältnis von Theonomie und Autonomie, von göttlicher Absolutheit und menschlicher Freiheit zuspitzte.

3. Der Atheismus im Namen der Autonomie des Menschen

Der neuzeitliche Denkansatz heißt nicht Natur und Substanz, sondern Subjekt und Freiheit. *Die Entscheidung in der Gottesfrage fällt deshalb*

⁴⁷ Vgl. u. 117f.

nicht in der Naturproblematik, sondern in der Auseinandersetzung um die Freiheit des Menschen. Auch in dieser Frage steht der Atheismus erst am Ende der neuzeitlichen Entwicklung. Die großen Denker von Descartes bis Hegel hielten entschieden am Gottesgedanken fest. Aber der neue Ansatz veränderte den Gottesbegriff doch entscheidend und schuf die Voraussetzungen für den humanistischen Atheismus im 19. und 20. Jahrhundert.

Schon *Descartes* führt, wie gezeigt, die Gottesidee ein, um das menschliche Ich abzusichern. Damit wird der Gottesgedanke zweideutig. Gott ist in Gefahr, zum Medium des Selbstvollzugs des Menschen und damit funktionalisiert zu werden. Diese Gefahr wird bereits bei *Kant* deutlicher. Nach Kant ist der Gottesgedanke der theoretischen Vernunft unerreichbar; Kant führt ihn aber wieder ein als Postulat der praktischen Vernunft[48]. Das menschliche Verlangen nach Glückseligkeit kann nämlich nur dann realisiert werden, wenn dieses Verlangen in Harmonie steht mit der äußeren Natur; diese Harmonie von Geist bzw. Freiheit und Natur kann nur durch den absoluten Geist und die absolute Freiheit, durch Gott gewährleistet werden. Die menschliche Freiheit kann also nur unter Voraussetzung Gottes »glücken«. So braucht Kant Gott um der Glückseligkeit des Menschen willen. Gott ist nicht mehr »an sich« wichtig, sondern nur noch in seiner Bedeutsamkeit »für uns«.
Bei den Denkern nach Kant, bei Fichte und Schelling, wird der Gedanke der menschlichen Autonomie nochmals verschärft. Der junge *Schelling* kommt in seinen »Philosophischen Briefen über Dogmatismus und Kritizismus« einem postulatorischen Atheismus schon sehr nahe. Die menschliche Freiheit scheint ihm unvereinbar zu sein mit dem Gedanken eines objektiven Gottes[49]. Damit zeichnen sich bereits die Konflikte ab, die in dem durch *Fichte* 1798 ausgelösten Atheismusstreit akut werden sollten. In einem Artikel »Über den Grund unseres Glaubens an eine göttliche Weltregierung«[50] identifizierte Fichte Gott mit der moralischen Weltordnung; Gott ist also das Medium und die Vermittlung der Freiheit, aber er ist nicht in sich Freiheit. Fichte sprach Gott die Persönlichkeit ab, weil er fürchtete, daß dadurch Beschränkung und Endlichkeit in Gott hineingetragen werden[51]. Was er damit in mißverständlicher Weise zu sagen intendierte, war, daß man sich Gott nicht in der Weise der Substanz denken dürfe, die, aus der Sinnenwelt ableitbar, wie bei Kant im Dienst der menschlichen Glückseligkeit steht. Ein solcher Gott wäre nach Fichte ein Götze, aber nicht der wahre Gott. Der wahre Gott gehört nach ihm dem sittlichen Bereich, d. h. der Dimension der Freiheit an. Fichtes ganze spätere Philosophie ist der Versuch, diese Idee in immer neuen Anläufen durchzudenken. In diesem

---

[48] Vgl. I. Kant, Kritik der praktischen Vernunft A 223 ff (WW IV, ed. W. Weischedel, 251 ff).
[49] F. W. J. Schelling, Philosophische Briefe über Dogmatismus und Kritizismus (1795) (WW I, ed. M. Schröter), 214. Vgl. dazu W. Kasper, Das Absolute in der Geschichte. Philosophie und Theologie der Geschichte in der Spätphilosophie Schellings, Mainz 1965, 188.
[50] J. G. Fichte, Über den Grund unseres Glaubens an eine göttliche Weltregierung (WW III, ed. F. Medicus), 129 f.
[51] Ebd. 131; vgl. 400.

Anliegen berührt er sich eng mit der Spätphilosophie Schellings, die immer wieder neu versuchte, Gott nicht nur als Medium der Freiheit, sondern als in sich seiende absolute Freiheit zu denken[52]. Vor allem *Hegel* hat die Situation begriffen und den Atheismus als die Tiefenströmung des neuzeitlichen Denkens herausgestellt. Er tat dies, indem er mehrfach auf den Text des lutherischen Gesangbuchlieds »Gott selbst ist tot« zurückgriff[53]. Dieser Rückgriff war vorbereitet durch Pascal wie durch J. Pauls Rede des toten Christus vom Weltgebäude herab. Hegel bezeichnete den Satz »Gott selbst ist tot« als Ausdruck der Bildung seiner Zeit, »als das Gefühl, worauf die Religion der neuen Zeit beruht«. Mit Hilfe seiner Idee vom spekulativen Karfreitag, d. h. von der Versöhnung von Gott und Tod mit Hilfe der Idee der absoluten Freiheit, die in ihrem Gegenteil zu sich selbst kommt, wollte er diese Situation überwinden. Gott sollte als lebendiger Gott, als sich entäußernde Freiheit, als Liebe gedacht werden, die sich auch in ihr Gegenteil, in den Tod entäußern und darin den Tod aufheben kann.
Bei aller Großartigkeit der Konzeption war Hegels Versuch, den Atheismus dialektisch aufzuheben, ein zweideutiger Vorgang. So konnte es geschehen, daß gleich nach Hegels Tod (1831) seine Schule in eine Rechte und eine Linke auseinanderbrach. Während die *rechten Hegelianer,* besonders Ph. Marheineke, Hegel orthodox-theistisch zu vereinnahmen suchten, bezichtigten ihn die *linken Hegelianer* schon bald des Atheismus. Bezeichnend war B. Bauers Buch »Die Posaune des jüngsten Gerichts über Hegel den Atheisten und Antichristen« (1841). Nach Bauer kennt Hegel nur den allgemeinen Weltgeist, der sich im Menschen seiner selbst bewußt wird. Harmlose Schüler wie Strauß, so meint Bauer, hätten darin einen Pantheismus gesehen; es sei aber der entschiedenste Atheismus, der das Selbstbewußtsein an die Stelle von Gott setzt[54]. A. Ruge nannte Hegel einen »Messias des Atheismus« und einen »Robespierre der Theologie«[55]. Wir können die Frage, wie Hegel auszulegen ist, hier auf sich beruhen lassen. Wesentlich ist lediglich die Feststellung, daß *die Philosophie Hegels wirkungsgeschichtlich in den Atheismus, der bis heute unsere Situation bestimmt, umkippte*[56].

Vor allem zwei Denker sind als Propheten des neuen humanistischen Atheismus zu nennen: L. Feuerbach und K. Marx. Der dritte, der zu behandeln sein wird, F. Nietzsche, bedenkt bereits die nihilistischen Konsequenzen dieses Atheismus wie des Theismus.

[52] Vgl. W. Kasper, aaO., bes. 181 ff.
[53] G. W. F. Hegel, Glauben und Wissen, aaO., 431 ff; ders., Phänomenologie des Geistes (ed. J. Hoffmeister), 523, 546 ff; ders., Vorlesungen über die Philosophie der Religion II/2 (ed. G. Lasson), 155 ff.
[54] Vgl. dazu K. Löwith, Von Hegel zu Nietzsche. Der revolutionäre Bruch im Denken des 19. Jahrhunderts, Stuttgart [5]1964, 366–374.
[55] Zit. ebd. 372.
[56] Vgl. H. Küng, Menschwerdung Gottes. Eine Einführung in Hegels theologisches Denken als Prolegomena zu einer künftigen Christologie (Ökumenische Forschungen. Bd. 1), Freiburg-Basel-Wien 1970, 503–522. Literarisch ist der Umbruch am deutlichsten bei H. Heine festzustellen. Vgl. E. Peters / E. Kirsch, Religionskritik bei Heinrich Heine (Erfurter Theol. Stud. 13), Leipzig 1977.

Ludwig Feuerbach

L. Feuerbach (1804–1872) war der Hegelschüler, der die Reduktion der Theologie auf Anthropologie am wirkungsvollsten und folgenreichsten vollzog[57]. Feuerbach wandelte sich vom Theologen zum antitheologischen Philosophen, vom Hegelianer zum Anthropologen einer materialistisch verstandenen Sinnlichkeit, die heute oft als emanzipatorische Sinnlichkeit interpretiert wird[58]. Hier geht es lediglich um seine Religionskritik. K. Marx glaubte, mit Feuerbach sei die Religionskritik endgültig geleistet[59]. »Und es gibt keinen anderen Weg für euch zur Wahrheit und Freiheit, als durch den Feuer-bach. Der Feuerbach ist das Purgatorium der Gegenwart«[60].

Diese Wirkung hat Feuerbach durch sein Buch »Das Wesen des Christentums« (1841) erreicht. Hier kehrt Feuerbach die bei Hegel dialektisch zu verstehende Ineinssetzung von Gott und Mensch um. Sein Ausgangspunkt: Die »Religion ist das Bewußtsein des Unendlichen«[61]. Solches Bewußtsein des Unendlichen gehört notwendig zum Bewußtsein, das den Menschen vom Tier unterscheidet. Deshalb kann Feuerbach sagen: »Im Bewußtsein des Unendlichen ist dem Bewußtsein die Unendlichkeit des eigenen Wesens Gegenstand«[62]. »Das absolute Wesen, der Gott des Menschen ist sein eigenes Wesen«[63]. »Gott ist das offenbare Innere, das angesprochene Selbst des Menschen; die Religion die feierliche Enthüllung der verborgenen Schätze des Menschen, das Eingeständnis seiner innersten Gedanken, das öffentliche Bekenntnis

---

[57] Zur Religionskritik Feuerbachs: G. Nüdling, Ludwig Feuerbachs Religionsphilosophie. Die Auflösung der Theologie in Anthropologie, Paderborn ²1961; M. von Gagern, Ludwig Feuerbach. Philosophie und Religionskritik. Die ›Neue‹ Philosophie, München-Salzburg 1970; M. Xhaufflaire, Feuerbach und die Theologie der Säkularisation, München-Mainz 1972; H. J. Braun, Die Religionsphilosophie Feuerbachs. Kritik und Annahme des Religiösen, Stuttgart 1972; E. Schneider, Die Theologie und Feuerbachs Religionskritik. Die Reaktion der Theologie des 19. Jahrhunderts auf Ludwig Feuerbachs Religionskritik, Göttingen 1972; H. Lübbe / H. M. Soß (Hrsg.), Atheismus in der Diskussion. Kontroversen um L. Feuerbach, München-Mainz 1975; H. Fries, L. Feuerbachs Herausforderung an die Theologie, in: Glaube und Kirche als Angebot, Graz-Wien-Köln 1976, 62–90. Zur Feuerbach-Rezeption in der protestantischen Theologie: E. Thies (Hrsg.), Ludwig Feuerbach, Darmstadt 1976.
[58] Vgl. A. Schmidt, Emanzipatorische Sinnlichkeit. Ludwig Feuerbachs anthropologischer Materialismus, München 1973.
[59] Vgl. K. Marx, Zur Kritik der Hegelschen Rechtsphilosophie (Werke-Schriften-Briefe, Bd. 1, ed. H. J. Lieber u. P. Furth, Darmstadt 1962), 488.
[60] K. Marx, Luther als Schiedsrichter zwischen Strauß und Feuerbach, in: ebd. 109.
[61] L. Feuerbach, Das Wesen des Christentums (ed. W. Schuffenhauer). Bd. 1. Berlin 1956, 36.
[62] Ebd. 37.
[63] Ebd. 41.

seiner Liebesgeheimnisse«[64]. »Gott ist der Spiegel des Menschen«[65]. Das Geheimnis der Theologie ist deshalb die Anthropologie. In der Religion vergegenständlicht der Mensch also sein eigenes Wesen[66]. Feuerbach erklärt das Entstehen der Religion mit Hilfe seiner *Projektionstheorie*. Weil der Mensch in sich die Erfüllung nicht findet, projiziert er seinen Wunsch nach Unendlichkeit in Gott. »Was der Mensch nicht wirklich ist, aber zu sein wünscht, das macht er zu seinem Gott«[67]. Doch damit entfremdet sich der Mensch von sich selbst. »Um Gott zu bereichern, muß der Mensch arm werden; damit Gott alles sei, der Mensch nichts sei«. »Der Mensch bejaht in Gott, was er an sich selbst verneint«[68]. So ist die Religion »die Entzweiung des Menschen mit sich selbst... Gott ist nicht, was der Mensch ist – der Mensch nicht, was Gott ist«. Dieser Zwiespalt ist nichts anderes als »ein Zwiespalt des Menschen mit seinem eigenen Wesen«[69]. Die religiöse Projektion führt also zur Entäußerung und Entfremdung, zur Negation des Menschen. In dieser Perspektive ist *der Atheismus die Negation der Negation und damit die neue höhere Position. Das Nein zu Gott ist das Ja zum Menschen.* Nachdem das Geheimnis der Theologie als Geheimnis der Anthropologie offenbar wurde, wird aus dem Glauben an Gott der Glaube des Menschen an sich selbst. »Der Mensch ist der Anfang der Religion, der Mensch ist der Mittelpunkt der Religion, der Mensch ist das Ende der Religion«[70]. So ist der Anthropotheismus die selbstbewußte Theologie. »Homo homini Deus – dies ist der oberste praktische Grundsatz –, dies der Wendepunkt der Weltgeschichte«[71]. Schließlich endet Feuerbachs Atheismus in der Apotheose der Welt. »Die tiefsten Geheimnisse liegen in dem Gemeinen, dem Alltäglichen«. Wasser, Brot, Wein sind aus sich selbst Sakramente. Feuerbach schließt: »Heilig sei uns darum das Brot, heilig der Wein, aber auch heilig das Wasser! Amen«[72]. Noch deutlicher zeigt sich der Umschlag in eine neue Art von Religion in dem Satz: »So ändern sich die Dinge. Was gestern noch Religion war, ist es heute nicht mehr, und was heute für Atheismus, gilt morgen für Religion«[73].

---

[64] Ebd. 51.
[65] Ebd. 122.
[66] Ebd. 75.
[67] Ders., Vorlesungen über das Wesen der Religion (WW VIII, ed. W. Bolin), 293.
[68] Ders., Das Wesen des Christentums, Bd. 1, 70.
[69] Ebd. 81.
[70] Ebd. 287.
[71] Ebd. Bd. 2, 408 ff.
[72] Ebd. Bd. 2, 418 f.
[73] Ebd. Bd. 1, 78.

Später hat Feuerbach seine Philosophie nochmals erweitert. Feuerbachs »neue Philosophie« antizipiert eine Philosophie des Ich und Du[74], ja eine politische Theologie. »Mensch mit Mensch – die Einheit von Ich und Du ist Gott«[75]. »Die wahre Dialektik ist kein Monolog des einsamen Denkens mit sich selbst, sie ist ein Dialog zwischen Ich und Du«[76]. An die Stelle der Religion tritt deshalb nicht der Kult des Individuums; an die Stelle der Religion und der Kirche tritt die Politik, an die Stelle des Gebets die Arbeit[77]. »Die neue Religion, die Religion der Zukunft ist die Politik«[78].

»Eine Frage an die Theologie ihrer Zeit und vielleicht nicht nur ihrer Zeit bedeutet diese Anti-Theologie Feuerbachs auf alle Fälle«[79]. Doch *Gegenfragen* sind ebenfalls notwendig. Zur Projektionstheorie ist zunächst allgemein festzustellen, daß Projektion zu jeder menschlichen Erfahrung und Erkenntnis gehört; sie kann deshalb bei religiöser Erfahrung und Erkenntnis in keiner Weise geleugnet werden. Doch aus der Tatsache der Projektion folgt nur ein unverzichtbares subjektives Element in unserer Erkenntnis, es folgt jedoch nichts über die Realität des erfahrenen und erkannten Objekts selbst. Mit Hilfe der Projektionstheorie kann man zwar die subjektiven Gottesvorstellungen bis zu einem gewissen Grad erklären, man kann damit jedoch nichts über die Wirklichkeit Gottes selbst aussagen. Zur Projektionstheorie Feuerbachs im besonderen ist zu sagen, daß das menschliche Bewußtsein zwar intentional unendlich ist, daß ihm aber gerade im Horizont dieser intentionalen Unendlichkeit seine eigene Endlichkeit aufgeht. Aufgrund seiner konstitutiven Endlichkeit kann der Mensch seine formale Unendlichkeit material gar nie ausfüllen. Deshalb hält es der Mensch letztlich nicht bei sich aus; man macht ihn nicht unbedingt glücklich, wenn man ihn zu sich selbst zurückführt. Darum kann der Mensch dem Menschen auch niemals Gott sein. *Die Reduktion der Theologie auf Anthropologie löst also nicht das Problem, auf das die Theologie antworten will.* Aus der intentionalen Unendlichkeit des Menschen folgt freilich noch nicht, daß dem Transzendieren des Menschen eine reale Transzendenz entspricht; aber ebensowenig folgt daraus etwas für die Nichtexistenz Gottes und für die Reduktion der Gottesvorstellung

[74] Vgl. M. Buber, Zur Geschichte des dialogischen Prinzips (WW I, München 1962), 293 f.
[75] L. Feuerbach, Grundsätze der Philosophie der Zukunft, in: Kleine Schriften, hrsg. v. K. Löwith, Frankfurt a. M. 1966, 217.
[76] Ebd. 218.
[77] L. Feuerbach, Notwendigkeit einer Veränderung, in: ebd. 224.
[78] Ebd. 231 Anm. 1.
[79] K. Barth, Die protestantische Theologie im 19. Jahrhundert. Ihre Vorgeschichte und ihre Geschichte, Zollikon-Zürich ³1960, 486.

auf den Menschen. *Feuerbachs Kritik erreicht ihr Ziel nicht. Sie läßt die Gottesfrage zumindest offen.*

Trotzdem gehört Feuerbachs anthropologische Reduktion der Religion bis heute zum Grundbestand der Religionskritik. Das gilt nicht nur für den Marxismus, sondern ebenso für mehr bürgerlich orientierte Denker. Sie lebt weiter im sogenannten *postulatorischen Atheismus* des 20. Jahrhunderts, der Gott um des Menschen und seiner Freiheit willen leugnet (N. Hartmann, J. P. Sartre, Merleau-Ponty u. a.). Kants postulatorischer Gottesbeweis wird hier also in sein Gegenteil umgekehrt, nicht die Existenz, sondern die Nichtexistenz Gottes ist ein Postulat der menschlichen Freiheit. Selbst wenn Gott existierte, könnte das für den Menschen keine Rolle spielen[80]. Die Autonomie des Menschen widerstreitet jeder Art von Theonomie!

Kein anderer Name macht die Aktualität Feuerbachs deutlicher als der von *Sigmund Freud*[81] (1856–1939), dessen Psychoanalyse der Selbsterfahrung und dem Selbstbewußtsein weitester Kreise eine neue Dimension erschlossen hat mit sehr weitgehenden praktischen Konsequenzen vor allem für das sexuelle Verhalten. Inzwischen ist die Psychoanalyse weit mehr als ein medizinisch-therapeutisches Verfahren; sie stellt eine weitere Stufe der Aufklärung dar, und sie beeinflußt heute Literatur-, Kultur- und Kunstwissenschaft ebenso wie Pädagogik, Ethik, Religionswissenschaft und Philosophie. Sie ist ein neuer Schlüssel zur Interpretation der Wirklichkeit, auch und nicht zuletzt der Wirklichkeit der Religion. Freuds psychoanalytische Deutung der Religion entspricht im Resultat weithin Feuerbachs Projektionstheorie und macht die Auseinandersetzung mit dieser um so dringlicher.

Freuds Religionskritik steht im Zusammenhang seiner gesamten Anthropologie und Psychoanalyse, auf die in diesem Zusammenhang nicht eingegangen werden kann. Ebensowenig soll hier Freuds spätere, historisch mehr als problematische religions- und kulturgeschichtliche Herleitung der Religion in »Totem und Tabu« und in »Der Mann Moses« behandelt werden. Wir beschränken uns auf

---

[80] J. P. Sartre, Ist der Existentialismus ein Humanismus?, in: Drei Essays. Frankfurt a. M.–Berlin 1961, 7–36, bes. 10f, 15ff, 35f. Vgl. G. Hasenhüttl, Gott ohne Gott. Ein Dialog mit J. P. Sartre, Graz–Wien 1972.

[81] Zu Freuds Religionskritik: A. Plé, Freud und die Religion, Wien 1969; K. Birk, S. Freud und die Religion, Münsterschwarzach 1970; J. Scharfenberg, Sigmund Freud und seine Religionskritik als Herausforderung für den christlichen Glauben, Göttingen ³1971; ders., Religion zwischen Wahn und Wirklichkeit. Gesammelte Beiträge zur Korrelation von Theologie und Psychoanalyse, Hamburg 1972; H. Zahrnt (Hrsg.), Jesus und Freud. Ein Symposion von Psychoanalytikern und Theologen, München 1972; E. Nase / J. Scharfenberg (Hrsg.), Psychoanalyse und Religion, Darmstadt 1977. Zur Interpretation des Werkes von Freud allgemein: E. Jones, Das Leben und Werk von Sigmund Freud. 3 Bde, Bern 1960–62; P. Ricoeur, Die Interpretation. Ein Versuch über Freud, Frankfurt 1974; W. Loch, Zur Theorie, Technik und Therapie der Psychoanalyse, Frankfurt a. M. 1972; A. Mitscherlich, Der Kampf um die Erinnerung. Psychoanalyse für fortgeschrittene Anfänger, München 1975. In diesem Zusammenhang ist auch die Auseinandersetzung um die Bücher von J. Pohier, Au nom du père. Recherches théologiques et psychoanalytiques, Paris 1972 und Quand je dis Dieu, Paris 1977 (Wenn ich Gott sage, Olten–Freiburg i. Br. 1980) von Bedeutung. Die entsprechende Erklärung der Kongregation für die Glaubenslehre vom 3. April 1979 ist in der deutschen Ausgabe S. 12f abgedruckt.

Freuds religionskritische Hauptschrift: »Die Zukunft einer Illusion« (1927), die durch die Schrift »Das Unbehagen in der Kultur« (1930) ergänzt wird.

Freud bestimmt den Menschen primär als Triebwesen, dem jedoch sowohl die äußere Realität wie die Kultur Triebverzicht auferlegen. Das führt zu Konflikten; falsche oder nicht gelungene Konfliktbewältigung führt zur Neurose, zur Flucht weg von der harten Wirklichkeit hin zu Ersatzlösungen. Entscheidend ist nun, daß Freud Analogien erkennt zwischen solchen Neurosen und dem religiösen Verhalten. Nach Freud entspringt die Religion dem Versuch, angesichts der Härte des Lebens und der durch die Kultur auferlegten Entbehrungen einen Trost zu finden, um so die menschliche Hilflosigkeit erträglich zu machen. Die religiösen Vorstellungen sind hervorgegangen aus der Notwendigkeit, »sich gegen die erdrückende Übermacht der Natur zu verteidigen« und »die peinlich verspürten Unvollkommenheiten der Kultur zu korrigieren«[82]. Religiöse Vorstellungen sind deshalb »nicht Niederschläge der Erfahrung oder Endresultate des Denkens, es sind Illusionen, Erfüllungen der ältesten, stärksten, dringendsten Wünsche der Menschheit«[83]. Sie sind *infantile Wunscherfüllungen,* eine »allgemein menschliche Zwangsneurose«, »ein System von Wunscherfüllungen mit Verleugnung der Wirklichkeit«[84]. Diesem Infantilismus stellt Freud »die Erziehung zur Realität« gegenüber. Sie schließt eine Ergebung in die Schicksalsnotwendigkeiten, gegen die die Wissenschaft keine Abhilfe gibt, ein. In diese Resignation spielt noch ein Moment sehr gedämpfter Hoffnung herein: Dadurch, daß der Mensch »seine Erwartungen vom Jenseits abzieht und alle freigewordenen Kräfte auf das irdische Leben konzentriert, wird er wahrscheinlich erreichen können, daß das Leben für alle erträglich wird und die Kultur keinen mehr erdrückt«[85].

Freuds Religionskritik sollte nicht nur den Unglauben der Ungläubigen stärken, sondern auch den Glauben der Gläubigen läutern. Sie ist deshalb theologisch und pastoral von höchster Bedeutung. Es ist jedoch auch auf ihre *Grenzen* hinzuweisen. Kann man so einfach von der Analogie zwischen religiösen und psychopathologischen Erscheinungen (Zwangsneurose, infantile Wunscherfüllung) ausgehen? Zumindest muß man sagen, daß sich aus Analogien keine Wesensgleichheit ableiten läßt. Das religiöse Phänomen muß vielmehr zunächst in sich selbst analysiert werden; man darf es nicht von vornherein auf andere Phänomene reduzieren. Sonst setzt man sich dem Verdacht aus, daß nicht die Religion, wohl aber der Atheismus ein Wunschdenken darstellt. Auf diesem Weg eingehenderer Analyse des Phänomens der Religion kommen andere Tiefenpsychologen zu einer viel positiveren Sicht der Religion als Freud (C. G. Jung, E. Fromm, V. E. Frankl u. a.). Doch wie immer, die Psychologie kann nur die psychologische Wirklichkeit, den psychischen Inhalt und die psychischen Folgen der Religion klären, sie kann mit Hilfe ihrer Methoden jedoch nichts über die objektive Wirklichkeit und den Wahrheitsgehalt des in den religiösen Vorstellungen Gemeinten sagen. Das führt uns nochmals an die Grenzen der Projektionstheorie und ihrer Leistungsfähigkeit.

[82] S. Freud, Die Zukunft einer Illusion (in: WW XIV, Frankfurt a. M. 1948), 338 ff.
[83] Ebd. 352.
[84] Ebd. 367.
[85] Ebd. 373.

Karl Marx

Karl Marx[86] (1818–1883) stammte aus einer jüdischen, später zum Protestantismus übergetretenen Familie. Er wurde schon in seiner Jugend mit der französischen Aufklärung bekannt; später schloß er sich im Berliner Doktorclub (A. Ruge, M. Stirner, M. Hess u. a.) dem linkshegelianischen Atheismus an und machte sich die Religionskritik Feuerbachs zu eigen. Zum Sozialismus und Kommunismus fand er erst in seiner Pariser Zeit, wo er mit den Ideen der Frühsozialisten (Proudhon, Saint-Simon, Owen u. a.) bekannt wurde und Freundschaft mit H. Heine und F. Engels schloß. 1848 verfaßte er gemeinsam mit Engels das »Manifest der kommunistischen Partei«, das fortan zur Grundlage der kommunistischen Bewegung wurde. Engels war es auch, der ihn zum Studium der politischen Ökonomie (A. Smith, D. Ricardo, J. St. Mill) anregte. Während die frühen »Pariser Manuskripte« (1844) noch mehr philosophisch-humanistisch bestimmt sind, geht es ihm nun immer mehr um einen realen Humanismus. In seinem Hauptwerk »Das Kapital« (1867) stehen die ökonomischen Analysen ganz im Vordergrund. Zum späteren dialektischen Materialismus (Diamat) kam es freilich erst durch den »Anti-Dühring« von F. Engels (1878), der die Lehre von der historischen Dialektik der Gesellschaft dadurch in eine allgemeine Weltanschauung ausweitete, daß er sie, Darwins Evolutionstheorie aufgreifend, in eine umfassendere Dialektik der Natur einordnete. Durch Lenin wurde der Diamat zur offiziellen Weltanschauung der kommunistischen Bewegung. Das Verhältnis von frühem und spätem Marx, von Marx und Marxismus ist umstritten. Heute betont man bei allem Unterschied der Akzente mehr die Zusammenhänge und die Kontinuität.

[86] Zur Religionskritik von K. Marx: M. Reding, Thomas von Aquin und Karl Marx, Graz 1953; H. Gollwitzer, Die marxistische Religionskritik und der christliche Glaube, München–Hamburg 1965; R. Garaudy, Gott ist tot, Frankfurt 1969; V. Gardavsky, Gott ist nicht ganz tot, München 1969; G. M. M. Cottier, L'athéisme du jeune Marx. Ses origines Hégéliennes, Paris 1969; W. Post, Kritik der Religion bei Karl Marx, München 1969; J. Kadenbach, Das Religionsverständnis von Karl Marx, München-Paderborn-Wien 1970; R. Garaudy, J. B. Metz, K. Rahner, Der Dialog, oder: Ändert sich das Verhältnis zwischen Katholizismus und Marxismus?, Hamburg 1966; H. Rolfes (Hrsg.), Marxismus und Christentum, Mainz 1974; V. Spülbeck, Neomarxismus und Theologie. Freiburg i. Br. 1977. Zum Marxismus allgemein: J. M. Bochenski, Der sowjetrussische dialektrische Materialismus, München-Salzburg-Köln 1958; G. A. Wetter, Der dialektische Materialismus. Seine Geschichte und sein System in der Sowjetunion, Freiburg i. Br. 1952; J. Habermas, Zur philosophischen Diskussion um Marx und Marxismus, in: Theorie und Praxis, Neuwied–Berlin ³1969, 261–335; I. Fetscher, Karl Marx und der Marxismus. Von der Philosophie des Proletariats zur proletarischen Weltanschauung, München 1967; K. Hartmann, Die Marxsche Theorie, Berlin 1970; L. Kolakowski, Die Hauptstörungen des Marxismus. Entstehung, Entwicklung, Zerfall, 3 Bde., München 1977–1979.

Erst durch die Veröffentlichung der Pariser Manuskripte im Jahr 1932 kam es zu einer Diskussion um den ursprünglichen Marxismus von K. Marx im Unterschied zum orthodoxen doktrinären und totalitären Marxismus der kommunistischen Partei- und Staatsideologie. Das führte zu verschiedenen, vom orthodoxen Marxismus als revisionistisch desavouierten anthropologisch-humanistischen Marxinterpretationen (Lukács, Korsch, Gramsci, Schaff, Kolakowski, Machovec, Bloch, Sartre, Garaudy, Lefèbvre, Merleau-Ponty u. a.). Sie brachten die Konzeption eines demokratischen Marxismus wie neue Gesprächsmöglichkeiten mit dem Christentum. In der »Frankfurter Schule« (M. Horkheimer, Th. W. Adorno u. a.) suchte man den Marxismus als Weiterführung der neuzeitlichen Aufklärung zu verstehen und als Geschichtsphilosophie in praktischer Absicht (J. Habermas) zu erneuern. Die strukturalistische Marxinterpretation von L. Althusser dagegen betont gerade umgekehrt, nicht der einzelne Mensch, sondern das Ganze der Verhältnisse sei das Subjekt der Geschichte. Neuere Interpretationen betonen wieder, daß nicht erst dem Marxismus, sondern schon dem Denken von K. Marx selbst totalitäre Züge anhaften, so daß die Entwicklung des Marxismus innermarxistisch betrachtet nicht als Degeneration, sondern als mehr oder weniger konsequente Evolution zu beurteilen ist (A. Glucksmann; Ch. Jambet; G. Lardreau; B. H. Lévy). Die theologisch wichtigste Frage der Marxinterpretation ist, ob die Religionskritik und der Atheismus dem Marxismus wesentlich oder nur historisch bedingt und damit äußerlich sind.

Historisch betrachtet wurde für die Religionskritik von K. Marx der humanistische Atheismus Feuerbachs zur unumstößlichen Grundlage. »Das Fundament der irreligiösen Kritik ist: Der Mensch macht die Religion, die Religion macht nicht den Menschen«[87]. Wie für Feuerbach, so ist die Religion auch für Marx eine Projektion. Auch für Marx ist der Atheismus nicht einfach eine Negation, sondern die Negation der Negation und insofern eine Position, die Position des Humanismus. Diesen Atheismus setzt der Kommunismus voraus; aber der Atheismus ist noch nicht Kommunismus. Die religiöse Kritik ist für den Marxismus vielmehr die Voraussetzung der weltlichen Kritik. »Die Kritik des Himmels verwandelt sich damit in die Kritik der Erde, die Kritik der Religion in die Kritik des Rechts, die Kritik der Theologie in die Kritik der Politik«[88]. Hier ist der Punkt, wo Marx einen entscheidenden Schritt über Feuerbach hinausgeht. Anders als Feuerbach sucht Marx *den Menschen in und aus seinen ökonomisch-gesellschaftlichen Bedingungen* zu begreifen. Der Mensch aber ist »kein dem einzelnen Individuum innewohnendes Abstraktum. In seiner Wirklichkeit ist er das Ensemble der gesellschaftlichen Verhältnisse«[89]. »Der Mensch, das ist die Welt des

---

[87] K. Marx, Zur Kritik der Hegelschen Rechtsphilosophie (aaO.), 488.
[88] Ebd. 489.
[89] Ders., Thesen über Feuerbach, in: ebd. II, Darmstadt 1971, 3.

Menschen, Staat, Sozietät. Dieser Staat, diese Sozietät produzieren die Religion«[90].

Diese konkrete ökonomisch-politische Sicht des Menschen hat Konsequenzen für den *neuen Humanismus*, den Marx intendiert. Ging es Feuerbach darum, den Pantheismus Hegels als Atheismus zu entlarven, so will Marx, daß aus dem Philosophisch-werden der Welt bei Hegel nun ein Weltlich-werden der Philosophie wird[91]. Hegel hat ja die Welt nur in Gedanken, aber nicht in Wirklichkeit versöhnt; der vollendeten Philosophie steht nun eine verkehrte Welt gegenüber. Marx will deshalb die Philosophie verwirklichen und sie so aufheben, er will die Theorie zur Praxis machen. »Die Philosophen haben die Welt nur verschieden interpretiert, es kommt drauf an, sie zu verändern«[92]. Der Hauptmangel des bisherigen Materialismus, auch desjenigen von Feuerbach, besteht nach ihm deshalb darin, daß er die Wirklichkeit nur als Objekt in der Anschauung gefaßt hat, aber nicht als menschliche Tätigkeit, als Praxis, subjektiv[93]. Damit überwindet Marx den bisherigen mechanischen Materialismus zugunsten eines *geschichtlichen Materialismus.* Dieser greift den neuzeitlichen Gedanken der Subjektivität wieder auf; er kann sich darin als wahren Erben der Aufklärung und des Idealismus verstehen. Der Materialismus von Marx ist deshalb zugleich ein *Humanismus,* gemäß dem der Mensch für den Menschen das höchste Wesen ist[94]. Da es aber um den konkreten Menschen geht, ist der Humanismus zugleich ein Naturalismus, d. h. die Verwirklichung einer menschlichen Welt. Diese wiederum setzt voraus, daß die Produkte der Arbeit als der Vermittlung von Mensch und Welt allen gemeinsam gehören. So ist die Aufhebung des Privateigentums, der Kommunismus, der wahre Humanismus[95]. Letztlich geht es Marx um die *radikale und universale Emanzipation,* d. h. um die völlige Wiedergewinnung des Menschen, um »Zurückführung der menschlichen Welt, der Verhältnisse, auf den Menschen selbst«[96]. Es gilt alle Verhältnisse umzuwerfen, in denen der Mensch ein erniedrigtes, ein geknechtetes, ein verlassenes, ein verächtliches Wesen ist[97].

Dieses praktisch-politische Verständnis des Menschen mußte auch die von Feuerbach zunächst übernommene *Religionskritik* verändern, d. h. sie politisch, ökonomisch und praktisch erweitern. Die klassische Stelle findet sich in der »Kritik der Hegelschen Rechtsphilosophie« (1843 / 44). Nicht verkehrtes Selbstbewußtsein, sondern verkehrtes Weltbewußtsein ist die Religion, verkehrt, weil Ausdruck einer verkehrten

---

[90] Ders., Zur Kritik, 488.
[91] Ders., Aus den Anmerkungen zur Dissertation, in: ebd. I, 71; 103; ders., in der Rheinischen Zeitung vom 14. Juli 1842, in: ebd. 188; ders., Zur Kritik, 495.
[92] Ders., Thesen über Feuerbach, 4.
[93] Ebd. 1 f.
[94] Ders., Zur Judenfrage, in: ebd. I, 479; ders., Zur Kritik, 504.
[95] Ders., Zur Kritik der Nationalökonomie – Ökonomisch-philosophische Manuskripte, in: ebd. I, 593 f; 596.
[96] Ders., Zur Judenfrage, 479; vgl. ders., Zur Kritik, 502 ff.
[97] Ders., Zur Kritik, 497.

Welt; ja sie ist »die allgemeine Theorie dieser Welt«, »ihre moralische Sanktion«, »ihr allgemeiner Trost- und Rechtfertigungsgrund«. »Die Religion ist der Seufzer der bedrängten Kreatur, das Gemüt einer herzlosen Welt, wie sie der Geist geistloser Zustände ist. Sie ist das Opium des Volks«[98].

An diesen Aussagen ist verschiedenes interessant. *Zunächst* wird die Religion als Projektion verstanden. Ausgangspunkt ist jedoch nicht der Mensch an sich, die Religion wird vielmehr – wie man später sagte – als Überbau der realen Verhältnisse betrachtet. Das kommt vor allem in dem unter religionskritischem Aspekt wichtigsten Kapitel des »Kapital« zum Ausdruck, das bezeichnenderweise überschrieben ist: »Der Fetischcharakter der Ware und sein Geheimnis«. Die Ware ist für Marx »ein sehr vertracktes Ding«, »voll metaphysischer Spitzfindigkeit und theologischer Mucken«[99]. Ihr Mystizismus und ihr Geheimnis bestehen darin, daß sie dem Menschen als Gegenstand gegenübertritt und ihm so sein eigenes sich in der Arbeit selbst hervorbringendes Wesen widerspiegelt. So steht sie in Analogie zur »Nebelregion der religiösen Welt«[100]. Deshalb ist die Aufhebung der religiösen Entfremdung nur die Voraussetzung des wirklichen Humanismus. Die Philanthropie des Atheismus ist nur eine philosophische und abstrakte; erst im Kommunismus als der Aufhebung der wirklichen Entfremdungen ist sie eine reale[101]. Die religiöse Illusion ist nun aber *zweitens* nicht einfach das Werk der herrschenden, das Volk verdummenden Priesterkaste. Von solch primitiver Aufklärung ist Marx weit entfernt. Er sagt nicht wie später Lenin, die Religion sei Opium *für das* Volk, ein Trostmittel, das dem Volk absichtlich eingeflößt wird; Marx sagt, sie sei Opium *des* Volkes, ein Trost, den sich das Volk aufgrund der schlechten Verhältnisse selbst gibt[102]. Die religiöse Ideologie ist für Marx nicht etwas Willkürliches, sondern eine Art notwendiger Naturprozeß. »Das Bewußtsein kann nie etwas anderes sein als das bewußte Sein«[103]. »Die herrschenden Gedanken sind weiter nichts als der ideelle Ausdruck der herrschenden materiellen Verhältnisse«[104]. Ändert man deshalb die Verhältnisse, dann wird die Religion von selbst absterben und aufhören. »Der religiöse Widerschein der wirklichen Welt kann überhaupt nur verschwinden, sobald die Verhältnisse des praktischen Werkeltagslebens den Menschen tagtäglich durchsichtig vernünftige Beziehungen zueinander und zur

[98] Ebd. 488.
[99] Ders., Das Kapital, in: ebd. IV, Darmstadt 1962, 46.
[100] Ebd. 47f.
[101] Ders., Zur Kritik der Nationalökonomie, 595.
[102] Dazu I. Fetscher, aaO., 215.
[103] K. Marx, Die deutsche Ideologie, in: ebd. II, 23.
[104] Ebd. 55.

Natur darstellen«[105]. Dann wird es kein Bedürfnis mehr für Religion geben. *Drittens* ist hinzuzufügen, daß Marx die Religion nicht nur negativ beurteilt. Er erkennt in ihr nicht nur eine die Verhältnisse sanktionierende und legitimierende Funktion, sondern durchaus auch einen Protest und ein Aufseufzen der bedrängten Kreatur. Aber es handelt sich um die Verheißung eines illusorischen Glücks, um »imaginäre Blumen an der Kette«[106]. Diese Illusion muß beseitigt werden, damit der Mensch seine Geschichte selbst in die Hand nimmt, »damit er denke, handle, seine Wirklichkeit gestalte«. Die Religionskritik ist deshalb Voraussetzung der weltlichen, politischen Kritik. »Es ist also die Aufgabe der Geschichte, nachdem das Jenseits der Wahrheit verschwunden ist, die Wahrheit des Diesseits zu etablieren«[107].
Ist also die atheistische Voraussetzung für K. Marx wesentlich, oder ist für ihn ein Gottesglaube und ein Christentum, das nicht der Rechtfertigung der Unterdrückung, sondern der prophetischen Kritik ungerechter Zustände und der Befreiung des Menschen dient, akzeptabel?

In der Antwort auf diese Frage scheiden sich die Geister[108]. Ohne Zweifel ist für die marxistisch-leninistische Ideologie, wie sie heute in der Sowjetunion und in anderen kommunistischen Ländern offizielle Gültigkeit besitzt, der Atheismus ein wesentlicher Teil der Lehre, ja die Grundlage einiger seiner fundamentalen Thesen. Doch dieser Zusammenhang ist nach Theologen wie Th. Steinbüchel, M. Reding, H. Gollwitzer nicht unbedingt notwendig. Schon zuvor waren die Vertreter des religiösen Sozialismus (Ch. F. Blumhardt, H. Kutter, L. Ragaz, der frühe K. Barth, P. Tillich) dafür eingetreten, daß die Impulse des Marxismus in Richtung auf Gerechtigkeit und Frieden mit dem christlichen Evangelium vereinbar seien, ja ihm entsprächen. Nach 1945 gab es die »Christliche Friedenskonferenz« (J. L. Hromádka, H. Iwand u. a.), vor allem in Italien und Frankreich zahlreiche Vermittlungsversuche (G. Girardi; G. Fessard u. a.), in Deutschland die Gespräche der »Paulus-Gesellschaft« und die bis 1975 bestehende, von H. Vorgrimler herausgegebene »Internationale Dialog-Zeitschrift«, in Österreich das von G. Nenning herausgegebene »Neue Forum« und schließlich die 1972 in Santiago de Chile begründete Bewegung »Christen für den Sozialismus«. Die neue politische Theologie, die Theologie der Revolution und der Befreiung erhielten ebenfalls zumindest zur Analyse der gesellschaftlichen

---

[105] Ders., Das Kapital, 57.
[106] Ders., Zur Kritik, 489.
[107] Ebd.
[108] Zum folgenden die zusammenfassenden Überblicke: W. Kern, Gesellschaftstheorie und Menschenbild in Marxismus und Christentum, in: ders., Atheismus, Marxismus, Christentum, Beiträge zur Diskussion, Innsbruck 1976, 97–118; ders., Die marxistische Religionskritik gegenkritisch betrachtet, in: ebd. 119–133, bes. 127f; ders., Die Religionskritik des Marxismus, in: H. Rolfes (Hrsg.), Marxismus – Christentum, Mainz 1974, 13–33, bes. 27–30; H. Vorgrimler, Zur Geschichte und Problematik des Dialogs, in: ebd. 245–261; M. Prucha, Wandlungen im Charakter des marxistisch-christlichen Dialogs, in: ebd. 262–275.

Verhältnisse wesentliche Impulse von marxistischen und neomarxistischen Denkern.

Die amtliche katholische Lehre ist ebenfalls nicht so undifferenziert, wie es scheinen könnte, wenn man nur auf die Dekrete Pius XII. und Johannes XXIII. schaut, die Katholiken die Mitgliedschaft in der kommunistischen Partei unter Androhung der Exkommunikation verbieten. Schon die Sozialenzyklika Pius XI. »Quadragesimo anno« (1931) berührt sich in wesentlichen Punkten mit der marxistischen Analyse und Kritik des Kapitalismus. Diese Kritik hat sich bis zur jüngsten Sozialenzyklika von Johannes Paul II. »Laborem exercens« (1981) durchgehalten. Die Enzyklika Johannes XXIII. »Pacem in terris« (1963), die Pastoralkonstitution »Gaudium et spes« und die Enzyklika Pauls VI. »Populorum progressio« (1967) begannen außerdem zu differenzieren. Am deutlichsten geschieht dies in dem Apostolischen Schreiben Pauls VI. »Octogesima adveniens« (1971), wo zwischen verschiedenen Ebenen des Marxismus unterschieden wird: Marxismus als aktive Praxis des Klassenkampfes – als Ausübung aller politischen und wirtschaftlichen Macht – als Ideologie auf der Grundlage des historischen Materialismus und der Leugnung alles Jenseitigen – als wissenschaftliche Methode und Arbeitsinstrument zur Erforschung sozialer und politischer Verhältnisse. Freilich ist dieses Schreiben realistisch genug, den inneren Zusammenhang dieser unterschiedlichen Ebenen zu erkennen[109].

In der Tat hat K. Marx die *atheistische Religionskritik* immer als *nicht nur historische, sondern als wesentliche Voraussetzung des Kommunismus betrachtet;* er war außerdem der Meinung, daß der humanistische Impuls des Atheismus erst im Kommunismus seine reale Verwirklichung findet. Deshalb hat Marx nicht nur gegen ein unsoziales und sozial rückständiges Christentum polemisiert, er ist mit Vehemenz auch gegen das sozial engagierte und sich der Arbeiterfrage annehmende Christentum, wie es ihm in Bischof Ketteler begegnete, zu Felde gezogen[110]. Das soziale, emanzipatorische, ja revolutionäre Potential des Christentums haben erst seine Schüler K. Kautzky und E. Bloch entdeckt. Doch Bloch hat dieses Potential für den Sozialismus und Atheismus reklamiert. Denn »ohne Atheismus hat Messianismus keinen Platz«[111]. Deshalb kann nach ihm nur ein Atheist ein guter Christ sein[112]. Aber auch wenn die Hoffnung auf eine absolute Zukunft den

---

[109] Ebd. Nr. 33 f.

[110] Vgl. K. Marx, Brief vom 25. 9. 1869 an F. Engels: »Bei dieser Tour durch Belgien, Aufenthalt in Aachen und Fahrt den Rhein herauf, habe ich mich überzeugt, daß energisch, speziell in den katholischen Gegenden, gegen die Pfaffen losgegangen werden muß. Ich werde in diesem Sinn durch die Internationale wirken. Die Hunde kokettieren (z. B. Bischof Ketteler in Mainz, die Pfaffen auf dem Düsseldorfer Kongreß usw.), wo es passend erscheint, mit der Arbeiterfrage« (K. Marx, F. Engels, WW XXXII, Berlin (Ost) 1965, 371). Vgl. K. Marx – F. Engels, Manifest der Kommunistischen Partei (Werke – Schriften – Briefe, Bd. 2), 846.

[111] E. Bloch, Das Prinzip Hoffnung, Frankfurt 1959, 1413.

[112] Ders., Leitwort zu: Atheismus im Christentum. Zur Religion des Exodus und des Reichs, Frankfurt 1968.

Einsatz für die innergeschichtliche Zukunft, recht verstanden, nicht ausschließt, sondern freisetzt, motiviert und inspiriert[113], so sind der innerweltliche Messianismus des Marxismus und die eschatologische Hoffnung des Christen offensichtlich doch unvereinbar[114]. Der Grund liegt im *marxistischen Menschenbild*, wonach der Mensch bzw. die Menschheit ihr eigener Schöpfer ist und sich nur sich selbst verdankt[115]. Der Mensch ist nach Marx auch sein eigener Erlöser. Jeder Gedanke an einen Mittler wird von ihm a limine ausgeschlossen[116]. »Die Wurzel für den Menschen aber ist der Mensch selbst«. Solche radikale Autonomie schließt jede Form von Theonomie aus. »Die Kritik der Religion endet mit der Lehre, daß der Mensch das höchste Wesen für den Menschen sei«[117]. V. Gardavski meint: »Der Marxismus ist seinem Wesen nach Atheismus. Oder anders gesagt: gerade der Atheismus ist die radikale Dimension der marxistischen Weltanschauung. Ohne sie ist Marxens Konzept vom totalen Menschen ebenso unbegreiflich wie seine Auffassung vom Kommunismus«[118]. Man soll also mit offenen Karten spielen und zugeben: Nicht nur für den orthodoxen Diamat, auch für den ursprünglichen Marxismus von K. Marx ist der Atheismus ein wesentliches Element. Die Frage, ob sich der Atheismus vom sozialpolitischen und ökonomischen Ansatz des Marxismus abtrennen läßt, kann höchstens an einen gründlich revidierten Marxismus gestellt werden, der seinen – notwendigerweise – totalitären Messianismus aufgibt. Aber wäre dies noch der ursprüngliche Marxismus?

Jede theologische Kritik an K. Marx muß mit einer *Selbstkritik* beginnen. Das Christentum hat im 19. Jahrhundert, von wenigen Ausnahmen wie Bischof Ketteler, A. Kolping, F. Hitze u. a. abgesehen, die soziale Frage viel zu spät erkannt. Die Gemeinsame Synode der Bistümer Deutschlands (1971–1975) spricht nicht ohne Grund von einem fortwirkenden Skandal[119], der in einer falschen Mentalität begründet ist, vor

---

[113] K. Rahner, Marxistische Utopie und christliche Zukunft des Menschen, in: Schriften Bd. 7. 77 ff.

[114] Die Interpretation des Marxismus als säkularisiertem Messianismus findet sich schon bei S. N. Bulgakov, Sozialismus im Christentum? (1909/10), Göttingen 1977. Sie hat vor allem über K. Löwith, Weltgeschichte und Heilsgeschehen. Die theologischen Voraussetzungen der Geschichtsphilosophie, Stuttgart 9 1979, 38–54 einen großen Einfluß ausgeübt.

[115] K. Marx, Zur Kritik der Nationalökonomie, 605 f; vgl. 645.

[116] Ders., Zur Judenfrage, 459.

[117] K. Marx, Zur Kritik, 497.

[118] V. Gardavsky, Gott ist nicht ganz tot, 173.

[119] Synodenbeschluß: Kirche und Arbeiterschaft, 1, in: Gemeinsame Synode der Bistümer in der Bundesrepublik Deutschland. Offizielle Gesamtausgabe, Freiburg–Basel–Wien 1976, 327.

allem in einer vornehmlich caritativen und zu wenig strukturellen Sicht des Problems. Man hat außerdem lange nicht hinreichend unterschieden zwischen den verschiedenen Ebenen des Marxismus, vor allem zwischen der marxistischen Analyse des sozialen Problems und dessen ideologischer Interpretation. Man braucht, auch wenn man gegen die ideologische Interpretation des Marxismus grundsätzliche theologische Einwände formuliert, nicht zu bestreiten, daß dieser wichtige und inzwischen *unentbehrlich gewordene Instrumentarien* entwickelt hat, um soziale, ökonomische und politische Probleme zu analysieren. Ideologisch werden diese Methoden erst, wenn sie verabsolutiert werden, wenn also religiöse Phänomene von vornherein nur noch in sozioökonomischer Perspektive und nicht mehr in sich selbst analysiert und diskutiert werden. Zu diesem methodischen Gewinn kommt ein inhaltlicher Beitrag des Marxismus: der *Hinweis auf die grundlegende Bedeutung der Arbeit*. Die Enzyklika »Laborem exercens« (1981) hat diesen Gesichtspunkt aus einer christlichen Perspektive heraus aufgegriffen und die Arbeit als eine grundlegende Form menschlicher Selbstverwirklichung betrachtet und daraus den Primat des arbeitenden Menschen vor den Sachen, also auch vor dem Kapital, herausgestellt. Die *Mängel der marxistischen Interpretation der Religion* ergeben sich u. a. daraus, daß K. Marx *das Phänomen der Religion nie eigens analysiert*, sondern es von vornherein auf ökonomische und politische Funktionen reduziert. Da K. Marx seine Religionskritik nicht eigens begründet, sondern mehr oder weniger von Feuerbach übernommen hat, gelten die Einwände gegen Feuerbachs Projektionstheorie auch gegen Marx. Das bedeutet, daß aus der Tatsache, daß die Gottesvorstellung von den jeweiligen sozio-ökonomischen Verhältnissen mitbestimmt wird, nicht folgt, daß Gott nur ein Widerschein dieser Verhältnisse ist. Hätte Marx die Rolle der Religion im gesellschaftlichen Prozeß wirklich untersucht, dann hätte er sich fragen müssen, ob es bei allem Einfluß der sozio-ökonomischen Verhältnisse auf die religiösen Vorstellungen nicht auch den von M. Weber aufgewiesenen Einfluß der Religion auf die gesellschaftlichen Vorstellungen und die gesellschaftliche Praxis gibt[120]. Auch Marx weiß wenigstens andeutungsweise, daß nicht nur die Verhältnisse die Ideen, sondern auch die Ideen in Gestalt von Utopien die Verhältnisse bestimmen und revolutionieren können. Das bedeutet aber eine zumindest relative Eigenständigkeit des Geistes gegenüber der Materie. Die Folge ist, daß die Religion nicht einfach eine Funktion schlechter ökonomischer und sozialer Zustände ist und mit

---

[120] M. Weber, Die protestantische Ethik und der Geist des Kapitalismus (1904/5), in: Gesammelte Aufsätze zur Religionssoziologie I, Tübingen ⁶1972, 17–206.

deren revolutionärer Veränderung nicht einfach abstirbt. So ist die Religion auch in kommunistischen Ländern bis heute nicht zum Absterben gekommen; trotz schwerer Verfolgung und Unterdrückung lebt sie dort nicht nur fort, sondern sie erlebt sogar eine Erneuerung.

Das hängt mit einem zweiten Punkt zusammen: *Der Kommunismus konnte bis heute keine Antwort auf die Sinnfrage des einzelnen Menschen* geben. Diese Fragen stellen sich auch und gerade in sozialistischen Gesellschaften, weil diese neue Formen der Entfremdung des Individuums von der Gesellschaft hervorbringen. Die Frage des persönlichen Glücks, des persönlichen Schicksals, der Schuld, des Leidens und des Sterbens des einzelnen läßt sich nicht allein mit dem Fortschritt auf dem Weg zur klassenlosen Gesellschaft beantworten. An dieser Stelle stoßen wir auf den entscheidenden Punkt. Das Christentum sieht den Menschen nicht nur als Ensemble der gesellschaftlichen Verhältnisse, sondern als Person, die bei aller sozialen Einbindung Wert und Würde in sich selbst besitzt[121] und die ihrerseits Wurzelgrund, Träger und Ziel aller gesellschaftlichen Institutionen ist[122]. Es sieht das Böse darum nicht primär in den Strukturen und Verhältnissen, sondern als Sünde, die ihren Ursprung im Herzen des Menschen hat. Die Würde der Person ist letztlich in der Transzendenz der Person begründet[123]. Autonomie des Menschen und Theonomie stehen also in keinem Konkurrenzverhältnis, sie wachsen nicht im umgekehrt proportionalen, sondern im gleichen Verhältnis[124].

Aus der christlichen Sicht des Menschen und seiner konstitutiven Verwiesenheit folgt, daß christlich *jeder innergeschichtliche Messianismus ausgeschlossen* ist. Aufgrund seiner konstitutiven Verwiesenheit auf Gott kann der Mensch niemals völlig Herr seiner selbst sein. Er kann sich deshalb auch nicht total von seiner Geschichte emanzipieren und einen völlig neuen Anfang setzen. Auch der Revolutionär steht in den Verstrickungen der Geschichte; auch er bedarf der Vergebung, der Erlösung, der Gnade eines neuen Anfangs. Schließlich: Revolution kann – höchstens – Hoffnung für die kommenden Generationen sein. Wie steht es dann mit den Leidenden, Unterdrückten, Zukurzgekommenen in Vergangenheit und Gegenwart? Sind sie nur Mittel zum Zweck des Glücks anderer? Wenn aber Hoffnung und Gerechtigkeit für alle, auch für die Toten möglich sein soll, dann nur, wenn Gott Herr über Leben und Tod ist und wenn er ein Gott ist, der die Toten

---

[121] Vatikanum II, Gaudium et spes, 12.
[122] Ebd. 25.
[123] Ebd. 76.
[124] Ebd. 21.

auferweckt[125]. Es gibt zweifellos falsche Jenseitsvertröstung, aber wo jeder Jenseitstrost als Vertröstung desavouiert wird, da wird auch das Diesseits trostlos.

Friedrich Nietzsche

Friedrich Nietzsche (1844–1900)[126] wurde schon als Student dem sentimentalen und moralisierenden Christentum, das er in der engen Atmosphäre eines evangelischen Pfarrhauses kennengelernt hatte, entfremdet. *Sein Argument gegen das Christentum ist weniger der Verstand als das Leben.* So ist Nietzsche mehr als ein Philosoph; er ist eher ein Prophet des Todes Gottes und ein Zeuge dessen, was der moderne Mensch als Anfrage an die Adresse der Christen und an das asketische Ideal des Christentums zu richten hat. Doch Nietzsche erkennt auch bereits die Konsequenzen des Atheismus, den Nihilismus; er nimmt die Sinnkrise des 20. Jahrhunderts vorweg und sucht sie durch eine neue Sicht der Welt und des Lebens zu überwinden.

Nietzsches Denken begegnet vielen *Deutungen und Mißdeutungen.* Zunächst wurde er vom Stefan-George-Kreis ästhetisch in Anspruch genommen, dann wurden seine Aussagen über die Herrenmoral und die blonde Bestie vom Nationalsozialismus politisch und nationalistisch mißbraucht. Seine Wirkung war zunächst mehr literarischer Art. Thomas Mann, Stefan Zweig, Nikos Kazantzakis, André Gide, André Malraux sind in diesem Zusammenhang zu nennen. Wegen seines aphoristischen, sich in vielen Widersprüchen bewegenden Denkens der Gegensätze wurde ihm auch schon der Charakter einer

[125] Dieser Gesichtspunkt stammt von W. Benjamin, Geschichtsphilosophische Thesen, in: Illuminationen, Frankfurt a. M. 1955, 268 f; 271 f. Er wurde vor allem von H. Peukert, Wissenschaftstheorie – Handlungstheorie – Fundamentale Theologie. Analysen zu Ansatz und Status theologischer Theoriebildung, Düsseldorf 1976, 283 ff theologisch aufgegriffen und weiterentwickelt.

[126] Zu Nietzsche: K. Löwith, Nietzsches Philosophie der ewigen Wiederkunft des Gleichen, Berlin 1935; H. de Lubac, Le drame de l'humanisme athée, Paris ⁴1950 (dt. Die Tragödie des Humanismus ohne Gott. Feuerbach, Nietzsche, Comte und Dostojewskij als Prophet, Salzburg 1950); K. Jaspers, Nietzsche und das Christentum, München 1952; ders., Nietzsche. Einführung in das Verständnis seines Philosophierens, Berlin ³1950; J. B. Lotz, Zwischen Seligkeit und Verdammnis. Ein Beitrag zu dem Thema: Nietzsche und das Christentum, Freiburg i. Br. 1953; E. Benz, Nietzsches Ideen zur Geschichte des Christentums und der Kirche, Leiden 1956; G. G. Grau, Christlicher Glaube und intellektuelle Redlichkeit. Eine religionsgeschichtliche Studie über Nietzsche, Frankfurt 1958; B. Welte, Nietzsches Atheismus und das Christentum, Freiburg i. Br. 1953; M. Heidegger, Nietzsches Wort »Gott ist tot«, in: Holzwege, Frankfurt a. M. 1957, 193–247; ders., Nietzsche, 2 Bde, Pfullingen 1961; E. Biser, »Gott ist tot«. Nietzsches Destruktion des christlichen Bewußtseins, München 1962; ders., Nietzsches Kritik des christlichen Gottesbegriffs und ihre theologischen Konsequenzen, in: Philos. Jahrb. 78 (1971) 34–65; 295–304; W. Müller – Lauter, Nietzsche. Seine Philosophie der Gegensätze und die Gegensätze seiner Philosophie, Berlin 1971; E. Fink, Nietzsches Philosophie, Stuttgart ³1973.

ernstzunehmenden Philosophie abgesprochen (W. Windelband; J. Hirschberger), bis Nietzsche erst mit K. Jaspers und M. Heidegger ernsthaft auf die Philosophie einzuwirken begann. Jaspers und Heidegger interpretieren ihn aber mehr vom in seinem Denken Ungesagten her und damit im Sinn ihres eigenen Philosophierens. Seine Bedeutung liegt wohl darin, daß er die durch das Christentum heraufgeführte Wertung der Geschichte samt deren säkularisierten Folgen im Fortschrittsglauben der Neuzeit überwinden will in Richtung auf eine Erneuerung des antiken Kreislaufdenkens (K. Löwith; E. Fink) und einer heraklitischen Philosophie der Gegensätze (Müller-Lauter). Dennoch heißt sein Leitwort nicht Kosmos, sondern Leben. Von dorther formuliert er seine leidenschaftliche Kritik am Christentum, das er als Ressentiment gegen das Leben versteht. Die Christen und die Theologen haben deshalb auf Nietzsche zunächst eher allergisch reagiert. Solowjew sah in Nietzsche den Vorboten des Antichrist. G. Marcel, H. d. Lubac, K. Barth u. a. sehen in ihm den Propheten einer Humanität ohne Gott und zugleich einen Zeugen der dadurch ausgelösten Krise des Abendlands. Erst B. Welte, E. Biser u. a. sind bei aller unüberbrückbaren grundsätzlichen Distanz in einen offenen Dialog mit Nietzsche eingetreten.

Nietzsche versteht seine Schriften als eine *Schule des Verdachts*[127]. Alle bisherigen Werte, Ideen und Ideale werden historisch und psychologisch hinterfragt, alle Wahrheiten als Schätzungen, als Perspektiven, als zum Leben nützliche Vorurteile, als Ausdruck des Willens zur Macht erkannt[128]. »Wahrheit ist die Art von Irrtum, ohne welche eine bestimmte Art von lebendigen Wesen nicht leben könnte. Der Wert für das Leben entscheidet zuletzt«[129]. Es gibt nur ein perspektivisches Sehen und Erkennen«[130], und dieses Perspektivische ist die Grundbedingung allen Lebens[131]. Was bleibt, ist das Leben, das die Täuschung will und von der Täuschung lebt[132] und das mit dem Willen zur Macht identisch ist[133]. Nietzsche nennt es auch das Dionysische; es ist das Rauschhafte, Irrationale, ja Anarchische im Gegensatz zur apollinischen Klarheit[134]. Damit bricht Nietzsche mit dem neuzeitlichen Glauben an die Vernunft, die Moral, das Ideal. Letztlich geht es ihm um eine Absage an die gesamte Metaphysik seit Platon und an das Christentum; »denn Christentum ist Platonismus fürs Volk«[135]. Auch die Wissenschaft ruht auf einem metaphysischen Glauben[136]. Es geht Nietzsche um einen Kampf gegen jede Form von Hinterwelt der Wahrheit, des Guten, des Seins,

---

[127] F. Nietzsche (WW I, ed. K. Schlechta), 437; II,13.
[128] Ders., II, 567 ff.
[129] Ders., III, 844.
[130] Ders., II, 861; III, 441.
[131] Ders., II, 566.
[132] Ders., I, 438.
[133] Ders., II, 372; 578; 729 u. ö.
[134] Nietzsche äußert sich an sehr zahlreichen Stellen über das Dionysische im Gegensatz zum Apollinischen: I, 21, 25, 35, 70, 104, 108; II, 245, 996, 1047 f; III, 791, 912 u. ö.
[135] Ders., II, 566.
[136] Ders., II, 208.

des Dings an sich, durch die das Leben in dieser Welt als etwas Uneigentliches entwertet wird.

Im *Gottesgedanken* findet nach Nietzsche die Illusion einer absoluten Wahrheit ihre höchste Aufgipfelung und ihre letzte Zusammenfassung. Gott ist unsere längste Lüge[137], Gleichnis und Dichtererschleichnis[138]; er ist der Gegensatzbegriff zum Leben[139], *Ausdruck des Ressentiments gegen das Leben* [140]. So mußte für Nietzsche der Tod Gottes zu einem zentralen Inhalt seines Denkens werden. Der Tod Gottes war für ihn der höchste Ausdruck des Todes der Metaphysik[141]. Doch es wäre eine verhängnisvolle Selbsttäuschung, wollte man meinen, es gehe Nietzsche nur um den Tod des Gottes der Metaphysik und nicht um den christlichen Gott. Ganz im Gegenteil, der christliche Gottesbegriff ist für ihn »einer der korruptesten Gottesbegriffe, die auf Erden erreicht worden sind«. »In ihm ist Gott zum Widerspruch des Lebens abgeartet, statt dessen Verklärung und ewiges Ja zu sein«[142]. »Der Gott am Kreuz ist ein Fluch auf das Leben«[143]. Deshalb gilt: »Dionysos gegen den Gekreuzigten«[144].

Ihren klassischen Ausdruck findet Nietzsches *Botschaft vom Tod Gottes* in der »Fröhlichen Wissenschaft« (1886). Dort findet sich die Parabel vom tollen Menschen, der am hellen Vormittage eine Laterne anzündet, auf den Markt läuft und unaufhörlich schreit: »Ich suche Gott! Ich suche Gott«, und der mitten unter die lachende Menge springt, sie mit seinen Blicken durchbohrt und ruft: »Wohin ist Gott?... ich will es euch sagen! Wir haben ihn getötet – ihr und ich! Wir alle sind seine Mörder!«[145] Dieses Wort Nietzsches vom Tod Gottes geht auf Pascal, Jean Paul und Hegel zurück. Doch bei Nietzsche hat es nochmals eine andere und eine viel umfassendere Bedeutung. Es ist »das größte neuere Ereignis«; »das Ereignis ist viel zu groß, zu fern, zu abseits vom Fassungsvermögen vieler, als daß auch nur seine Kunde schon angelangt heißen dürfte; geschweige denn, daß viele bereits wußten, was eigentlich sich damit begeben hat«[146]. Der Schatten Gottes ist lang, es gilt erst noch seinen Schatten zu besiegen[147].

[137] Ders., II, 208.
[138] Ders., II, 261.
[139] Ders., II, 1159.
[140] Ders., II, 1203.
[141] M. Heidegger, Nietzsches Wort »Gott ist tot«, in: Holzwege, Frankfurt a. M. 1957, 193–247.
[142] F. Nietzsche, aaO., II, 1178.
[143] Ders., III, 773.
[144] Ders., II, 1159; III, 738; 773.
[145] Ders., II, 126 f.
[146] Ders., II, 205.
[147] Ders., II, 115.

Die nächsten Folgen dieses Ereignisses sind »wie eine neue schwer zu beschreibende Art von Licht, Glück, Erleichterung, Erheiterung, Ermutigung, Morgenröte...«; »endlich erscheint uns der Horizont wieder frei...«[148]. Doch Nietzsche ist weit entfernt von diesem naiven optimistischen Atheismus. Er sieht die »lange Fülle und Folge von Abbruch, Zerstörung, Untergang, Umsturz, die nun bevorsteht«[149]. Deshalb läßt er seinen tollen Menschen sagen: »Was taten wir, als wir diese Erde von ihrer Sonne losketteten? Wohin bewegt sie sich nun? Wohin bewegen wir uns? Fort von allen Sonnen? Stürzen wir nicht fortwährend? Und rückwärts, seitwärts, vorwärts, nach allen Seiten? Gibt es noch ein Oben und ein Unten? Irren wir nicht wie durch ein unendliches Nichts? Haucht uns nicht der leere Raum an? Ist es nicht kälter geworden? Kommt nicht immerfort die Nacht und mehr Nacht?«[150] Letztlich ist für Nietzsche freilich nicht der Tod Gottes, also der Unglaube, sondern der Gottesglaube selbst die Ursache des Nihilismus. Denn Gott ist ja das Nein zum Leben. »In Gott ist das Nichts vergöttlicht, der Wille zum Nichts heiliggesprochen«[151]. Damit haben wir den Punkt erreicht, der Nietzsche vor allem in seiner Spätphase beschäftigte: Der Theismus ist letztlich ein Nihilismus; der Nihilismus ist die »Konsequenz der bisherigen Wertinterpretation des Daseins«[152], »die zu Ende gedachte Logik unserer großen Werte und Ideale«[153]. Das Christentum selbst ist eine nihilistische Religion. »Nihilist und Christ: das reimt sich, das reimt sich nicht bloß«[154].

»Was bedeutet *Nihilismus?* – Daß die obersten Werte sich entwerten. Es fehlt das Ziel. Es fehlt die Antwort auf das ›Wozu‹«[155]. Der Nihilismus ist der Glaube, daß es gar keine Wahrheit gibt[156]; er schließt den Unglauben an die metaphysische Welt ein[157]. Doch Nietzsche unterscheidet den müden Nihilismus, der nicht mehr angreift, vom aktiven Nihilismus der Stärke, der die bisherigen Ziele als unangemessen erkennt und stark genug ist, »um produktiv sich nun auch wieder ein Ziel, ein Warum, einen Glauben zu setzen«[158]. »Ein Wozu? ein neues Wozu? – das ist es, was die Menschheit nötig hat«[159].

[148] Ders., II, 206.
[149] Ders., II, 205.
[150] Ders., II, 127.
[151] Ders., II, 1178.
[152] Ders., III, 493.
[153] Ders., III, 653.
[154] Ders., II, 1230.
[155] Ders., III, 557.
[156] Ders., III, 675.
[157] Ders., III, 678.
[158] Ders., III, 557.
[159] Ders., III, 629.

Nietzsche kleidet seine eigene Antwort auf die Wozu-Frage in verschiedene Metaphern. Am wichtigsten ist seine *Rede vom Übermenschen* in »Also sprach Zarathustra«. Diese Chiffre erscheint dort, wo der Tod Gottes eingetreten ist. »Tot sind alle Götter: Nun wollen wir, daß der Übermensch lebe«[160]. Doch was ist dieser Übermensch? Für Nietzsche ist er der Sinn der Erde[161], der Sinn des Menschen[162]. Denn »der Mensch ist etwas, das überwunden werden soll«. »Was groß ist am Menschen, das ist, daß er eine Brücke und kein Zweck ist: was geliebt werden kann am Menschen, das ist, daß er ein Übergang und kein Untergang ist«[163]. Der Übermensch ist der Mensch, der alle bisherigen Entfremdungen hinter sich läßt. Er ist also eben kein jenseitiger Mensch, er bleibt vielmehr der Erde treu und glaubt nicht an überirdische Hoffnungen[164]. Er zerbricht auch die »Tafeln der Werte«[165], er gehört nicht zu den Verächtern des Leibes[166], er verwirft die bisherigen Tugenden, er lebt »Jenseits von Gut und Böse«. Er ist der mit sich identische Mensch, der alle Spannung und Spaltung von Sein und Sinn überwunden hat, der selbst zu Gott gewordene Mensch, der an die Stelle des entschwundenen und getöteten Gottes tritt. Nur um selbst Gott zu werden, konnte der Mensch Gott töten[167]. »Wenn es Götter gäbe, wie hielte ich es aus, kein Gott zu sein!«[168].

Wieder erklärt Nietzsche den Weg zum Übermenschen in einem Bild, in der Metapher von den drei Verwandlungen: »Wie der Geist zum Kamel wird, und zum Löwen das Kamel, und zum Kinde zuletzt der Löwe«. Das Kamel erniedrigt sich; es beugt sich unter höhere Werte. Der Löwe jagt der Freiheit nach; er ist Bild des Menschen, der in und aus eigener Freiheit sein Glück und seine Vollendung erst schaffen will. Vom Kind dagegen gilt: »Unschuld ist das Kind und Vergessen, ein Neubeginn, ein Spiel, ein aus sich rollendes Rad, eine erste Bewegung, ein heiliges Ja-sagen«[169]. Das Ja-sagen ist die Erlösung von der vergänglichen Zeit. Der schaffende Wille sagt dazu: »Aber so will ich es!«[170]. »War das das Leben? Wohlan! Noch einmal!«[171].

Im dritten Teil von »Also sprach Zarathustra« führt Nietzsche die Idee vom Übermenschen konsequent weiter zu seinem »abgründlichen Gedanken«, zum *Gedanken von der ewigen Wiederkehr*[172]. Gemeint ist die Gegenwart der Ewigkeit in jedem Augenblick: »In jedem Nu beginnt das Sein; um jedes Hier rollt sich die Kugel Dort. Die Mitte ist überall. Krumm ist der Pfad der Ewigkeit«[173]. Nietzsche gibt dieser Einsicht Ausdruck im Bild vom großen

---

[160] Ders., II, 240.
[161] Ders., II, 280.
[162] Ders., II, 287.
[163] Ders., II, 281.
[164] Ders., II, 180.
[165] Ders., II, 180.
[165] Ders., II, 289.
[166] Ders., II, 300 f.
[167] Ders., II, 127.
[168] Ders., II, 344.
[169] Ders., II, 293 f.
[170] Ders., II, 394 f; 455.
[171] Ders., II, 552.
[172] Ders., II, 408 ff.
[173] Ders., II, 463.

Mittag[174]. »Die Welt ist tief, und tiefer ist der Tag gedacht. Tief ist ihr Weh-, Lust-, tiefer noch als Herzeleid. Weh spricht: Vergeh! Doch alle Lust will Ewigkeit –, will tiefe, tiefe Ewigkeit!«[175]. Statt der Negation des Lebens will Nietzsche durchstoßen »bis zu einem dionysischen Ja-sagen zur Welt, wie sie ist, ohne Abzug, Ausnahme und Auswahl«[176]. Er will die bisher verneinten Seiten des Daseins nicht nur als notwendig, sondern als wünschenswert begreifen, den ewigen Kreislauf aller Dinge annehmen. Seine Formel dafür ist »amor fati«[177].

Ohne Zweifel, diese Lehre von der ewigen Wiederkunft des Gleichen bedeutet *die* Gegenkonzeption zur geschichtlich-eschatologischen Weltsicht des Christentums und diese Aufhebung aller Gegensätze und Widersprüche die Negation der Grundlagen der abendländischen Metaphysik. Man kann darin eine kritische Erneuerung mythischer Religiosität erkennen, die zeigt, daß auch Nietzsche mit der Gottesfrage nicht einfach fertig geworden ist, daß sie bei ihm vielmehr in neuer Form wiederkehrt. Mit diesem Rekurs auf den Mythos steht Nietzsche nicht allein. Görres, Schelling, Hölderlin haben schon vor ihm nach einer neuen Mythologie gerufen. Schiller beklagt in seinem Gedicht »Die Götter Griechenlands« die seelenlose moderne Welt und ruft die alte, wo »alles eines Gottes Spur« war, zurück[178]. Womöglich noch eindringlicher sind Hölderlins Elegien, seine Trauer um das Entschwinden der Götter und der Ruf, ja die Erwartung ihrer Wiederkehr. »Nah ist und schwer zu fassen der Gott. Wo aber Gefahr ist, wächst das Rettende auch«[179]. Später haben Stefan George und Rilke in Gestalt des Engels in den Duineser Elegien in eine ähnliche Dimension gewiesen. Bei Thomas Mann und – in anderer Weise – bei Günther Grass begegnen wir wieder der Faszination des Mythos. Keiner freilich hat so sehr in den Abgrund des Nichts der gegenwärtigen Welt des technischen Weltbilds zu blicken gewagt und zugleich im Anschluß an Hölderlin und Nietzsche auf ein neues Offenbarwerden des Seins gewartet wie M. Heidegger[180].

Nietzsche selbst fragt: »Ist das nicht eben Göttlichkeit, daß es Götter, aber keinen Gott gibt?«[181]. Noch in Nietzsches späten Aufzeichnungen findet sich die Frage: »Wieviele Götter sind noch möglich?« Nietzsche antwortet: »Ich würde nicht zweifeln, daß es viele Götter gibt«[182] Deshalb »Wir glauben an den Olymp – und nicht an den ›Gekreuzigten‹«[183]. Am deutlichsten kommt diese Sehnsucht zum Ausdruck in dem bekannten Dionysios-Dithyrambus »O komm zurück, mein unbekannter Gott! mein Schmerz! mein letztes Glück!...«[184]. Wie immer diese Verse zu interpretieren sind, Nietzsche ist mit

---

[174] Ders., II, 512ff.

[175] Ders., II, 558.

[176] Ders., III, 834.

[177] Ders., II, 1098; III, 834; 118 u. ö.

[178] F. Schiller, Die Götter Griechenlands (Sämtliche Werke I, ed. G. Fricke und H. G. Göpfert, München ²1960), 169–173.

[179] F. Hölderlin, Patmos (Sämtliche Werke II, ed. F. Beissner, Stuttgart 1953), 173.

[180] M. Heidegger, Erläuterungen zu Hölderlins Dichtung, Frankfurt a. M. 1951, 38f, 61f, 73 u. ö.

[181] F. Nietzsche, aaO., II, 431; vgl. 449.

[182] Ders., III, 838.

[183] Ders., III, 837.

[184] Ders., II, 494.

der Gottesfrage bis ans Ende nicht einfach fertig, und er weiß warum: »Ich fürchte, wir werden Gott nicht los, weil wir noch an die Grammatik glauben«[185]. Wir bewegen uns in den Schlingen der Volks-Metaphysik der Grammatik[186], aufgrund derer bisher nichts eine naivere Überredungskraft gehabt hat als der Irrtum vom Sein; »er hat ja jedes Wort für sich, jeden Satz für sich, den wir sprechen!«[187] Ist also Nietzsches Konzeption überhaupt sagbar, ist sie denkbar?

Nietzsche konfrontiert uns nicht nur mit der Frage Theismus oder Atheismus. Schon gar nicht kritisiert er nur sentimentale und moralisierende Zerrformen des Christentums; man kann seiner Kritik deshalb nicht durch ein paar Retuschen am Gottesbild gerecht werden. Nietzsche konfrontiert uns mit der *Frage nach Sein oder Nichtsein;* bei ihm geht es um die Grundlagen unserer gesamten abendländischen Kultur, um Griechentum und Christentum gleichermaßen. Er entdeckt deren *nihilistische Tendenz* und sieht als deren Konsequenz den Nihilismus heraufziehen. Mit dieser Gegenwartsdiagnose ist Nietzsche ein geradezu unheimlich gegenwärtiger Denker, viel gegenwärtiger als Marx, der noch immer von der Sinnprämisse des Menschseins und der Geschichte lebte. Bei Nietzsche zerbricht der Glaube an die Vernunft und damit an die Moderne. Er deckt das Sinnvakuum und das Orientierungsdefizit, die Langeweile der modernen Zivilisation auf. Er erkennt die Folgen der Entgötterung und das heißt auch der Entleerung der Welt, die Platonismus und Christentum gemeinsam vollzogen haben und die in der modernen Wissenschaft und Technik zu ihrer praktischen Auswirkung gekommen ist. Der Satz, daß Gott tot ist, ist gleichsam die Abbreviatur dieses sehr umfassenden Vorgangs.
Doch so herausfordernd Nietzsches Diagnose ist, *seine Antwort vermag nicht zu überzeugen.* Ist das Leben, das gesunde, vitale, robuste Leben und der Wille zum Leben wirklich das Letzte? Könnte nicht auch das Leben nur eine Perspektive sein, Ausdruck des Willens zu Macht, verzweifelter Versuch zum Überleben angesichts des drohenden Nihilismus? Nietzsches Versuch, das Ewige in diesem Leben und nicht im Jenseits anzusiedeln, die Verewigung dieses Lebens also, kann nur – wie niemand deutlicher als Nietzsche selbst spürte – zur Verewigung des Sinnlosen, zur tödlichen Langeweile und zum Überdruß am Leben führen. Zum andern: Kann der Mensch, will er ein menschlicher Mensch bleiben, den Unterschied von Gut und Böse aufheben? Kann er Ja sagen zum Bösen, zu Lüge, Mord, Gewalt? Muß er hier nicht um eines menschlichen Lebens willen unterscheiden? Schließlich: Genügt der Rückgriff auf den Mythos? Die Unterscheidung zwischen Ja und

---

[185] Ders., II, 960.
[186] Ders., II, 222; vgl. 565; 584; 600; 616.
[187] Ders., II, 960.

Nein, Wahr und Falsch ist im Grunde identisch mit der Entdeckung des Denkens, die man gar nicht bestreiten kann, ohne sich in Absurditäten zu verwickeln. Wo die Widersprüche im Denken Nietzsches versöhnt zu sein scheinen, da brechen sie am Ende wieder auf. Denn der Satz vom Widerspruch, wonach etwas nicht unter derselben Rücksicht sein und nicht sein kann, ist die Grundlage jedes Denkens; selbst der Versuch, diesen Satz zu bestreiten, setzt ihn nochmals voraus. So ist der Weg vom Mythos zum Logos unwiderruflich. Die Gegenfrage lautet freilich: Sind dann nicht auch die Konsequenzen unausweichlich, die zu einer entgötterten, entseelten und versachlichten Welt führen, in der in letzter Konsequenz Gott tot sein muß? Oder kann man Theós und Lógos, kann man Theo-logie in einer neuen, nicht-nihilistischen Weise denken? Welche positive Funktion hätte dabei die mythologische Sprache?

Ausgerechnet in seinem Werk »Der Antichrist« deutet Nietzsche einen solchen Ausweg an. Trotz schärfster Polemik gegen Christentum und Kirche bewahrt er einen gewissen Respekt vor Jesus, dessen gute Botschaft erst die Kirche zum Dysangelium gemacht habe. Nietzsche versteht Jesus nicht als Genie und nicht als Held, sondern wie Dostojewski, dem Nietzsche in vielem so verwandt und doch so total fremd ist, als Idiot, der »die Liebe als einzige, als letzte Lebensmöglichkeit« lebt[188]. In diesem Leben »in der Liebe ohne Abzug und Ausschluß, ohne Distanz« geht es nicht um einen neuen Glauben, sondern um einen neuen Wandel, und eine »evangelische Praktik allein führt zu Gott, sie ist eben Gott«[189]. Denn das Reich Gottes ist in uns; es ist nichts, das man erst erwartet; es ist überall und nirgends da[190]. In Jesu Leben und Lebensentwurf glaubt Nietzsche also das zu finden, was er proklamiert: ein mit sich identisches Leben, die Reklamation der an Gott verschwendeten Attribute für den Menschen. Leben in der Liebe als Inbegriff der von Nietzsche gepriesenen schenkenden Tugend[191] wäre also der neue, nicht-entfremdete, wenn auch ganz und gar nicht christliche, so doch jesuanische Daseinsentwurf? Ein atheistisches Jesuanertum also, das den biblischen Satz, daß Gott die Liebe ist, nur in seiner Umkehrung bejaht: Die Liebe ist Gott?

Die neuere Theologie hat diesen Weg manchmal zu gehen versucht als Ausweg aus der Krise. Zweifellos kann man sich dafür nur auf einen sehr selektiv beanspruchten Nietzsche berufen[192]. Außerdem hat man mit so kurzschlüssigen Adaptionen die von Nietzsche aufgeworfenen Grundsatzfragen noch keines-

---

[188] Ders., II, 1191.
[189] Ders., II, 1195 f.
[190] Ders., II, 1197.
[191] Ders., II, 336 ff.
[192] Vgl. Nietzsches Kritik an Jesus, II, 335: »Er starb zu früh; er selber hätte seine Lehre widerrufen, wäre er bis zu meinem Alter gekommen! Edel genug war er zum Widerrufen!«

wegs gelöst. Was bleibt, ist eine Anregung, die es kritisch aufzugreifen lohnt. Wenn jedoch absolute Liebe die Antwort sein soll, worüber grundsätzliches Einverständnis besteht, dann kann der Mensch diese absolute Liebe nie sein; er kann sie sich nur schenken lassen.

Das führt uns nochmals zur *Grundfrage der neuzeitlichen Idee der Autonomie:* Kann das Konzept einer radikalen Autonomie des Menschen im Sinn einer reinen Selbstvermittlung jemals gelingen, oder kann gelungene menschliche Identität nicht eher nur geschenkte und verdankte Freiheit sein? Sein aus sich – oder empfangenes Sein? Kann Autonomie anders denn theonom begründet werden, und wie kann Theonomie so gedacht werden, daß sie nicht Heteronomie besagt, sondern Autonomie nicht nur begründet, sondern auch zur Erfüllung bringt? Das Wort Liebe deutet bereits auf die Antwort der Theologie. Denn Liebe besagt eine Einheit, die den andern nicht aufsaugt, sondern ihn ins Eigene freisetzt und ihn so zur Erfüllung bringt. Die Antwort der Theologie auf den neuzeitlichen Atheismus im Horizont der menschlichen Autonomie lautet also: Je größere Einheit mit Gott bedeutet je größere und je erfülltere Freiheit des Menschen.

Um die theologische Antwort auf den modernen Atheismus auf eine argumentativ vermittelte Weise geben zu können, ist die Theologie zu einer fundamentalen Selbstbestimmung und Selbstkritik herausgefordert. Vergegenwärtigen wir uns deshalb abschließend nochmals die *Grundfrage des neuzeitlichen Atheismus.* Die Grundfrage besteht nicht darin, daß dem Bekenntnis des Glaubens: »Gott existiert« die Behauptung entgegengesetzt wird: »Gott existiert nicht«, so daß die Theologie zu fragen hätte: »Existiert Gott?« Weder hat das Glaubensbekenntnis jemals abstrakt die Existenz Gottes behauptet; es hat vielmehr immer von dem einen Gott gesprochen, der sich als Schöpfer Himmels und der Erde und als Vater unseres Herrn Jesus Christus erwiesen hat. Noch hat der moderne Atheismus in seinen reflektierteren Gestalten einfach die Nichtexistenz Gottes behauptet; er hat vielmehr einen ganz bestimmten, gegenüber dem Menschen und dem Leben repressiven Gott negiert, um die göttlichen Prädikate dem Menschen zuzuschreiben.
Die Grundfrage, die hinter diesem Vorgang steht, hat bereits Fichte im Atheismusstreit expliziert. Die Frage lautet, ob und *inwiefern wir von Gott überhaupt in Existentialsätzen reden können,* oder ob wir nur Prädikate eines Handelns bestimmen können[193]. Die *klassische Theologie* hat aufgrund des Handelns Gottes auf sein Sein zurückgeschlossen und etwa, weil sich Gott an uns als gut erweist, formuliert: Gott ist gut.

---

[193] J. G. Fichte, Rückerinnerungen, Antworten, Fragen (1799) (WW III ed. F. Medicus,), 235.

Sie hat also *Gott als Substanz* verstanden, von der bestimmte Prädikate ausgesagt werden können. Daran übte *die neuzeitliche Philosophie* Kritik. Fichte[194] und später Feuerbach[195] waren der Meinung, daß Gott durch solche Existential-, im Sinn von Substanzaussagen als ein in Raum und Zeit existierendes Wesen gedacht und somit objektivierend verendlicht wird. Die eigenen Antworten der neuzeitlichen Philosophie waren freilich zumindest zweideutig. Der Fichte des Atheismusstreits erweckte den Anschein, er beziehe die göttlichen Prädikate auf die moralische Ordnung, ähnlich wie Spinoza sie auf die Natur und der Mythos auf den Kosmos bezogen hat. Feuerbach dagegen schreibt die göttlichen Prädikate dem Menschen, Marx der Gesellschaft zu. Der spätere Fichte wie der spätere Schelling wollten diesen atheistischen Konsequenzen entgehen, von Gott aber nicht in der Weise der Substanz, sondern des Subjekts (im neuzeitlichen Sinn) sprechen, und das heißt, *Gott im Horizont der Freiheit* denken. Sie meinten also, den modernen Atheismus eben auf dem Boden überwinden zu können, auf dem er entstanden ist: auf dem Boden der zu Ende gedachten neuzeitlichen Subjektivitätsphilosophie.

Die Grundfrage des neuzeitlichen Atheismus ist also die Frage nach Sinn und Unsinn von Sätzen wie »Gott existiert« oder »Gott existiert nicht«. Es ist die *Frage nach der Bedingung der Möglichkeit von Existentialsätzen* in Beziehung auf Gott. Diese Klärung ist auch deshalb notwendig, weil das »ist« zutiefst zweideutig ist. Auf den ersten Blick scheint es eine Identitätsaussage zu machen. Ist dies der Fall, dann kann man die neutestamentliche Aussage: »Gott ist die Liebe« auch umkehren und Subjekt und Prädikat vertauschend sagen: Die Liebe ist Gott, was heißt: Wo Liebe geschieht, da ist Gott, da geschieht Göttliches. So sehr auch diese Aussage christlich legitim sein kann, so sehr ist sie doch auch atheistisch deutbar, wenn nicht geklärt wird, wer das Subjekt der Liebe ist bzw. wie menschliches und göttliches Subjekt sich dabei verhalten. *So stellt uns die neuzeitliche Philosophie in der Gottesfrage letztlich vor das Problem, ob und wie die Seinsfrage bzw. die Frage nach dem Sinn von Sein* innerhalb der neuzeitlichen Subjektivitätsphilosophie neu aufgenommen werden kann. Das Problem in dieser radikalen Weise gestellt zu haben, ist das Verdienst Nietzsches und der Nietzscheinterpretation von Martin Heidegger.

[194] J. G. Fichte, Appellation an das Publikum, in: WW III, 176.
[195] L. Feuerbach, Vorläufige Thesen zur Reform der Philosophie (1842), in: Kleine Schriften, 133.

III. DIE APORIE DER THEOLOGIE ANGESICHTS DES ATHEISMUS

1. DIE TRADITIONELLE APOLOGETISCHE POSITION

Der moderne Atheismus hat die Theologie in eine schwierige Lage gebracht. Vor allem durch das geschichtlich neuartige Phänomen des Massenatheismus, für den die wenn nicht theoretische, so doch praktische Gottesleugnung oder zumindest die Indifferenz gegenüber dem Gottesglauben das weithin Plausible zu sein scheint, ist die *Theologie sprach- und kommunikationslos* geworden. Es fehlt ihr an allgemein anerkannten Bildern, Symbolen, Begriffen, Kategorien, mit deren Hilfe sie sich verständlich machen kann. *Diese Krise in den Verstehensvoraussetzungen der Rede von Gott ist die eigentliche Krise der gegenwärtigen Theologie.* Mehr schulmäßig formuliert: Die Krise der gegenwärtigen Theologie besteht im Wegfall der praeambula fidei, d. h. der Voraussetzungen, derer der Glaube bedarf, um als Glaube möglich zu sein und sich als Glaube verständlich machen zu können. Diese Aporetik wird deutlich, wenn man sich die verschiedenen Weisen vergegenwärtigt, in denen sich die Theologie mit dem modernen Atheismus auseinandersetzt.

Die Theologie der zweiten Hälfte des 19. und der ersten Hälfte des 20. Jahrhunderts griff in ihrer Auseinandersetzung mit dem neuzeitlichen Atheismus verständlicherweise auf die Formen zurück, in denen schon in der Schrift und bei den Vätern, in der scholastischen Theologie des Mittelalters und der Neuzeit die Auseinandersetzung mit den damaligen Gestalten des Atheismus bzw. dessen, was man damit bezeichnete, geführt wurde. Man kann dieses Modell der Auseinandersetzung in einem doppelten Sinn des Wortes als apologetisch bezeichnen: *Man versuchte negativ und kritisch die Argumente der Gegner als nicht schlüssig zurückzuweisen, und man versuchte positiv und gegenkritisch den Glauben an Gott als vernunftgemäß zu erweisen und so vom Glauben Rechenschaft (ἀπολογία) zu geben*[1].

Dieser Weg der Auseinandersetzung findet sich in Ansätzen bereits in der *Schrift*[2]. Nur die Toren sagen: »Es gibt keinen Gott« (Ps 14,1; 10,4;

---

[1] Beide Gesichtspunkte sind klassisch formuliert bei Thomas von Aquin, Summa theol. I q.1 a.8.

[2] Vgl. dazu J.-M. Gonzales-Ruiz, L'ateismo nella Biblia, in: L'ateismo contemporaneo. Bd. 4. Turin 1969, 5–20.

36,2). Diese Torheit ist im Sinn der Psalmisten Bosheit, weil das Walten Gottes in der Schöpfung und in der Geschichte nur allzu deutlich ist. Daraus leitet bereits die alttestamentliche Weisheitsliteratur eine intellektuelle Auseinandersetzung ab. Töricht sind nach der Weisheit alle Menschen, denen die Gotteserkenntnis fehlt, »denn von der Größe und Schönheit der Geschöpfe läßt sich auf ihren Schöpfer schließen« (Weish 13,5). Das Neue Testament nimmt diese Argumentation auf (Röm 1,18–20; Apg 14,14–16; 17,26–29). Gleich wie das Alte Testament kann es in der Gottlosigkeit nur Bosheit sehen, die den erkannten Gott nicht als Gott anerkennen will (Röm 1,21) und deshalb irdische Größen als Götzen verehrt (1,23; Gal 4,8), was zu schlimmster sittlicher Verkehrung führt (Röm 1,24 ff; 1 Thess 4,5). Ausdrücklich spricht der Epheserbrief von den ἄθεοι die keine Hoffnung haben (Eph 2,12); er meint damit aber offensichtlich nicht Atheisten im heutigen Sinn, sondern Heiden, die Götzen verehren. Ihr Denken ist nichtig, ihr Sinnen verfinstert; sie sind durch ihre Unwissenheit dem wahren Leben entfremdet, und dies durch die Verhärtung ihres Herzens. Die Folge ist, daß sie sich der Ausschweifung hingeben, um voll Gier jede Art von Gemeinheit zu begehen (Eph 4,17–19). Sittliche Bosheit ist also Grund und Folge der Gottlosigkeit, die sittliche Verkommenheit ein Zeichen der Gottlosigkeit. Dabei weiß schon das Neue Testament um den praktischen Atheismus von solchen, die »bekennen, Gott zu kennen, durch ihr Tun aber verleugnen sie ihn« (Tit 1,16; vgl. 2 Tim 3,5).
Atheismus im Sinn von Gottlosigkeit ist im Sinn des Alten und Neuen Testaments jede Haltung, die den wahren Gott nicht anerkennt, also auch jede Form von Götzendienst, der als Verabsolutierung endlicher Größen wahrlich nicht nur eine vergangene, sondern eine gegenwärtige Möglichkeit und Wirklichkeit ist. Solche Verabsolutierung von Ehre (Prestige), Macht, Besitz, Sexus, Nation, Rasse u. a. führt eigentlich von selbst zu sittlich verwerflichem Tun, zur Entfremdung nicht nur von Gott, sondern auch der Menschen voneinander wie des Menschen von sich selbst. Wahres Leben hat deshalb nur derjenige, der den wahren Gott anerkennt. Anders formuliert: Im Heil ist nur der, der glaubt. Dieser Zusammenhang von Gottesglauben und Heil des Menschen wird Hebr 11,6 ausdrücklich formuliert: »Ohne Glauben aber ist es unmöglich, Gott zu gefallen; denn wer zu Gott kommen will, muß glauben, daß er ist und daß er denen, die ihn suchen, ihren Sinn geben wird.« Offensichtlich handelt es sich hier nicht um eine rein natürliche Gotteserkenntnis mit Hilfe der Vernunft, sondern um Glaube an den wahren Gott, der sich als Gott der Geschichte, als Retter und Richter erwiesen hat. Der Atheismus, der aus der Bosheit kommt und zur Bosheit führt, ist also Ausdruck der Heillosigkeit des Menschen.

Die *Kirchenväter*[3] entfalten diese biblischen Ansätze weiter. Sie vertreten oft einen sehr weiten Begriff von Atheismus, unter den nicht nur der heidnische Polytheismus, sondern manchmal auch der jüdische und islamische Monotheismus fällt. Dieser gegenüber heutigem Sprachgebrauch sehr weit gefaßte Atheismus ist für sie nicht nur ein theoretisches, sondern noch mehr ein moralisches Problem. Theoretisch scheint ihnen der Atheismus aufgrund der natürlichen Erkennbarkeit Gottes widerlegbar, ja unsinnig zu sein. Eine unverschuldete völlige Unwissenheit über Gott scheint ihnen deshalb unmöglich zu sein. Der Atheismus ist ihnen unter dem praktischen Gesichtspunkt vielmehr Folge und Ausdruck moralischen Versagens, ja letztlich ein widergöttliches, ein dämonisches Phänomen.

Die *Scholastik* brachte einige zusätzliche Klärungen, die vor allem für die heutige Diskussion von Bedeutung sind. Vor allem der Vater der mittelalterlichen Scholastik, Anselm von Canterbury, hat in seinem Proslogion in Weiterführung von Augustinus dargelegt, daß Gott vernünftigerweise gar nicht als nichtexistent gedacht werden kann[4]. Er hat damit die thomanische Theorie vorbereitet, wonach wir in jedem Erkenntnisakt auf implizite Weise Gott miterkennen[5]. Das bedeutet, daß es gar keinen absoluten Atheismus geben kann, daß vielmehr der Atheismus, der etwa die Materie zum Letzten und damit zum Absoluten erklärt, in einer unter Umständen ihm selbst verborgenen Weise von Gott weiß, wenngleich er dieses Wissen falsch interpretiert. Dennoch hält Thomas im Anschluß an Hebr 11,6 an der Heilsnotwendigkeit eines nicht nur impliziten, sondern eines expliziten Glaubens fest[6]. Er begründet dies auf doppelte Weise. Einmal kann auch das, was wir an sich natürlicherweise von Gott erkennen können, nicht von allen leicht und ohne Beimischung von Irrtum erkannt werden. Zum anderen kann der Mensch auf natürliche Weise zwar die Existenz Gottes erkennen, aber die Erkenntnis Gottes als Heil des Menschen übersteigt die natürlichen Möglichkeiten der Menschen. So ist ein ausdrücklicher Offenbarungsglaube dem Menschen heilsnotwendig. Dabei setzt Thomas freilich voraus, daß die Botschaft von Gott als Heil des Menschen allen Menschen bekannt ist. Wenn es freilich, so meint Thomas, einen Menschen gibt, der im Urwald oder unter wilden Tieren lebt und der diese Botschaft nicht vernommen hat, dann würde Gott ihm sicherlich durch innere Erleuchtung das zum Heil Notwendige offenbaren oder ihm einen Glaubensboten senden[7]. Möglicherweise hat der spätere Thomas in seiner theologischen Summe diese Hilfskonstruktion, die eigens ein Wunder bemühen muß, überwunden. Er spricht davon, daß jeder erwachsene Mensch, der des vollen Vernunftgebrauchs fähig wird, auf sich und auf das Sinnziel seines Lebens reflektieren muß und mit Hilfe der Gnade sich Gott als dem Sinn und der Erfüllung, d. h. dem Heil des Menschen

---

[3] Vgl. dazu A. M. Javierre, L'ateismo nei Padri della chiesa, in: L'ateismo contemporaneo. Bd. 4. 21–42.

[4] Anselm von Canterbury, Proslogion 3 f.

[5] Thomas v. A., De Ver. q.22 a.2 ad 1; vgl. ders., I Sent. α. 3 q.1 a.2.

[6] Ders., Summa theol. II/II q.2 a.3 u. 5; ders., De Ver. q.14 a.11.

[7] Ders., De Ver. q.14 a.11 ad 1.

zuwenden kann[8]. Daraus würde folgen, daß, wer immer sich in seinem Gewissen an letzten Werten, so wie er sie in seiner konkreten Situation zu erkennen vermag, orientiert, im Heil ist.

Auf diesem theologischen Hintergrund muß man die *lehramtlichen Aussagen zum Atheismus* verstehen. Er wurde erst sehr spät zum lehramtlichen Thema. Der Syllabus Pius IX. von 1864 faßt lediglich die früheren Verurteilungen des Pantheismus, Deismus und des Indifferentismus zusammen; der Atheismus taucht noch nicht auf[9]. Das ist erst auf dem Vatikanum I der Fall. Im Prooemium zur Konstitution »Dei Filius«, »Über den katholischen Glauben«, stellt das Konzil den Zusammenhang zum Trienter Konzil her und sieht in den modernen Irrtümern des Rationalismus, Naturalismus, Pantheismus, Materialismus und Atheismus Konsequenzen des protestantischen Prinzips des privaten Urteils jedes Christen in Sachen der christlichen Lehre. Es sieht den Atheismus als Widerspruch zur Vernunft und als Zerstörung der Grundlagen der menschlichen Gesellschaft[10]. Entsprechend definiert das Konzil die Möglichkeit der natürlichen Gotteserkenntnis[11] und verurteilt den Atheismus, Materialismus und Pantheismus als Widerspruch zum christlichen Glauben[12]. Damit ist die Linie für die künftigen päpstlichen Lehräußerungen vorgegeben: bei Leo XIII.[13], Pius XI., vor allem in dessen gegen den atheistischen Kommunismus gerichteten Enzyklika »Divini Redemptoris«[14], und bei Pius XII.[15]. Doch alle diese Aussagen gehen über Andeutungen nicht hinaus. Eine ausführliche Stellungnahme findet sich erstmals bei Johannes XXIII. in der Enzyklika »Mater et magistra« (1961), die aber im übrigen innerhalb des traditionellen Rahmens bleibt[16]: Der Atheismus widerspricht der Vernunft, und er erschüttert die Grundlagen jeder menschlichen und gesellschaftlichen Ordnung. Eine genaue Analyse des Phänomens und seiner, wenngleich fehlgeleiteten, oft humanistischen Impulse zum Aufbau einer gerechteren und menschlicheren Welt findet nicht statt.

---

[8] Ders., Summa theol. I/II q.89 a.6; vgl. dazu M. Seckler, Instinkt und Glaubenswille nach Thomas von Aquin, Mainz 1961, 232–258.

[9] DS 2901f.; NR 314.

[10] Conciliorum oecumenicorum Decreta (ed. J. Alberigo u. a.), 708f.

[11] DS 3004; 3026; NR 27f; 45; vgl. u. 96f.

[12] DS 3021–23; NR 318–20.

[13] Vgl. A. Rohrbasser (Hrsg.), Heilslehre der Kirche, Freiburg/Schweiz 1953, Nr. 184; Nr. 1093–95.

[14] Vgl. ebd., Nr. 992–996.

[15] Vgl. ebd., Nr. 736; 751; 936; 1589. Im übrigen betont Pius XII. in der Enzyklika »Humani generis« (1950) wieder die Möglichkeit der natürlichen Erkenntnis des persönlichen (!) Gottes, wobei er freilich ausführlich auf die Schwierigkeiten eingeht. Vgl. DS 3875; 3892.

[16] Johannes XXIII., Enzyklika »Mater et magistra« (1963), 207–215.

Erst die Enzyklika Pauls VI. »Ecclesiam suam« (1964) setzt hier neue Maßstäbe, indem sie bei allem grundsätzlichen Widerspruch eine dialogische Verhältnisbestimmung einleitet[17].

2. Die neuere dialogische Verhältnisbestimmung

Das *II. Vatikanische Konzil* schlägt im Verhältnis zum Atheismus ein neues Kapitel auf. Es rechnet »den Atheismus zu den ernstesten Gegebenheiten dieser Zeit«, fügt aber sofort hinzu, daß man ihn »aufs sorgsamste prüfen« muß[18]. Man hat diesen Wandel vornehmlich zum marxistischen Atheismus schon auf die Formel gebracht: »Vom Bannfluch zum Dialog«[19]. Damit ist der neue pastorale Akzent des Konzils richtig getroffen; aber er ist auch überzeichnet, weil das Konzil zwar neue Akzente gesetzt, aber mit diesen nicht die alten Aussagen ersetzt hat. Im Gegenteil, es heißt: »Die Kirche kann, in Treue zu Gott wie zu den Menschen, nicht anders, als voll Schmerz jene verderblichen Lehren und Maßnahmen, die der Vernunft und der allgemein menschlichen Erfahrung widersprechen und den Menschen seiner angeborenen Größe entfremden, mit aller Festigkeit verurteilen, wie sie sie auch bisher verurteilt hat«[20]. *Neu ist freilich, daß das Konzil damit nicht nur ein abstraktes Urteil fällt, sondern sich auf eine konkrete geschichtliche Betrachtungsweise einläßt und die Auseinandersetzung von der rein essentialistischen Ebene auf die existentielle Ebene verlagert.*
Dieser neue Zugang zum Problem läßt sich in dreifacher Weise aufzeigen: An erster Stelle muß man den Versuch einer differenzierenden Beschreibung des Phänomens Atheismus und den Versuch einer Würdigung auch seiner positiven Motive und Impulse nennen: die Freiheit des Menschen, die Gerechtigkeit in der Gesellschaft wie der Protest gegen das Übel in der Welt. Das Konzil macht diese Argumente und Impulse

---

[17] Paul VI., Enzyklika »Ecclesiam suam« (1964), 96–98.

[18] Vatikanum II, Gaudium et spes, 19. Vgl. P. Ladrière, L'Athéisme au Concile Vatican II, in: Archives de sociologie des religions 16 (1971) Nr. 32, 53–84; Ch. Moeller, Die Geschichte der Pastoralkonstitution, in: LThK Vat II, Bd. 3, 242–278; J. Ratzinger, Kommentar zu Gaudium et spes 19–22, in: ebd. 336–354; J. Figl, Atheismus als theologisches Problem. Modelle der Auseinandersetzung in der Theologie der Gegenwart (Tübinger Theol. Stud., 9), Mainz 1977, 31–81.

[19] R. Garaudy, Vom Bannfluch zum Dialog, in: R. Garaudy, J. B. Metz, K. Rahner, Der Dialog, oder: Ändert sich das Verhältnis zwischen Katholizismus und Marxismus?, Hamburg 1968, 27–118.

[20] Vatikanum II, Gaudium et spes, 21. Wichtig ist, daß es nicht heißt: damnat, sondern: reprobat. Ebenfalls von Bedeutung ist, daß es das Konzil trotz mehrfacher gegenteiliger Anträge vermieden hat, den Kommunismus ausdrücklich zu nennen und zu verurteilen. Vgl. dazu J. Ratzinger, aaO. 340 f; 344.

zweitens zur Anfrage an die eigene Position. »Denn der Atheismus, allseitig betrachtet, ist nicht eine ursprüngliche und eigenständige Erscheinung; er entsteht vielmehr aus verschiedenen Ursachen, zu denen auch die kritische Reaktion gegen die Religionen, und zwar in einigen Ländern vor allem gegen die christliche Religion, zählt. Deshalb können an dieser Entstehung des Atheismus die Gläubigen einen erheblichen Anteil haben«. Sie können sowohl durch eine mißverständliche Darstellung der christlichen Lehre wie durch Mängel im privaten und gesellschaftlichen Leben »das wahre Antlitz Gottes und der Religion eher verhüllen als offenbaren«[21]. Als Heilmittel gegen den Atheismus gilt deshalb nicht nur dessen Widerlegung, sondern die bessere Darlegung der eigenen Lehre wie das glaubwürdige Leben dieser Lehre[22]. Schließlich finden sich auch in der argumentativen Auseinandersetzung neue Akzente. Zunächst wird die Erkenntnis Gottes aus der Vernunft ergänzt durch die menschliche Erfahrung[23]. Das eigentliche Argument ist aber die Würde des Menschen, der sich ohne Gott eine ungelöste Frage bleibt. Die Anerkennung Gottes widerstreitet deshalb nicht der Würde des Menschen, sie begründet und vollendet sie vielmehr[24]. Diese anthropologische Argumentation wird dann noch christologisch weitergeführt, weil nur im Geheimnis Jesu Christi das Geheimnis des Menschen wahrhaft aufleuchtet und das Rätsel von Schmerz und Tod hell wird[25]. Das Konzil argumentiert also nicht mehr primär von der natürlichen Gotteserkenntnis, sondern vom Zentrum des christlichen Glaubens aus. Diese anthropologische und christologische Weise der Argumentation zieht sich durch fast alle Verlautbarungen von Papst Johannes Paul II.[26].

Freilich läßt auch der Konzilstext noch Wünsche offen: Mit Hilfe der konkreten, geschichtlichen und existentiellen Betrachtungsweise allein lassen sich die intellektuellen Anfragen des Atheismus nicht beantworten. Der geschichtliche Aspekt hätte deshalb deutlicher mit der traditionellen Lehre von der Möglichkeit der natürlichen Gotteserkenntnis vermittelt werden müssen. Dabei müßten auch die grundsätzlichen Einwände K. Barths und vieler protestantischer Theologen zu Wort kommen. Zum andern hat das Konzil die Lehre der theologia negativa, die Lehre von der Verborgenheit Gottes, übergangen. Sie hätte eine Hilfe sein können, die positive, reinigende Funktion des Atheismus für den Gottesglauben noch deutlicher zur Geltung zu bringen. Schließlich

---

[21] Vatikanum II, Gaudium et spes, 19.
[22] Ebd. 21.
[23] Ebd.
[24] Ebd.
[25] Ebd. 22.
[26] Vgl. vor allem die Enzyklika »Redemptor hominis« (1979).

vermißt man einen Hinweis auf die sittlichen Voraussetzungen des Gottesglaubens, wozu nicht nur die ratio pura, sondern auch das cor purum et purificatum gehört. Dieser Aspekt ist tief in der Schrift und in der augustinischen Tradition begründet[27]. Doch trotz dieser Kritik muß man sagen, daß man die Kapitel 19–22 der Patoralkonstitution »unter die bedeutendsten Äußerungen dieses Konzils zählen darf«[28], ja, daß wir es in ihnen mit einem »Meilenstein in der Kirchengeschichte unseres Jahrhunderts« zu tun haben[29].

Das II. Vatikanum wäre selbstverständlich nicht möglich gewesen ohne intensive theologische Vorarbeit. Die katholische Theologie nach dem II. Vatikanischen Konzil hat die konziliaren Anregungen aufgegriffen und weitergeführt. Ein vollständiger Überblick über die umfängliche Diskussion der Gottesfrage ist hier selbstverständlich nicht möglich[30].

[27] Vgl. dazu J. Ratzinger, aaO. 346 f.
[28] Ebd. 338.
[29] Ebd. 343.
[30] Zur gegenwärtigen Diskussion um die Gottesfrage (außer den im folgenden behandelten Autoren): J. Lacroix, Wege des heutigen Atheismus. Freiburg–Basel–Wien 1960; H. Gollwitzer, Die Existenz Gottes im Bekenntnis des Glaubens, München 1963; J. C. Murray, Das Gottesproblem gestern und heute. Freiburg–Basel–Wien 1965; H. Zahrnt, Die Sache mit Gott. Die protestantische Theologie im 20. Jahrhundert. München 1966; ders. (Hrsg.), Gespräch über Gott. Die protestantische Theologie im 20. Jahrhundert. Ein Textbuch, München 1968; ders., Gott kann nicht sterben. Wider die falschen Alternativen in Theologie und Gesellschaft. München 1970; C. H. Ratschow, Gott existiert. Eine dogmatische Studie. Berlin 1966; N. Kutschki (Hrsg.), Gott heute. Fünfzehn Beiträge zur Gottesfrage. Mainz–München 1967; H. J. Schultz (Hrsg.), Wer ist das eigentlich – Gott? München 1969; E. Castelli (Hrsg.), L'analyse du Langage théologique. Le nom de Dieu. Paris 1969; W. Kasper, Glaube und Geschichte. Mainz 1970, bes. 101–143; E. Coreth – J. B. Lotz, Atheismus kritisch betrachtet. München–Freiburg 1971; E. Biser, Theologie und Atheismus. Anstöße zu einer theologischen Aporetik. München 1972; J. Blank u. a., Gott-Frage und moderner Atheismus. Regensburg 1972; J. Ratzinger (Hrsg.), Die Frage nach Gott (Quaest. disp. 56). Freiburg–Basel–Wien 1972; H. Fries (Hrsg.), Gott, die Frage unserer Zeit. München 1972; ders., Abschied von Gott? Eine Herausforderung – Versuch einer Antwort. Freiburg–Basel–Wien ³1974; K. Rahner (Hrsg.), Ist Gott noch gefragt? Zur Funktionslosigkeit des Gottesglaubens. Düsseldorf 1973; B. Casper, Wesen und Grenzen der Religionskritik. Feuerbach–Marx–Freud. Würzburg 1974; R. Schaeffler, Die Religionskritik sucht ihren Partner. Thesen zu einer erneuerten Apologetik. Freiburg–Basel–Wien 1974; J. Möller, Die Chance des Menschen – Gott genannt. Was Vernunft und Erfahrung von Gott sagen können. Zürich–Einsiedeln–Köln 1975; W. Kern, Atheismus, Marxismus, Christentum. Innsbruck 1976; H. Döring, Abwesenheit Gottes. Fragen und Antworten heutiger Theologie. Paderborn 1977; H. Küng, Existiert Gott? Antwort auf die Gottesfrage der Neuzeit. München 1978; W. Brugger, Summe einer philosophischen Gotteslehre. München 1979; P. Eicher (Hrsg.), Gottesvorstellung und Gesellschaftsentwicklung. München 1979; H. R. Schlette (Hrsg.), Der moderne Agnostizismus. Düsseldorf 1979; K. H. Weger (Hrsg.), Religionskritik von der Aufklärung bis zur Gegenwart. Autoren-Lexikon von Adorno bis Wittgenstein, Freiburg–Basel–Wien 1979; ders., Der Mensch vor dem Anspruch Gottes. Glaubensbegründung in einer agnostischen Welt, Graz–Wien–Köln 1981.

Wir begrenzen uns auf einige Typen der nachkonziliaren katholisch-theologischen Atheismusdiskussion.

Angesichts der humanistischen Sinnspitze des modernen Atheismus wie der darauf antwortenden anthropologischen Argumentation des Konzils ist K. *Rahners* Versuch, Theologie als Anthropologie zu betreiben bzw. die Anthropologie als Ort der Theologie zu bestimmen, von besonderer Bedeutung. Dabei geht K. Rahner im Anschluß an J. Maréchal vom transzendentalen Ansatz der Neuzeit aus, sucht aber Kants Agnostizismus zu überwinden und ihn auf eine Neubegründung der Metaphysik hin zu überbieten. Der Überstieg vom Seienden auf das Sein hin, letztlich auf ein absolutes Geheimnis hin ist ihm die Bedingung der Möglichkeit endlicher Erkenntnis. In diesem Vorgriff auf das Sein als Bedingung der Möglichkeit der Erkenntnis des Seienden ist nach Rahner, ganz im Sinn des Thomas von Aquin, die Wirklichkeit Gottes immer schon mitbejaht[31]. Die unthematische Erfahrung Gottes geschieht also mit transzendentaler Notwendigkeit in jedem geistigen Akt, auch noch im Akt der Gottesleugnung. Diese These ist für die Auseinandersetzung mit dem Atheismus von grundlegender Bedeutung. Es ergeben sich vier Möglichkeiten[32]:

a. Der Mensch interpretiert seine transzendentale Verwiesenheit kategorial als Theismus und nimmt diesen in freier Entscheidung an.

b. Der Mensch interpretiert seine transzendentale Verwiesenheit kategorial als Theismus, verneint aber in freier Entscheidung Gott. Das ist der herkömmliche schuldhafte praktische und theoretische Atheismus.

c. Der Mensch nimmt seine transzendentale Verwiesenheit an, interpretiert sie aber mit Hilfe eines falschen Gottesbegriffs, den er ablehnt, oder er kommt zu gar keinem Gottesbegriff. Das ist der unschuldige Atheismus, der im Grunde ein anonymer Theismus ist.

---

[31] Zum theologischen Ansatz von K. Rahner: B. van der Heijden, Karl Rahner. Darlegung und Kritik seiner Grundposition, Einsiedeln 1973; K. Fischer, Der Mensch als Geheimnis. Die Anthropologie Karl Rahners (Ökumenische Forschungen II/5), Freiburg–Basel–Wien 1974; K. Lehmann, Karl Rahner, in: H. Vorgrimler – R. van der Gucht (Hrsg.), Bilanz der Theologie im 20. Jahrhundert. Bahnbrechende Theologen, Freiburg––Basel–Wien 1970, 143–181; P. Eicher, Offenbarung. Prinzip neuzeitlicher Theologie, München 1977; K.-H. Weger, Karl Rahner. Eine Einführung in sein theologisches Denken, Freiburg–Basel–Wien 1978; W. Kasper, Karl Rahner – Theologe in einer Zeit des Umbruchs, in: ThQ 159 (1979) 263–271. K. Rahner hat diese Theorie schon in seiner frühen Arbeit begründet: Geist in Welt. Zur Metaphysik der endlichen Erkenntnis bei Thomas von Aquin, Innsbruck 1939; er hat sie religionsphilosophisch durchgeführt in: Hörer des Wortes. Zur Grundlegung einer Religionsphilosophie (ed. J. B. Metz), München ²1980; zusammenfassend in: Grundkurs des Glaubens. Einführung in den Begriff des Christentums, Freiburg–Basel–Wien ⁶1976.

[32] K. Rahner, Schriften. Bd. 8. 187–212; vgl. ders., Schriften. Bd. 9. 177–196; ders., Art. Atheismus, in: Sacram. mundi I, 372–383.

d. Der Mensch verneint in Untreue gegen sein Gewissen auch die transzendentale Verwiesenheit und lehnt von dort aus sowohl den richtigen wie erst recht den falschen Gottesbegriff ab, oder er kommt zu überhaupt keinem Gottesbegriff. Das ist der schuldhafte Atheismus, für den es, solange er bei dieser Haltung bleibt, keine Heilsmöglichkeit gibt.

Diese Theorie Rahners stellt, insgesamt ganz auf der Linie der scholastischen Tradition, einen gewaltigen Fortschritt dar, weil sie erlaubt, das Phänomen des Atheismus in seinen inneren Möglichkeiten innertheologisch überhaupt erst einmal zu reflektieren, statt es bloß als etwas Fremdes, ja Unsinniges abzuweisen. Diese Theorie ermöglicht erstmals einen Dialog, der wesensgemäß eine gemeinsame Basis voraussetzt. Dennoch bleiben Fragen, die um die für Rahner zentrale Idee der Notwendigkeit der Gottesbejahung kreisen. Kann es denn unter dieser Voraussetzung überhaupt noch einen wirklichen Atheismus, der nicht ein verkappter anonymer Theismus ist, geben? Denn nach dieser Theorie muß jeder, ob er es weiß oder nicht und ob er es will oder nicht, mit transzendentaler Notwendigkeit sein Leben an einem Absoluten orientieren; die Frage ist nur, ob dieses Absolute Gott oder ein Götze ist, und gegebenenfalls, ob die Entscheidung gegen Gott und für einen Götzen im einzelnen Fall subjektiv schuldhaft ist oder nicht. In gewisser Hinsicht kann man deshalb sagen: Rahners Theorie des Atheismus ist das Gegenbild der atheistischen Theorie der Religion[33]. Interpretiert die letztere den Theismus atheistisch als Projektion des Menschen, so Rahner den Atheismus theistisch ebenfalls als falsche Interpretation des Menschen und seiner Transzendenz. So verbleibt Rahner sowohl im Rahmen der klassischen Metaphysik wie des neuzeitlichen Ansatzes. Sein Verdienst ist es, aufgezeigt zu haben, daß metaphysisches Denken im Sinn des Thomas von Aquin und neuzeitliches transzendentales Denken kein Gegensatz sind. Doch Gott als Auslegung der Transzendenz des Menschen, das ist, wie die ganze neuzeitliche Entwicklung deutlich gemacht hat, eine überaus doppeldeutige Aussage, die in Gefahr ist, die Transzendenz Gottes entweder nicht mehr voll wahren zu können oder sie – was bei Rahner eher die Gefahr ist – zu einem namenlosen Geheimnis, in dem der Mensch steht und das er mehr anschweigen als ansprechen kann, zu machen. Heute, am Ende der Neuzeit (R. Guardini), am Ende der Moderne (A. Gehlen) und am Ende des modernen Bewußtseins (R. Spaemann), wo uns die Grenzen dieser Ansätze deutlich geworden sind, genügt diese Position nicht mehr als Antwort auf den modernen Atheismus.

[33] Vgl. J. Figl, aaO., 175 f.

Den Schritt über die traditionelle Metaphysik wie über die neuzeitliche Subjektivitätsphilosophie hinaus hat vor allem *M. Heidegger* versucht. Ihm schließen sich in kritischer und schöpferischer Weise mit unterschiedlichem Ergebnis B. Welte und H. U. von Balthasar an. Der Grundvorwurf Heideggers an die traditionelle Metaphysik wie an die neuzeitliche Subjektivitätsphilosophie ist der Vorwurf der Seinsvergessenheit[34]. Sie betrachten das Sein nur in Relation zum Seienden und haben die Frage nach dem Sinn des Seins selbst vergessen. Dieses funktionale Denken hat nicht nur das moderne wissenschaftlich-technische Weltbild mit allen seinen heute zunehmend deutlichen Folgen hervorgebracht[35], sondern auch dazu geführt, Gott nur noch als Grund des Seienden zu denken und ihn so seiner Göttlichkeit zu berauben. »Zu diesem Gott kann der Mensch weder beten, noch kann er ihm opfern. Vor der Causa sui kann der Mensch weder aus Scheu ins Knie fallen, noch kann er vor diesem Gott musizieren und tanzen. Demgemäß ist das gottlose Denken, das den Gott der Philosophie, den Gott der Causa sui preisgeben muß, dem göttlichen Gott vielleicht näher«[36]. Nietzsches Wort »Gott ist tot« ist das zusammenfassende Ergebnis des metaphysischen Denkens selbst[37]. Demgegenüber will Heidegger die ontologische Differenz zwischen Sein und Seiendem ernst nehmen. Am Anfang seines Denkens steht nicht die Bewunderung der Schönheit des Seienden, sondern die Verwunderung darüber, daß überhaupt etwas ist und nicht vielmehr nichts[38].

Nach dem Ende der Metaphysik kann Gott nicht mehr als notwendiger Grund gedacht werden. Die Verborgenheit Gottes kommt damit neu in den Blick. Das Sein, auf das das Erkennen als Bedingung seiner Möglichkeit vorausweist, ist nach *B. Welte* zutiefst zweideutig[39]. Es kann auch als Nichts interpretiert werden. Die Frage ist deshalb, ob es das nichtige Nichts ist, oder ob das Nichts die verbergende Anwesenheit des Absoluten ist. Die Antwort auf diese Frage läßt sich nicht einfach denknotwendig geben, sie ist Sache einer Entscheidung, letztlich einer Entscheidung über Sinn und Unsinn des Lebens. Welte realisiert also, daß die für den klassischen neuzeitlichen humanistischen Atheismus noch selbstverständliche Sinnprämisse durch den Nihilismus zerbrochen ist[40]. Freilich, im Unterschied und im Widerspruch zu Nietzsche, scheint ihm die Option für den Unsinn und damit für das Nichts unsinnig und unerlaubt zu sein. Denn der Unterschied zwischen Gut und Böse darf nicht preisgegeben werden; Liebe

[34] Diese These findet sich schon bei M. Heidegger, Sein und Zeit, Tübingen ⁹1960, 1 f, 21 f, 436 f u. ö.; ders., Was ist Metaphysik?, Frankfurt 1955, 8–13; ders., Holzwege, Frankfurt 1957, 195 f, 238–247 u. ö.
[35] Ders., Die Zeit des Weltbildes, in: Holzwege, 69–104; ders., Die Frage nach der Technik, in: Vorträge und Aufsätze, Pfullingen ²1959, 13–44.
[36] Ders., Identität und Differenz, Pfullingen ³1957, 70 f.
[37] Ders., Nietzsches Wort ›Gott ist tot‹, in: Holzwege, 244 f.
[38] Ders., Was ist Metaphysik?, 42.
[39] Zum folgenden besonders B. Welte, Die philosophische Gotteserkenntnis und die Möglichkeit des Atheismus, in: Zeit und Geheimnis. Philosophische Abhandlungen zur Sache Gottes in der Zeit der Welt, Freiburg–Basel–Wien 1975, 109–123; ders., Versuch zur Frage nach Gott, in: ebd. 124–138; ders., Religionsphilosophie, Freiburg–Basel–Wien 1978, 150–165.
[40] Diese nachnihilistische Position findet sich auch bei H. Küng, Existiert Gott? Antwort auf die Gottesfrage der Neuzeit, München–Zürich 1978.

hat ebenso Sinn wie Kampf um Freiheit und Gerechtigkeit. Mit der Nichtnotwendigkeit Gottes kann Welte die Verborgenheit des göttlichen Gottes ebenso wahren wie die Freiheit und die ethische Dimension des Gottesglaubens. Darin kommt sein nachmetaphysisches Denken dem biblischen Denken wesentlich näher als die traditionelle Metaphysik. Zugleich gelingt es Welte, eine Dialogmöglichkeit mit dem modernen Atheismus zu erarbeiten. Er kann den Atheismus in seiner inneren Möglichkeit begreifen und kann doch besser als Rahner den Atheismus Atheismus sein lassen, ohne ihn zum anonymen Theismus zu machen. Doch eben darin zeigt sich auch die Grenze dieser Position. Der Atheismus ist fast eine Möglichkeit und eine Gefahr des Gottesglaubens selbst geworden und gehört potentiell zu ihm hinzu. Das nachmetaphysische Gottesverständnis Weltes kommt Eckharts Mystik sehr nahe: Gott droht ins »Weiselose«, ins Nichts zu versinken; das – zu Recht – ungegenständliche Gottesverständnis droht gegenstandslos zu werden[41]. Der Unterschied zwischen Theismus und Atheismus ist hauchdünn geworden. Atheistische Texte können deshalb fast ebenso wie theistische Texte ein neues Sprechen von Gott grundlegen[42]. Dieses mystische Gottesverständnis ist dem geschichtlich sprechenden und handelnden personalen Gott des Alten und Neuen Testaments doch auch wieder sehr fremd[43].

Auch *H. U. von Balthasar* geht aus vom Urwunder des Seins[44]. Aber er sieht die Seinsfrage von vornherein intersubjektiv vermittelt. »Das Ich erwacht an der Erfahrung des Du: am Lächeln der Mutter, durch das es erfährt, daß es in einem Unfaßlich-Hingebenden, Schon-Wirklichen, Bergenden und Nährenden eingelassen, bejaht, geliebt wird«[45]. Das Licht des Seins geht auf in der Erfahrung der Liebe des Du. Sein und Liebe sind koextensiv. Die Liebe ist in ihrer Nichtnotwendigkeit das Urwunder des Seins, der Sinn des Seins. Sie ist die Antwort auf die Frage, warum es eine Welt gibt und nicht lieber keine[46]. Diese Sicht ist schon grundgelegt bei Platon, für den die Idee des Guten jenseits des Seins zugleich das Licht über alles Seiende ist. Sie kann nur in einer Art Ekstase »plötzlich« (ἐξαίφνης) erfaßt werden[47]. Doch diese philosophische Mystik bleibt aus sich unvollendbar. Denn das Göttlich-Absolute entschwindet ins Inhaltslose und Unsagbare und schlägt in Atheismus um, wenn es nicht selbst als Du, als personale Liebe gedacht wird, als welche es sich freilich nur selbst erweisen, selbst offenbaren kann. Die im Phänomen der Liebe und ihrer Nichtnotwendig-

[41] B. Welte Eckhart – Interpretation: Meister Eckhart als Aristoteliker, in: ders., Auf der Spur des Ewigen. Philosophische Abhandlungen über verschiedene Gegenstände der Religion und der Theologie, Freiburg–Basel–Wien 1965, 197–210; ders., Meister Eckhart. Gedanken zu seinen Gedanken, Freiburg–Basel–Wien 1979.

[42] Vgl. ders., Nietzsches Atheismus und das Christentum, in: Auf der Spur des Ewigen, 228–261.

[43] Vgl. J. Figl, aaO., 205 f.

[44] Zum folgenden: H. U. von Balthasar, Herrlichkeit. Eine theologische Ästhetik. Bd. III/1. Einsiedeln 1965, 943–983; ders., Der Zugang zur Wirklichkeit Gottes, in: Mysal I, 15–45.

[45] Ders., Herrlichkeit. Bd III/1, 945.

[46] Ders., Der Zugang, 18.

[47] Platon, Pol. VI, 505 a–509 c; Ep. VII, 341 c. Andere Zeugnisse der Philosophie bei Balthasar, Der Zugang, 22 f; Balthasar verweist u. a. auch auf Thomas v. A., De Ver.q.22 a.2 ad 2.

keit erfahrene ontologische Differenz muß deshalb nochmals in einer theologischen Differenz überboten werden, wo alles Seiende in einer selbst grundlosen Freiheit in der Liebe begründet wird. Diese absolute Liebe ist dem Menschen zugleich notwendig, und doch wird sie ihm nicht notwendig, sondern frei und gnädig zuteil. Sie ist mehr als notwendig[48]. Deshalb kann sie als vernünftig begriffen werden, wobei zugleich begriffen wird, sie sei mehr als vernünftig und deshalb nur in Freiheit anzunehmen. Die christliche Antwort auf den modernen Atheismus ist nicht der Nachweis, daß Gott notwendig ist, sondern daß er der je Größere ist[49]. Man braucht ihn nicht, um die profane Welt zu erklären; er ist über alles Weltliche, über alles in der Welt und für die Welt Funktionale hinaus; er ist die Liebe, die nur in Liebe und damit in Freiheit begriffen werden kann. Jede Argumentation setzt hier eine Option voraus. Oder mit Thomas von Aquin gesprochen: Erkennen und Wollen sind zutiefst miteinander verschränkt. Durch diesen Überstieg von der Philosophie zur Theologie hat Balthasar die positiven Dialogmöglichkeiten, die Welte im Verhältnis zum Atheismus erschlossen hat, bewahrt, und zugleich die im Bereich des Philosophischen notwendigerweise verbliebenen Zweideutigkeiten eindeutig überwunden. Dabei kann er auf der Grundlage von Andeutungen, die sich bei Thomas von Aquin selbst finden, die geschlossene klassische Metaphysik aufbrechen zu einer offenen Metaphysik, die in sich unvollendbar bleibt und allein in der Theologie im doppelten Sinn des Wortes »aufgehoben« ist.

Alle bisher behandelten Formen der theologischen Auseinandersetzung mit dem Atheismus werden freilich in Frage gestellt von der *politischen Theologie*[50] und ihren Fragen in der *Theologie der Befreiung*[51]. Sie

---

[48] So die Formel von E. Jüngel, Unterwegs zur Sache, 7 u. ö.
[49] Vgl. H. U. v. Balthasar, Die Gottesfrage des heutigen Menschen, Wien–München 1956, 144–153. Zu diesem für Balthasars Denken grundlegenden Motiv vgl. H. P. Heinz, Der Gott des Je – mehr. Der christologische Ansatz Hans Urs von Balthasars (Disputationes Theologicae, 3). Frankfurt a. M. 1975.
[50] Wir beschränken uns hier auf die politische Theologie, wie sie von J. B. Metz vorgetragen wird. Die wichtigsten Veröffentlichungen von J. B. Metz zum Thema: Zur Theologie der Welt, Mainz–München 1968, 75–88, 99–115; ders., Art. Apologetik, in: Sacram. mundi I, 266–276; ders., Glaube in Geschichte und Gesellschaft. Studien zu einer praktischen Fundamentaltheologie, Mainz 1977; ders., Jenseits bürgerlicher Religion. Reden über die Zukunft des Christentums, Mainz–München 1980. Zur Diskussion: H. Peukert (Hrsg.), Diskussion zur »politischen Theologie«, Mainz–München 1969; H. Maier, Kritik der politischen Theologie, Einsiedeln 1970; G. Bauer, Christliche Hoffnung und menschlicher Fortschritt. Die politische Theologie von J. B. Metz als theologische Begründung gesellschaftlicher Verantwortung des Christen, Mainz 1976; S. Wiedenhofer, Politische Theologie, Stuttgart 1976 (Lit.). Vgl. auch den Literaturbericht bei J. B. Metz, Glaube in Geschichte und Gesellschaft, 44 f, Anm. 1 und 2.
[51] Aus der sehr umfangreichen Literatur sei hier nur auf einige wenige Werke hingewiesen: G. Gutiérrez, Theologie der Befreiung (Gesellschaft und Theologie. Systematische Beiträge. 11), München–Mainz 1973; H. Assmann, Theology for a Nomad Church, London 1975; L. Segundo, The Liberation of Theology, New York 1976; J. M. Bonino, Theologie im Kontext der Befreiung (Theologie der Ökumene 15), Göttingen 1977; P. Hünermann, G. D. Fischer (Hrsg.), Gott im Aufbruch. Die Provokation der lateinamerikanischen Theologie, Freiburg–Basel–Wien 1974; K. Rahner u. a. (Hrsg.), Befreiende Theologie. Der Beitrag Lateinamerikas zur Theologie der Gegenwart, Stuttgart 1977.

propagieren eine neue Art der Theologie, die sich nicht primär als Reflexion des Glaubens, sondern als Reflexion der Glaubenspraxis versteht. Sie begreifen auch den modernen Atheismus primär als praktisches und politisches Problem, das nur durch eine neue Praxis überwunden werden kann. Es geht ihnen also um eine Neuaufnahme und eine Neubestimmung des theologisch vernachlässigten Theorie-Praxis-Verhältnisses. Ohne Zweifel ist es ein Verdienst dieser Theologie gegenüber den Privatisierungstendenzen in der transzendentalen und in der dialogischen Theologie, wieder auf die praktische und politische Dimension der Theologie allgemein und des modernen Atheismus im besonderen hingewiesen zu haben. Die politische Theologie und die Theologie der Befreiung haben damit ein verschärftes Problembewußtsein geschaffen. Die Einsicht, daß die neuzeitliche Privatisierung der Religion mit zum modernen Atheismus geführt hat, führt sie zum Programm einer nachbürgerlichen Religion und Theologie, die das neuzeitliche Subjekt nicht in unkritischer Weise als Resultat der Neuzeit und ihres Privatisierungsprozesses in die Theologie übernimmt[52]. Die Antithese lautet konkret: Theologie des Volkes[53]. Das Volk bzw. die Basis ist hier nicht nur Ziel und Adressat der Theologie, sondern deren Ort und Subjekt. Der Kampf um Gott wird so zum Kampf um das freie Subjektseinkönnen aller vor Gott[54]. Die neue Rede von Gott ist also nur im Kontext einer befreienden Praxis möglich.

Mit alledem macht die politische Theologie auf Aspekte aufmerksam, die in den neueren Theologien, die entweder vom Subjekt oder vom Ich-Du-Bezug ausgehen, zu kurz kommen. Die Frage ist nur, ob sie selbst nicht womöglich schlimmeren Verkürzungen zum Opfer fällt. Wir haben bereits darauf hingewiesen, daß die Gesellschaft und damit die politische Dimension nicht die einzige und schon gar nicht die umfassendste Dimension ist, die der Gottesfrage allein angemessen ist[55]. Entsprechend hat die politische Theologie inzwischen ihren Ansatz denn auch wesentlich erweitert, indem sie darauf hinweist, die Religion müsse zugleich politisch und mystisch sein[56]. Doch in Frage steht durch den Atheismus ja eben die Bedingung der Möglichkeit von Mystik, sofern diese im traditionell theistischen Sinn verstanden wird. Diese Frage läßt sich unter dem Stichwort »Praxis« nur dann angehen, wenn

---

[52] J. B. Metz, Glaube in Geschichte und Gesellschaft, 42.
[53] Ders., ebd. 120–135; ders., Jenseits bürgerlicher Religion, 111–127; L. Boff, Die Neuentdeckung der Kirche. Basisgemeinden in Lateinamerika, Mainz 1980; A. Exeler, N. Mette (Hrsg.), Theologie des Volkes, Mainz 1978.
[54] J. B. Metz, aaO., 59; 65 ff.
[55] Vgl. o. 26 f.
[56] So vor allem J. B. Metz, Zeit der Orden? Zur Mystik und Politik der Nachfolge. Freiburg–Basel–Wien 1977.

man Praxis streng im Sinn der neuzeitlichen Philosophie als Praxis der Freiheit begreift, indem man also just die verpönte neuzeitliche Philosophie der Freiheit aufgreift und im Horizont der Freiheit die metaphysische Frage nach dem Sinn der Freiheit im Ganzen der Wirklichkeit neu stellt.

Da im Zusammenhang und im Gefolge der politischen Theologie immer wieder schlagwortartige Verkürzungen festzustellen sind, die jede ernsthafte Diskussion verunmöglichen, ist auf einiges noch kurz einzugehen. Zunächst eine *Vorfrage:* Will man unter dem Stichwort nachbürgerliche Religion und Theologie nicht in eine vorbürgerliche Theologie zurückfallen, dann muß man alle die positiven Errungenschaften der bürgerlichen neuzeitlichen Subjektivität, den Fortschritt an Erkenntnis und Verwirklichung der Freiheit des einzelnen in die nachbürgerliche Religion einbringen. Dies ist zumal nach der langen Verweigerung der katholischen Theologie gegenüber der Neuzeit nur möglich, indem man die neuzeitliche Problematik, statt sie pauschal und abstrakt abzuweisen, konkret aufarbeitet. Die *eigentliche Frage* ist dann, ob diese Aufgabe allein unter dem Stichwort der Praxis angemessen angegangen werden kann[57]. Praxis ist ein vieldeutiges Wort, das sowohl produktive Arbeit (Subjekt-Objekt-Bezug) wie freies kommunikatives Handeln (Subjekt-Subjekt-Bezug) meinen kann. Wird dieser Begriff wie ein Schlag- und Zauberwort gegen vermeintlich rein abstrakte Theorie als Ruf zur konkreten Realität angerufen, gerät er also in abstrakte Opposition zur Theorie, dann wird er selbst begriffslos und abstrakt. Demgegenüber muß man an die triviale Wahrheit erinnern, daß das Verhältnis von Theorie und Praxis zunächst selbst ein theoretisches Problem darstellt. Bemerkenswert sind in diesem Zusammenhang vor allem die Warnungen von Th. W. Adorno vor einer begriffslosen Praxis, die kein Maß anerkennt als sich selbst und die damit irrational und totalitär wird. »Die Physiognomie von Praxis ist tierischer Ernst... Das nicht Bornierte wird von Theorie vertreten. Trotz aller ihrer Unfreiheit ist sie im Unfreien Statthalter der Freiheit«[58]. Recht verstandene Theorie ist selber Praxis, wie verantwortliche Praxis vernünftige und d. h. theoretisch reflektierte Praxis ist. Schließlich: Das Glaubensbekenntnis zu Gott ist weder eine Theorie noch eine Praxis im modernen Sinn des Wortes, sondern eine Sprachform sui generis, bei der sich theoretische und praktische Elemente durchdringen. Deshalb kann es innerhalb des vorgegebenen Rahmens einer letztlich neomarxistisch verstandenen Theorie-Praxis-Dialektik nicht adäquat

[57] Zum Praxisbegriff, seiner Geschichte und Problematik: M. Theunissen, Die Verwirklichung der Vernunft. Zur Theorie–Praxis–Diskussion im Anschluß an Hegel, in: Philosophische Rundschau 1970, Beiheft 6; P. Engelhardt (Hrsg.), Zur Theorie der Praxis. Interpretationen und Aspekte (Walberberger Studien der Albertus-Magnus-Akademie, Philosophie Reihe 2), Mainz 1970; L. Bertsch (Hrsg.), Theologie zwischen Theorie und Praxis. Beiträge zur Grundlegung der praktischen Theologie, Frankfurt a. M. 1975; K. Lehmann, Das Theorie-Praxis-Problem und die Begründung der Praktischen Theologie, in: F. Klostermann/R. Zerfaß (Hrsg.), Praktische Theologie heute, München–Mainz 1974, 81–102. R. Bubner, Theorie und Praxis – eine nachhegelsche Abstraktion, Frankfurt a. M. 1971.
[58] Th. W. Adorno, Marginalien zu Theorie und Praxis, in: ders., Stichworte. Kritische Modelle I, Frankfurt a. M. 1969, 173.

begriffen werden. Der Gottesglaube kann, so sehr er menschliche Verstehens-
formen in Anspruch nimmt, letztlich nur aus sich selbst verstanden werden[59].
Alles andere führt zu Reduktionen des Glaubens, wie sie für den modernen
Atheismus kennzeichnend sind.

Der Versuch, den Gottesglauben aus sich selbst zu begründen und von
einer radikalen Position des Glaubens aus in die Auseinandersetzung
mit dem modernen Atheismus einzutreten, führt zu einem letzten
Modell der theologischen Begegnung mit dem Atheismus, das man als
dialektisch bezeichnen kann. Während das dialogische Modell in der
Tradition der natürlichen Theologie nach einer gemeinsamen Verste-
hensbasis sucht, von der aus der Gottesglaube wie der Atheismus
wechselseitig verstehbar und diskutierbar sind und so in einen Dialog
miteinander eintreten können, stellt das dialektische Modell eben diese
gemeinsame Basis in Frage. Es kennt keine positive Anknüpfung,
sondern lediglich eine Anknüpfung im Widerspruch. Das ist die Richtung, in der ein großer Teil gegenwärtiger evangelischer Theologie die
Auseinandersetzung mit dem modernen Atheismus führt.

3. Dialektische Verhältnisbestimmung von Christentum und Atheismus

Die Frage der natürlichen Theologie war im 16. Jahrhundert kein
Kontroverspunkt zwischen der katholischen Kirche und den reformatorischen Kirchen. In der protestantischen Orthodoxie des 17. Jahrhunderts wurde über die natürliche, d. h. vernünftige Erkennbarkeit Gottes
nicht anders gelehrt als in der gleichzeitigen katholischen Theologie.
Erst im 19. Jahrhundert, vor allem in der liberalen Theologie, vollzog
sich ein Umbruch: In unserem Jahrhundert wurde die Frage der
natürlichen Theologie durch die *dialektische Theologie Karl Barths*[60]
vollends zu einem neuen, bisher nicht gekannten Kontroverspunkt, ja
zu dem Kontroverspunkt schlechthin[61].

---

[59] Metz hat diesem Gesichtspunkt in seiner memoria-These Rechnung zu tragen versucht. In ihrer letzten Fassung in: Glaube in Geschichte und Gesellschaft, 161–180. Doch
er diskutiert diese grundlegende Kategorie nur im Rahmen philosophischer memoria-
Konzepte in Geschichte und Gegenwart; der biblische und sakramental-liturgische Sinn
von Anamnese – memoria kommt dagegen kaum zum Tragen.
[60] Die Barth-Literatur ist inzwischen uferlos geworden. Wir halten uns an die für die
katholische Barthrezeption wie Barth-Kritik noch immer maßgebende Darstellung von
H. U. v. Balthasar, Karl Barth. Darstellung und Deutung seiner Theologie, Einsiedeln
⁴1976. Einen vorzüglichen Überblick über die gesamte Barth-Diskussion gibt E. Jüngel,
Art. Karl Barth, in: TRE V, 251–268.
[61] Vgl. u. 102 ff.

Der frühe Barth des Römerbriefs (1918; 2. Auflage 1922) ging aus vom Gegensatz von Gott und Welt. Gott ist der ganz andere, die Krisis und die Aufhebung der Welt. Die Heilsbotschaft Gottes ist »keine religiöse Botschaft, keine Nachrichten und Anweisungen über die Göttlichkeit oder Vergöttlichung des Menschen, sondern Botschaft von einem Gott, der ganz anders ist, von dem der Mensch als Mensch nie etwas wissen noch haben wird und von dem ihm eben darum das Heil kommt«[62]. Entsprechend ist für Barth nach der berühmten Formulierung im Vorwort zum ersten Band seiner Kirchlichen Dogmatik die analogia entis »die Erfindung des Antichrist« und der einzig ernsthafte Grund, nicht katholisch zu werden[63]. Der Grund dieser äußerst scharfen Formulierung liegt auf der Hand: Barth sieht die analogia entis und die darauf begründete natürliche Theologie auf derselben Linie wie die modernistische Theologie der Aufklärung und des Liberalismus, gegen die sich sein Kampf wendet. Dort wird die Natur, die Vernunft, die Geschichte und die natürliche Religiosität des Menschen zum Rahmen und zum Kriterium des Glaubens, das Christentum zu einem Sonderfall des neutral und allgemein Menschlichen[64]. Auf diesem Hintergrund ist das berühmte Kapitel »Gottes Offenbarung als Aufhebung der Religion« in Band I/2 der Kirchlichen Dogmatik zu verstehen. Die zentrale These lautet: »Religion ist Unglaube; Religion ist eine Angelegenheit, man muß geradezu sagen: die Angelegenheit des gottlosen Menschen«[65]. Sie ist ein eigensinniges Gemächte des Menschen, der hochmütige Versuch des Menschen, sich selbst Gottes zu bemächtigen und dabei Gott nach seinem Bild und Gleichnis zu gestalten. Sie ist Götzendienst und Werkgerechtigkeit[66]. Die Mystik schlägt darum in Atheismus um; beides sind Gestalten der Religion. Feuerbach hat Recht: Der Atheismus plaudert das Geheimnis der Religion aus[67]. »Die Offenbarung knüpft nicht an die schon vorhandene und bestätigte Religion des Menschen, sondern sie widerspricht ihr, wie zuvor die Religion der Offenbarung widersprach, sie hebt sie auf, wie zuvor die Religion die Offenbarung aufhob«[68]. Dieser Widerspruch ist freilich dialektischer Natur; er hebt die Religion im doppelten Sinn des Wortes auf. Deshalb gilt: »die christliche Religion ist die wahre Religion«[69].

---

[62] K. Barth, Der Römerbrief, Zollikon-Zürich [10]1967, 4.
[63] Ders., Die Kirchliche Dogmatik I/1, VIIIf.
[64] Ebd. 35ff, 198ff, 250ff u.ö.
[65] Ders., Die Kirchliche Dogmatik I/2, 327.
[66] Ebd. 343, 387.
[67] Ebd. 350.
[68] Ebd. 331.
[69] Ebd. 357.

Barth hat später seine scharfe Verurteilung der natürlichen Theologie, wie sie im Unterschied zur Aufklärungstheologie von der katholischen Theologie verstanden wird, der Sache nach weithin korrigiert und positivere Aussagen über die Religionen gemacht[70]. Sein ursprünglicher Entwurf hat jedoch in der protestantischen Theologie unseres Jahrhunderts kaum übersehbare Auswirkungen gehabt, die hier nur angedeutet werden können. Sie laufen alle auf den Versuch hinaus, eine *Position jenseits von Theismus und Atheismus* zu begründen und so mit der Zurückweisung des Theismus auch die legitimen Anliegen des Atheismus aufzugreifen. Damit soll das Wort vom Tod Gottes, das wie gesagt auf ein altes lutherisches Kirchenlied zurückgeht, in die Theologie zurückgeholt und insofern theologisch »aufgehoben« werden.

Am authentischsten begegnet uns dieser Versuch in den Aufzeichnungen, die *D. Bonhoeffer* in der Nazi-Haft gemacht hat[71]. Dort findet sich der Entwurf eines religionslosen Christentums. Auch wenn Bonhoeffers Religionsbegriff nicht der Barths ist, so kommt er mit ihm doch darin überein, daß die religiöse Voraussetzung zumindest heute und in Zukunft in unserer religionslos gewordenen Welt entfällt[72]. Doch dies braucht der Christ nicht zu bedauern, denn gerade dies führt uns »zu einer wahrhaften Erkenntnis unserer Lage vor Gott«. Der Gott Jesu Christi läßt sich ja aus der Welt hinausdrängen ans Kreuz; er ist ohnmächtig und schwach in der Welt, und nur so ist er bei uns und hilft uns. So gilt: »Vor und mit Gott leben wir ohne Gott.« Die atheistische Situation macht den Blick frei für den Gott der Bibel, »der durch seine Ohnmacht in der Welt Macht und Raum gewinnt«[73]. »Die mündige Welt ist gottloser und darum vielleicht gerade Gott-näher als die unmündige Welt«[74]. Bonhoeffer geht in seiner Antwort auf den modernen Atheismus also aus von einer erneuerten Kreuzestheologie.

Bonhoeffer hat erst in den 60er Jahren, also in einer gegenüber seiner Zeit völlig veränderten Situation eine größere Wirkung, leider oft recht oberflächlicher Art, gehabt. In der deutschen Theologie zeigten sich die Wirkungen zunächst beim radikalen Flügel der Bultmann-Schule, wo *H. Braun* Bultmanns Entmythologisierungsprogramm auch auf das im Neuen Testament vorausgesetzte Gottesverständnis ausweitete und Gott existential als »das Woher meines Umgetriebenseins«, »das Woher meines Geborgen- und meines Verpflichtet-

---

[70] Vgl. die Aussagen in: ders., Die Kirchliche Dogmatik III/2, zur analogia relationis (262f, 390f), die zwar von der analogia entis unterschieden wird, in der Sache aber dem von der katholischen Theologie Gemeinten sehr nahe kommt. Noch weitergehend, ders., Die Kirchliche Dogmatik IV/3, 157f.

[71] Zu D. Bonhoeffer: E. Bethge, Dietrich Bonhoeffer. Theologe, Christ, Zeitgenosse, München ³1970; E. Feil, Die Theologie Bonhoeffers. Hermeneutik–Christologie–Weltverständnis (Gesellschaft und Theologie. Systematische Beiträge 6). München–Mainz 1971.

[72] D. Bonhoeffer, Widerstand und Ergebung. Briefe und Aufzeichnungen aus der Haft (ed. E. Bethge), München ²1977.

[73] Ebd. 394.

[74] Ebd. 396.

seins vom Mitmenschen her«, »eine bestimmte Art der Mitmenschlichkeit« interpretierte[75]. Ähnlich sucht *D. Sölle* nach einer Möglichkeit, atheistisch an Gott zu glauben[76]. »Gott geschieht in dem, was zwischen Menschen geschieht«[77]; der Glaube ist »eine bestimmte Art Leben«[78], »eine bestimmte Art, da zu sein«[79], eine »Existenzbewegung«[80]. Mit diesem christlichen A-Theismus sucht Sölle nach einer Position jenseits von Theismus und Atheismus, wobei sie freilich beide, indem sie diese für objektivierende Positionen hält, simplizifiert[81]. Im Grunde ist das, worauf ihre eigene Position wie die Brauns hinausläuft, genau das, was Feuerbach wollte, und von einem reinen Humanismus nicht mehr zu unterscheiden[82].

In der außerdeutschen Theologie kam es unter direkter Anknüpfung an K. Barth, D. Bonhoeffer und teilweise Hegel zur sogenannten Gott-ist-tot-Theologie[83], die innerhalb und erst recht außerhalb der Theologie viel Kopfschütteln hervorrief. Im einzelnen verstand man darunter Verschiedenes: Der Tod Gottes in der modernen säkularisierten Kultur (G. Vahanian), in der Sprache (P. van Buren), im Schweigen Gottes (W. Hamilton) bis hin zu extremen Kenosis-Theologien, nach denen Gott in Jesus Christus in einem weltgeschichtlichen Sinn gestorben ist (Th. J. J. Altizer). Popularisiert wurden diese Ideen in dem Buch des anglikanischen Bischofs J. A. T. Robinson »Honest to God«[84], einem unverarbeiteten Gemisch voller Simplifikationen, das dennoch artikulierte, was viele irgendwie fühlten. Freilich wurde bald offenbar, daß diese theologische Modeströmung im Widerspruch zu sich selbst steht. Denn wenn Gott tot ist, dann ist es auch die Theologie, was zumindest von der Gott-

---

[75] H. Braun, Die Problematik einer Theologie des Neuen Testaments, in: ders., Gesammelte Studien zum NT und seiner Umwelt, Tübingen 1962, 341.

[76] D. Sölle, Atheistisch an Gott glauben. Beiträge zur Theologie, Olten–Freiburg i. Br. 1968.

[77] Dies., Das Recht ein anderer zu werden. Theologische Texte (Theologie und Politik 1), Neuwied–Berlin 1972, 66.

[78] Dies., Atheistisch an Gott glauben, 79.

[79] Ebd. 82.

[80] Ebd. 81; 86.

[81] Dies., Stellvertretung. Ein Kapitel Theologie nach dem »Tode Gottes«, Stuttgart–Berlin 1965, 11.

[82] Zur Auseinandersetzung: H. Gollwitzer, Von der Stellvertretung Gottes. Christlicher Glaube in der Erfahrung der Verborgenheit Gottes. Zum Gespräch mit Dorothee Sölle, München [2]1968; ders., Die Existenz Gottes im Bekenntnis des Glaubens (Beiträge zur evangelischen Theologie 34), München [5]1968; W. Kern, Atheismus – Marxismus – Christentum. Beiträge zur Diskussion, Innsbruck–Wien–München 1976, 134–151, bes. 137f; H. W. Bartsch (Hrsg.), Post Bultmann locutum. Zur Mainzer Diskussion der Professoren D. Helmut Gollwitzer und D. Herbert Braun, Bd. 2 (Theologische Forschung 37), Hamburg–Bergstedt [2]1966; J. Figl, aaO., 225–228.

[83] Vgl. J. Bishop, Die »Gott-ist-tot-Theologie«, Düsseldorf 1968; S. M. Daecke, Der Mythos vom Tode Gottes. Ein kritischer Überblick, Hamburg 1969; L. Scheffczyk, Gottloser Gottesglaube, Regensburg 1974.

[84] J. A. T. Robinson, Gott ist anders, München 1964. Zur Auseinandersetzung: H. W. Augustin (Hrsg.), Diskussion zu Bischof Robinsons Gott ist anders, München 1964; E. Schillebeeckx, Personale Begegnung mit Gott. Eine Antwort an John A. T. Robinson, Mainz 1964; ders., Neues Glaubensverständnis. Honest to Robinson, Mainz 1964.

ist-tot-Theologie inzwischen gilt. Sie hat sich mit dem modernen Atheismus nicht auseinandergesetzt, sondern vor ihm kapituliert und sich damit jeder Möglichkeit begeben, von anderen als atheistischen Grundlagen aus zu argumentieren. Was übrig blieb, waren einige theologische Wortfassaden ohne theologischen Inhalt.

Ein ernsthafter Versuch liegt erst wieder bei *J. Moltmann* in »Der gekreuzigte Gott« vor. Er geht ganz in der Linie Barths und Bonhoeffers aus dem »Kreuz Christi als Grund und Kritik christlicher Theologie«[85]. Ausgeschlossen ist damit die natürliche Theologie, die sozusagen am Kreuz vorbei in einem Rückschlußverfahren von der erfahrbaren Wirklichkeit auf deren absoluten Grund von Gott reden will und dabei zu der theistischen Konzeption eines leidensunfähigen Gottes kommt[86]. In der Absage an diesen theistischen Gott liegt das Recht des »christlichen Atheismus«[87]. Moltmanns erkenntnistheoretischer Ansatz ist nicht die Analogie, sondern die Dialektik[88]. Gott wird hier von seinem Gegenteil her erkannt, und die Gottlosigkeit ist gewissermaßen die Voraussetzung der Gotteserkenntnis. Geht man nämlich vom Tod Gottes am Kreuz aus, und nimmt man ihn ernst, dann gehört der Atheismus in die Wirklichkeit Gottes hinein, und er ist darin zugleich aufgehoben. Der Atheismus ist dann von dem Gott am Kreuz vorweggenommen, eingeholt und in seiner Spitze gebrochen. Atheismus und Theismus sind vom Kreuz her aufgehoben. »Mit der trinitarischen Kreuzestheologie entgeht der Glaube dem Streit und der Alternative von Theismus und Atheismus«[89]. Die Konsequenz bei Moltmann ist freilich, daß Gott auf eine fast hegelische Weise in die Sündengeschichte der Menschheit verstrickt ist, so daß Gottes An-sich- und Für-sich-Sein (immanente Trinität) von einer weltlichen Passionsgeschichte nicht mehr unterschieden werden kann. An dieser Stelle kippt Moltmanns radikaler offenbarungs- bzw. kreuzestheologischer Ansatz »von oben« dialektisch um in einen Gott und Welt nicht mehr hinreichend unterscheidenden, fast mythologischen und tragischen Gottesbegriff. Die ursprüngliche Dialektik schlägt um in die Identität. Die Extreme berühren sich.

Die Frage, die man an die durch K. Barth grundgelegte dialektische Theologie stellen muß[90], ist die, ob man die Transzendenz Gottes und seines Wortes anders wahren kann als dadurch, daß man den Menschen und seine positive wie negative Antwort eben nicht zu einem Moment des Wortes und des Tuns Gottes macht, was leicht dazu führt, Gott zu einem Moment des Menschen zu machen. Das bedeutet, daß man den Menschen als einen von Gott gesetzten und darin frei gesetzten, d. h. relativ eigenständigen Partner versteht, den Gott sich in seiner Offenba-

---

[85] J. Moltmann, Der gekreuzigte Gott. Das Kreuz Christi als Grund und Kritik christlicher Theologie, München 1972. Zur Diskussion: M. Welker (Hrsg.), Diskussion über Jürgen Moltmanns Buch ›Der gekreuzigte Gott‹, München 1979; H. U. von Balthasar, Theodramatik. Bd. 3, Einsiedeln 1980, 299 f.
[86] J. Moltmann, aaO., 193–204.
[87] Ebd. 237.
[88] Ebd. 30–33.
[89] Ebd. 239.
[90] Vgl. H. U. von Balthasar, Karl Barth.

rung voraussetzt als fähig, Gottes Wort zu hören und zu verstehen (potentia oboedientialis). Die glaubensmäßige Entsprechung (analogia fidei) setzt also um ihrer selbst willen eine geschöpfliche Entsprechung (analogia entis) voraus. Diese ist kein vorgegebener eigenständiger Rahmen der Offenbarung, der diese einschränkt und zu einem Spezialfall innerhalb eines vorgegebenen Allgemeinen macht; sie ist vielmehr die Voraussetzung der Offenbarung, von dieser selbst vorausgesetzt als deren eigene Ermöglichung. Sie ist um der Offenbarung willen und als Formel der Kreatürlichkeit ganz über sich hinaus reine Potenzialität für Gott[91].

Das genuine Anliegen der natürlichen Theologie ist denn auch in der gegenwärtigen protestantischen Theologie keineswegs erledigt. Es ist im Zusammenhang der Gottesfrage sehr lebendig bei den Theologen, die von der Korrelationstheologie *P. Tillichs* herkommen, etwa in den phänomenologischen Analysen von *L. Gilkey*[92] und in der neuen Naturphilosophie der *Prozeßtheologie*[93]. Am nachdrücklichsten bringt *W. Pannenberg* dieses Anliegen zur Geltung[94]. Er wirft dem radikalen Glaubensstandpunkt K. Barths vor, er komme über ein leeres Behaupten Gottes nicht hinaus und sei damit selbst ein extremes Beispiel neuzeitlicher Subjektivität. »Es gehört zu den Beispielen übermäßiger Anpassung der Theologie an die intellektuellen Moden der Zeit, daß die dialektische Theologie geglaubt hat, die atheistische Argumentation akzeptieren und durch einen radikalen Offenbarungsglauben übertrumpfen zu können. Das ist, was den intellektuellen Aufwand der Theologen angeht, die billigste Form der Modernität«[95]. Im Grunde macht sie paradoxerweise den Atheismus zur natürlichen Voraussetzung des Glaubens und damit zur natürlichen Theologie[96]. Wenn der Glaube aber keinen Anhalt mehr hat im Fragecharakter des menschlichen Daseins, dann wird er irrational und autoritär[97]. Im Gegensatz dazu müssen Theologie und Kirche heute ihre autoritäre Gestalt ablegen und sich argumentativ auf den modernen Atheismus einlassen.

Die Barth'sche Position ist innerhalb der gegenwärtigen protestantischen Theologie nicht die einzige, von der aus diese die Auseinandersetzung mit dem modernen Atheismus führt. Daneben wird heute auch die

[91] Vgl. E. Przywara, Analogia entis. Metaphysik (Schriften III, Einsiedeln 1962), 206 f.
[92] L. Gilkey, Naming the Whirlwind. The Renewal of God-Language, Indianapolis–New York 1969.
[93] A. N. Whitehead, Process and Reality. An Essay in Cosmology (1929), New York 1960; C. Hartshorne, The Divine Relativity. A Social Conception of God, Yale ²1964; J. B. Cobb, A Christian Natural Theology. Based on the Thought of Alfred North Whitehead, London 1966; Sch. Ogden, The Reality of God, London 1967.
[94] W. Pannenberg, Typen des Atheismus und ihre theologische Bedeutung, in: ders., Grundfragen systematischer Theologie. Gesammelte Aufsätze, Göttingen 1967, 347–360; ders., Die Frage nach Gott, in: ebd. 361–386; ders., Gottesgedanke und menschliche Freiheit, Göttingen 1972.
[95] Ebd. 17 f.
[96] Ebd. 30.
[97] Ebd. 75.

Luther'sche Position vor allem von *G. Ebeling*[98] und *E. Jüngel*[99] in die Diskussion eingebracht. Sie kommt mit der Barth'schen Position darin überein, daß es wahre Gotteserkenntnis nur im Glauben gibt. »Denn die zwei gehören zuhaufe, Glaube und Gott«. Wer Gott außerhalb des Glaubens finden will, findet den Teufel. Aber es ist der Glaube, der beide macht, Gott und Abgott[100]. Wo Gott und Glaube in einen so engen Zusammenhang gebracht werden, scheint sich der Feuerbach'sche Projektionsverdacht geradezu aufzudrängen. Die Luther'sche Position ist also von ihrem ureigensten Ansatz her der atheistischen Anfechtung ausgesetzt[101]. In der Sache ist sie freilich vom Atheismus himmelweit entfernt. Denn bei Luther heißt es: »Worauf du nu Dein Herz hängest und verlässest, das ist eigentlich Dein Gott«[102], bei Feuerbach dagegen: »Sein Herz, das ist sein Gott«[103].

Die Frage ist freilich, wie dieser grundsätzliche Unterschied nicht nur behauptet, sondern auch dem Nichtglaubenden gegenüber einsichtig gemacht werden kann, wie also die Allgemeinverständlichkeit und d. h. die Rationalität des Geglaubten aufgewiesen werden kann. An dieser Stelle unterscheidet sich die Luther'sche Position von der Barth'schen dadurch, daß sie nicht nur die Korrelation von Gott und Glaube, sondern auch von Glaube bzw. Wort und Situation behauptet[104]. Im Wort Gott und im Wort Gottes kommt nicht allein Gott zur Geltung, da wird auch die Situation des Menschen offenbar. Ja das Wort Gott und das Wort Gottes trifft sogar die Grundsituation des Menschen als Wortsituation; es behaftet den Menschen bei seiner Sprachlichkeit[105]. Das Wort »Gott« nimmt darauf Bezug, »daß der Mensch in seiner Sprachlichkeit seiner selbst nicht mächtig ist. Er lebt von der Macht eines Wortes, das nicht das seine ist und hungert zugleich nach der Macht eines Wortes, das gleichfalls nicht das seine sein kann«[106]. Gott ist also das Geheimnis der Wirklichkeit[107]. Aber dieses Geheimnis weiß der Mensch aufgrund seiner Sprachlichkeit nur im Wort

---

[98] G. Ebeling, Wort und Glaube, 3 Bde., Tübingen 1960–1975; Ders., Lutherstudien. Bd. 1. Tübingen 1971, 221–272; ders., Dogmatik des christlichen Glaubens. Bd. 1. Tübingen 1979.

[99] E. Jüngel, Gott als Geheimnis der Welt. Zur Begründung der Theologie des Gekreuzigten im Streit zwischen Theismus und Atheismus, Tübingen ³1978; ders., Entsprechungen: Gott – Wahrheit – Mensch. Theologische Erörterungen (Beiträge zur evangelischen Theologie 88), München 1980.

[100] M. Luther, Der große Katechismus, in: BSLK, 560.

[101] G. Ebeling, Dogmatik des christlichen Glaubens. Bd. 1. 216; vgl. 212ff.

[102] M. Luther, aaO.

[103] L. Feuerbach, Das Wesen des Christentums (ed. W. Schuffenhauer). Bd. 1. Berlin 1956, 51.

[104] Vgl. bes. G. Ebeling, Gott und Wort, Tübingen 1966 (= Wort und Glaube. Bd. 2. Beiträge zur Fundamentaltheologie und zur Lehre von Gott, Tübingen 1969, 396–432); ders., Dogmatik des christlichen Glaubens. Bd. 1. 160ff; 189ff.

[105] Ebd. 54; so auch E. Jüngel, Gott als Geheimnis der Welt, 203ff. 307ff.

[106] G. Ebeling, aaO., 57.

[107] Ebd. 61; so auch der Titel von Jüngels Hauptwerk: »Gott als Geheimnis der Welt.«

und durch das Wort; erst im Wort kommt die Wahrheit über Gott und den Menschen ans Licht. Erst das Wort Gottes erweist, daß der Mensch schon immer von Gott angegangen ist. Deshalb kann man nicht vorgängig zum Wort von Gott als dem Geheimnis der Wirklichkeit wissen, wohl aber lassen sich das Wort Gott und das Wort Gottes am Sein von Mensch und Welt verifizieren im Sinn von verum facere, wahr machen und zur Wahrheit bringen[108].

Der Streit mit dem Atheismus ist also ein Streit um die Welt und den Menschen. Doch dieser Streit wird nicht wie in der natürlichen Theologie, wie sie teilweise auch und gerade in der dialogischen Verhältnisbestimmung von Gottesglaube und modernem Atheismus vorliegt, auf der Grundlage einer gemeinsamen neutralen Basis einer dem Glauben wie dem Unglauben vorausliegenden natürlichen Möglichkeit der Gotteserkenntnis geführt. Der Glaube ist nicht – und hier kommt die Kritik Luthers mit der Barths überein – ein Spezialfall innerhalb eines umgreifenden Allgemeinen[109]. Ausgangspunkt ist die Wirklichkeit des Glaubens, der der Wirklichkeit des Unglaubens als der faktischen Situation des Menschen begegnet, um diese Situation ihrer Verlorenheit und Unwahrheit zu überführen. Der Ausgangspunkt ist das Versprechen Gottes, die promissio des Offenbarungswortes, dem der Glaube entspricht, der Unglaube aber widerspricht. Das Luther'sche Denken bewegt sich nicht im Schema: natürliche – übernatürliche Gotteserkenntnis, sondern im Schema: Gesetz und Evangelium[110].

Die Folge dieser These, daß wahre Gotteserkenntnis nur im Glauben an das Wort Gottes möglich ist, besteht nun freilich darin, daß wir von Gott nie an sich unter Absehen vom Menschen sprechen können, sondern nur von Gott für mich und für uns, von Gott in seiner Relation zum Menschen[111]. Wer von dieser Relation abstrahiert und abstrakt von Gottes Sein an sich spricht, der ist in Gefahr, Gott zu objektivieren und ihn ebenso seiner Göttlichkeit zu berauben. Die Existenz Gottes zu behaupten ist dann ebenso Atheismus wie sie zu leugnen[112]. Deshalb muß an die Stelle der alten Substanzontologie ein relationales Denken treten. Hier gilt: »Die Vorstellung von Gott ohne Welt ist ein bloßer Grenzgedanke, der der Wahrheit Ausdruck gibt, daß im Zusammensein Gottes und der Welt der schlechthinnige Primat Gott zukommt«[113]. Im übrigen gilt, daß der »Deus supra nos, nihil ad nos« ist, daß er uns nichts angeht[114]. Damit fällt auch die klassische Unterscheidung zwischen dem als ruhend gedachten Sein Gottes und seinem Tätigsein. Aus der Einsicht, daß vom Sein Gottes nicht unter Abstraktion von seinem Tätigsein gesprochen werden kann, folgt, daß

---

[108] Ebd. 83.
[109] G. Ebeling, Dogmatik des christlichen Glaubens, Bd. 1. 209; 218f; ders., Lutherstudien. Bd. 1. 216f; E. Jüngel, Entsprechungen, 169.
[110] G. Ebeling, Dogmatik des christlichen Glaubens, Bd. 1. 234.
[111] Ebd. 219ff; 230ff.
[112] Ebd. 212.
[113] Ebd. 224.
[114] E. Jüngel, Entsprechungen, 202–251.

»Gottes Sein im Werden« ist[115]. Die Position Hegels, Gott könne nicht ohne Welt sein, ist hier mit all ihren Zweideutigkeiten bedrohlich nahe[116]. Die dialektische Verhältnisbestimmung von Glaube und Unglaube ist also auch in ihrer Luther'schen Version in Gefahr, in eine Identität beider umzuschlagen, so daß beide nicht mehr in einer argumentativ ausgewiesenen Weise unterschieden werden können, der Unterschied vielmehr auf ein dezisionistisches Behaupten hinausläuft. Weder in der alten Substanzontologie noch in der aus Luther entwickelten Relationstheologie scheint also die Gefahr des Atheismus grundsätzlich gebannt zu sein.

Interessant ist freilich, daß *Luther und Thomas* nicht nur dieselbe Gefahr droht, daß vielmehr beide sich auch in der positiven Aussage erstaunlich nahe kommen. Bekanntlich können wir nach Thomas von Gott eher wissen, was er nicht ist, als was er ist. Weniger bekannt ist, daß dies nach Thomas auch vom Glauben gilt. Auch durch die Offenbarung wissen wir nicht, was Gott ist; wir werden mit ihm quasi ignoto verbunden. Durch die Offenbarung kennen wir lediglich zahlreichere und erhabenere seiner Werke[117]. Es sei nicht bestritten, daß diese These des Thomas in Spannung steht zu den vielen Stellen, in denen er Aussagen über das Wesen Gottes macht. Doch immerhin zeigt diese Stelle, daß *zwischen der metaphysisch bestimmten Theologie des Thomas und der relationalen Theologie lutherischer Provenienz kein sich ausschließender Gegensatz* besteht, daß hier vielmehr *zwei komplementäre Entwürfe* vorliegen, die in der Sache dasselbe zu sagen intendieren, die aber beide an Grenzen stoßen, ihre Gefahren haben und deshalb beide der kritischen gegenseitigen Ergänzung bedürfen. Sie können in dieser fundamentalen Frage, wo es für beide um Sein oder Nichtsein geht, ihrer gemeinsamen Aufgabe nur miteinander und nicht gegeneinander gerecht werden.

Schauen wir zurück, dann können wir zusammenfassend eine *tiefreichende gemeinsame Aporie aller behandelten theologischen Positionen angesichts des modernen Atheismus* feststellen. Die Aporie betrifft die apologetische und die dialogische Position, die beide mit der natürlichen Theologie arbeiten, wie die dialektischen Positionen, die diese negieren und eben dadurch in Gefahr stehen, in eine rein natürliche Theologie umzuschlagen. Wir gehen wohl nicht fehl mit der Behauptung, daß wir es hier mit der Aporie gegenwärtiger Theologie schlechthin zu tun haben. Es fehlt uns an der Sprache und an ausgebildeten Kategorien, um eindeutig von Gott reden zu können. Nachdem die Philosophie, sei es dezidiert, sei es stillschweigend oder auch nur methodisch bedingt, atheistisch geworden ist, sind alle philosophischen Begriffe, der der

[115] G. Ebeling, aaO., 230 ff, unter Hinweis auf E. Jüngel, Gottes Sein ist im Werden. Verantwortliche Rede vom Sein Gottes bei Karl Barth, Tübingen 1965.
[116] Vgl. L. Oeing-Hanhoff, Die Krise des Gottesbegriffs, in: ThQ 159 (1979) bes. 291–294, wobei freilich, was bei Jüngel ein Problem ist, zum Gegenstand einer überzeichnenden Kritik wird.
[117] Thomas v. A., Summa theol. I, q. 12 a. 13 ad 1. Den Hinweis auf diese Stelle und ihre Bedeutung verdanke ich Herrn Kollegen Seckler.

Substanz ebenso wie der der Relation, in einem atheistischen Sinn mißverständlich. Der Glaube und mit ihm die Theologie kommen angesichts des Atheismus gar nicht umhin, die Frage nach den eigenen Voraussetzungen und nach der Bedingung ihrer Möglichkeit in fundamentaler Weise neu zu stellen. Diese theologische Grundfrage hat sich jedoch inzwischen gegenüber der Schlußfrage des letzten Kapitels präzisiert. Endete das letzte Kapitel damit, daß wir die Grundfrage der Metaphysik, die Seinsfrage, als den der Gottesfrage allein angemessenen Horizont herausstellten, so müssen wir diese Frage jetzt präzisieren. Dies ist notwendig sowohl aufgrund der innerphilosophischen Kritik an der traditionellen Ontotheologie wie aufgrund der kritischen Anfragen der dialektischen Theologie. *Die Frage ist jetzt, wie sich Gottesfrage und Seinsfrage näherhin zueinander verhalten, ob wir die Gottesfrage im Horizont der Seinsfrage oder die Seinsfrage im Horizont der Gottesfrage zu verhandeln haben.* Die Frage nach dem Verhältnis von Glauben und Denken, von Theologie und Philosophie, von natürlicher Theologie und Offenbarungstheologie ist damit neu gestellt. Damit kommen wir zur Grundlegung unserer eigenen Antwort auf die Herausforderung des modernen Atheismus.

IV. GOTTESERFAHRUNG UND GOTTESERKENNTNIS

1. PROBLEM UND ANLIEGEN DER NATÜRLICHEN THEOLOGIE

Die christliche Botschaft von Gott ist heute für viele zu einer unverständlichen und unassimilierbaren Fremdsprache geworden. Ihre Fragen wie ihre Antworten scheinen im heutigen Erfahrungskontext sogar sinnlos geworden zu sein. Dieser Wegfall fundamentaler Verstehensvoraussetzungen betrifft heute nicht nur sogenannte Rand- und Grenzwahrheiten, sondern die zentralen Verkündigungsworte selbst (Gott, Sünde, Erlösung, Gnade). Es geht heute nicht mehr primär um diese oder jene Glaubenswahrheit, sondern um das Glauben-können überhaupt. Wir haben die Dimension des Glaubens, welche die Dimension des Geheimnisses ist, weithin verloren. So sind wir theologisch auf die Anfänge des Verstehens zurückgeworfen; unsere Erfahrungsfähigkeit ist weithin auf das sinnlich Erfaßbare, auf das Zähl- und Machbare reduziert. In unserer säkularisierten Gesellschaft muß sich deshalb die dogmatische Theologie mehr als früher um ihre eigenen Verstehensvoraussetzungen kümmern. *Diese Reflexion auf die Verstehensvoraussetzungen des Glaubens nennt man natürliche Theologie*[1].

Die gegenwärtige Situation der natürlichen Theologie ist freilich recht paradox. In dem Maß nämlich als in der gegenwärtigen Theologie der Ruf nach Diskussion der Verstehensvoraussetzungen des christlichen Glaubens zunimmt, ist die natürliche Theologie in Mißkredit geraten.

---

[1] Zum Problem und zum Anliegen der natürlichen Theologie: G. Söhngen, Art. Natürliche Theologie, in: LThK VII, 811–816; H. U. von Balthasar, Karl Barth. Darstellung und Deutung seiner Theologie, Einsiedeln ⁴1976, 278–372; K. Riesenhuber, Existenzerfahrung und Religion, Mainz 1968; ders., Art. Natürliche Theologie, in: Sacram. mundi III, 691–700; B. Welte, Heilsverständnis. Philosophische Voraussetzungen zum Verständnis des Christentums, Freiburg–Basel–Wien 1966; K. Rahner, Hörer des Wortes. Zur Grundlegung einer Religionsphilosophie (1940), München ²1963. Vom Standpunkt evangelischer Theologie: H. J. Birkner, Natürliche Theologie und Offenbarungstheologie. Ein theologiegeschichtlicher Überblick, in: Neue Zeitschrift für Systematische Theologie 3 (1961) 279–295; Ch. Gestrich, Die unbewältigte natürliche Theologie, in: ZThK 68 (1971) 82–120; E. Jüngel, Das Dilemma der natürlichen Theologie und die Wahrheit ihres Problems. Überlegungen für ein Gespräch mit Wolfhart Pannenberg, in: Entsprechungen: Gott – Wahrheit – Mensch. Theologische Erörterungen (Beiträge zur evangelischen Theologie 88), München 1980, 158–177; ders., Gelegentliche Thesen zum Problem der natürlichen Theologie, in: ebd. 198–201; ders., Gott – um seiner selbst willen interessant. Plädoyer für eine natürlichere Theologie, in: ebd. 193–197.

Die natürliche Theologie ist sozusagen das nervöse Zentrum der gegenwärtigen Theologie (E. Jüngel).

Die *Bibel* kennt noch keine ausdrückliche Reflexion auf die Verstehensvoraussetzungen des Glaubens. Insofern kennt die Bibel noch keine natürliche Theologie. Sie praktiziert diese aber in einem erstaunlichen Umfang. Die Bibel lebt ja in einer durch und durch religiös bestimmten Umwelt; sie kann deshalb noch völlig selbstverständlich zurückgreifen nicht nur auf religiöse Vorstellungen und Erfahrungen, sondern auch auf allgemein-menschliche, alltägliche Erfahrungen, um sie als Gleichnis für religiöse Aussagen zu benützen. Dies geschieht bereits auf den ersten Seiten der Bibel in den beiden *Schöpfungsberichten*. Sie nehmen uralte religiöse Vorstellungen der Menschheit, Vorstellungen, die wir heute als mythisch bezeichnen, auf, um sie im Licht der eigenen Glaubenserfahrung kritisch neu zu interpretieren. Besonders die Schöpfungspsalmen zeigen, wie der alttestamentliche Fromme aus der Wirklichkeit der Welt die Macht und die Herrlichkeit Gottes erkennt (vgl. Ps 8; 19; 29; 104; 148). Nur der Tor spricht in seinem Herzen: Es gibt keinen Gott (Ps 14,1). In der Spätzeit der Alten Testaments wird diese »natürliche« Gotteserkenntnis bereits lehrhaft zum Ausdruck gebracht: »Töricht waren von Natur alle Menschen, denen die Gotteserkenntnis fehlte...; denn von der Größe und Schönheit der Geschöpfe läßt sich auf ihren Schöpfer schließen« (Weish 13,1–5).

Im *Neuen Testament* ist die *Gleichnisrede Jesu* von fundamentaler Bedeutung. In den Gleichnissen Jesu wird ja die Welt, so wie sie sich der alltäglichen Erfahrung der Menschen darstellt, zum Gleichnis der Gottesherrschaft. Alle Vorgänge in Natur und Geschichte sind hier gleichnisfähig für das eschatologische Heil. Jesus knüpft an die alltäglichen Erfahrungen der Menschen an, um seine Botschaft im Gleichnis dieser Erfahrungen verständlich zu machen. Umgekehrt werden aber auch die alltäglichen Erfahrungen durch Jesu Gleichnisse in ein oft unerwartet neues Licht gestellt (Kontrastgleichnisse). Im Gleichnis der Gottesherrschaft erhält die Welt erst ihre endgültige Bedeutung. Die Gleichnisrede Jesu macht die Welt zum Gleichnis der Herrschaft Gottes.

Das Neue Testament greift die Gleichnisrede in sehr unterschiedlicher Weise auf. Am unmittelbarsten geschieht die Anknüpfung an den weltlichen Erfahrungen in der lukanischen *Apostelgeschichte*. Nach der Apostelgeschichte beruft sich Paulus in seinen Missionsreden nicht nur auf das Alte Testament, er knüpft auch an den religiösen Erfahrungen der Heiden an: an der Selbstbezeugung Gottes in der Natur und in der Geschichte (Apg 14,16 f; 17,22–28).

In den *Paulusbriefen* geschieht diese Bezugnahme auf die »natürlichen« Erfahrungen und Erkenntnisse nicht in dieser direkten und positiven

Weise, sondern in einer kritisch-dialektischen Weise. Paulus spricht zwar von der Erkenntnis Gottes aus der geschaffenen Wirklichkeit (Röm 1,19 f), besonders aus dem Gewissen (Röm 2,14 f). Aber er sagt auch, daß die Heiden, obwohl sie Gott erkannt haben, ihn nicht als Gott anerkannt haben, weil sie ihm die Ehre verweigerten und die Gott allein gebührende Ehre auf Geschöpfe übertrugen. Dadurch wurde ihr Herz verkehrt und ihr Sinn verfinstert. In dieser Gottlosigkeit und Verkehrtheit sind sie unentschuldbar (Röm 1,20). Indem Paulus so die Heiden bei der Verantwortung für ihren Unglauben behaftet, anerkennt er in indirekter Weise die Möglichkeit und die Wirklichkeit der Gotteserkenntnis der Heiden. Man kann hier von einer Anknüpfung im Widerspruch sprechen. Das bedeutet, daß man die Kreuzestheologie des Paulus nicht in Widerspruch bringen darf zum Anliegen der natürlichen Theologie. Obwohl Paulus die Torheit des Kreuzes betont (1 Kor 1 und 2), will er doch lieber fünf Worte mit Verstand reden als zehntausend Worte in verzückter Sprache stammeln (1 Kor 14,19); ja, er will alles Denken für Christus gefangen nehmen (2 Kor 10,5).

Wieder anders verhält es sich in der *johanneischen Theologie*. Johannes greift die Fragen des Menschen nach Brot (Joh 6), Licht (Joh 8), Weg, Wahrheit, Leben (Joh 14,6) auf, um Jesus Christus als die endgültige Antwort auf diese Fragen zu verkünden. Er geht also davon aus, daß der Mensch in seinem Leben von der Frage nach dem Heil bewegt ist und daß er darin ein Vorverständnis des Heiles hat. Aber erst von Jesus Christus her wird endgültig deutlich, was Licht, Leben, Wahrheit ist. So wie von der Frage her die Antwort erst verständlich ist, so bringt umgekehrt die Antwort erst endgültiges Licht in die Frage. Als besonders folgenschwer erwies sich, daß Johannes Jesus Christus als den fleischgewordenen Logos verkündet (Joh 1,1–14). Er greift damit einen Begriff auf, der schon bei dem jüdischen Religionsphilosophen Philo dazu diente, den alttestamentlichen Glauben und das hellenistische Denken miteinander zu vermitteln. Im Hintergrund des Logosprädikats für Jesus steht bei Johannes die Überzeugung, daß der Logos der Schöpfung kein anderer ist als der Logos, der in Jesus Christus in der Fülle der Zeit Mensch geworden ist. In ähnlicher Weise hat die spätere Theologie stoische, platonische und dann auch aristotelische Begriffe in den Dienst des Glaubens gestellt. Sie wollte dadurch zum Ausdruck bringen, daß der Logos, der in keim- und spurenhafter Weise in aller Wirklichkeit waltet (λόγος σπερματικός), in Jesus Christus in seiner Fülle erschienen ist[2].

---

[2] Justin, Apol. I, 46 (Corpus Apol. I, ed. Otto, 128–130); ders., Apol. II, 8; 10; 13 (ebd. 220–223; 224–229; 236–239).

So ergibt sich *zusammenfassend:* Die Bibel reflektiert zwar nicht ausdrücklich auf die natürlichen Voraussetzungen des Glaubens, aber sie nimmt faktisch in ganz erheblichem Umfang und in vielfältiger Weise solche Voraussetzungen in Anspruch. Im Hintergrund dieser zwar nicht reflektierten, aber weithin praktizierten natürlichen Theologie steht die für das Alte wie für das Neue Testament fundamentale Überzeugung von der *Zusammengehörigkeit von Schöpfungsordnung und Heilsordnung.* Die Bibel versteht heilsgeschichtliche Offenbarung als prophetische Wirklichkeitsinterpretation. *Deshalb ist der Glaube für die Bibel kein blindes Wagnis, kein irrationales Gefühl, keine unverantwortete Option und schon gar kein sacrificium intellectus.* Der Glaube kann und muß vielmehr rational verantwortet werden. Nach dem Neuen Testament sind die Glaubenden aufgerufen, allen Menschen Rechenschaft zu geben von ihrer Hoffnung (1 Petr 3,15).

Die frühe Tradition führt das Zeugnis der Schrift in reichem Maße weiter. Die Väter sprechen von der Möglichkeit einer natürlichen Gotteserkenntnis auf eine doppelte Weise: Gott kann nach ihnen erkannt werden sowohl aus den sichtbaren Dingen wie aus der menschlichen Seele. Vom kosmologischen Weg zu Gott spricht bereits Irenäus: »Denn die Schöpfung weist hin auf den einen Schöpfer, das Werk verlangt einen Meister, und die Weltordnung offenbart den Ordner«[3]. Die psychologische Weise der Gotteserkenntnis kommt vor allem in der Lehre von der dem Menschen angeborenen Gottesidee zum Ausdruck[4]. Tertullian spricht davon, die Gotteserkenntnis sei eine Mitgift der Seele (animae dos)[5].
Eine grundsätzliche Reflexion auf das Verhältnis des Glaubens zur natürlichen Erkenntnis war vor allem durch die Auseinandersetzung mit der Gnosis der alten Welt notwendig. Der Ursprung der Gnosis ist nicht ganz geklärt. Charakteristisch für die Gnosis ist ein absoluter Dualismus von Gott und Welt, Geist und Materie. Erlösung ist nur als Erlösung von der Welt, nicht aber als Erlösung der Welt denkbar. Die Auseinandersetzung mit dieser dualistischen Weltanschauung wurde für das frühe Christentum zu einem Kampf auf Leben und Tod; erst in dieser Auseinandersetzung wurden die Grundlagen des Christlichen geklärt. Gegen die gnostische Trennung von Schöpfungsordnung und Erlösungsordnung richtet sich die kirchliche Kanonbildung, die ganz bewußt das Alte Testament, das den Schöpfungsbericht enthält, mit dem Neuen Testament zum einen Kanon des kirchlichen Glaubens erklärte. Damit bringt die Kanonbildung das wohl wichtigste hermeneutische Prinzip der Schriftinterpretation zum Ausdruck: Altes und Neues Testament, Schöpfungs- und Heilsoffenbarung *sind in ihrer inneren Einheit und wechselseitigen Entsprechung (Analogie) zu interpretieren.* Dies heißt für unseren Zusammenhang: Die biblische Offenbarung ist von der Wirklichkeit her und auf sie hin auszulegen;

---

[3] Irenäus, Adv. haer. II, 9, 1 (SC 294, 82–85).
[4] Justin, Apol. II, 6 (aaO., 212–217); Johannes von Damaskus, De fide orth. I, 1 (Die Schriften des Johannes von Damaskus, ed. B. Kotter II, Berlin – New York 1973, 7).
[5] Tertullian, Adv. Marc. I, 10 (CCL 1, 451).

die biblische Offenbarung muß ihre innere Vernünftigkeit dadurch erweisen, daß sie sich als prophetische Wirklichkeitsinterpretation bewährt.

Die scholastische *Tradition* bringt diese Zusammengehörigkeit von Schöpfung und Erlösung vor allem in dem klassischen Axiom zum Ausdruck: *»Die Gnade setzt die Natur voraus«* (gratia supponit naturam), bzw.: *»Der Glaube setzt die Vernunft voraus«* (fides supponit rationem)[6]. Es ist in diesem Zusammenhang nicht möglich, auf die komplizierte Geschichte dieses Axioms und auf die damit zusammenhängenden Interpretationsfragen einzugehen. Seinem ursprünglichen Sinn nach meint das Axiom nicht, daß der Glaube einen möglichst kultivierten Verstand voraussetzt. Solche natürlichen Vorbedingungen würden die Ungeschuldetheit der Gnade und des Glaubens aufheben und der schon im Neuen Testament bezeugten Erfahrung widersprechen, wonach der Glaube gerade bei den Kleinen und bei den einfachen Leuten »ankommt«. Gemeint ist vielmehr, daß die Offenbarung Gottes sich ein Subjekt voraussetzt, das hören, verstehen und sich frei entscheiden kann. Deshalb kann Gott nur mit Verstand und freiem Willen begabte Menschen und nicht etwa tote Gegenstände oder ungeistige Lebewesen zum Glauben berufen. Der Mensch als Mensch, und nicht eine besondere kulturelle Ausprägung des Menschen ist also die Voraussetzung des Glaubens.

Lehramtliche Aussagen über diese natürlichen Voraussetzungen des Glaubens finden wir erst in der Neuzeit. Das ist nicht ohne Grund. Denn erst in der Neuzeit sind die Voraussetzungen des Glaubens zunächst fragwürdig geworden und dann auch grundsätzlich bestritten worden. Dies geschah in doppelter Weise: in einer Überbewertung der Vernunft (Rationalismus) bis hin zu einer absolut autonomistischen Auffassung des Menschen und der Welt, wie in Reaktion darauf in einer Unterbewertung der Vernunft, die zu der Behauptung führte, Gott sei nur im Glauben (Fideismus) und nur durch die religiöse Überlieferung zugänglich (Traditionalismus).

Das *I. Vatikanische Konzil* (1869/70) verurteilte beide Richtungen. Es griff entsprechende vorausgehende päpstliche Entscheidungen auf und erklärte, der Glaube sei ein vernunftgemäßer Gehorsam (obsequium rationi consentaneum)[7]. Aus diesem Grund hielt das Konzil gegen den Fideismus und gegen den Traditionalismus daran fest, daß der Mensch Gott aus der geschaffenen Wirklichkeit mit dem natürlichen Licht der Vernunft sicher erkennen kann[8]. Diese Definition von der *Möglichkeit der natürlichen Gotteserkenntnis* kann man nur dann richtig verstehen, wenn man erkennt, daß sie bewußt allgemein gehalten ist. Sie spricht von *Erkenntnis im weitesten Sinn* und nicht von einem rein argumenta-

---

[6] Thomas v. A., Summa theol. I q.2 a.2 ad 1.

[7] DS 3009; NR 32. Dazu: H. J. Pottmeyer, Der Glaube vor dem Anspruch der Wissenschaft. Die Konstitution über den katholischen Glauben »Dei Filius« des 1. Vatikanischen Konzils und die unveröffentlichten theologischen Voten der vorbereitenden Kommission (Freiburger Theol. Stud. 87), Freiburg-Basel-Wien 1968.

[8] DS 3004; 3026; NR 27f; 45.

tiv-schlußfolgernden Denken. Es ist also nicht definiert, daß man Gott mit dem natürlichen Licht der Vernunft beweisen kann[9]. Die Definition spricht außerdem *nur von der Möglichkeit der Gotteserkenntnis* (certo cognosci posse), über die Tatsächlichkeit einer solchen natürlichen Gotteserkenntnis sagt sie bewußt nichts. Es geht also lediglich um die grundsätzliche Offenheit der Vernunft für Gott, aber nicht um die Frage, ob tatsächlich jemals konkrete Menschen allein durch natürliche Erkenntnis zur Gotteserkenntnis gelangt sind. Es handelt sich beim Dogma des I. Vatikanischen Konzils also um eine transzendental-theologische Aussage, d. h. es geht um die im Glauben vorausgesetzte Bedingung der Möglichkeit seiner selbst. Mit dieser transzendental-theologischen Aussage soll die Verantwortlichkeit des Menschen für den Glauben wie für den Unglauben und damit die Vernünftigkeit und die intellektuelle Redlichkeit des Glaubens herausgestellt werden.

Das *II. Vatikanische Konzil* (1962–65) hat die grundlegenden Aussagen des I. Vatikanums aufgegriffen und wiederholt[10]. Es hat aber zugleich die abstrakte transzendental-theologische Fragestellung des I. Vatikanums in eine *konkret-geschichtliche und heilsgeschichtliche Perspektive* integriert. Auf der einen Seite hat das Konzil die konkreten Schwierigkeiten des heutigen Menschen mit der natürlichen Gotteserkenntnis und die daraus resultierenden Formen des modernen Atheismus ausführlich dargestellt. Auf der anderen Seite hat es herausgestellt, daß die Antwort auf die Frage, die sich der Mensch selbst ist, letztlich nicht durch die natürliche Gotteserkenntnis, sondern allein durch Jesus Christus gegeben wird[11]. Die Vermittlung des transzendentalen Ansatzes und des geschichtlichen bzw. heilsgeschichtlichen Aspekts hat das Konzil freilich mehr oder weniger offengelassen; beide Aspekte stehen in den Konzilstexten relativ unverbunden nebeneinander. Die Vermittlung beider Sichtweisen ist deshalb eine wichtige Aufgabe einer dogmatischen Gundlagenbesinnung.

Diese Frage hat nicht nur einen theoretischen, sondern auch einen *praktischen Aspekt*. Das II. Vatikanische Konzil hat in der »Erklärung über die Religionsfreiheit« in Aufnahme verschiedener älterer lehramtlicher Aussagen erklärt, es sei Aufgabe der Kirche, die Wahrheit, die Christus ist, zu verkündigen und authentisch zu lehren und »zugleich auch die Prinzipien der sittlichen Ordnung, die aus dem Wesen des Menschen selbst hervorgehen, autoritativ zu erklären und zu bestätigen«[12]. Diese Lehre von der *Aufgabe der Kirche, das natürliche Sittenge-*

---

[9] So erst der Antimodernisteneid: DS 3538; NR 61.
[10] Vatikanum II, Dei Verbum, 6.
[11] Vatikanum II, Gaudium et spes, 19–22.
[12] Vatikanum II, Dignitatis humanae, 14.

setz auszulegen, bildet die Grundlage für die individual-ethischen wie für die sozial-ethischen Weisungen der Kirche; sie ist vor allem die Grundlage der kirchlichen Soziallehre und ihrer neuerlichen Rezeption der allgemeinen Menschenrechte. Die Probleme, die diese Lehre aufgibt, liegen auf der Hand. Doch will man die Zusammengehörigkeit von Schöpfungs- und Erlösungsordnung nicht bestreiten, und will man aus dem Christentum keine rein theoretische Angelegenheit machen, dann wird man diese Lehre, ganz abgesehen davon, daß sie biblisch fundiert ist (vgl. Röm 2,15), nicht prinzipiell bestreiten können. Das mit dieser Lehre gestellte Problem muß deshalb präziser bestimmt werden. Es liegt ähnlich wie in der Frage der natürlichen Gotteserkenntnis und kommt in der oft formulierten Kritik zum Ausdruck, die sittlichen Weisungen der Kirche gingen von einem ungeschichtlich gedachten Naturbegriff aus. Auch im Bereich der sittlichen Weisungen der Kirche stellt sich also die *Aufgabe einer Vermittlung zwischen den transzendentalen Voraussetzungen des Glaubens und der geschichtlichen bzw. heilsgeschichtlichen Situation des Menschen.*

Die Aussagen von Schrift, Tradition und kirchlichem Lehramt lassen sich in einer mehr *systematischen Reflexion* auch von der Sache selbst her begründen. Ein erster Zugang zur Sache der natürlichen Theologie ergibt sich bereits aus einer *ersten Überlegung.* Man kann sich durch relativ einfaches Nachdenken klar machen, daß wir den christlichen Glauben gar nie »an sich«, sozusagen »chemisch rein« besitzen. Wir »haben« den christlichen Glauben vielmehr nur als einen menschlich gehörten, menschlich verstandenen, menschlich bejahten und menschlich angeeigneten Glauben. Es »gibt« den Glauben sozusagen nur im Medium menschlichen Hörens und Verstehens. Der christliche Glaube ist also – was immer man außerdem über seinen Gnadencharakter sagen muß – ein voll und ganz menschlicher Akt (actus humanus), und er muß als solcher menschlich und d. h. auch rational verantwortet werden. Ein menschlich und rational nicht verantworteter Glaube wäre nicht nur des Menschen, sondern auch Gottes unwürdig.

Zu einem ähnlichen Ergebnis kommen wir, wenn wir in einer *zweiten Überlegung* statt vom Subjekt des Glaubenszeugnisses von dessen Adressaten ausgehen. Der christliche Glaube beansprucht ja, die universale Wahrheit des Heils für alle Menschen zu sein. Es kann deshalb gar nicht der Sinn des Glaubenszeugnisses sein, nur private religiöse Erfahrungen auszudrücken. Der christliche Glaube steht und fällt damit, daß er universal kommunikabel ist. Der Christ muß deshalb den Glauben nicht nur vor sich selbst verantworten, sondern allen Menschen Rechenschaft geben von seiner Hoffnung (1 Petr 3,15). Das ist vom Wesen der Sache her gar nicht anders möglich, als daß der christliche Glaube Bezug nimmt auf das, was allen Menschen gemeinsam ist und was sie als Menschen über alle Kulturen hinweg verbindet: ihre Vernunft. Gerade in einer Situation wie der unsrigen, in der alles darauf ankommt, daß dem christlichen Glauben der Überschritt in neue Kulturkreise und in eine neue Epoche hinein gelingt, kann es nicht darum gehen, daß die Christen sich auf ihre privaten Erfahrungen zurückziehen; gerade heute muß es, wie kaum einmal zuvor in der Geschichte des Christentums, darum gehen, daß der christliche Glaube seine allen Menschen zugängliche Vernünftigkeit herausstellt.

Die Herausstellung der *Vernünftigkeit des christlichen Glaubens* in dem hier verstandenen Sinn hat nichts zu tun mit einer rationalistischen Reduktion des Glaubens. Es geht nicht darum, den Glauben sozusagen von außen, mit Hilfe einer vermeintlich neutralen Vernunft zu begreifen. Der Glaube kann – wie noch zu zeigen sein wird – nur durch sich selbst, genauer: nur durch seinen eigenen Gegenstand, die Offenbarung Gottes in Jesus Christus, begründet werden. Die natürliche Theologie kann diese Begründung nicht ersetzen oder auch nur ergänzen wollen. *Ihre Aufgabe ist es vielmehr, die innere Vernünftigkeit des in sich und aus sich selbst begründeten Glaubens zu erweisen.* Dieser Aufweis der Vernünftigkeit des christlichen Glaubens hat auch nichts zu tun mit einer intellektualistischen Verkürzung des Glaubens. Es ist völlig unbestreitbar, daß der Glaube nicht nur ein Akt des Verstandes, sondern ein personaler Akt des ganzen Menschen ist. Biblisch gesprochen: Der Glaube geschieht mit dem Herzen. In diesem Sinn ist er einfach und auch einfältig. Doch diese Ganzheitlichkeit des Glaubens schließt den Verstand nicht aus, sondern ein. Deshalb ist ein Kinder- und Köhlerglaube, der das helle Licht der Vernunft scheut und der vorpfingstlich hinter verschlossenen Türen einfach weiterglaubt, indem er die anstehenden Probleme am besten erst gar nicht zur Kenntnis nimmt, kein besonders intensiver Glaube, sondern eine höchst defiziente Gestalt des Glaubens, die dem Glauben nicht zu viel, sondern zu wenig zutraut. Wer von der Wahrheit des Glaubens wirklich überzeugt ist, der traut es dem Glauben auch zu, mit seinen intellektuellen Bestreitungen fertigzuwerden. Die Art und der Grad der intellektuellen Auseinandersetzung richten sich selbstverständlich nach der Art und dem Grad der sonstigen Bildung eines Christen, nach seiner Glaubenssituation und nach seiner Aufgabe und Stellung in Kirche und Welt. Doch grundsätzlich hat die christliche Glaubensverkündigung ihre Aufgabe nur dann recht erfüllt, wenn sie den Glauben nicht psychologisch geschickt suggeriert oder autoritär oktroyiert, sondern wenn sie zu einer verantworteten Glaubensentscheidung befähigt und befreit. Dieser Aufgabe will die natürliche Theologie dienen.

Ein tieferes Verständnis des Anliegens der natürlichen Theologie ist nur im Blick auf ihre *geschichtliche Differenzierung* möglich. Es lassen sich drei klassische Ausprägungen der natürlichen Theologie unterscheiden:

Die natürliche Theologie in der griechischen Philosophie

Es ist die kulturgeschichtliche Großtat des griechischen Geistes, daß er nicht bei der Bilderrede des Mythos stehenblieb, sondern nach dem darin verborgenen Logos fragte. Dies geschah schon bei den Naturphilosophen (7.–5. Jahrhundert v. Chr.). Die Sophisten (5./4. Jh. v. Chr.) wurden gegenüber der mythischen Überlieferung bereits kritisch und mißtrauisch. Das führte sie dazu, die physis, d. h. das, was Götter und Menschen ihrer Natur nach sind, von dem, was sie aufgrund menschlicher Setzung (thesis) sind, zu unterscheiden. Der kritische Sinn des Begriffs Natur wird auch bei Platon deutlich. Bei ihm begegnet uns erstmals der Begriff Theologie. Platon weiß um die Verderblichkeit vieler mythischer Erzählungen und will deshalb Typen der Theologie, d. h. kritische Maßstäbe für die Rede von den Göttern, aufgestellt wissen[13]. Bei Aristoteles wird dann die Theologie identisch mit der ersten Philosophie, die in einer rationalen Weise von den ersten Prinzipien bzw. vom ersten Prinzip redet[14] und die sich später als natürliche Theologie von der mythischen und der politischen, d. h. in der Polis öffentlich anerkannten und gefeierten, unterscheidet. Diese Dreiteilung der Theologie in eine mythische, politische und eine natürliche Theologie wird uns ausdrücklich von dem Stoiker Varro im 1. Jahrhundert v. Chr. berichtet[15]. Augustinus kritisiert an dieser Dreiteilung, daß es sich eher um eine Zweiteilung handelt, weil die mythische Theologie die politische und die politische die mythische ist. Beide haben den Göttern aber viel Ungereimtes und Unwürdiges zugeschrieben. Aber auch die beste natürliche Theologie, die des Platon, bleibt nach Augustinus noch weit hinter der christlichen Wahrheit zurück[16]. Dennoch greift das frühe Christentum die natürliche Theologie der Antike auf, bis hin zu der Formel des Tertullian von der anima naturaliter christiana[17]. In dieser spannungsvollen Rezeption drückt sich ein neues, ein christliches Verständnis von natürlicher Theologie aus, das den kritischen Sinn der antiken natürlichen Theologie aufgreift und zugleich überbietet.

Die christliche Gestalt der natürlichen Theologie

Der Bibel geht es nicht um die Natur der Dinge, d. h. um das, was die Dinge von ihrem eigenen Ursprung her (natura von nasci) sind, sondern um das, was Mensch und Welt aufgrund ihres Ursprungs in Gott sind. Die Bibel betrachtet die Wirklichkeit deshalb nicht als natura (φύσις), sondern als creatura (κτίσις). Als geschaffene Wirklichkeit ist die Schöpfung einerseits ganz von Gott abhängig, andererseits aber auch unendlich von ihm verschieden, und insofern sie als von Gott abhängige zugleich von ihm ganz verschieden ist, steht sie Gott in relativer Eigenständigkeit gegenüber. Aufgrund dieser relativen Eigenstän-

---

[13] Platon, Pol. II, 379a.
[14] Aristoteles, Met. VI, 1026a.
[15] Augustinus, De civitate Dei VI, 5 (CCL 47, 170–172).
[16] Ebd. VI, 8 (CCL 47, 176–178).
[17] Tertullian, Apol. 17,6 (CCL 1, 117–118).

digkeit zögert die Bibel nicht, von einer dem Menschen von Gott selbst gegebenen und eingebenden Natur zu sprechen (vgl. Röm 1,26; 2,14; 1 Kor 11,14). Die relative Eigenständigkeit ist auch der Grund, weshalb sich die Menschen gegen Gott wenden und damit ihre eigene Natur verkehren konnten (vgl. Röm 1,18 ff). Sie sind nun von Natur Kinder des Zornes (vgl. Eph 2,3). Weil sie sich aber in ihrem ganzen Sein Gott verdanken, bleiben sie auch als Sünder ganz auf Gott verwiesen. Gerade als Sünder sind sie sich in ihrer Verkehrtheit eine Frage, auf die sie sich selbst keine Antwort geben können. Das Wesen von Welt und Mensch legt sich in der Bibel also in einer überaus spannungsreichen Geschichte zwischen Gott und den Menschen aus. In aller Variabilität dieser Geschichte gibt es aber etwas sich Durchhaltendes und mit sich Identisches, das durch die Sünde zwar zutiefst verkehrt, aber nicht grundsätzlich aufgehoben werden kann. Doch diese Natur ist nunmehr in die Dynamik der Geschichte Gottes mit den Menschen hineingenommen, die der griechischen Philosophie noch in keiner Weise bekannt sein konnte. Die *Natur* begründet in der Bibel also keine gegenüber der Gnade eigenständige Seinsordnung, sie ist vielmehr der *Inbegriff eines innerhalb der Gnadenordnung relativ eigenständigen Seinsgefüges.*

Diese heilsgeschichtliche Einordnung der natürlichen Theologie finden wir bei allen großen Theologen der klassischen Tradition: Augustinus, Anselm von Canterbury, Bonaventura, Thomas von Aquin. Die heilsgeschichtliche Dynamik, in die der Naturbegriff hineingenommen ist, drückt sich vor allem in dem bereits zitierten *Axiom* aus: »*Die Gnade setzt die Natur voraus und vollendet sie.*« Damit wird deutlich, daß die Natur ganz um der Gnade willen ist; sie ist deren äußere Voraussetzung, wie umgekehrt die Gnade die innere Voraussetzung, das Worum-willen der Natur ist. Deshalb ist die Natur kein eigenständiger, in sich abgeschlossener und aus sich vollendbarer Wirklichkeitsbereich. Sie ist dynamisch über sich hinaus auf eine Erfüllung ausgerichtet, die sie sich selbst nicht geben kann, die sie vielmehr allein durch die Gnade erhält. Erst durch die Gnade erlangt die Natur ihre eigentliche Bestimmung. Wo sie sich dagegen sündhaft gegen die Gnade versperrt, da gerät sie in Widerspruch mit sich selbst, da wird sie zutiefst verkehrt.

Eine *doppelte Ordnung der Natur und der Gnade* ist in der klassischen Tradition höchstens als Möglichkeit angelegt, ausgebildet wird sie erst in der Neuzeit. Diese folgenreiche Weiterentwicklung wird durch die Irrlehre des Löwener Theologen Bajus im 16. Jahrhundert ausgelöst. Er lehrte, daß die Natur nicht nur auf die Gnade ausgerichtet ist, sondern sogar ein Recht auf die Gnade hat. Um demgegenüber die Ungeschuldetheit der Gnade aufrechterhalten zu können, kam es in der Barock- und Neuscholastik zur *Konstruktion einer reinen Natur* (natura pura)[18]. Dies war zunächst eine reine Hilfskonstruktion, eine denkerische Hypothese, um die Ungeschuldetheit der Gnade denken zu können. Diese führte aber doch zur Konstruktion einer doppelten Ordnung von natürlicher und übernatürlicher Theologie. Diese Wirkungsgeschichte einer zunächst als bloße Denkmöglichkeit entworfenen Größe ist nur durch den indirekten Einfluß eines neuen Verständnisses von natürlicher Theologie verständlich, wie er in der neuzeitlichen Aufklärung aufkam.

---

[18] Zu dieser Entwicklung: G. Söhngen, Art. Natürliche Theologie, in: LThK VII, 811–816.

Die Neuzeit emanzipierte sich aus vielfältigen Gründen von den geschichtlichen Voraussetzungen des Christentums. Nach der Kirchenspaltung des 16. Jahrhunderts und den darauf folgenden Religionskriegen konnte das Christentum nicht mehr länger die einigende Klammer der Gesellschaft sein. Die moderne Gesellschaft mußte sich auf einer neuen, religiös neutralen Basis finden, und sie tat dies auf der Grundlage der allen Menschen gemeinsamen Natur und Vernunft. So entwickelte sich eine neue Gestalt der natürlichen Theologie: eine Gotteserkenntnis und eine Gotteslehre, die sich aus der Betrachtung der Natur des Menschen und der Welt allein aufgrund des natürlichen Lichts der Vernunft ergibt. Diese neue, eigenständige natürliche Theologie wurde zur gleichberechtigten Partnerin der Offenbarungstheologie. Ja, das Verhältnis kehrte sich bald sogar um. War bisher die natürliche Theologie die Voraussetzung der Offenbarungstheologie, so wurde sie nunmehr zu ihrem Kriterium[19]. Die Offenbarungstheologie mußte sich daran messen lassen, ob sie der Beförderung der Vernunft und des Glücks diente. Die Offenbarungstheologie wurde zu einer geschichtlichen Voraussetzung und zu einem Vehikel der natürlichen Theologie.

Bei aller Kritik an diesem Rationalismus blieb die *Reaktion der katholischen Theologie* doch gemäßigt. Sie wandte sich nicht nur gegen den Rationalismus, sondern auch gegen das andere Extrem, den Fideismus und Traditionalismus, die der Vernunft im Bereich des Glaubens jede Möglichkeit und jede Zuständigkeit absprachen. Die katholische Theologie wollte also einen Mittelweg zwischen Rationalismus und Fideismus gehen. Gegen den Rationalismus unterschied sie grundsätzlich zwischen Glauben und Wissen, gegen den Fideismus hielt sie an der Vernunftgemäßheit des Glaubens fest. Das führte zu der Theorie einer doppelten Erkenntnisordnung, einer natürlichen und einer übernatürlichen, die beide nicht in Widerspruch miteinander geraten konnten. Sosehr das dahinter stehende Anliegen der Vermittlung von Glauben und Vernunft berechtigt ist, so ist doch die denkerische Gestalt, in der es sich Ausdruck verschaffte, auch im Blick auf die ältere Tradition kritikbedürftig. Dieses »*Zwei-Stockwerke-Schema*« von natürlicher und übernatürlicher Theologie kommt nämlich lediglich zu einem relativ unverbundenen Neben- und Übereinander beider Ordnungen; es leistet aber keine wirkliche Vermittlung. Es bleibt sogar insofern dem Geist der Aufklärung verhaftet, als es die natürliche Theologie abstrakt ungeschichtlich entwickelt und deren heilsgeschichtliche Einbettung verkennt.

Die *reformatorische Theologie* ging in der Auseinandersetzung mit der Neuzeit andere Wege als die katholische, und diese Differenz entwickelte sich in unserem Jahrhundert fast zu einem kirchentrennenden Unterschied neuer Art, zu einem Unterschied, von dem das 16. Jahrhundert in dieser Form noch nichts wußte[20]. *Luthers* Äußerungen zur Frage der natürlichen Gotteserkenntnis sind ambivalent. Er weiß darum, daß Gott allen Menschen eine allgemeine Gotteserkenntnis mitgegeben hat; aber außerhalb der Offenbarung wissen die Menschen nicht, wer Gott für sie ist. So machen sie Gott zum Götzen, zu einem menschlichen

---

[19] Vgl. M. Seckler, Aufklärung und Offenbarung, in: Christlicher Glaube in moderner Gesellschaft 21, Freiburg–Basel–Wien 1980, 5–78.
[20] Vgl. H. J. Birkner, Natürliche Theologie und Offenbarungstheologie, in: aaO., 279 ff.

Wunschgebilde. In der rechten Weise kann man nach Luther nicht nur Gott, sondern auch den Menschen allein vom Wort Gottes her verstehen. Der Gegenstand der Theologie ist die cognitio Dei et hominis; dabei wird aber der Mensch als der homo reus et perditus, Gott als der deus iustificans et salvator erkannt[21]. Es gibt hier also keine allgemeine natürliche Erkenntnis Gottes und des Menschen, innerhalb derer die Offenbarungserkenntnis als ein Spezialfall vorkommt. Das allgemeine Wesen Gottes und des Menschen läßt sich vielmehr nur vom Concretissimum der Offenbarung und der Rechtfertigung her bestimmen.

Auf diesen spannungsreichen Grundlagen waren in der Folgezeit verschiedene Lösungsansätze möglich. In der altprotestantischen Theologie, der sogenannten *protestantischen Orthodoxie* des 17. Jahrhunderts, war das Thema der natürlichen Theologie in einer Weise bekannt und anerkannt, die katholischen Darstellungen durchaus entsprach. Erst im *Neuprotestantismus* des 19. Jahrhunderts verfiel die natürliche Theologie der Kritik. Die Art wie dies geschah, scheint jedoch das eigentliche Anliegen der natürlichen Theologie mehr zu bestätigen als zu widerlegen. Bei F. Schleiermacher hat die Kritik der natürlichen Theologie die Funktion einer Abwendung von der Aufklärung. Schleiermacher will gegenüber dem unbestimmten und allgemeinen Natürlichen im Sinn der neuzeitlichen Subjektivitätsphilosophie die Wirklichkeit der Freiheit und der Geschichte zur Geltung bringen. Entsprechend setzt seine Glaubenslehre ein mit der Übernahme von Lehnsätzen aus der Ethik. So kritisiert Schleiermacher nur eine ganz bestimmte natürliche Theologie, um sie durch eine andere zu ersetzen. Ähnlich verhält es sich bei A. Ritschl, dem Haupt der liberalen Theologie. Bei ihm ist die Abgrenzung gegenüber der natürlichen Theologie ein Teil seiner Kritik an der Metaphysik. Religion und Offenbarung haben es nach ihm nicht mit der Natur, sondern mit dem Geistigen zu tun. Die Ablehnung der natürlichen Theologie entspricht also dem bürgerlichen Bewußtsein seiner Zeit; die philosophische Parallele bildet der Neukantianismus und der Versuch der Geisteswissenschaften, sich aus der Umklammerung durch die Naturwissenschaften zu befreien.

Die heftigste Kritik an der natürlichen Theologie stammt von den Vertretern der *dialektischen Theologie*, besonders von *K. Barth*, der sich darüber mit seinem ehemaligen Kampfgefährten E. Brunner entzweite[22]. Die natürliche Theologie ist ihm Ausdruck der Verbürgerlichung des Christentums; mit ihrer Kritik will er die liberale Theologie des Kulturprotestantismus überwinden[23]. In dieser Kritik des bürgerlichen Kulturprotestantismus berührt er sich aber auf neue Weise mit dem gewandelten Bewußtsein der Zeit. Inzwischen hatte ja die Religionskritik von Feuerbach, Marx und Nietzsche den aufklärerischen Vernunftoptimismus, der Mensch könne von sich aus Gott erkennen, zerstört und die Gotteserkenntnis als Projektion des Menschen zu entlarven versucht. Strukturell ähnlich erklärt Barth die natürliche Theologie zur Götzenfabrik; er sieht in ihr den hybriden Versuch des Menschen, sich Gottes zu bemächtigen. So ist die theologische Religionskritik für die dialektische Theologie die Möglich-

[21] M. Luther, Enarratio Psalmi LI (1532) (WA 40/2), 327 f.
[22] K. Barth, Nein! Antwort an Emil Brunner (Theologische Existenz heute 14), München 1934.
[23] Vgl. K. Barth, Die Kirchliche Dogmatik I/1.

keit, sich mit dem allgemeinen Zeitbewußtsein zu vermitteln; der Atheismus ist hier paradoxerweise zur natürlichen Theologie geworden[24].

Damit wird deutlich, daß die alte natürliche Theologie Fragen und Themen repräsentiert, die mit ihrer historischen Gestalt nicht dahingegangen sind, sondern sich in verwandelter Gestalt noch in ihrer schärfsten Kritik immer wieder melden. Die Kritik der natürlichen Theologie besorgt sozusagen deren ureigenstes Geschäft: die Reflexion auf die Verstehensvoraussetzungen des christlichen Glaubens. So überrascht es keineswegs, daß das Anliegen der natürlichen Theologie in der protestantischen Theologie der Gegenwart wieder aufgegriffen wird. Dies geschieht in gewisser Weise bereits beim späteren K. Barth und wird heute in freilich unterschiedlicher Weise weitergeführt bei W. Pannenberg, G. Ebeling und E. Jüngel.

Gegenwärtige Problematik

Aus dem historischen Überblick ergibt sich, daß *der Begriff der natürlichen Theologie überaus vieldeutig* ist. Die Vieldeutigkeit des Begriffs natürliche Theologie hängt mit der Vieldeutigkeit des Begriffs Natur zusammen[25]. Der Begriff Natur verändert nämlich seinen Sinn je nach dem Beziehungsgefüge, in dem er gebraucht wird. Der *philosophische Naturbegriff* setzt den Begriff Natur in Bezug und das heißt in Gegensatz zur Kultur und zur Geschichte. Während Kultur und Geschichte das sind, was aus der freien schöpferischen Tätigkeit des Menschen hervorgeht, ist die Natur das, was wir als Menschen bei unserem Machen je schon voraussetzen: die Wirklichkeit der Welt, der anderen Menschen und uns selbst als naturhaft vorgegebene Wirklichkeit. Natur ist das, was wir nicht machen, ja gar nicht machen können, was wir aber bei allem unserem Machen voraussetzen müssen. In diesem Sinn sprechen wir von der rohen oder von der unberührten und unverbildeten Natur. Von diesem philosophischen Naturbegriff ist der *theologische Naturbegriff* zu unterscheiden. Er setzt die Natur nicht in Beziehung zur Freiheit und zur Geschichte, sondern zur Gnade. Natur ist hier das, was sich die Gnade voraussetzt: den Menschen als ein mit geistiger Erkenntnis und mit Freiheit begabtes Wesen, das als solches fähig ist, Gott zu begegnen und Gnade zu empfangen. Der theologische Naturbegriff ist also weiter und umfassender als der philosophische; er umfaßt auch das, was der philosophische Naturbegriff ausschließt, ja, er umfaßt dies in besonderer Weise, weil gerade Geist und Freiheit die transzendentalen Voraussetzungen des Glaubens und der durch ihn geschenkten Gnade sind.

Aus dieser begrifflichen Klärung ergibt sich zusammenfassend: *Die natürliche Theologie entspringt aus einer transzendentalen Reflexion des Glaubens auf seine eigenen Bedingungen der Möglichkeit.* Der Glaube aber setzt ein freiheitliches Subjekt voraus. Damit knüpft die natürliche Theologie gerade nicht an dem an, was philosophisch Natur heißt, sondern an dem, was, philosophisch betrachtet, der Natur als Freiheit gegenübersteht. Der theologische Naturbegriff ist also freiheitlich und damit geschichtlich gedacht. Das wiederum hat zur Folge, daß sich die natürliche Theologie nicht mit einer abstrakten transzendentalen Reflexion begnügen darf, daß sie sich vielmehr auf die konkreten

---

[24] Vgl. H. J. Birkner, Natürliche Theologie und Offenbarungstheologie, in: aaO., 293 ff.
[25] Zum Naturbegriff vgl. H. U. von Balthasar, aaO., 278 ff.

geschichtlichen Bedingungen und Voraussetzungen des Glaubens einlassen muß. *Natürliche Theologie muß sich also in konkreter geschichtlicher Auseinandersetzung bewähren.*

Eine solche Konkretion der abstrakten transzendental-theologischen Reflexion ergibt sich sowohl aus der gegenwärtigen philosophischen wie aus der verschärften Problemkonstellation in der neueren katholischen und protestantischen Theologie. In der *neueren Philosophie* kam es zu einer Aufklärung der Aufklärung über sich selbst, näherhin zu einer Aufklärung der Aufklärung über deren eigene geschichtliche Voraussetzungen. Damit wurde das abstrakte ungeschichtliche Natur- und Vernunftverständnis der Aufklärung überwunden. Man erkannte, daß die menschliche Vernunft und das, was sie als natürlich und vernünftig erkennt, kulturellen, geschichtlichen Wandlungen unterliegen. Ganz gleichgültig, ob man diese Wandlungen des Verstehenshorizonts, der Denkform, des Seinsverständnisses und dgl. idealistisch im Sinn einer Geistesgeschichte oder materialistisch als Epiphänomen ökonomischer Veränderungen begreift, die innere Geschichtlichkeit der Vernunft ist seit Hegel und Schelling, Marx und Nietzsche und nicht zuletzt Heidegger, Gadamer, Habermas u. a. eine allgemein akzeptierte Einsicht, die die transzendentale Fragestellung über Kant hinaus weitergetrieben hat. Man weiß heute anders als Kant, daß die apriorischen Verstehensbedingungen des Menschen geschichtlich variabel sind[26]. Damit sind auch für das Verständnis der heilsgeschichtlichen Einordnung der Natur und der Vernunft neue Verstehensvoraussetzungen geschaffen und eine von den geschichtlichen Glaubensvoraussetzungen abstrahierende natürliche Theologie endgültig unmöglich gemacht. Paradoxerweise wird diese These am besten durch die bezeichnende Feststellung bestätigt, daß die Versuche einer natürlichen Theologie, die unter zumindest methodischem Absehen von der Offenbarung Gottes in Jesus Christus eine rein natürliche Voraussetzung für den Gottesglauben schaffen wollen, für verunsicherte Christen zwar eine Hilfe darstellen, Nichtchristen aber gewöhnlich wenig zu überzeugen scheinen. Die kritische Abrechnung, die W. Weischedel mit diesen Versuchen unternommen hat, ist durchaus lehrreich und beherzigenswert[27]. Der Aufweis der Vernünftigkeit des Glaubens setzt also den Glauben und seinen Verstehenshorizont voraus und kann ihn nicht erst erstellen.

Dieses Ergebnis entspricht auch der heutigen *theologischen Problemkonstellation.* Der ursprüngliche Sinn der natürlichen Theologie in der Hochscholastik und die reformatorischen Neuansätze liegen unter diesem Aspekt gar nicht so weit auseinander, wie es zunächst scheinen könnte. In beiden Problemkonstellationen geht es nicht um einen neutralen Vor- und Unterbau für die Offenbarungstheologie bzw. um einen allgemeinen Rahmen, in den die besondere heilsgeschichtliche Offenbarung nachträglich eingezeichnet werden könnte. Es geht in der hochscholastischen Theologie vielmehr um eine relativ eigenständige Wirklichkeit, die der Offenbarungsglaube sich selbst voraussetzt und die durch den Glauben auch erst zu ihrer eigenen Erfüllung gebracht wird. Nicht die natürliche Theologie begründet den Glauben, vielmehr begründet der Glaube

---

[26] Vgl. R. Schaeffler, Fähigkeit zur Erfahrung. Zur transzendentalen Hermeneutik des Sprechens von Gott (Quaest. disp. 94), Freiburg–Basel–Wien 1982.
[27] Vgl. W. Weischedel, Der Gott der Philosophen. Grundlegung einer philosophischen Theologie im Zeitalter des Nihilismus, 2 Bde., Darmstadt 1971–72.

die natürliche Theologie; er begründet sie freilich als eine relativ eigenständige Größe. *Es geht in der natürlichen Theologie also um die dem Glauben eigene Vernünftigkeit und Universalität.* Dieser Aufweis der dem Glauben eigenen Vernünftigkeit geht davon aus, daß in Jesus Christus die endgültige Wahrheit über Gott, den Menschen und die Welt erschienen ist. Dieses Urbekenntnis des christlichen Glaubens läßt sich so als vernünftig erweisen, daß man aufzeigt, wie im Licht Jesu Christi das Licht, das in der Welt leuchtet, in neuer, vollerer, ja in endgültiger Weise zum Leuchten kommt.

Die Vernünftigkeit des Glaubens läßt sich konkret in doppelter Weise aufweisen: Einmal mehr negativ dadurch, daß der Glaube, da er von der grundsätzlichen Nichtwidersprüchlichkeit von Schöpfungs- und Heilswirklichkeit überzeugt ist, darauf baut, daß er die gegen ihn vorgebrachten Argumente schon rein vernünftig betrachtet als nicht stimmig und stichhaltig aufweisen kann[28]. *Zum andern* mehr positiv dadurch, daß sich der Glaube als prophetische Interpretation der Wirklichkeit bewährt, d. h. daß er sinnvolle Wirklichkeitserfahrung, sinnvolles Wirklichkeitsverständnis, befreiende Praxis u. dgl. erschließt. Der Streit des Glaubens mit dem Unglauben ist also nicht ein Streit um irgendwelche Über- und Hinterwelten, sondern ein Streit um diese unsere Wirklichkeit. Der Glaube beansprucht, daß er um den letzten Grund und um das letzte Sinnziel aller Wirklichkeit weiß und daß er deshalb mit seinem Licht das der Schöpfung eigene Licht erst voll zum Leuchten bringen kann. Er will sich daran bewähren, daß er, anders als die Ideologien, die jeweils nur einen Aspekt oder nur einen Bereich der Wirklichkeit verabsolutieren, die Phänomene nicht vergewaltigt, sondern – im Sinn antiker Philosophie – retten kann[29]. Der Glaube wird vor allem sowohl der Größe wie dem Elend des Menschen gerecht. So kann der Glaube andere Wirklichkeitsdeutungen fragen, ob sie Größeres und Umfassenderes über die Welt und den Menschen sagen können, oder ob nicht vielmehr gilt: Wer glaubt, sieht mehr.

2. GOTTESERFAHRUNG

In der Gottesfrage sind wir heute auf die Anfänge des Verstehens zurückgeworfen. Wenn wir daher von natürlicher Gotteserkenntnis sprechen, dann kann es nicht nur um abstrakte Gottesbeweise gehen. Sie sind nur sinnvoll und verständlich, wenn sie eine Grundlage in der Erfahrung haben und diese rational zu vertiefen wie gegen deren intellektuelle Bestreitungen zu schützen versuchen. *Wie alle Erkenntnis*

---

[28] Thomas v. A., Summa theol. I q.1 a.8.
[29] Andeutungsweise schon bei Aristoteles, Met. XI, 8, 1074 a.

bedarf deshalb auch die Gotteserkenntnis einer erfahrungsmäßigen Grundlage. Doch was ist Erfahrung? Inwiefern kann man überhaupt von Gotteserfahrung sprechen?[30]

Das Thema *Glaube und Erfahrung* ist ein überaus schwieriges und vertracktes Thema. Das liegt nicht zuletzt daran, daß sowohl der Begriff Erfahrung wie der Begriff Glaube vielschichtige und vieldeutige Begriffe sind. *Erfahrung* kann heißen: persönliche Lebenserfahrung wie die methodisch disziplinierte Erfahrung in den heutigen Erfahrungswissenschaften – Alltagserfahrung in der profanen Welt von heute wie Frömmigkeits- und Glaubenserfahrung bis hin zur mystischen Erfahrung – Praxiserfahrung, vor allem Erfahrung durch politische Praxis, wie Übernahme und Import von Erfahrungen aus den Erfahrungswissenschaften. Es ist offenkundig, daß diese unterschiedlichen Erfahrungsbegriffe, die sich noch vermehren ließen, in ganz unterschiedliche, ja teilweise gegensätzliche Richtungen weisen. Wer nach Erfahrung ruft, hat damit also noch nichts Klares und Eindeutiges gesagt; er hat ein Problem benannt, aber noch keine Frage gelöst.

Auch der Begriff *Glaube* hat mehrere Bedeutungen. Im theologischen Sprachgebrauch kann Glaube den Glaubensakt (fides qua creditur) und den Glaubensinhalt (fides quae creditur) meinen. Im ersten Fall betrifft das Verhältnis von Glaube und Erfahrung die Frage, wie der Akt des

---

[30] Zum Problem der Gotteserfahrung: H. G. Gadamer, Wahrheit und Methode, Grundzüge einer philosophischen Hermeneutik, Tübingen ²1965, 329–344; K. Lehmann, Art. Erfahrung, in: Sacram. mundi I, 1118–1123; P. L. Berger, Auf den Spuren der Engel. Die moderne Gesellschaft und die Wiederentdeckung der Transzendenz, Frankfurt a. M. 1970; ders., Zur Dialektik von Religion und Gesellschaft. Elemente einer soziologischen Theorie, Frankfurt a. M. 1973; W. Kasper, Glaube und Geschichte, Mainz 1970, 120–143; K. Rahner, Gotteserfahrung heute, in: Schriften. Bd. 9. 161–176; M. Müller, Erfahrung und Geschichte. Grundzüge einer Philosophie der Freiheit als transzendentale Erfahrung, Freiburg-München 1971; E. Schillebeeckx, Glaubensinterpretation. Beiträge zu einer hermeneutischen und kritischen Theologie, Mainz 1971; ders., Jesus. Die Geschichte von einem Lebenden, Freiburg–Basel–Wien ³1975, 527–554; ders., Christus und die Christen. Die Geschichte einer neuen Lebenspraxis, Freiburg–Basel–Wien 1977; ders., Menschliche Erfahrung und Glaube an Jesus Christus. Eine Rechenschaft, Freiburg–Basel–Wien 1979; ders., Erfahrung und Glaube, in: Christlicher Glaube in moderner Gesellschaft 25, Freiburg–Basel–Wien 1980, 73–116; A. Kessler, A. Schöpf, Ch. Wild, Art. Erfahrung, in: Handb. phil. Grundbegr. I, 373–386; J. Splett, Gotteserfahrung im Denken. Frankfurt a. M. 1973; G. Ebeling, Die Klage über das Erfahrungsdefizit in der Theologie als Frage nach ihrer Sache, in: Wort und Glaube . Bd. 3. Tübingen 1975, 3–28; D. Tracy, Blessed Rage for Order. The New Pluralism in Theology, New York 1975; J. Track, Erfahrung Gottes. Versuch einer Annäherung, in: Kerygma und Dogma 22 (1976), 1–21; D. Mieth, Nach einer Bestimmung des Begriffs ›Erfahrung‹: Was ist Erfahrung?, in: Concilium 14 (1978) 159–167; B. Casper, Alltagserfahrung und Frömmigkeit, in: Christlicher Glaube in moderner Gesellschaft 25, Freiburg–Basel–Wien 1980, 39–72; R. Schaeffler, Fähigkeit zur Erfahrung. Zur transzendentalen Hermeneutik des Sprechens von Gott (Quaest. disp. 94), Freiburg–Basel–Wien 1982.

Vertrauens, der Hingabe, des Gehorsams gegenüber dem unerforschlichen Geheimnis, das wir in der Sprache der Religion Gott nennen, mit unserer nüchtern aufgeklärten, rationalen Welterfahrung vereinbar ist. Im zweiten Fall geht es um das Problem, wie bestimmte Glaubensinhalte mit unserem modernen Weltbild, besonders mit den Ergebnissen moderner Erfahrungswissenschaft vereinbar sind. Beide Fragestellungen lassen sich zwar nicht ganz trennen, müssen aber dennoch sorgfältig unterschieden werden.

Nicht nur die Begriffe Erfahrung und Glaube, auch das *Verhältnis zwischen Glaube und Erfahrung* kann sehr verschieden bestimmt werden. Gegenwärtig stehen vor allem zwei gegensätzliche Positionen zur Diskussion. Die erste, die *traditionelle Verhältnisbestimmung* sagt: Der Glaube kommt vom Hören (Röm 10,17), er hat seinen Maßstab nicht an der heutigen Wirklichkeitserfahrung, sondern an der vollmächtig verkündeten Botschaft des Evangeliums, das durch die Kirche weitergegeben wird. Die zweite, im Grunde *modernistische Verhältnisbestimmung* sagt: Der Glaube ist Ausdruck religiöser Erfahrung, und die traditionellen Glaubensbekenntnisse müssen daran gemessen werden, ob sie fähig sind, die gewandelte heutige Erfahrung auszudrücken oder zumindest heutige Erfahrung zu ermöglichen. Beide Positionen enthalten etwas Richtiges; beide sind aber auch einseitig. So sehr es richtig ist, daß der christliche Glaube sein Maß an dem ein für allemal überlieferten Glauben (Jud 3) hat, so ist es doch auch richtig, daß dieser Glaube uns in einer ganz bestimmten geschichtlichen Erfahrungstradition begegnet, die nicht mehr unmittelbar die unsrige ist, daß er aber im Heute erfahrungsmäßig angeeignet werden muß. Hierin liegt das Richtige der zweiten Position. Diese übersieht freilich, daß Erfahrung niemals am Nullpunkt anfängt, sondern geschichtlich vermittelt ist. Sie übersieht vor allem, daß nicht das Wort Gottes als solches, wohl aber die geschichtliche Gestalt seiner Überlieferung – und anders als in geschichtlicher Gestalt begegnet es uns nicht – der Kritik, der Prüfung und der Vertiefung bedarf. Nicht unsere immer begrenzte und geschichtlich variable Erfahrung kann und darf Kriterium dafür sein, was Wort Gottes ist, vielmehr will und muß uns das Wort Gottes erschließen, was wahre Erfahrung im Unterschied zum trügerischen Schein ist. Das Wort Gottes bewährt sich daran als wahr, daß es neue Erfahrung erschließt, Erfahrung, die sich an anderer Erfahrung bewährt. Schließlich ist darauf hinzuweisen, daß der Glaube nicht nur auf eine ihm vorgegebene Erfahrungswirklichkeit bezogen ist, sondern auch seine ihm eigene Erfahrung besitzt. Dies kommt vor allem in dem biblischen Verständnis von Erkennen (jada) zum Ausdruck, das nie allein mit dem Verstand, sondern mit der ganzen Existenz und ihrer Mitte, dem Herzen des Menschen, geschieht. Um diese dem Glauben eigene Erfahrung wußte vor allem die Mystik, die sich als cognitio Dei experimentalis versteht[31].

Aus alledem folgt, daß man das Verhältnis von Glaube und Erfahrung nur als ein *Verhältnis kritischer Korrelation* beschreiben kann. Der dabei entstehende hermeneutische Zirkel zwischen Glaubensüberlieferung und Glaubenserfahrung ist unaufhebbar. Entscheidend ist freilich, daß innerhalb dieses Zirkels der Primat der Botschaft gewahrt bleibt, was nichts anderes heißt, als daß wir unsere heutige Erfahrung niemals verabsolutieren dürfen, daß unsere Erfahrung vielmehr immer eine geschichtlich offene Erfahrung, die für neue Erfahrung offen ist, sein muß. Die Frage ist deshalb: Wo findet der Glaube in der heutigen Wirklichkeitserfahrung sein Korrelat?

Um in der gegenwärtigen Situation eines weitgehenden Ausfalls der religiösen Erfahrung diese überhaupt erst wieder zugänglich machen zu können, müssen wir zunächst von einem *allgemeinen Verständnis der Erfahrung* ausgehen, um aufzuzeigen, wie sich »in, mit und unter« der alltäglichen menschlichen Erfahrung die *Dimension religiöser Erfahrung* auftut. Auch dieser Versuch ist noch schwierig genug, denn der Erfahrungsbegriff ist – wir sagten es bereits – äußerst komplex und vielschichtig; er ist einer der schwierigsten und dunkelsten Begriffe der Philosophie.

In unserer *Alltagssprache* sprechen wir von einem erfahrenen Mann und meinen damit jemand, der die Menschen und die Dinge nicht nur vom Hörensagen oder aus Büchern, sondern aus wiederholtem unmittelbarem Umgang kennt, der also Wissen und Können verbindet. Das deutsche Wort »erfahren« kommt ja von fahren, reisen. Ein erfahrener Mann ist also ein »gereister Mann«, der die Welt nicht nur vom Hörensagen kennt, der vielmehr dabei gewesen ist, miterlebt, mitgelitten und mitgehandelt hat. Die romanischen Sprachen haben einen anderen Zugang. Sie sprechen von experientia. Der Experte ist der »Peritus«, der durch Versuch, Probe, Irrtum und Bekräftigung Einsichten gleichsam am eigenen Leib gesammelt hat.

Dieser alltägliche Sprachgebrauch zeigt, daß man Erfahrung nicht auf ein *objektivistisches Erfahrungsverständnis* reduzieren darf, wie es oft den sogenannten Erfahrungswissenschaften zugesprochen wird. Erfahrung ist nicht nur, was wir experimentell feststellen und nachprüfen und auf einfachste Protokollsätze zurückführen können. Ein solches empiristisches Erfahrungsverständnis ist inzwischen auch von den sogenannten Erfahrungswissenschaften aufgegeben worden. Es ist bisher keiner

---

[31] Vgl. A. M. Haas, Die Problematik von Sprache und Erfahrung in der deutschen Mystik, in: W. Beierwaltes, H. U. v. Balthasar, A. M. Haas, Grundfragen der Mystik. Einsiedeln 1974, 75 Anm. 1.

Wissenschaft, auch nicht den Naturwissenschaften, gelungen, alle Erkenntnisse in einer überzeugenden Weise auf rein empirische Daten zurückzuführen. Gerade die Entwicklung der modernen Physik, besonders der Quantenphysik, hat gezeigt, daß wir die Wirklichkeit nie in sich, sondern immer nur vermittels menschlicher Bilder, Modelle und Begriffe erkennen. Wir erfahren die Wirklichkeit nie an sich, wir erfahren sie immer als etwas, das für uns eine bestimmte Bedeutung hat; objektive Erfahrung und Deutung der Erfahrung lassen sich nie adäquat trennen. Eine Verabsolutierung des experimentell Feststellbaren wäre im übrigen eine in sich widersprüchliche Behauptung. Denn die These, das empirisch Feststellbare sei die einzige Realität, stellt selbst eine empirisch nicht feststellbare Behauptung dar. Der antimetaphysische Positivismus ist paradoxerweise selbst eine Metaphysik des Positiven. Deshalb ist es noch kein Einwand gegen den Gottesglauben, wenn man feststellt, daß man Gott nicht empirisch feststellen kann, weil keine empirische Methode denkbar ist, die aufzeigen könnte: Es gibt Gott. Den Gott, den es gibt, den gibt es nicht. Aber es ist auch keine empirische Methode denkbar, die jemals die Nichtexistenz Gottes beweisen könnte.

Die Kritik eines einseitig objektivistischen Erfahrungsbegriffs darf freilich nicht dazu führen, die religiöse Erfahrung auf dessen Gegenteil, auf das *subjektive Erlebnis,* oder gar auf subjektive Stimmungen zu reduzieren. Zweifellos geschieht jede Erfahrung im Medium der menschlichen Subjektivität. Sie löst dort ein Echo und einen Reflex aus. Die religiöse Erfahrung betrifft den Menschen bis auf den Grund und in allen Fasern seiner Existenz, sie bringt alle Saiten des Menschseins zum Schwingen. Gott kann man nicht als distanzierter Beobachter begegnen, man wird von ihm ganz in Anspruch genommen. Biblisch gesprochen: Gotteserfahrung geschieht mit dem Herzen, d. h. in der Mitte der menschlichen Person. Das Primäre an diesem subjektiven Betroffensein ist jedoch das Widerfahrnis, ja das Überwältigtsein von einer Wirklichkeit. Das gilt auch von der religiösen Erfahrung. Bezeichnenderweise sind es ausgerechnet die großen Mystiker, die gegenüber erlebnishaften Erfahrungen äußerst kritisch und zurückhaltend sind. Der Hunger nach religiösen Erlebnissen kann ja sehr unreligiös und egoistisch sein. Man darf sie deshalb nicht um ihrer selbst willen suchen, wenn man nicht statt Gott nur sich selbst begegnen will. Wollte man die Gotteserfahrung auf persönliche Erlebnisse reduzieren, dann bliebe man im Bereich des Subjektiv-Unverbindlichen; der Projektionsverdacht läge dann unmittelbar auf der Hand.

Die doppelte Abgrenzung des Erfahrungsbegriffs führt uns zur positiven Bestimmung des Wesens von Erfahrung. Erfahrung läßt sich weder objektivistisch noch subjektivistisch reduzieren. *Erfahrung umgreift beides: objektives Widerfahrnis und subjektive Empfindung. Sie ergibt sich aus dem Zusammenspiel von objektiver Wirklichkeit und subjektivem Umgang mit der Umwelt und Mitwelt.* Erfahrung ist in einem das Betroffensein durch die Wirklichkeit und die Interpretation dieses Widerfahrnisses in Worten, Bildern, Symbolen und Begriffen. Erfahrung hat also eine *dialektische Struktur,* und d. h.: Sie ist geschichtlich. Denn unter Geschichte versteht man das wechselseitige Zusammenspiel von Mensch und Welt.

Die *Geschichtlichkeit der Erfahrung* hat ihrerseits wieder verschiedene Aspekte. Damit ist einmal gemeint: Erfahrung geschieht nicht rein punktuell in der aktuellen subjektiven Verarbeitung von momentanen Wahrnehmungen. Erfahrungswissen entsteht vielmehr aus dem wiederholten und eingeübten Umgang mit der Wirklichkeit. Es entsteht dadurch, daß sich bestimmte Eindrücke und deren Interpretation immer wieder neu bestätigen. Erfahrung meint also ein Vertrautsein und Geübtsein im Umgang mit Dingen und Menschen, ein Beherrschen von Handlungsschemata. Aristoteles bringt deshalb die Erfahrung mit dem Gedächtnis des Menschen in Zusammenhang[32]. Dabei geht es nicht nur um das individuelle Gedächtnis des einzelnen, sondern um das kollektive Gedächtnis, das sich vor allem in der *Sprache* einer Gemeinschaft niedergeschlagen hat. Die Sprache ist ja das Kondensat der Erfahrung vieler Generationen. Das bedeutet, daß Erfahrungen immer auch Wir-Erfahrungen einer Gemeinschaft, eines Volkes, einer Rasse oder einer Klasse sind. Solche menschliche Gemeinschaften werden geprägt durch die gemeinsame Erinnerung an Grunderfahrungen, die durch das Erzählen von Mythen, Sagen, Legenden, Anekdoten und sonstigen Geschichten immer wieder neu lebendig erhalten werden. Erfahrungen werden also narrativ vermittelt.

Damit ist schon ein zweiter Zug der Geschichtlichkeit unserer Erfahrung zum Vorschein gekommen. Durch die Vermittlung der Sprache werden nicht nur ehemalige Erfahrungen heute wieder lebendig; die Sprache und die in ihr »abgelagerten« Erfahrungen helfen uns auch, unsere heutige Erfahrung zu deuten und sie einer künftigen Generation weiterzugeben. Erfahrung steht also jeweils in der Spannung zwischen Erinnerung an vergangene Erfahrung, aktueller Erfahrung und deren Weitergabe in der Hoffnung auf künftige Bewährung und Bestätigung dieser Erfahrung. Das bedeutet: *Erfahrung ist ein stets neuer und nie abgeschlossener Lernprozeß.* Sie ist *Lebenserfahrung* im eigentlichen Sinn des Wortes. Erfahren ist nicht, wer für alles eine abschließende Antwort hat, sondern wer um die Unabschließbarkeit der Erfahrung weiß, wer aufgrund bisheriger Erfahrung offen ist für neue Erfahrung,

---

[32] Aristoteles, Met. I, 980 a-b.

wer Erfahrungskompetenz besitzt, wer es versteht, neue Erfahrung zu machen und sie in einen produktiven Zusammenhang mit der bisherigen Erfahrung zu bringen.

Diese geschichtliche Spannung zwischen vergangener, gegenwärtiger und künftiger Erfahrung hat eine doppelte *kritische Bedeutung*. Eine kritische Bedeutung hat einmal die Erinnerung an vergangene Erfahrung. Es gibt ja nicht nur Erinnerungen, die das Alte verklären, sondern auch gefährliche Erinnerungen, in denen unabgegoltene Hoffnungen oder tiefe Leidenserfahrungen wieder lebendig werden und ihr Recht fordern. Dadurch kann der Verblendungszusammenhang gegenwärtiger Selbstverständlichkeiten plötzlich zerstört und Neues erschlossen werden. Nichts wäre deshalb törichter und unkritischer als die gegenwärtigen, u. U. sehr dürftigen Erfahrungen zu verabsolutieren und zum alleinigen Maßstab über vergangene Erfahrungen zu machen mit der simplen Redensweise: »Das sagt uns heute nichts mehr«. Gerade die Erinnerung an große Erfahrungen der Vergangenheit kann ein weiterführender Impuls sein, der uns auch heute wieder neue und tiefere Erfahrungen ermöglicht. Auf der anderen Seite kann es selbstverständlich nicht darum gehen, neue Erfahrungen einfach in alte Erfahrungsschemata zu integrieren. Die eigentlich grundlegenden Erfahrungen machen wir immer dann, wenn wir den Widerstand und die Widerspenstigkeit der Wirklichkeit gegen unsere bisherigen Denk- und Handlungsmuster erfahren, wenn wir überraschend Neues erfahren, das unsere bisherigen Anschauungen korrigiert, unsere Pläne durchkreuzt, uns neue Perspektiven eröffnet und uns zu Neuorientierungen veranlaßt. Erfahrungskompetenz ist immer verbunden mit der Bereitschaft zum Umdenken und zur Umkehr. Tragende Erfahrungen sind keine Allerweltserfahrungen, sondern *Kontrasterfahrungen,* die zur Entscheidung herausfordern. Das bedeutet: Erfahrungen sind im positiven Sinn des Wortes ent-täuschend; sie heben bisherige Täuschungen und Verblendungszusammenhänge auf und sind eben damit die Wahrheit über unsere bisherige Erfahrung.

Aus dem bisher entwickelten geschichtlichen Erfahrungsverständnis ergibt sich noch ein Letztes. Aus der geschichtlichen Dialektik zwischen vergangener, gegenwärtiger und künftiger Erfahrung ergibt sich nämlich, daß es nicht nur unmittelbare und direkte Erfahrungen gibt, daß wir vielmehr auch *Erfahrungen mit unseren Erfahrungen*[33] machen, daß es also auch indirekte Erfahrungen gibt. In diesen indirekten Erfahrungen geschieht eine anfängliche Reflexion. Sie ist noch nicht begrifflicher

[33] G. Ebeling, aaO. 22; E. Jüngel, Unterwegs zur Sache. Theologische Bemerkungen (Beiträge zur evangelischen Theologie 61), München 1972, 8.

Art; aber sie besteht darin, daß wir »in, mit und unter« unserer unmittelbaren Erfahrung eine tiefere Erfahrung machen.

Diese Erfahrung mit unserer Erfahrung ist letztlich die *Erfahrung der Endlichkeit* und der Unabgeschlossenheit unserer Erfahrung und damit *Leidenserfahrung*. Seit Äschylos kennt die griechische Literatur das Wortspiel von πάθος und μάθος, d. h. vom erfahrungsmäßigen Lernen durch Leiden. F. Nietzsche hat diesen Gedanken klar formuliert: »So tief der Mensch in das Leben sieht, so tief sieht er auch in das Leiden«[34]. »Es bestimmt beinahe die Rangordnung, wie tief Menschen leiden können«[35]. Daraus folgt, daß die weitgehende Verdrängung des Leidens aus der Öffentlichkeit durch eine zur Schau getragene Maske der Jugendlichkeit, Vitalität und Gesundheit eine erschreckende Verflachung und Verarmung unserer Erfahrung und eine abnehmende Sensibilität für die »Seufzer der bedrängten Kreatur« (K. Marx) zur Folge hat. Nur der hat das Menschsein in seiner Tiefe erfahren, der es in seiner Endlichkeit und in seinem Leiden erfahren hat. Damit wird die Erfahrung zu einem Weg ins Unabsehbare, Offene, in ein je größeres und nie auslotbares Geheimnis hinein.

So ergibt sich als *zusammenfassendes Ergebnis: Die Erfahrung, die wir mit unserer Erfahrung machen, ist letztlich eine Erfahrung der Endlichkeit und der Geheimnishaftigkeit unserer Erfahrung*. Damit haben wir die Dimension der religiösen Erfahrung erreicht. *Die religiöse Erfahrung ist keine unmittelbare, sondern eine mittelbare Erfahrung, eine Erfahrung, die wir »mit, in und unter« unserer sonstigen Erfahrung machen*. Sie ist damit auch keine beliebige Erfahrung neben anderer Erfahrung, sondern die Grunderfahrung in unserer sonstigen Erfahrung, eine Erfahrung, die alle andere Erfahrung leitet und durchstimmt. K. Rahner und J. B. Lotz sprechen deshalb von *transzendentaler Erfahrung*[36]. Dieser Begriff erscheint auf den ersten Blick widersprüchlich. Denn transzendental ist eine Betrachtungsart, die sich mit den Bedingungen beschäftigt, die aller Erfahrung ermöglichend vorausliegen. Eine Erfahrung kann aber, so scheint es, nicht ihre eigene Bedingung sein; eine Erfahrungserkenntnis kann nicht die Bedingungen erkennen, die »vor« aller Erfahrung liegen. Doch die Paradoxie des Begriffes spiegelt die Paradoxie der Sache. Denn einerseits macht Transzendentalität Erfahrung erst möglich; andererseits ist diese Transzendentalität in ihrer konkreten Ausprägung selbst geschichtlich kon-

---

[34] F. Nietzsche (WW II. ed. K. Schlechta), 408.

[35] Ebd. 744.

[36] J. B. Lotz, Transzendentale Erfahrung, Freiburg–Basel–Wien 1978; K. Rahner, Gotteserfahrung heute, in: aaO. 172f; ders., Grundkurs des Glaubens. Einführung in den Begriff des Christentums, Freiburg–Basel–Wien [11]1980, 75f. Kritisch und weiterführend dazu R. Schaeffler, aaO.

tingent und insofern Inhalt einer besonderen Erfahrung horizont-
eröffnender Art. In der religiösen Erfahrung geht uns in anderer
Erfahrung der letzte, alles umfassende und bergende Horizont menschlicher Erfahrung, *die Dimension des Geheimnisses* auf, aus dem alle
Erfahrung kommt und in das alle Erfahrung weist.

Nach dem Aufweis der Dimension der religiösen Erfahrung müssen wir
uns nun der *Wirklichkeit der religiösen Erfahrung* selbst zuwenden. Die
religiöse Erfahrung bliebe eine allgemeine und vage Stimmung, gäbe es
nicht einzelne Erfahrungen, in denen die religiöse Dimension »epiphan«
würde. In der angelsächsischen Philosophie hat sich dafür der Begriff
der *disclosure situation* eingebürgert; im Deutschen können wir am
besten von Erschließungssituation sprechen[37]. Es handelt sich dabei um
einzelne Erfahrungen, in denen uns mehr als diese einzelne Erfahrung
aufgeht, wo »plötzlich« das Ganze unserer Erfahrung deutlich und »in,
mit und unter« einer konkreten Erfahrung der Gesamtzusammenhang
der Erfahrung und das in ihr waltende Geheimnis erfahrbar wird.

Solche Erschließungssituationen sind in sehr *vielfältiger Weise* möglich:
etwa in der Situation der Freude, wo wir beglückt und entzückt sind, wo
uns die Welt und unser Dasein unendlich reich, schön, liebenswert
erscheint – in der Situation der Trauer, wo wir die Welt nicht mehr
verstehen und wo sich uns die Warum-Frage unausweichlich aufdrängt
– in der Situation der Angst, wo wir plötzlich allen festen Boden unter
den Füßen verlieren, wo alles schwankt und wo uns die ganze Abgrün-
digkeit des Daseins aufgeht – in der Situation des Trostes, wo wir uns
getragen, umfangen und geborgen fühlen – in der Situation mitmensch-
licher Liebe und Treue, wo wir unbedingt angenommen und bejaht
werden und selbst von der Liebenswürdigkeit und Schönheit eines
anderen so angetan sind, daß uns auch in der Welt alles wie verwandelt,
ja verzaubert erscheint – in der Situation fürchterlicher Langeweile, wo
alles spannungslos und gleichgültig wird, wo einem die Leere, das
Fassadenhafte und Hohle der Wirklichkeit aufgeht – in der Situation der
Begegnung mit dem Tod, wo ein Mensch für immer verstummt, wo ihm
alles entzogen und aus der Hand genommen wird, und wo auch uns ein
bekannter, vertrauter und geliebter Mensch für immer entzogen wird.
Angesichts des Todes wird auf unerbittliche Weise die endgültige
Wahrheit über den Menschen offenkundig, daß der Mensch nämlich
letztlich weder sich selbst noch den anderen gehört, daß es vielmehr ein
unergründliches Geheimnis um den Menschen ist, daß er ein Geheimnis
ist, über das er nie Herr werden kann.

---

[37] Die Theorie von den disclosure situations wurde vor allem von I. T. Ramsey entwickelt,
vor allem in: Religious Language. An Empirical Placing of Theological Phrases, London
²1969. Weitergeführt von W. A. de Pater, Theologische Sprachlogik, München 1971.

Solche religiösen Erfahrungen sind zutiefst ambivalent. R. Otto sprach in seinem berühmten Buch »Das Heilige« von einer Kontrast-Harmonie[38]. Er bestimmte das heilige *Geheimnis als mysterium tremendum fascinosum*, als ein zugleich abweisend-fernes und anziehend-nahes Geheimnis. Insofern die Erfahrung des Geheimnisses ein unerreichbarer Horizont aller unserer Erfahrung ist, begegnet es uns als das ganz Andere, als schauervoller Abgrund, als Wüste des Nichts. Insofern es uns in allen Dingen nahe ist, erscheint es uns als bergender Grund, als Gnade und Erfüllung. Die Begegnung mit diesem Geheimnis kann ebenso erschreckend wie beglückend sein; sie kann abstoßen und anziehen, mit Angst und Schrecken wie mit Dankbarkeit, Freude und Trost erfüllen. Bereits Augustinus wußte um diese Ambivalenz. »Beides – ich erschrecke, ich entbrenne. Ich erschrecke darüber, weil ich dem so ungleich bin; ich entbrenne danach, weil ich so sehr ihm gleiche«[39]. Aus dieser Ambivalenz und Vieldeutigkeit folgt, daß dieses Geheimnis in der Kulturgeschichte der Menschheit viele Namen erhalten konnte und *vielfältiger Deutung fähig* ist. Es wäre deshalb sehr voreilig, die Erfahrung dieses Geheimnisses ohne weiteres als Gotteserfahrung auszugeben. Es kann theistisch gedeutet werden; es kann aber auch pantheistisch, atheistisch, nihilistisch verstanden werden. Es kann schließlich – wie sehr oft in unserer modernen Zivilisation – auch anonym und unbenannt bleiben. Dann freilich meldet es sich in vielfältiger Weise verzerrt zu Wort, entweder in der Form der modernen Ideologien oder in Form von psychisch krankhaften Äußerungen. Ganz abschütteln läßt sich diese Dimension der Erfahrung auf die Dauer nicht. Denn das Geheimnis ist der Grund aller Erfahrung. Es ist deshalb etwas anderes als ein Rätsel oder ein Problem, das man wenigstens prinzipiell sukzessiv auflösen kann. In unserer Erfahrung werden wir uns aber immer als endliche Wesen erfahren, die von einem unergründlichen Geheimnis umfangen sind.

Mit der Erfahrung des Geheimnisses, das unser Leben und die Wirklichkeit insgesamt durchwaltet, ist ebenso unabweisbar wie unlösbar die Frage nach dem universalen Sinn aller Wirklichkeit gegeben. Da wir einerseits in der Geschichte immer Sinn und Sinnlosigkeit erfahren und da das Geheimnis, das uns in aller Erfahrung aufgeht, selbst zutiefst vieldeutig ist, können wir diese Frage erfahrungsmäßig nie abschließend beantworten. Wie bei aller anderen Erfahrung erschließt sich auch in der religiösen Erfahrung ihr eigentlicher Sinn nur innerhalb einer religiösen Sprache und ihrer Überlieferung. Wir müssen also weiter fragen: Was ist

---

[38] R. Otto, Das Heilige. Über das Irrationale in der Idee des Göttlichen und sein Verhältnis zum Rationalen (1917), München 1979.
[39] Augustinus, Conf. XI, 9, 1 (CCL 27, 199–200).

dieses Geheimnis? Wie können wir es benennen? Können wir es überhaupt mit einem Namen nennen, oder entzieht es sich nicht fortwährend ins Namenlose? Dürfen wir es gar Gott nennen? Aber ist solche religiöse Rede überhaupt sinnvoll?

3. GOTT IN DER MENSCHLICHEN SPRACHE

Der Weg der Erfahrung führt uns an die Schwelle eines nicht mehr direkt, sondern nur noch indirekt erfahrbaren letzten Geheimnisses »in, mit und unter« unserer alltäglichen Erfahrung. Sobald wir jedoch versuchen, dieses Geheimnis zu beschreiben, versagt unsere Sprache. Es tut sich in der Erfahrung etwas letztlich nicht mehr Sagbares auf. Diese Schwierigkeit ist der mystischen Tradition immer gegenwärtig gewesen. In der Gegenwart hat sie sich durch die *moderne Sprachphilosophie* jedoch wesentlich verschärft[40]. Die moderne Sprachphilosophie fragt: Kann man von der religiösen Dimension überhaupt sprechen? Ist Gott ein sinnvolles Wort unserer Sprache? Oder müssen wir angesichts der mystischen Dimension unserer Erfahrung nicht letztlich schweigend verstummen? Mit der Beantwortung dieser Fragen stehen und fallen Glaubensverkündigung und Glaubensbekenntnis der Kirche; mit ihnen steht und fällt auch die Möglichkeit der Theologie als sprachlich vermitteltem rationalen Diskurs über den christlichen Glauben.

---

[40] Zum Problem der religiösen Sprache: F. Ferré, Le Langage religieux a-t-il un sens? Logique et foi, Paris 1970; G. Ebeling, Einführung in theologische Sprachlehre, Tübingen 1971; H. Fischer, Glaubensaussage und Sprachstruktur, Hamburg 1972; D. M. High, Sprachanalyse und religiöses Sprechen, Düsseldorf 1972; A. Grabner–Haider, Semiotik und Theologie. Religiöse Rede zwischen analytischer und hermeneutischer Philosophie, München 1973; ders., Glaubenssprache. Ihre Struktur und Anwendbarkeit in Verkündigung und Theologie, Freiburg–Basel–Wien 1975; J. Splett, Reden aus Glauben. Zum christlichen Sprechen von Gott, Frankfurt 1973; J. Macquarrie, Gott-Rede. Eine Untersuchung der Sprache und Logik der Theologie, Freiburg 1974; B. Casper, Sprache und Theologie. Eine philosophische Hinführung, Freiburg–Basel–Wien 1975; W. D. Just, Religiöse Sprache und analytische Philosophie. Sinn und Unsinn religiöser Aussagen, Stuttgart 1975; H. Peukert, Wissenschaftstheorie – Handlungstheorie – Fundamentale Theologie. Analysen zu Ansatz und Status theologischer Theoriebildung, Düsseldorf 1976; J. Track, Sprachkritische Untersuchungen zum christlichen Reden von Gott (Forschungen zur systematischen und ökumenischen Theologie 37), Göttingen 1977; J. Meyer zu Schlochtern, Glaube – Sprache – Erfahrung. Zur Begründungsfähigkeit der religiösen Überzeugung (Regensburger Studien zur Theologie 15), Frankfurt a. M. 1978; T. W. Tilley, Talking of God. An Introduction to Philosophical Analysis of Religious Language, New York 1978; E. Biser, Religiöse Sprachbarrieren. Aufbau einer Logaporetik, München 1980; I. U. Dalferth, Religiöse Rede von Gott (Beiträge zur evangelischen Theologie 87), München 1981; R. Schaeffler, Fähigkeit zur Erfahrung. Zur transzendentalen Hermeneutik des Sprechens von Gott (Quaest. disp. 94), Freiburg–Basel–Wien 1982.

Die Antworten der modernen Sprachphilosophie haben in unserem Jahrhundert eine dramatische Entwicklung genommen, die wir hier nur sehr schematisch nachzeichnen können. Am *Anfang unseres Jahrhunderts* stand der *logische Positivismus* bzw. der logische Empirismus, gemeinhin als Neopositivismus bezeichnet. Maßgebend waren B. Russel, L. Wittgenstein und der von ihnen beeinflußte Wiener Kreis um M. Schlick und R. Carnap. Er ging vom Ideal einer exakten Einheitswissenschaft aus, deren Aussagen sich in einer der logischen Syntax gehorchenden, weltabbildenden Zeichensprache ausdrücken lassen. Deshalb sollten als wissenschaftlich und als sinnvoll nur Aussagen gelten, die nachprüfbar, wiederholbar und insofern intersubjektiv ausweisbar sind. Neben dem logischen Kriterium galt also das empirische Sinnkriterium, wonach alle Aussagen an empirischen Gegebenheiten verifiziert werden müssen. Metaphysische und religiöse Aussagen halten jedoch keinem dieser Kriterien stand. Metaphysische und religiöse Fragen sind deshalb unbeantwortbar; es handelt sich um Scheinprobleme und um sinnlose Aussagen.

Diese Position kommt bei L. Wittgenstein in dessen »Tractatus logico-philosophicus« klassisch zum Ausdruck. Bereits im Vorwort beginnt er mit der Feststellung: »Was sich überhaupt sagen läßt, läßt sich klar sagen; und wovon man nicht reden kann, darüber muß man schweigen«[41]. Was jenseits dieser Grenze der Sprache liegt, ist sinnlos. »Die meisten Sätze und Fragen, welche über philosophische Dinge geschrieben worden sind, sind nicht falsch, sondern unsinnig. Wir können deshalb Fragen dieser Art überhaupt nicht beantworten, sondern nur ihre Unsinnigkeit feststellen... und es ist nicht verwunderlich, daß die tiefsten Probleme eigentlich keine Probleme sind«[42]. Am Schluß seines Tractatus kommt Wittgenstein freilich zu der Erkenntnis: »Wir fühlen, daß selbst, wenn alle möglichen wissenschaftlichen Fragen beantwortet sind, unsere Lebensprobleme noch gar nicht berührt sind. Freilich bleibt dann eben keine Frage mehr; und eben dies ist die Antwort«[43]. Trotzdem stellt er fest: »Es gibt allerdings Unaussprechliches. Dies zeigt sich, es ist das Mystische«[44]. Er schließt freilich: »Wovon man nicht sprechen kann, darüber muß man schweigen«[45].

Mit dieser Position war die Theologie zur Sprachlosigkeit verurteilt. Unter der Vorherrschaft der neopositivistischen Voraussetzungen schien Gott kein sinnvolles Wort mehr zu sein (A. J. Ayer, A. Flew). Man kann hier von einem *semantischen Atheismus* oder vom Tod Gottes in der Sprache reden. Aber diese Charakterisierungen sind eher zu harmlos, weil schon diese Bezeichnungen sinnlos sind.

Doch der logische Positivismus, der ganz am Paradigma der modernen Naturwissenschaften orientiert war, erwies sich schon bald als naturwissenschaftlich nicht haltbar. Er ging ja davon aus, daß unsere Sprache ein Abbild der Wirklichkeit darstellt. Diese Voraussetzung wurde durch die moderne Quantenphysik und ihre Kopenhagener Deutung durch N. Bohr und W. Heisenberg

---

[41] L. Wittgenstein, Tractatus logico-philosophicus 7 (Schriften 1, ed. R. Rhees, Frankfurt 1969, 83); vgl. 4.116 (ebd. 32).

[42] Ebd. 4.003 (aaO. 26).

[43] Ebd. 6.52 (aaO. 82).

[44] Ebd. 6.522 (aaO. 82).

[45] Ebd. 7 (aaO. 83).

aufgegeben. Nach dieser Deutung können wir mikrophysikalische Naturvorgänge nicht exakt, sondern nur mit Hilfe komplementärer Bilder und Begriffe aus unserer makrophysikalischen Welt beschreiben[46]. Dazu kamen Schwierigkeiten, auf die die wissenschaftstheoretische Reflexion selbst stieß. Sie betrafen einmal die Unmöglichkeit strenger Verifikation und zum andern die Unausweichlichkeit der konventionellen Sprache sowohl bei der Etablierung einer universal gültigen formalen Sprache als auch bei der Aufstellung der Basissätze einer Theorie. Damit gerieten die neopositivistischen Voraussetzungen und ihr Ideal der Wissenschaftlichkeit ins Wanken.

Aus solchen Einsichten haben dann vor allem K. Popper in seiner »Logik der Forschung«[47] und im Anschluß an ihn H. Albert[48] erste Konsequenzen gezogen. Die Basissätze einer Wissenschaft werden nach ihnen durch Konvention anerkannt; sie sind Festsetzungen, die ihre Geltung in der scientific community haben. Sie können nicht verifiziert, sondern allenfalls falsifiziert werden. Die Wissenschaft ist hier ein offener Prozeß, die von Hypothesen ausgeht, die der Methode des »trial and error« unterworfen werden. Die Wahrheit ist dabei nur eine regulative Idee, die man in einem je offenen Prozeß anstreben, aber nie ganz erreichen kann. Hier kommt eine grundsätzliche Skepsis gegenüber unbedingten Wahrheitsansprüchen und eine Gegnerschaft gegen jede Wesensphilosophie (Metaphysik) zum Ausdruck. Kritisch weitergeführt wurde diese Position durch die Untersuchungen von Th. S. Kuhn über die wissenschaftlichen Revolutionen[49]. Nach Kuhn geht die wissenschaftliche Entwicklung nicht wie noch bei Popper evolutionär, sondern revolutionär durch Paradigmenwechsel voran. Ein Paradigma ist ein anerkanntes Schulbeispiel oder Schema für die Lösung eines Problems. Die normale Wissenschaft besteht darin, die auftretenden Fälle in die Schublade dieses Paradigmas hineinzudrängen, so lange bis das Paradigma sich zur Lösung weiterer Probleme als unfähig erweist und sich in einem revolutionären Prozeß ein neues Paradigma durchsetzt. Beispiele für solche wissenschaftliche Revolutionen sind in besonderer Weise Kopernikus, Newton, Einstein.

Wir brauchen in diesem Zusammenhang nicht auf Einzelheiten dieser Theorien einzugehen. Sie wurden hier nur angeführt, um zu zeigen, daß der logische Positivismus, der anfangs des Jahrhunderts vorherrschte, heute praktisch allgemein aufgegeben ist. Doch mit diesem Wandel ist die Theologie mitnichten schon gerettet. Denn die Rede von etwas Unbedingtem und Letztgültigem ist weder im Denken von K. Popper noch in dem von Th. S. Kuhn möglich. Die Frage ist also nach wie vor: Wie ist Rede von Gott sinnvoll möglich?

In einer *zweiten Diskussionsphase* wurde die Frage um die Möglichkeit religiöser Rede in einer völlig veränderten Weise verhandelt. L. Wittgenstein hat nämlich

---

[46] Vgl. W. Heisenberg, Das Naturbild der heutigen Physik, Hamburg 1965, 17f, 21, 28f.
[47] K. R. Popper, Logik der Forschung (Die Einheit der Gesellschaftswissenschaften. Studien in den Grenzbereichen der Wirtschafts- und Sozialwissenschaften 4), Tübingen ⁴1971.
[48] H. Albert, Traktat über kritische Vernunft (Die Einheit der Gesellschaftswissenschaften. Studien in den Grenzbereichen der Wirtschafts- und Sozialwissenschaften 9), Tübingen ²1969; ders., Plädoyer für kritischen Rationalismus, München ³1973. Dazu: K. H. Weger, Vom Elend des kritischen Rationalismus. Kritische Auseinandersetzung über die Frage der Erkennbarkeit Gottes bei Hans Albert, Regensburg 1981.
[49] Th. S. Kuhn, Die Struktur wissenschaftlicher Revolutionen, Frankfurt 1973.

seinen ursprünglichen Ansatz später einer grundlegenden Kritik unterworfen. Diese Wende im Denken Wittgensteins kommt in seinem Werk »Philosophische Untersuchungen« zum Ausdruck. Die Bedeutung eines Wortes bzw. eines Satzes liegt jetzt nicht mehr in der Abbildung eines Gegenstandes, sondern in seinem Gebrauch. »Die Bedeutung eines Wortes ist sein Gebrauch in der Sprache«[50]. Dieser Gebrauch ist vielfältig, je nach dem Lebenszusammenhang, dem Kontext, dem Sprachspiel, das zugleich eine Lebensform darstellt. Je nach dem Kontext kann ein und derselbe Satz einen ganz verschiedenen Sinn haben. Er kann als Tadel, Aufforderung, Erklärung, Belehrung oder Mitteilung fungieren. Der Sinn eines Satzes läßt sich also nur innerhalb des jeweiligen Sprachspiels klären. Statt der künstlichen wissenschaftlichen Sprache trat jetzt also die normale Umgangssprache in den Mittelpunkt (ordinary language philosophy).

Im Rahmen dieses neuen Ansatzes beim Sprachgebrauch wurden für das Verständnis religiöser Aussagen *zwei Theorien* entworfen: die nicht-kognitive Theorie und die kognitive Theorie. Nach der *nicht-kognitiven Theorie* (R. Braithwaith, R. M. Hare, P. M. van Buren u. a.) hat das Wort Gott keinen eigenen kognitiven Gehalt, es ist vielmehr der Ausdruck einer ethischen Haltung, die Erklärung eines Engagements, einer Lebensweise, einer Überzeugung, Ausdruck einer bestimmten Sichtweise der Wirklichkeit. So hat der Satz: »Gott ist die Liebe« nicht den Sinn einer indikativischen Aussage; er ist vielmehr eine Intentionserklärung für eine agapeistische Lebensführung; er besagt: Die Liebe ist Gott, d. h. sie ist das Höchste und das Letztgültige. Bei allem Fortschritt, der in diesen Theorien liegt, muß man doch fragen, ob sie dem religiösen Gebrauch der Sprache gerecht werden. Denn ohne Zweifel will der Gläubige etwa im Gebet nicht nur sein moralisches Handeln und seine Weltsicht explizieren, sondern Gott anrufen und anreden. Die nicht-kognitiven Theorien entfernen sich also vom religiösen Gebrauch der Sprache und reduzieren den religiösen Glauben auf Ethik.

Die *kognitive Theorie* wurde von J. Wisdom grundgelegt und wird vor allem von I. T. Ramsey[51] und in seiner Nachfolge von W. A. de Pater[52] vertreten. Ramseys Theorie der religiösen Sprache ist eng verbunden mit seiner Theorie der *disclosure situations* (Erschließungssituationen). Dabei handelt es sich um Situationen, in denen dem Menschen plötzlich »ein Licht aufgeht«, wo plötzlich »der Groschen fällt«, wo also plötzlich ein größerer und tieferer Zusammenhang aufgeht. Solche Situationen erhalten Beobachtbares und mehr als Beobachtbares. Die Einsichten, die in solchen Situationen aufgehen, sind selbst nicht verifizierbar, aber auch nicht irrelevant; sie passen vielmehr zu den Erfahrungen und bringen sie in einen sinnvollen Zusammenhang (empirical fit). Das Verständnis dieser Einsichten ist aber an innere Teilnahme gebunden; es fordert ein inneres Engagement. Bei den religiösen Erschließungssituationen geht es um den Gesamtzusammenhang der Wirklichkeit, um das Ganze unserer Erfahrungen; in ihnen gewinnt das Universum Tiefe und Leben. Das religiöse Sprechen ist nicht deskriptiv, sondern evokativ; es will eine bestimmte Sicht der Welt

---

[50] L. Wittgenstein, Philosophische Untersuchungen 43 (Schriften 1, ed. R. Rhees, Frankfurt 1969, 311).
[51] Vor allem: I. T. Ramsey, Religious Language. An Empirical Placing of Theological Phrases, London ²1969.
[52] W. A. de Pater, Theologische Sprachlogik, München 1971.

erschließen, die sie für den, der sich darauf einläßt, an der Wirklichkeit selbst bewährt. Bei allem Brauchbaren, das die Theorien von Ramsey enthalten, bleiben sie letztlich doch vage. Der genaue Charakter des Wirklichkeitsbezugs religiöser Sprache und der in ihr gemeinten Wirklichkeit bleiben letztlich unklar. Es ist Ramsey jedoch gelungen, deutlich zu machen, daß es einen spezifisch religiösen Sprachgebrauch gibt, der sich weder auf Empirie noch auf Ethik reduzieren läßt.

Einen Schritt weiter führt J. L. Austin's *Theorie der Sprechakte*[53], die von J. R. Searle weitergeführt wurde[54]. Sie unterscheidet zwischen konstativem und performativem Sprachgebrauch. Beim *performativen Sprachgebrauch* wird Wirklichkeit nicht nur konstatiert, sondern in der Sprechhandlung bewirkt. In diesem Sinn können wir etwa sagen, jemand werde totgeschwiegen, eine Sache werde zerredet, man stelle etwas in den Raum, man lege ein Problem auf den Tisch usw. Damit wird deutlich, daß die Sprache Geschehenscharakter besitzt. Besonders deutliche Beispiele für ein solches wirksames Sprechen sind rechtserhebliche und statusbegründende Aussagen: »Ich taufe dieses Schiff auf den Namen Elisabeth«; »ich nehme dich zu meiner Ehefrau«; »die Sitzung ist eröffnet«. In solchen Sprachhandlungen wird nicht eine objektiv vorhandene Wirklichkeit konstatiert und darüber informiert; in ihnen bewirkt die Rede vielmehr das, was sie sagt. Diese Theorie der Sprechakte ist für die religiöse Rede von großer Bedeutung. Denn religiöse Rede ist keine neutrale Information; sie hat vielmehr Zeugnischarakter, d. h. man kann bei ihr Wort und Wirklichkeit, die Person des Redenden und die beredete Sache letztlich nicht trennen. In dem Wort Gott kommt Gott in einem wörtlich zu verstehenden Sinn zur Sprache; er wird gegenwärtig und lebendig in der Welt und im Leben. Wo man dagegen Gott totschweigt, da ist er auch für uns tot, d. h. es geht von ihm kein Leben aus.

Als Ergebnis der zweiten Diskussionsphase der sprachphilosophischen Erörterungen kann man allgemein die Erkenntnis der *Geschichtlichkeit der Sprache* und des menschlichen Erkennens festhalten. Unsere Sprache ist keine neutrale, objektive Abbildung der Wirklichkeit, sondern auch eine subjektive »Leistung« des Menschen, der dabei wiederum durch die Sprache in eine geschichtliche intersubjektive Sprachgemeinschaft und deren geschichtliche Lebenspraxis einbezogen ist. Das durch die Sprache vermittelte Vorverständnis hat eine wirklichkeitserschließende Funktion. Es kann jedoch im einzelnen sehr vielfältig und geschichtlich wandelbar sein, so daß sich Wirklichkeit in Sprache jeweils geschichtlich ereignet. So verstanden sagt Sprache nicht die Wirklichkeit an sich, sondern die jeweilige Bedeutung der Wirklichkeit für uns aus. Innerhalb eines geschichtlichen Verständnisses der Wirklichkeit ergeben sich auch Neuansätze für ein positives Verständnis der religiösen Sprache. Die Theologie hat die damit gegebenen Möglichkeiten und Aufgaben unabhängig von der neueren sprachphilosophischen Diskussion in der Exegese längst wahrgenommen. Denn die formgeschichtliche Erforschung der verschiedenen literarischen Gattungen und des ihnen jeweils zukommenden »Sitzes im Leben« nimmt die sprachphilosophischen Neuansätze der Sache nach weithin vorweg.

[53] J. L. Austin, Zur Theorie der Sprechakte, Stuttgart 1975; ders., Wort und Bedeutung. Philosophische Aufsätze, München 1975.
[54] J. R. Searle, Sprechakte. Ein sprachphilosophischer Essay, Frankfurt 1971; ders., Philosophy of Language, London 1971.

Man muß freilich auch die Grenzen dieses sprachphilosophischen Ansatzes sehen. Die religiöse Sprache und die ihr entsprechende Lebensform wird hier als ein Sprachspiel neben anderen verstanden. Es bleibt die Frage: Wie komme ich in dieses Sprachspiel hinein? Geht das nur durch ein blindes Sichanvertrauen und ein Einüben der entsprechenden Lebensform? In diesem Zusammenhang sprach man oft kritisch vom Fideismus der Sprachspieltheorie Wittgensteins. Soll die religiöse Sprache keine Sondersprache, sondern universal kommunikabel sein, dann muß sie im Zusammenhang einer allgemeinen Sprachtheorie verstanden werden. Nur so kann die Rede von Gott universal verantwortet werden.

Eine *dritte Diskussionsphase* ergab sich aus der Konvergenz der beiden bisher behandelten Richtungen. Alle Positionen konvergieren nämlich in Richtung auf ein Verständnis der *Sprache als kommunikativer Praxis*. Schon die Bindung der wissenschaftlichen Sprache an den Konsens der Forscher deutet in diese Richtung; die Theorie der Sprachspiele und der Sprechakte wies ebenfalls auf die intersubjektiven Gültigkeitsbedingungen der Sprache. Dieses Verständnis der Sprache als kommunikativer Praxis wird in Deutschland von der Erlanger Schule (Lorenzen, Kambartel, Mittelstraß) vertreten; in theologisch relevanter Weise wird es vor allem von J. Habermas und K. O. Apel entfaltet. K. O. Apel entwickelte die Theorie vom Apriori der Kommunikationsgemeinschaft[55]. Danach ist die Sprache einer Kommunikationsgemeinschaft die transzendentale Voraussetzung aller Erkenntnis. J. Habermas entwickelte auf einer ähnlichen Grundlage die *Konsensustheorie der Wahrheit*[56]. Er stellt sie der klassischen Korrespondenztheorie gegenüber. Der Korrespondenztheorie geht es um die Übereinstimmung von Sprache und Wirklichkeit, der Konsensustheorie um die Übereinstimmung der am Kommunikationsprozeß Beteiligten. Jeder Akt der Kommunikation ist jedoch unter den Verhältnissen gestörter Kommunikation ein Vorgriff auf eine ideale Kommunikationsgemeinschaft, eine Antizipation nicht entfremdeten Lebens. Der ontologische Status dieser Vorgriffsstruktur bleibt bei Habermas freilich letztlich ungeklärt.

Das Verständnis der Sprache als kommunikativer Praxis ist für die religiöse Sprache von unmittelbarer Bedeutung. Denn das Zeugnis des Glaubens geschieht durch Wort und Tat. Religiöse Rede ist nicht primär theologische und systematische Glaubenslehre, sie hat als *Zeugniswahrheit* Handlungscharakter, sie hat ihren Ort innerhalb der kultisch-liturgisch versammelten Gemeinde, innerhalb der Praxis von Verkündigung, Liturgie und Diakonie. Sie will nicht primär belehren, sondern zur Umkehr des Lebens anhalten. Mit Recht sucht deshalb H. Peukert beim Verständnis der Sprache als kommunikativer Praxis einen neuen Ansatz für das Sprechen von Gott zu finden[57]. Er führt dazu einen

[55] K. O. Apel, Der transzendentalhermeneutische Begriff der Sprache, in: ders., Transformation der Philosophie II. Das Apriori der Kommunikationsgemeinschaft, Frankfurt 1973, 330–357; ders., Das Apriori der Kommunikationsgemeinschaft und die Grundlagen der Ethik. Zum Problem einer rationalen Begründung der Ethik im Zeitalter der Wissenschaft, in: ebd. 358–435.
[56] J. Habermas, Wahrheitstheorien, in: Wirklichkeit und Reflexion (FS Walter Schulz), hrsg. v. H. Fahrenbach, Pfullingen 1973, 211–265; ders., Vorbereitende Bemerkungen zu einer Theorie der kommunikativen Kompetenz, in: J. Habermas, N. Luhmann, Theorie der Gesellschaft oder Sozialtechnologie – Was leistet die Systemforschung?, Frankfurt 1975, 101–141, bes. 123 ff.
[57] H. Peukert, aaO. 209 ff, 230 ff.

Gedanken von W. Benjamin ein und argumentiert: Soll die Hoffnung und die Sehnsucht, die in jedem Akt sprachlicher Kommunikation impliziert ist, nicht ins Leere gehen, soll die Kommunikation vor allem wirklich universal sein und auch die Solidarität mit den Toten einschließen, dann ist das nur möglich, wenn Gott ist, und wenn er der Gott ist, der die Toten lebendig macht. Jeder Akt sprachlicher Kommunikation ist deshalb zugleich eine Frage und ein *Vorgriff nach dem lebendigen und lebendig machenden Gott*. Jede Sprachhandlung lebt von der Hoffnung auf glückende universale Kommunikation und ist deshalb ein Akt antizipatorischer Hoffnung auf das kommende Reich Gottes. Die religiöse Sprache ist also keine Sondersprache neben anderen Sprachformen; sie expliziert vielmehr die Möglichkeitsbedingung aller anderen Sprache.

Die Frage ist, ob man mit diesem zweifellos imponierenden Ergebnis zufrieden sein kann. Eine erste Anfrage kann man der Sprachphilosophie selbst entnehmen. Nach Ch. Morris muß man drei Bedeutungen der Sprache unterscheiden: die syntaktische bzw. grammatische (innersprachliche), die semantische (wirklichkeitsbezogene) und die pragmatische (handlungsbezogene)[58]. Die bisherigen Theorien haben im wesentlichen die syntaktische und die pragmatische Dimension geklärt, aber die semantische Dimension offengelassen. Wir müssen also noch genauer fragen, welches die Wirklichkeit ist, von der das Wort Gott spricht. Diese Frage ergibt sich auch aus einer philosophischen Überlegung. J. Simon hat scharfsinnig aufgewiesen, daß *die Gegenüberstellung von Korrespondenz- und Konsensustheorie der Wahrheit unhaltbar* ist, da die Konsensustheorie selbst eine verdeckte Korrespondenztheorie darstellt[59]. Denn der Konsens soll ja darin bestehen, daß man in Bezug auf »dasselbe« dieselbe Meinung hat. Als kommunikative Praxis ist die Sprache zugleich Deutung von Wirklichkeit. Welches aber ist die mit dem Wort Gott bezeichnete Wirklichkeit? Wird diese *ontologische Frage* nicht mehr gestellt, dann wird aus der Aussage, daß Gott ist, eine Aussage darüber, was das Wort Gott für uns bedeutet. Durch solche Transformation von Seinsaussagen in Bedeutungs- und Funktionsaussagen wird das Wort Gott kognitiv entleert. Es wird entweder zum Inbegriff universaler Kommunikation oder zur Chiffre und zum Impuls für ein bestimmtes solidarisches oder sonstiges ethisches Verhalten oder zu einer Sinnperspektive der Wirklichkeit. Das Wort Gott wird dann nur noch allegorisch gebraucht, d. h. es steht jeweils für eine andere Sache und ist deshalb grundsätzlich austauschbar und ersetzbar. Kurzum: Die Frage nach der Wahrheit religiöser Sprache, und das heißt die Frage nach der Wirklichkeit Gottes, darf nicht umgangen werden.

Die ontologische Bedeutung der Sprache läßt sich in einem *vierten Schritt* der Überlegungen am besten anhand der Spätphilosophie von M. Heidegger herausstellen[60]. Für Heidegger ist der Mensch das Da-sein; er existiert nicht nur im Umgang mit vorhandener Wirklichkeit, ihm geht es immer auch um den Sinn des Seins im ganzen. Konkret west das Sein an in der Sprache, durch die uns die

---

[58] Ch. Morris, Grundlagen der Zeichentheorie, München ²1975, 26.

[59] L. B. Puntel, Art. Wahrheit, in: Handb. phil. Grundbegr. III, 1649–1668; J. Simon, Wahrheit als Freiheit. Zur Entwicklung der Wahrheitsfrage in der neueren Philosophie, Berlin-New York 1978, 1 ff, 11 ff, 27 ff.

[60] M. Heidegger, Unterwegs zur Sprache, Pfullingen ³1965.

Wirklichkeit jeweils in geschichtlicher Weise erschlossen wird. Die Sprache ist deshalb »das Haus des Seins«. Die Sprache kann sowohl die Frage nach dem Sein verstehen, etwa die wissenschaftlich-technische Informationssprache; sie kann aber auch das Sein in neuer Weise erschließen, so vor allem die Sprache des Mythos und der Dichtung. Die Sprache ist Sage, in der sich das Geheimnis des Seins verbirgt oder zuspricht.

Die nur schwer zugänglichen Ansätze Heideggers sind in unterschiedlicher Weise vor allem von H. G. Gadamer[61] und P. Ricoeur[62] auch für die Theologie fruchtbar gemacht worden. Um die semantische Funktion und die ontologische Bedeutung der religiösen Sprache zu klären, gehen wir am besten von der metaphorischen Sprache bzw. von der Sprache der Symbole und Gleichnisse aus, wie sie von P. Ricoeur und E. Jüngel[63] erschlossen worden ist.

Bekanntlich ist die *Gleichnissprache* zugleich die Sprache Jesu. Die Metaphern bzw. Gleichnisse haben nicht die Funktion, einen bekannten Sachverhalt einfach abzubilden; sie stellen vielmehr *eine schöpferische Neubeschreibung der Wirklichkeit* dar. Dabei arbeiten sie mit der Dialektik von Vertrautheit und Verfremdung. Wenn etwa gesagt wird, »Achill ist ein Löwe«, dann wird ein vertrauter Begriff in einer ungewöhnlichen, verfremdenden Weise gebraucht, um einen an sich vertrauten Sachverhalt zu verfremden und eben so in ganz neuartiger Weise ins Licht zu stellen und zum Leuchten zu bringen. Metaphern sollen eine neue Sicht auf die Wirklichkeit eröffnen. Sie sind, ähnlich wie wissenschaftliche Modelle und Paradigmen, ein heuristisches Instrument und eine Strategie der Rede, die dazu dient, eine bisherige unangemessene Auslegung zu zerstören und einer neuen, angemesseneren den Weg zu bahnen. Die Metapher bringt demnach ein Mehr an Wirklichkeit zur Sprache, bzw. sie bringt die Wirklichkeit so zur Sprache, daß zugleich mehr als die bestehende Wirklichkeit zur Sprache kommt. Das gilt im besonderen von dem Wort Gott. *Das Wort Gott bringt die Wirklichkeit so zur Sprache, daß es zugleich an der Welt selbst »etwas« aufleuchten läßt, was mehr als Welt ist.* Die Rede von Gott macht die Welt zum Gleichnis Gottes; das geschieht jedoch so, daß es die Welt als für Gott gleichnisfähig erweist. Das Wort Gott ist also ein Gleichnis, das die Welt als Gleichnis zur Sprache bringt. Damit ist die Metapher, besonders die Rede von Gott, immer ein wirksames Wort. In ihm geht es nicht um das, was die Welt immer schon war, um ihr bleibendes Wesen, sondern um ihre offene Zukunft. Das Wort Gott ist deshalb eine Einladung, die Welt als Gleichnis zu betrachten und sich darauf einzulassen, d. h. umzudenken und umzukehren, zu glauben und zu hoffen. Die semantische Bedeutung des Wortes Gott erschließt also zugleich dessen pragmatische Bedeutung. Wird das Wort Gott als Gleichnis verstanden, das die Welt als Gleichnis erschließt, dann ist es nicht eine projektive

[61] H. G. Gadamer, Wahrheit und Methode. Grundzüge einer philosophischen Hermeneutik, Tübingen ²1965.

[62] P. Ricoeur, Hermeneutik und Strukturalismus. Der Konflikt der Interpretationen I, München 1973; ders., Metapher. Zur Hermeneutik religiöser Sprache (Sonderheft Evangelische Theologie), München 1974, 24–45; ders., Stellung und Funktion der biblischen Sprache, in: ebd. 45–70.

[63] E. Jüngel, Metaphorische Wahrheit. Erwägungen zur theologischen Relevanz der Metapher als Beitrag zur Hermeneutik einer narrativen Theologie, in: Entsprechungen: Gott – Wahrheit – Mensch. Theologische Erörterungen, München 1980, 103–157.

Extrapolation (Projektion) der Wirklichkeit, sondern die Antizipation einer Wirklichkeit, die zu einer neuen Praxis einlädt, die sich ihrerseits in der Erfahrung und im Tun der Wahrheit als wahr erweist. Das Wort Gott ist ein Wort, das Freiheitsräume und Zukunft erschließt.

Zusammenfassend läßt sich sagen, daß die Sprache sowohl in syntaktisch-grammatischer wie in pragmatischer und in semantischer Hinsicht eine transzendierende Bewegung einschließt. Sie kann nicht nur, sie will auch immer schon mehr sagen, als was der Fall ist. *Die Sprache lebt vom Vorgriff auf einen Gesamtsinn der Wirklichkeit und bringt diesen in Metaphern und Gleichnissen zum Ausdruck.* So ist die Sprache zugleich Erinnerung an eine unabgegoltene Hoffnung der Menschheit und zugleich Antizipation dieser Hoffnung. *Noch bevor die Sprache zur expliziten religiösen Sprache wird, impliziert sie je schon eine religiöse Dimension. Erst die religiöse Sprache bringt die Sprache zu sich selbst.* Nicht das Wort Gott ist ein sinnloses Wort, vielmehr ist dort, wo Gott totgeschwiegen wird, das Sprechen selbst gefährdet. Wo Gott nicht mehr zur Sprache kommt, da besteht die Gefahr einer babylonischen Sprachverwirrung.

Versucht man das Ergebnis des sprachphilosophischen Durchgangs aufzugreifen und die schöpferische Kraft der Sprache ernstzunehmen, die nicht nur die vorgegebene Wirklichkeit unserer alltäglichen oder wissenschaftlichen Welterfahrung abbildet, sondern je schon einen Vorgriff vollzieht auf ein Sinnganzes der Wirklichkeit und damit auf die religiöse Dimension, und die von dorther in den Metaphern zu einer schöpferischen Neubeschreibung der Wirklichkeit fähig ist und Neues zur Sprache bringen kann, dann stößt man auf die *Lehre von der Analogie,* die sich damit *als Sprachlehre des Glaubens* anbietet[64].

Die Lehre von der Analogie nimmt die für die metaphorische Redeweise charakteristische Dialektik von Vertrautheit und Verfremdung in neuer

---

[64] Zur Lehre von der Analogie: G. Kittel, Art. ἀναλογία, in: ThWNT I, 350f; E. Przywara, Analogia entis. Metaphysik – Ur-struktur und All-rhythmus (Schriften. Bd. 3. Einsiedeln 1962) (enthält: Analogia entis. Metaphysik, 1932); ders., Deus semper maior. Theologie der Exerzitien. 3 Bde., Freiburg 1938–1940 (Neudruck: Deus semper maior. Theologie der Exerzitien, mit Beigabe: Theologumenon und Philosophumenon der Gesellschaft Jesu, Wien-München 1964); ders., Die Reichweite der Analogie als katholischer Grundform, in: Scholastik 15 (1940) 339–362; 508–532; ders., Art. Analogia entis II-IV, in: LThK I, 470–473; E. Coreth, Dialektik und Analogie des Seins. Zum Seinsproblem bei Hegel und in der Scholastik, in: Scholastik 26 (1951) 57–86; ders., Art. Analogia entis I, in: LThK I, 468ff; L. B. Puntel, Analogie und Geschichtlichkeit. I: Philosophiegeschichtlich-kritischer Versuch über das Grundproblem der Metaphysik (Philosophie in Einzeldarstellungen. Bd. 4), mit e. Vorw. v. Max Müller, Freiburg-Basel-Wien 1969; W. Pannenberg, Art. Analogie, in: RGG I, 350–353; ders., Art. Analogie, in: EKL I, 113f; W. Kluxen, Art. Analogie I, in: HWPh I, 214–227; J. Track, Art. Analogie I, in: TRE II, 625–630 (mit reicher Lit.).

Weise auf. Die Analogie steht ja in der *Mitte zwischen den univoken und den aequivoken Aussagen*[65]. *Univok* ist ein Ausdruck, der zur Bezeichnung von verschiedenen Gegenständen in ein und derselben Bedeutung gebraucht wird. So wird etwa in den Aussagen »Peter ist ein Mensch« und »Paul ist ein Mensch« der Begriff Mensch jeweils gleichsinnig und d. h. univok gebraucht. *Aequivok* dagegen ist ein Ausdruck, wenn er zur Bezeichnung unterschiedlicher Gegenstände in unterschiedlicher Bedeutung verwendet wird. So kann der Ausdruck »Strauß« in unterschiedlicher und d. h. aequivoker Weise zur Bezeichnung eines Blumengebindes, einer Vogelart, einer kämpferischen Auseinandersetzung oder als Eigenname für einen Menschen gebraucht werden. Die *analoge Rede* steht gleichsam in der Mitte zwischen univoken und aequivoken Aussagen und meint eine Ähnlichkeit und Vergleichbarkeit, die Gleichheit und Unterschiedenheit einschließt. Näherhin ist die Analogie eine Verhältnisentsprechung. Sie wurde ursprünglich in der Mathematik entwickelt (A : B = C : D), findet sich aber in praktisch allen Wissenschaften, etwa in der Biologie zur Bezeichnung von Ähnlichkeiten verschiedener Organismen, die nicht auf Verwandtschaft beruhen (z. B. die »Flügel« der Insekten und der Vögel, oder gar der Vergleich zwischen den Flügeln der Vögel, den Flossen der Fische und den Beinen der höheren Wirbeltiere). Nicht zuletzt lassen sich die Metaphern in Analogien übertragen. Wenn etwa metaphorisch vom Abend des Lebens die Rede ist, dann will gesagt sein: Der Abend verhält sich zum Tag ähnlich wie das Alter zum Leben.

Auf den ersten Blick scheint die Analogie gegenüber den eindeutigen, den univoken Aussagen eine nur abgeleitete und uneigentliche Redeweise zu sein. In Wirklichkeit ist *die Analogie gegenüber den eindeutigen, den univoken Aussagen nicht das Sekundäre, sondern das Primäre*[66]. Die eindeutigen Aussagen sind ja nur möglich durch Abgrenzung und Zuordnung zu anderen Aussagen. Eindeutigkeit setzt also Vergleichbarkeit voraus und damit etwas, was Gleichheit und Verschiedenheit umfaßt. Damit ist die Analogie die Voraussetzung und der Ermöglichungsgrund univoker Aussagen. Nicht ohne Grund sind deshalb alle Wissenschaften auf Analogien angewiesen, auch die sogenannten exakten Wissenschaften.

Der theologische Gebrauch der Sprachform der Analogie ist durch die antike *Philosophie* vorbereitet worden. Grundgelegt bei Parmenides und Heraklit[67] hat

---

[65] Vgl. Thomas v. A., Summa theol. I q.13 a.5.10.
[66] Ebd. a.5 ad 1: »omnia univoca reducuntur ad unum primum, non univocum, sed analogicum, quod est ens.«
[67] E. Jüngel, Zum Ursprung der Analogie bei Parmenides und Heraklit, in: ders., Entsprechungen, aaO. 52–102.

Platon den Begriff der Analogie als erster in der Philosophie gebraucht. Analogie ist ihm das schönste aller Bänder[68], das Verbindende, Vermittelnde, Einheit und Zusammenhang Stiftende in der Wirklichkeit. Diese Mitte weist den Extremen ihren Platz an und verbindet sie. Analogie ist hier also ein kosmisches Strukturprinzip. Auch für *Aristoteles* ist das Análogon ein μέσον[69], ein Mittleres, das für ihn philosophisch vor allem dort von Bedeutung wird, wo er die die verschiedenen Gattungen übergreifende Einheit aller Wirklichkeit im Sein beschreiben will[70]. Diese Einheit entzieht sich der strengen Definition; denn jede Definition setzt eine Gattung und eine differentia specifica voraus. Beim Sein ist jedoch keine differentia specifica denkbar, die nicht selbst wieder etwas Seiendes wäre. So kann das Sein den verschiedenen Seinsbereichen nur jeweils entsprechend, d. h. analogerweise zugeschrieben werden[71]. Man kann von ihm nur auf das Eine hin und vom Einen her sprechen[72]. Die Analogie erweist sich also ähnlich wie die Metapher als eine indirekte, über sich selbst hinausweisende Rede.

Wie sehr *die Analogie für das Sprechen von Gott grundlegend* ist, geht bereits aus Weish 13,5 hervor, wonach wir Gott aus der Welt analog (ἀναλόγως) erkennen können, weil die Welt durch ihre Ordnung und Schönheit über sich selbst hinaus verweist. Freilich wußte schon die antike Philosophie, daß wir dabei von Gott bzw. vom Göttlichen mehr *negative Aussagen* machen können[73]. Wir können von Gott bzw. vom Göttlichen eigentlich nur sagen, was es nicht ist: unkörperlich, unsichtbar, unendlich usw. Diese negativen Aussagen haben jedoch einen positiven Sinn. Sie weisen nicht auf ein Nichts, sondern auf ein begrifflich nicht mehr faßbares Überseiendes und Übereines[74], vor dem die begreifenwollende Vernunft schweigend stille stehen muß[75]. Die Kirchenväter haben diese *theologia negativa* aufgegriffen und noch radikalisiert. Dionysius der Pseudo-Areopagite (weil er fälschlicherweise als der Paulus auf dem Areopag begleitende Schüler bezeichnet wird) bringt sie bereits auf die klassische Formel: »Im Hinblick auf Göttliches sind Verneinungen (apopháseis) wahr, Bejahungen (katapháseis) unzureichend«[76]. Das letzte im Denken Mögliche ist also ein

---

[68] Platon, Tim. 31 a; vgl. 53e; 56c; 69b.
[69] Aristoteles, Nik. Eth. II, 5, 1106a.
[70] Aristoteles, Met. V, 6, 1016b–1017a.
[71] Ebd. IV, 2, 1003a.
[72] Aristoteles, Nik. Eth. I, 4, 1096b.
[73] Zur Geschichte der negativen Theologie vgl. J. Hochstaffl, Negative Theologie. Ein Versuch zur Vermittlung des patristischen Begriffs, München 1976; W. Kasper, Atheismus und Gottes Verborgenheit, in: Christlicher Glaube in moderner Gesellschaft 22, Freiburg-Basel-Wien 1982.
[74] So schon Platon, Pol. VI, 508b und vollends bei Plotin, Enn. V, 4; VI, 9.
[75] Plotin, Enn. VI, 9.
[76] Dionysius Pseudo-Areopagita, De coel. hier. II, 3 (SC 58, 77–80).

Wissen des Nichtwissens, eine docta ignorantia[77]. Diese Einsichten sind schließlich eingegangen in die *Formel des IV. Laterankonzils* (1215): »Denn vom Schöpfer und vom Geschöpf kann keine Ähnlichkeit ausgesagt werden, ohne daß sie eine je größere Unähnlichkeit einschlösse«[78]. Damit war die in sich schwingende philosophische Analogielehre, die alle Gegensätze in einem Mittleren zu vermitteln suchte, nach oben aufgesprengt und über sich selbst hinaus dynamisiert und auf ein je Größeres verwiesen. Die so verstandene theologische Analogielehre begründet keinen geschlossenen kosmischen oder seinsmäßigen Zusammenhang, sondern ist ein Prinzip je größerer Offenheit. *Sie ist die Einweisung ins je größere Geheimnis und als solche nicht die Grundlage für eine natürliche Theologie im Sinne einer rein vernünftigen inhaltlichen Gotteslehre, sondern die Sprachlehre des Glaubens*[79].

Betrachtet man die theologische Analogielehre genauer, dann beinhaltet sie *drei Momente* bzw. drei zusammenhängende Schritte[80]: Die *via affirmationis* geht von dem positiven Zusammenhang aus zwischen dem Endlichen und Unendlichen, der sich aus der Schöpfung ergibt; und sie erkennt Gott aus seinen Wirkungen in der Welt. Die *via negationis* negiert den endlichen Modus unserer Aussageweise und der Verwirklichung der Vollkommenheiten im endlichen Bereich. Die *via eminentiae* schließlich sagt, daß diese endlichen Vollkommenheiten Gott in höherem Maß, in sublimerer Weise, ja in schlechterdings überbietender (eminenter) Weise zukommen. Wir erkennen darin von Gott mehr, was er nicht ist, als was er ist; wir erkennen, daß wir ihn nicht erkennen können. Doch immerhin: Wir erkennen dieses unser Nichterkennen. Es handelt sich nicht um schlichte ignorantia, sondern um eine docta ignorantia, ein wissendes Nichtwissen. Das bedeutet eben nicht, wie Hegel meinte, daß sich unsere Aussagen ins Bestimmungslose verlieren. Man könnte mit Hegel eher sagen: Die via negationis setzt die via positionis voraus; sie ist keine totale, sondern eine bestimmte Negation,

---

[77] Grundgelegt schon bei Sokrates (Apol. 23 b) und bei Augustinus (Ep. 130, 15, 28 = PL 33, 505 f; 197 = PL 33, 899 ff) findet sich die Formel bei Bonaventura, Breviloquium V, 6, 7; II Sent. d.23 a.2 q.3 und vor allem bei Nikolaus von Kues, De docta ignorantia (WW I, ed. P. Wilpert, Berlin 1967).

[78] DS 806; NR 280.

[79] Dies gilt nicht zuletzt auch für E. Przywara, der in: Analogia entis, aaO. 206, über die analogia entis schreibt: »So aber ist sie nur der Ausdruck dafür, wie im Ansatz des Denkens als Denken die restloseste Potentialität des Kreatürlichen sich auswirkt (bis in die potentia oboedientialis hinein). Sie ist nicht Prinzip, in dem das Kreatürliche begriffen und darum handhabbar ist, sondern in den es in seiner restlosen Potentialität unverkrampft schwingt.« Zu Przywara vgl. B. Gertz, Glaubenswelt als Analogie. Die theologische Analogie-Lehre Erich Przywaras und ihr Ort in der Auseinandersetzung um die analogia fidei, Düsseldorf 1969.

[80] Thomas v. A., Summa theol. I q.13 a.2 f.

die nur den endlichen Modus der positiven Vollkommenheit, nicht jedoch diese selbst negiert; die via eminentiae ist entsprechend die Negation der Negation und insofern eine höhere Position. Sie drückt den positiven Sinn der Negation aus. Es handelt sich also um einen zusammenhängenden Vermittlungsprozeß, der sich jedoch am Ende nicht in sich schließt, sondern ganz ins Offene weist[81].

Im einzelnen gab es innerhalb der scholastischen Theologie *unterschiedliche Auslegungen der Analogielehre.* Die als klassisch geltende Analogielehre des *Thomas von Aquin* ist in sich selbst nicht einheitlich, sondern hat in den verschiedenen Phasen seines Schrifttums nicht unerhebliche Wandlungen erfahren und ist deshalb verschiedener Deutung fähig[82]. Wichtig ist, daß Thomas von einer analogia nominum, also von einer Analogie der Gottesnamen[83] spricht und noch nicht von einer analogia entis, ein Begriff, den erst Cajetan im 16. Jahrhundert aufbrachte und der erst durch E. Przywara in unserem Jahrhundert prinzipielle Bedeutung erlangte. Noch zurückhaltender als Thomas sind die franziskanischen Theologen, vor allem *Bonaventura;* nach ihnen ist die Erkenntnis Gottes nur aufgrund der Offenbarung und der von ihr begründeten analogia fidei möglich[84]. Diese setzt aber, wie G. Söhngen[85] und H. U. von Balthasar[86] gezeigt haben, eine analogia entis voraus, freilich als reine Möglichkeit, d. h. als Ansprechbarkeit des Menschen für Gott. Am weitesten geht *Duns Scotus.* Nach Scotus gelangt die Vernunft nur zu einem »konfusen Begriff« Gottes als höchstes Sein[87]. Sein Wesen kann sie aber nicht erkennen. Was Gott ist, wird erst im Glauben erkannt und sagbar, in dem Gott sich in Freiheit kundtut.

[81] E. Heintel, Transzendenz und Analogie. Ein Beitrag zur Frage der bestimmten Negation bei Thomas von Aquin, in: Wirklichkeit und Reflexion (FS Walter Schulz) hrsg. v. H. Fahrenbach, Pfullingen 1973, 267–290.

[82] Vgl. W. Kluxen, aaO., 221 ff.

[83] Thomas v. A., Summa theol. I q.13: De nominibus Dei, vor allem a.8–11.

[84] Vgl. dazu: G. Söhngen, Bonaventura als Klassiker der analogia fidei, in: Wiss. u. Weish. 2 (1935) 97–111; L. Berg, Die Analogielehre des heiligen Bonaventura, in: StudGen 8 (1955) 662–670; J. Ratzinger, Gratia praesupponit naturam. Erwägungen über Sinn und Grenze eines scholastischen Axioms, in: Einsicht und Glaube (FS Gottlieb Söhngen) hrsg. v. J. Ratzinger/H. Fries, Freiburg-Basel-Wien 1962, 135–149.

[85] G. Söhngen, Analogia fidei: I. Gottähnlichkeit allein aus Glauben?, in: Cath 3 (1934) 113–136; ders., Analogia fidei: II. Die Einheit in der Glaubenswissenschaft, in: ebd. 176–208; ders., Analogia entis oder analogia fidei?, in: Wiss. u. Weish. 9 (1942) 91–100; ders., Analogia entis in analogia fidei, in: Antwort (FS Karl Barth) Zollikon-Zürich 1956, 266–271; ders., Analogie und Metapher. Kleine Philosophie und Theologie der Sprache Freiburg–München 1962.

[86] H. U. von Balthasar, Karl Barth. Darstellung und Deutung seiner Theologie, Einsiedeln ⁴1976, 278–386.

[87] J. Duns Scotus, I Sent., pol., q.1 schol. Vgl. dazu: E. Wölfel, Seinsstruktur und Trinitätsproblem. Untersuchungen zur Grundlegung der natürlichen Theologie bei Johannes Duns Scotus (Beiträge zur Geschichte der Philosophie und Theologie des Mittelalters. Bd. XL, Heft 5), Münster 1965; M. Schmaus, Zur Diskussion über das Problem der Univozität im Umkreis des Johannes Duns Skotus (Bayerische Akademie der Wissenschaften. Philosophisch-historische Klasse. 1957. Heft 4), München 1957.

Angesichts solcher innerscholastischer und damit innerkatholischer Differenzen werden die sehr scharfen Antithesen zwischen analogia entis und analogia fidei, wie sie *K. Barth* und ihm folgend ein Großteil evangelischer Theologie gegen die analogia-entis-Lehre formulierten, sehr relativiert. Barth glaubte, durch die Lehre von der analogia entis werde Gott unter einen Gott und Welt umgreifenden und übergreifenden Seinszusammenhang subsumiert und damit das Gottsein Gottes negiert. Deshalb hält Barth die analogia entis für die Erfindung des Antichrist[88]. Später entwickelte er aber seine eigene Lehre von der analogia relationis und operationis, die durch die Offenbarung begründet wird, die sich aber in der vom Bund als äußerem Grund vorausgesetzten Schöpfung widerspiegelt[89]. Sie ist strukturell von der franziskanischen Konzeption nicht sehr verschieden. Die Differenz besteht jedoch darin, daß die analogia relationis nur eine äußere Entsprechung (analogia proportionalitatis extrinsecae), aber keine seinsmäßige Entsprechung (analogia proportionalitatis intrinsecae) begründet, d. h. es ist eine von Gottes geschichtlichem Handeln und Sprechen (analogia nominum!) begründete, aber nicht im Sein verankerte Analogie[90]. Damit ist das tiefere Problem des Verhältnisses von Sein und Geschichte bzw. eines (heils-)geschichtlichen Seinsverständnisses gestellt. Die Frage ist also: Wie können wir die klassische Analogielehre in ein (heils-)geschichtliches Denken hinein transformieren?

Eine *(heils-)geschichtliche Transformation der Analogielehre ist möglich, wenn wir nicht wie die griechische Metaphysik vom Kosmos, sondern im Sinn der neuzeitlichen Philosophie von der Freiheit ausgehen*[91]. Es kann nämlich aufgezeigt werden, daß *die Analogie eine Auslegung des Freiheitsvollzugs* darstellt. Freiheit steht ja in der Spannung zwischen Unendlichem und Endlichem, zwischen Absolutem und Relativem. Wir können uns im Akt der Freiheit nur deshalb von der jeweiligen endlichen und bedingten Erfahrung distanzieren und sie als

---

[88] K. Barth, Die Kirchliche Dogmatik I/1, VIII f. Vgl. dazu: H. Diem, Analogia fidei gegen analogia entis. Ein Beitrag zur Kontroverstheologie, in: EvTh 3 (1936) 157–180; W. Pannenberg, Zur Bedeutung des Analogiegedankens bei Karl Barth. Eine Auseinandersetzung mit Urs von Balthasar, in: ThLZ 78 (1953) 17–24; E. Jüngel, Die Möglichkeit theologischer Anthropologie auf dem Grunde der Analogie. Eine Untersuchung zum Analogieverständnis Karl Barths, in: EvTh 22 (1962) 535–557; H. G. Pöhlmann, Analogia entis oder Analogia fidei? Die Frage der Analogie bei Karl Barth, Göttingen 1965; K. Hammer, Analogia relationis gegen analogia entis, in: Parrhesia (FS Karl Barth) Zürich 1966, 288–304; E. Mechels, Analogie bei Erich Przywara und Karl Barth. Das Verhältnis von Offenbarungstheologie und Metaphysik, Neukirchen-Vluyn 1974. Außerdem die o. Anm. 85 und 86 genannten Arbeiten von G. Söhngen und H. U. von Balthasar.
[89] K. Barth, Die Kirchliche Dogmatik III/2, 262 f; 390 f.
[90] So auch W. Pannenberg, Möglichkeiten und Grenzen der Anwendung des Analogieprinzips in der evangelischen Theologie, in: ThLZ 85 (1960) 225–228; ders., Analogie und Doxologie, in: ders., Grundfragen systematischer Theologie. Gesammelte Aufsätze, Göttingen ³1979, 181–201.
[91] J. Möller, Von Bewußtsein zu Sein. Grundlegung einer Metaphysik, Mainz 1962, 179 ff.

endlich und bedingt begreifen, weil wir auf Unendliches und Unbedingtes vorgreifen. Nur im Horizont des Unendlichen können wir Endliches als endlich, nur im Licht des Unbedingten und Absoluten können wir Bedingtes als bedingt erfassen. Jeder endliche Begriff setzt einen Vorgriff auf das Unendliche voraus. Aufgrund dieser Vorgriffsstruktur menschlicher Freiheit und Vernunft ist in der menschlichen Freiheit und Vernunft je schon eine implizite und latente Erkenntnis des Unbedingten und Unendlichen mitgesetzt. Wir können auch sagen: eine analoge Erkenntnis. Denn wir können von dem Unendlichen und Absoluten nicht in univoker Weise wie vom Endlichen und Bedingten reden, sonst würden wir es verendlichen und verdinglichen. Wir können davon aber auch nicht in aequivoker Weise reden, sonst könnte das Unendliche nicht als Horizont des Endlichen dienen und am Endlichen aufleuchten. Es muß also bei allem nicht nur quantitativen, sondern qualitativen Unterschied eine Entsprechung zwischen den beiden Polen unserer Freiheit geben, und dieses Entsprechungsverhältnis nennen wir Analogie.

Wird die Analogie nicht mehr primär als Auslegung des Kosmos, sondern aus dem Grundvollzug von Freiheit begriffen, dann erhält sie eine geschichtliche Gestalt; sie nimmt dann teil an der Struktur der Freiheit, ja ist deren innerster Vollzug. Sie drückt das Mehr und das Neue der Freiheit gegenüber der bloßen Faktizität der Welt aus. Sie leitet uns an, die Welt im Horizont der Freiheit neu zu sehen und sie als Spielraum der Freiheit zu verstehen, d. h. Welt als Geschichtswelt zu begreifen. Die so transformierte Analogielehre kann uns also die Möglichkeiten in der Wirklichkeit, und das heißt die Zukunftsdimension der Wirklichkeit, erschließen. So ist der Vorgriff der Freiheit eine Antizipation einer Zukunft, die mehr ist als die Extrapolation der Vergangenheit und der Gegenwart. Eine so erneuerte Analogielehre kann darum als *spekulative Auslegung der Sprachform der Metapher und der Gleichnisreden der Evangelien* gelten.

Versucht man Gott im Horizont der Freiheit als vollkommene und absolute Freiheit, auf die unsere endliche Freiheit vorausgreift, zu denken[92], und begreift man von da her die Welt als Spielraum der Freiheit, dann gibt es keine Möglichkeit, Gott als denknotwendig zu erweisen. Gott als vollkommene Freiheit ist mehr als notwendig; weil er frei ist, kann er nur in Freiheit anerkannt werden, wenn er sich in Freiheit zu dem Menschen erschließt. Gott im Horizont der Freiheit zu denken versuchen, heißt also nicht abstrakt über Gott zu spekulieren, sondern konkret in die Welt hineinzuhören, ob und wo sich Spuren der freien Offenbarung Gottes finden, und im Licht dieser Spuren die Wirklich-

[92] Vgl. dazu u. 138f.

keit als Raum der Freiheit, als Geschichte neu zu begreifen. Die Lehre von der Analogie hält uns also an, uns dem Zeugnis der Bibel zuzuwenden und uns von ihm her die Wirklichkeit neu erschließen zu lassen. Zugleich gibt sie uns eine Sprache an die Hand, die die Selbsterschließung Gottes voraussetzt und die es uns ermöglicht, sie unsererseits zur Sprache zu bringen. *In diesem Sinn setzt die analogia fidei die analogia entis bzw. libertatis voraus und bringt sie zur Erfüllung.*

4. GOTTESERKENNTNIS

Die Grundfrage der natürlichen Theologie, das Problem eines verantwortlichen Sprechens von Gott entscheidet sich zumal in der wissenschaftlich-technischen Welt von heute letztlich nicht an der Frage der religiösen Erfahrung und der religiösen Sprache, sondern im Licht der Vernunft. Ohne die Anstrengung des Begriffs verfallen Erfahrung und Sprache einer leeren Tiefe (Hegel). Die Frage ist also: Ist der Glaube an Gott intellektuell redlich und verantwortlich oder ist der Gottesglaube nur durch Selbstaufgabe des Verstandes (sacrificium intellectus) möglich? Wie verhalten sich Gottesglaube und menschliche Erkenntnis? Kann man Gott gar auf rein natürliche Weise erkennen oder sogar beweisen?[93]

Fragen wir einleitend zuerst: *Was heißt Erkennen?* Offensichtlich weit mehr als Beweisen. Erkenntnis ist ein vielschichtiger, gesamtmenschlicher Lebensvorgang, der nicht nur begriffliche Abstraktion meint, sondern ebenso eine personale Dimension hat und der vor allem immer Erfahrung voraussetzt. Die Erkenntnis unterscheidet sich aber von der

---

[93] Zur Frage der Gotteserkenntnis und der Gottesbeweise: H. Ogiermann, Hegels Gottesbeweise, Rom 1948; ders., Sein zu Gott. Die philosophische Gottesfrage, München 1974; F. van Steenberghen, Ein verborgener Gott. Wie wissen wir, daß Gott existiert?, Paderborn 1966; W. Cramer, Gottesbeweise und ihre Kritik. Prüfung ihrer Beweiskraft, Frankfurt a. M. 1967; J. Schmucker, Die primären Quellen des Gottesglaubens (Quaest. disp. 34), Freiburg–Basel–Wien 1967; ders., Das Problem der Kontingenz der Welt (Quaest. disp. 43), Freiburg–Basel–Wien 1969; Q. Huonder, Die Gottesbeweise. Geschichte und Schicksal, Stuttgart–Mainz 1968; C. Bruaire, Die Aufgabe, Gott zu denken. Religionskritik, ontologischer Gottesbeweis, die Freiheit des Menschen, Freiburg–Basel–Wien 1973; J. Splett, Gotteserfahrung im Denken. Zur philosophischen Rechtfertigung des Redens von Gott, Freiburg–München 1973; E. C. Hirsch, Das Ende aller Gottesbeweise? Naturwissenschaftler antworten auf die religiöse Frage, Hamburg 1975; J. Fellermeier, Die Philosophie auf dem Weg zu Gott, München–Paderborn–Wien 1975; W. Kern, Der Gottesbeweis Mensch. Ein konstruktiver Versuch, in: ders., Atheismus, Marxismus, Christentum. Beiträge zur Diskussion, Innsbruck 1976, 152–182; B. Welte, Religionsphilosophie, Freiburg–Basel–Wien 1978; W. Brugger, Summe einer philosophischen Gotteslehre, München 1979; K. H. Weger, Der Mensch vor dem Anspruch Gottes. Glaubensbegründung in einer agnostischen Welt, Graz–Wien–Köln 1981.

Erfahrung dadurch, daß sie nicht nur von der Wirklichkeit betroffen ist, sondern zugleich um dieses Betroffensein weiß[94]. Während die unmittelbare Erfahrung einfach in ihren Gegenstand versunken ist und diesen subjektiv verinnerlicht, ist die Erkenntnis zugleich ganz beim andern und eben darin auch bei sich selbst. Sie ist reflektierend, d. h. sie kehrt vom Gegenstand her zu sich selbst zurück und wird darin ihrer selbst bewußt. *Erkenntnis setzt also eine relative Unabhängigkeit vom Erkannten voraus; sie ist unmittelbar mit der Freiheit verbunden.* In der Erkenntnis sind wir so mit den Dingen und Menschen eins, daß wir uns zugleich von ihnen distanzieren und sie als Objekt von uns als Subjekt unterscheiden.

Der Unterschied zwischen Erfahrung und Erkenntnis läßt sich im Anschluß an Aristoteles auch so umschreiben: Die Erkenntnis fragt nicht nur, was ist, sondern auch, warum es ist; sie fragt auch nach den Gründen dieses Wissens – auch des Wissens und Sprechens von Gott[95]. Insofern umfaßt das Erkennen auch das Begründen und *Beweisen.* Man muß sich freilich darüber im klaren sein, daß Beweisen *ein analoger Begriff* ist, der seinen genauen Sinn erst vom jeweiligen Gegenstand des Beweisens her erhält[96]. Gemeinsam ist allen Arten des Beweisens, daß es sich um ein allgemein nachvollziehbares Begründungsverfahren handelt. Aber anders sieht der Beweis eines Mathematikers aus, anders der eines empirisch arbeitenden Naturwissenschaftlers, wieder anders der eines Juristen, eines Historikers, eines Literaturwissenschaftlers und wieder anders der eines Mediziners, der eine Krankheitsdiagnose stellt. So ist es nicht überraschend, daß ein *Gottesbeweis* anderer Art sein muß als ein mathematisch-naturwissenschaftlicher Beweis. Die sogenannten Gottesbeweise überschreiten die Dimension des Physischen wie des rein Rationalen ins Metaphysische und in den Bereich des Unendlichen, das wesensmäßig nicht mehr durch endliche Bestimmungen begriffen und umgriffen werden kann. Wollte man Gott wie ein beliebig anderes Seiendes beweisen, errechnen und distanziert-objektivierend feststellen, dann hätte man ihn eben nicht erkannt, sondern zutiefst verkannt. Deshalb wird man von den Gottesbeweisen nicht mehr erwarten dürfen, als daß es sich um eine *begründete Einladung zum Glauben* handelt. Wenn Freiheit und Erkenntnis immer miteinander verbunden sind, dann ist Gotteserkenntnis in besonderer Weise nur in Freiheit möglich. *Die Gottesbeweise sind deshalb ein begründeter Appell an die menschli-*

[94] Vgl. Thomas v. A., De ver. q.1 a.9 c.a.: »Cognoscitur autem ab intellectu secundum quod intellectus reflectitur supra actum suum, non solum secundum quod cognoscit actum suum, sed secundum quod cognoscit proportionem eius ad rem.«
[95] Aristoteles, Met. I, 981a–b.
[96] Vgl. W. Kern, aaO., 154f.

che Freiheit und eine Rechenschaft von der intellektuellen Redlichkeit des Gottesglaubens.

Das kosmologische Argument

Das kosmologische Argument ist wohl der älteste Gottesbeweis. Es geht aus von der Wirklichkeit des Kosmos, seiner Ordnung und Schönheit, aber auch seiner Bewegtheit, Hinfälligkeit und Kontingenz. Von solchen Welterfahrungen ausgehend, fragt dieses Argument nach dem letzten Grund, den es schließlich mit dem der religiösen Sprache entstammenden Wort »Gott« benennt.

Das kosmologische Argument findet sich im Grunde seit den Anfängen abendländischen Denkens. Bereits die frühen griechischen Naturphilosophen fragen zurück vom Kosmos und seiner Ordnung nach dessen Gründen. Die Kirchenväter griffen diese Gesichtspunkte schon sehr früh auf[97]. Seine klassische Ausprägung hat dieses Argument im Osten in den drei Wegen bei Johannes von Damaskus[98], im Westen in den fünf Wegen des *Thomas von Aquin* gefunden[99]. Thomas geht von verschiedenen Aspekten der Erfahrungswelt aus (Bewegung, Wirkursächlichkeit, Kontingenz, Seinsstufen, Zielstrebigkeit). Er fragt dann nach der Ursache dieser Phänomene. Bei dieser Frage nach der Ursache kann man nicht immer weiter zurück ins Unendliche gehen, denn die Reihe der Ursachen ist selbst kontingent und verlangt deshalb auch als ganze nach einer Begründung. Es muß also eine erste Ursache sein, die nicht als das erste Glied einer Ursachenkette verstanden werden darf, sondern die diese Kette als ganze begründet und selbst nicht mehr von einer höheren Ursache begründet sein kann. Sie muß als aus sich existierendes, alles umfassendes Sein, als die Fülle des Seins selbst, die wir Gott nennen, verstanden werden. Selbst *Kant,* der dieses Argument einer strengen Kritik unterzogen hat, ist der Auffassung, daß ihm bleibende Bedeutung zukommt. Nach Kant sind seine Argumente zwar nicht zwingend, aber doch überwiegend, so daß man diesem Beweis auch künftig nachgehen wird. Besonders der von der Zielstrebigkeit ausgehende sogenannte teleologische Beweis verdient nach ihm jederzeit mit Achtung genannt zu werden. »Er ist der älteste, klarste und der gemeinen Menschenvernunft am meisten angemessene«[100].

---

[97] Vgl. W. Pannenberg, Die Aufnahme des philosophischen Gottesbegriffes als dogmatisches Problem der frühchristlichen Theologie, in: ders., Grundfragen systematischer Theologie. Gesammelte Aufsätze, Göttingen ³1979, 296–346.
[98] Johannes von Damaskus, De fide orthodoxa I, 3 (aaO., 10ff).
[99] Thomas v. A., Summa theol. I q.2 a.3; Summa c. gent. I 13, 15, 16, 44.
[100] I. Kant, Kritik der reinen Vernunft, B 651 (WW II, ed. W. Weischedel, 550).

In der Tat, auch bei *heutigen Naturwissenschaftlern* finden sich Argumente, die dem alten kosmologischen Argument besonders in der Form des teleologischen Beweises ähnlich sind. Überall in der Natur stellt die Naturwissenschaft eine wunderbare Ordnung fest. Heute weiß man zwar, daß die Naturgesetze von Menschen formulierte Gesetze sind, denen nur eine sehr hohe Wahrscheinlichkeitsgewißheit zukommt; aber man weiß auch, daß man sich auf diese Gesetze verlassen kann, denn ohne solche Verläßlichkeit wäre etwa die Technik nicht möglich. Den naturwissenschaftlichen Entwürfen des menschlichen Geistes muß also etwas in der Naturwirklichkeit selbst entsprechen; es muß dort eine geistige Ordnung herrschen, die nicht vom Menschen stammen kann, sondern nur von einem Geist, der die Wirklichkeit insgesamt umgreift. Das führt heute namhafte Naturwissenschaftler zu einer Art neuem Platonismus. Sie erkennen in der Wirklichkeit die Verwirklichung geistiger Ideen, die wir in unseren Naturgesetzen in schöpferischer Weise nachkonstruieren. Gerade die naturwissenschaftlich erkannte Natur macht also die Annahme Gottes möglich. Dies ist freilich in sehr vielfältiger Weise möglich. Der dargelegte Gedankengang ist noch offen für Pantheismus bzw. Panentheismus (A. Einstein), für die Annahme eines persönlichen Gottes (W. Heisenberg) wie für eine neuplatonische *theologia negativa* (C. F. v. Weizsäcker). Doch wie immer man das Verhältnis von Gott und Welt im einzelnen bestimmt, Übereinstimmung zwischen diesen Positionen besteht darin, *daß allein Gott die wissenschaftliche Intelligibilität der Wirklichkeit begründen kann.*

In Frage gestellt werden die Gottesbeweise heute weniger durch die Naturwissenschaft als durch die Philosophie. Einen ersten, bis heute nicht ganz verwundenen Stoß erhielten sie durch Kant. Schwerwiegender als durch Kant werden diese Gottesbeweise heute durch den *Nihilismus* in Frage gestellt. Der Ansatzpunkt der Gottesbeweise kann für uns heute deshalb nicht mehr allein die Frage nach dem Grund der Ordnung in der Welt sein. Nicht allein das Was, sondern schon das Daß der Wirklichkeit verlangt nach einem Grund. Die Grundfrage der Philosophie lautet: Warum ist überhaupt etwas und nicht vielmehr nichts?[101] Diese Dimension der Frage wird von Thomas am ehesten im dritten Weg, im Kontingenzbeweis, erreicht[102]. Denn mit der Kontingenz der Wirklichkeit ist deren *radikale Fraglichkeit* gemeint. Alles, was ist, war einmal nicht und wird einmal nicht sein; ja alles, was ist, könnte auch nicht sein. Alles, was ist, schwebt also über dem Abgrund des Nichtseins, es ist vom Nichts durchstimmt und durchherrscht. Dieses Nichts ist keine irgendwie geartete, vielleicht noch so schwache und

---

[101] M. Heidegger, Was ist Metaphysik?, Frankfurt a. M. ⁷1955, 42.
[102] J. Schmucker, Das Problem der Kontingenz der Welt, aaO.

schattenhafte Wirklichkeit; das Nichts ist nichts. Es ist ein reiner Verstandesbegriff, dessen wir uns bedienen, um die Fraglichkeit des Seins zum Ausdruck zu bringen. Bei dieser radikalen Fraglichkeit müssen wir ansetzen.

Setzen wir bei der Fraglichkeit an, dann machen wir eine merkwürdige Feststellung: Gerade im Horizont des Nichtseinkönnens geht uns die Positivität des Seins auf. In seiner Nichtigkeit verfällt das Sein nämlich nicht dem Nichts; vielmehr geht uns gerade angesichts des Nichts das Wunder des Seins auf. Gerade angesichts ihrer Nichtselbstverständlichkeit erfahren wir die Verläßlichkeit, Gediegenheit, Schönheit der Wirklichkeit. So offenbart sich im Sein eine Mächtigkeit, die dem Nichtsein widersteht. Formal im Sinn des klassischen Widerspruchsprinzips formuliert: Was ist, kann, insofern es ist, nicht nicht sein. Etwas mehr inhaltlich hat Thomas dasselbe gesagt: Nichts ist so kontingent, daß es gar nichts an Notwendigkeit in sich enthielte. Dieses Unbedingte im Bedingten wird nicht erst durch ein kompliziertes Beweisverfahren demonstriert; in einer unthematischen Weise ist es in jeder Erkenntnis des Bedingten mitgegeben, da wir das Kontingente als Kontingentes nur im Licht des Notwendigen erkennen. So verstanden will der kosmologische Gottesbeweis im Grunde nichts anderes als diese Urerkenntnis reflektieren; er ist eine *Explikation des Staunens über das Wunder des Seins*[103].

Der kosmologische Beweis in der radikalen Gestalt des Kontingenzbeweises führt uns also vor das Wunder, daß Sein ist, obwohl – paradox formuliert – Nichtsein sein könnte. Wir stoßen also auf ein reines Daß, dessen Was wir nicht zu begreifen vermögen[104]. Wir haben es hier mit einem *Grenzbegriff der Vernunft* zu tun, denn wir erfassen etwas, von dem wir nur noch sagen können, daß wir es nicht erfassen. Wir wissen, was es nicht ist, aber nicht, was es ist. In diesem Gedanken übertrifft sich die begreifen- und begründenwollende Vernunft selbst. Wir stoßen auf einen grundlosen Grund, an dem unser begründendes Denken zu Ende ist. Gerade wo es um den letzten Grund geht, müssen wir unser begründendes Denken aufgeben und uns auf das absolut Grundlose einlassen. Was ein Abgrund für unser Denken ist, ist es auch für unser Verhalten und Sicherheitsstreben. Angesichts der Grundlosigkeit über-

[103] Das Staunen als Ursprung des Philosophierens: Platon, Theait. 155 d; Aristoteles, Met. I, 982 b: »Denn weil sie sich wunderten, haben jetzt und immer schon die Menschen begonnen, nachzudenken.« Vgl. dazu H. J. Verweyen, Ontologische Voraussetzungen des Glaubensaktes. Zur transzendentalen Frage nach der Möglichkeit von Offenbarung, Düsseldorf 1969, bes. 159 ff; H. U. von Balthasar, Herrlichkeit. Eine theologische Ästhetik. Bd. III/1: Im Raum der Metaphysik, Einsiedeln 1965.
[104] F. W. J. Schelling, Philosophie der Offenbarung (WW, Erg. Bd. 6, ed. M. Schröter), 57 f, 155 ff.

kommt den Menschen die Angst. Er kann sich in der Bodenlosigkeit des Daseins an nichts festhalten. Er kann sich nur auf den grundlosen Grund einlassen. Im Zusammenbruch der Verabsolutierung endlicher Größen, im Untergang der Götzen kann nur Gott als das Absolute selbst dem Leben Halt und Inhalt geben. So ist eine Umkehr im Denken und im Verhalten notwendig, und nur durch diese Umkehr hindurch ist Gotteserkenntnis möglich. Sie erschließt uns nicht Gottes Wesen in sich, sie läßt uns vielmehr die *Wirklichkeit neu als Bild und Gleichnis von Gottes Geheimnis begreifen und so als sinnvoll verstehen.* Die Gotteserkenntnis bewährt sich eben in ihrer Unbegreiflichkeit darin, daß sie die Welt und ihre Ordnung begreiflich macht und sich so an den Phänomenen der Wirklichkeit bewährt. Dies geschieht nicht zuletzt dadurch, daß die Anerkenntnis Gottes eine Entmythologisierung und Entideologisierung aller absolut gesetzten endlichen Größen bedeutet. Dadurch wird der Mensch frei gegenüber der Welt; er braucht sich an nichts und niemanden zu versklaven; er wird offen für das je Größere. Die Anerkenntnis des alleinigen Gottseins Gottes ermöglicht ein menschliches Menschsein. Damit leitet der kosmologische Gottesbeweis über zum anthropologischen Argument.

Das anthropologische Argument

Das anthropologische Argument geht nicht von der äußeren Wirklichkeit des Kosmos, sondern von der inneren Wirklichkeit des menschlichen Geistes aus. Je nachdem, ob man dabei mehr vom geistigen Erkennen oder vom sittlichen Wollen bzw. von der sittlichen Freiheit ausgeht, spricht man vom noetischen bzw. ideologischen oder vom moralischen Beweis.

Schon die antiken Schriftsteller erkannten, daß in der geistigen Natur des Menschen eine Ahnung und eine stille Voraussetzung der Existenz eines Göttlichen liegt. Sie verwiesen vor allem auf das Phänomen des Gewissens als Zeugnis für Gott. Die Kirchenväter knüpften daran an und sprachen von einer dem Menschen angeborenen Gottesidee[105]. Tertullian spricht sogar vom Zeugnis der Seele, die von Natur aus Christin ist (anima naturaliter christiana)[106]. Vor allem aber war es Augustinus, der den Weg nach Innen wies und Gott im Herzen, das nicht ruht, bis es Gott findet, zu finden lehrte[107]. Im Geist findet

[105] Justin, Apol. II,6 (Corpus Apol. I, ed. v. Otto, 213–217); Origenes, Contra Celsum I, 4 (SC 132, 84–87); Augustinus, De spiritu et lit. 12 (PL 44, 211 ff); De civitate Dei VIII, 6 (CCL 47, 222 ff).
[106] Tertullian, Apol. 17, 6 (CCL 1, 117 f); De test. animae (CCL 1, 173–183); Adv. Marc I, 10, 3 (CCL 1, 451): »Ante anima quam prophetia. Animae enim a primordio conscientia dei dos est; eadem nec alia et in Aegyptiis et in Syris et in Ponticis.«
[107] Augustinus, Conf. I, 1, 1 (CCL 27, 1); vgl. III, 6, 11 (CCL 27, 32 f); X, 25, 36 (CCL 27, 174); 26, 37 (CCL 27, 174 f); 27, 38 (CCL 27, 175).

der Mensch die Wahrheit, an der er nicht grundsätzlich zweifeln kann. Denn, so sagt *Augustin* längst vor Descartes: »Si enim fallor, sum«[108]. Diese Wahrheit kann er nicht anders denn als Illumination durch Gott verstehen. »Deshalb können wir Gott nicht anders erkennen als daß wir in uns über uns hinaus gehen«[109]. Diese Argumente sind auch *Thomas von Aquin* nicht fremd. Nach ihm vollziehen wir in jeder Erkenntnis des endlichen Seins einen Vorgriff auf das unendliche Sein, denn nur im Licht des Unendlichen können wir das Endliche als endliches erkennen. So geschieht in jedem Erkenntnisakt eine implizite Erkenntnis Gottes[110]. Ähnlich streben wir mit unserem Willen über alles Endliche hinaus.

Dabei können wir nicht bis ins Unendliche gehen, es muß also ein letztes Ziel sein. Wir sind ja gegenüber den endlichen Gütern nur frei, weil wir auf das absolute Gut streben. In all unserem Streben geht es implizit um Gott, er wird in allem mitgeliebt. Diese Argumente treten freilich in der Scholastik gegenüber der kosmologischen Argumentation zurück; vorrangig werden sie erst in der Neuzeit. *Descartes* geht in der dritten Meditation von der Gottesidee im menschlichen Bewußtsein aus; er kann sie nicht aus der endlichen menschlichen Vernunft, sondern nur in der Wirklichkeit Gottes begründen[111]. Der Gottesgedanke ist für ihn vor allem deshalb von fundamentaler Bedeutung, weil er die Gewißheit der Erkenntnis der Außenwelt nur durch den Gedanken Gottes, der Mensch und Welt umgreift, sichern kann. So wie Descartes Gott zur Sicherung der Erkenntnis braucht, so Kant als Postulat der Freiheit. Denn die Freiheit kann ihre Glückseligkeit nur finden, wenn zwischen Freiheit und Natur eine prästabilierte Harmonie besteht. Das ist nur möglich, wenn Natur und Freiheit von der alles umfassenden Freiheit Gottes umgriffen sind[112].

Es ist das Verdienst des belgischen Jesuiten J. Maréchal, dem neuzeitlichen Ansatz bei der Subjektivität ein Heimatrecht in der katholischen Theologie verschafft zu haben[113]. Von Maréchal beeinflußt sind K. Rahner, J. B. Lotz, M. Müller, B. Welte, J. Möller, E. Coreth, W. Kern u. a. Unabhängig davon hat schon J. H. Newman in eigenständiger Weise eine reale Erfassung Gottes im Gewissen des Menschen aufgezeigt[114]. Wir greifen im folgenden den Ansatz der Maréchal-Schule auf, gehen aber weniger vom Bewußtsein als im Anschluß an H. Krings von der menschlichen Freiheit aus[115].

[108] Augustinus, De civitate Dei XI, 26 (CCL 48, 345 f).
[109] Augustinus, Conf. X, 26, 37 (CCL 27, 174 f).
[110] Thomas v. A., De ver. q.22 a.2 ad 1.
[111] R. Descartes, Meditationen über die Grundlagen der Philosophie III (ed. A. Buchenau, Hamburg 1953, 27–43).
[112] I. Kant, Kritik der praktischen Vernunft, A 223 ff, (WW IV, ed. W. Weischedel, 254 f).
[113] J. Maréchal, Le point de départ de la métaphysique, bes. Cahier V: Le Thomisme devant la Philosophie critique (Museum Lessianum – Sect. phil. 7), Brüssel – Paris ²1949. Philosophisch weitergeführt vor allem bei E. Coreth, Metaphysik. Eine methodisch-systematische Grundlegung, Innsbruck–Wien–München ²1964.
[114] J. H. Newman, Entwurf einer Zustimmungslehre, (Ausgewählte Werke VIII, ed. M. Laros/W. Becker/J. Artz, Mainz 1961).
[115] H. Krings, Freiheit. Ein Versuch, Gott zu denken, in: Phil. Jb. 77 (1970) 225–237; ders., (zus. mit E. Simons), Art. Gott, in: Handb. phil. Grundbegr. II, 614–641.

Es ist für die *menschliche Freiheit* konstitutiv, daß sie in der Spannung steht zwischen Endlichem und Unendlichem. Nur weil sie offen ist auf ein Unendliches, kann sie frei sein gegenüber dem Endlichen. In keiner innerweltlichen Begegnung findet deshalb die menschliche Freiheit die ihr entsprechende Erfüllung. Das macht das menschliche Leben so rast- und ruhelos. Zur Erfüllung kann der Mensch nur kommen, wenn er einer Freiheit begegnet, die nicht nur ihrem formalen Anspruch, sondern auch ihrer materialen Erfüllung nach unbedingt ist. Nur in der Begegnung mit absoluter Freiheit findet der Mensch inneren Frieden und innere Erfüllung. In jedem anderen Freiheitsvollzug geschieht ein hoffender und doch stets versagender Vorgriff auf die vollkommene Verwirklichung der Freiheit. *Dieser Vorgriff der Vollkommenheit ist die Ermöglichung, das Licht und die Kraft jedes freien Aktes. Der Gedanke einer schlechterdings erfüllten, alles erfüllenden absoluten Freiheit ist also ein notwendiger Gedanke; er ist eine transzendentale Bedingung der Möglichkeit von Freiheit.*

Doch entspricht diesem Gedanken Realität? Ähnlich wie beim kosmologischen Argument stoßen wir auch hier auf eine *Grenzbestimmung*. Denn die Begegnung mit der absoluten Freiheit sprengt die Bedingungen unseres gegenwärtigen Daseins. Sie ist – wenn überhaupt – nur im Tod möglich. Von Gott zu sprechen wäre also nur möglich im Vorgriff auf das »ewige Leben«, auf die »Anschauung Gottes«. In diesem Leben müssen wir uns mit fragmentarischen Antizipationen begnügen. Genügt es also nicht, wenn wir uns mit der Erfassung des Absoluten in immer wieder neuen und sich je wieder entziehenden Symbolen begnügen? Nach einer heute weit verbreiteten Auffassung ist es besser, sich zu bescheiden und auf absolute Sinnbestimmung zu verzichten. Aber ist die menschliche Freiheit durch einen unbestimmt-unendlichen Horizont zureichend begründet, oder muß sie letztbegründet sein durch ein bestimmt-unendliches Ziel? Als Antwort läßt sich nur soviel sagen: *Wenn* absolute Sinnerfüllung des Menschen sein soll, *dann* nur unter der Bedingung absoluter Freiheit. Die Frage ist jedoch: Soll absolute Sinnerfüllung sein? Die absolute Sinnbestimmung des Menschen kam erst mit dem Christentum in die Welt. Sie steht und fällt letztlich mit einer Entscheidung, in der die Freiheit über sich und ihren Sinn entscheidet. Über den Sinn von Freiheit kann nur in Freiheit entschieden werden. Das aber heißt: Man kann Gott als vollkommene Freiheit, die unsere Freiheit zur Vollkommenheit bringt, niemand äußerlich andemonstrieren, wenn er sich dieser Wahrheit nicht innerlich öffnet. Der Mensch muß bereit sein, den Tod zu antizipieren, sich aufzugeben, um sich so zu gewinnen. Das anthropologische Argument kann nur die Entscheidungsalternative formulieren. Es kann darüber hinaus die Entscheidung für Gott als sinnvoll, ja als das Sinnvollere herausstellen.

Im Grunde läuft das anthropologische Argument auf die *Wette Pascals* hinaus: »Wenn Sie gewinnen, gewinnen Sie alles, wenn Sie verlieren, verlieren Sie nichts«[116].

Das anthropologische Argument hat gegenüber dem kosmologischen freilich einen entscheidenden Vorteil: Es verweist nicht auf ein notwendiges absolutes Sein, ein höchstes Gut und dgl., es verweist auf *vollkommene Freiheit*. Freiheit kann man nur erkennen, wenn sie sich selbst geschichtlich erschließt und offenbart. Wir begegnen im anthropologischen Argument also nicht einem abstrakten Gott, sondern dem lebendigen Gott der Geschichte. So führt uns das anthropologische Argument zum geschichtsphilosophischen Gottesbeweis.

Das geschichtsphilosophische Argument

Das geschichtsphilosophische Argument wurde und wird in der katholischen Theologie bis heute relativ wenig beachtet. Das ist um so weniger verständlich, als das Argument aus der geschichtlichen Vorsehung im Anschluß an die Schrift schon bei den Kirchenvätern eine Rolle spielte[117].

Die genialste, viele Jahrhunderte nachwirkende Theologie der Geschichte hat Augustinus in seiner Schrift »De civitate Dei« geschrieben. Die These, daß die Geschichte ein Werk und zugleich ein Zeichen der Vorsehung Gottes sei, blieb bis in die Neuzeit, bis zu Vico und zu Bossuet und schließlich bis Hegel wirksam[118]. Hegel versteht seine ganze Geschichtsphilosophie als Nachweis, daß die Vorsehung die Welt regiert; er begreift seine Geschichtsphilosophie darum als in der Geschichte sich vollziehende Theodizee, die er an die Stelle der metaphysischen Theodizee von Leibniz setzen wollte[119].

In kritischer und schöpferischer Auseinandersetzung mit dem deutschen Idealismus hat vor allem der Vater der katholischen Tübinger Schule, J. S. Drey, den

---

[116] B. Pascal, Über die Religion und über einige andere Gegenstände (Pensées), Fr. 233 (ed. E. Wasmuth, Heidelberg ⁵1954, 123).

[117] Während die heidnischen Schriftsteller (etwa Polybius) in der Geschichte die Macht des Schicksals erkannten, sprachen die Kirchenväter von der Vorsehung Gottes, die alles leitet, ja von einem Erziehungsplan Gottes: Irenäus, Adv. haer. II, 28, 3 (SC 294, 274–279); IV, 20, 1 ff (SC 100, 625 ff); 38, 3 (SC 100, 952–957); Clemens v. Alex., Strom. VII, 7 (PG 9, 449 b–472 a); Origenes, Contra Celsum IV, 99 (SC 136, 430–435); Augustinus, De vera religione XXV, 46 (CCL 32, 216); De civitate Dei V, 18; 21–26 (CCL 47, 151–154; 157–163); VII, 30–32 (CCL 47, 211 ff).

[118] K. Löwith, Weltgeschichte und Heilsgeschehen: Die theologische Voraussetzung der Geschichtsphilosophie, Stuttgart ⁹1979.

[119] G. W. F. Hegel, Die Vernunft in der Geschichte (ed. J. Hoffmeister), 28 ff, 48, 77 u. ö.

Gottesgedanken in einer universalen geschichtlichen Sicht entwickelt[120]. In der protestantischen Theologie der Gegenwart hat W. Pannenberg im Anschluß an Hegel, aber auch an Dilthey, Heidegger und Gadamer eine universal-geschichtlich orientierte Theologie vorgelegt[121]. Weithin wirksam geworden ist Hegels geschichtsphilosophischer Ansatz in seiner marxistischen bzw. neomarxistischen Vermittlung in der politischen Theologie und in der Theologie der Befreiung[122]. Hegels idealistisches Verständnis der Geschichte, wonach der Geist ist, der die Geschichte bestimmt, wurde nämlich den nachidealistischen Denkern (Spätphilosophie Schellings, Feuerbach, Marx, Kierkegaard u. a.) zum Problem. Sie erkannten in unterschiedlicher Weise die dem Geist unableitbar und unaufhebbar vorgegebene Faktizität der Wirklichkeit. K. Marx meinte den Idealismus vom Kopf auf die Füße stellen und die Geschichte aus den sich verändernden sozio-ökonomischen Bedingungen ableiten zu sollen. Die Vermittlung von Mensch und Welt geschieht nach K. Marx durch die Praxis, näherhin in der Arbeit, in der der Mensch die Welt gestaltet, in der aber auch umgekehrt die Welt den Menschen bestimmt[123], bis schließlich im kommunistischen Reich der Freiheit diese ganz mit der Natur versöhnt sein wird[124].

Die scholastische Tradition, der auch wir uns hier anschließen, versteht sich jenseits der Einseitigkeiten von Idealismus und Materialismus als *Realismus,* oft genauer auch als Ideal-Realismus bezeichnet[125]. Sie anerkennt Subjekt und Objekt, Geist und Materie, geistige Erkenntnis und sinnliche Erfahrung in ihrer jeweiligen relativen Eigenständigkeit, leitet also nicht einfach das eine aus dem anderen ab. Freilich sieht der Realismus als Ideal-Realismus den Geist als die umfassendere Größe an. Denn im Akt der geistigen Erkenntnis wie der von Freiheit bestimmten Praxis eignet sich der Mensch die Wirklichkeit an. Das geschieht einerseits so, daß der Geist sich eben in diesem Eins-werden als relativ eigenständige Größe erkennt wie er darin auch die relative Eigenständigkeit der materiellen Wirklichkeit anerkennt. Andererseits setzt aber auch das relative Eins-werden und die relative Durchdringung der Materie durch den Geist voraus, daß die Materie nicht schlechterdings geistlos ist, sondern geistanaloge Struktur besitzt[126]. Wäre sie nicht »irgendwie« geistig geprägt und geordnet, könnten wir keine Naturgesetze erkennen, die mehr sind als menschliche Projektionen. Gerade die Erkenntnis der Natur, besonders die Naturwissenschaft setzt voraus, daß der Geist Subjekt und Objekt, beide ins relativ Eigene freisetzend, umgreift. Dieser Zusammenhang entbirgt und verwirklicht sich im geschichtlichen Umgang von Mensch und Welt. *Eine geschichtliche Sicht der*

[120] J. S. Drey, Die Apologetik als wissenschaftliche Nachweisung der Göttlichkeit des Christentums in seiner Erscheinung II, Mainz ²1847.
[121] W. Pannenberg, Heilsgeschehen und Geschichte, in: ders., Grundfragen systematischer Theologie, aaO., 22–78; ders., Hermeneutik und Universalgeschichte, in: ebd. 91–122; ders., Über historische und theologische Hermeneutik, in: ebd. 123–158.
[122] Vgl. o. 53f; 79ff.
[123] Vgl. o. 51.
[124] Vgl. o. ebd.
[125] J. de Vries, Art. Realismus, in: Philosophisches Wörterbuch, hrsg. v. W. Brugger, Freiburg–Basel–Wien ¹⁴1976, 316–318.
Zur Geschichte vgl. H. Krings, Art. Realismus, in: LThK VIII, 1027f; ders., Die Wandlung des Realismus in der Philosophie der Gegenwart, in: Phil. Jb. 70 (1962) 1–16.
[126] Vgl. Thomas v. A., De ver. q.1 a.1–4.

Welt besagt also, daß die Wirklichkeit nicht eine objektiv vorhandene Größe darstellt, daß vielmehr das Subjekt eingeht in die Konstitution der Welt, wie umgekehrt das Subjekt durch die Welt vermittelt ist. So geschieht die Konstitution der Wirklichkeit im dialektischen Zusammenspiel von Welt und Mensch[127].

Dieses geschichtliche Wirklichkeitsverständnis hat *Konsequenzen für die Gottesfrage.* Aus diesem Grundansatz ergibt sich nämlich die folgende, auf den ersten Blick paradoxe Grundsituation des Menschen in der Welt[128]: Auf der einen Seite ist die menschliche Vernunft größer als alle Wirklichkeit. Sie kann sich grundsätzlich alles, was ist, erkennend zu eigen machen. In ihrer Freiheit gegenüber der vorgegebenen Wirklichkeit kann sie alles hinterfragen und überfragen. Sie ist wie Aristoteles und Thomas von Aquin sagten, »quodammodo omnia«, »gewissermaßen alles«[129]. Aber eben dieses »gewissermaßen« bedeutet eine nicht zu übersehende Einschränkung, die eine nicht übersteigbare Grenze gegenüber dem Rationalismus und dem Idealismus besagt. Denn dieses »gewissermaßen« deutet an, daß sich auf der anderen Seite die Wirklichkeit größer erweist als der Mensch und seine Vernunft. Der Mensch kann weder die Wirklichkeit im großen jemals ganz erkennen und noch weniger ganz beherrschen; immer erweist sich die Wirklichkeit gegenüber dem Zugriff des Menschen als größer, weiter und tiefer, bis am Ende der Mensch im Tod gegenüber der Wirklichkeit erliegt. Aber auch die Wirklichkeit im kleinen kann der Mensch niemals ganz durchdringen und ganz als das erkennen, was sie ist. Die Materie entzieht sich letztlich dem Zugriff des Menschen. Ist die Situation des Menschen also sinnlos und absurd? Die Grenze gegen den sich hier im Zusammenbruch des Idealismus auftuenden Sinnlosigkeitsverdacht des Nihilismus bildet die Erfahrung, daß es partiell und fragmentarisch erfahrbaren Sinn gibt: geglückte Erkenntnis der Wirklichkeit, die sich etwa in der Technik bewährt, und vor allem die Erfahrung des Glücks zwischenmenschlicher Liebe. *So leuchtet in jeder gelungenen Erkenntnis und in jeder gelungenen Praxis Sinn auf, der sich gegen die Annahme totaler Sinnlosigkeit wehrt und der die Frage nach dem Sinn des Ganzen wachhält, ja der zu der begründeten Hoffnung führt, daß auch die partielle Sinnerfahrung eine Sinn- und d. h. Vernunftbestimmtheit des*

---

[127] Vgl. W. Schulz, Philosophie in der veränderten Welt, Pfullingen 1972, 10, 143 f, 470 ff, 602 ff, 841 ff.
[128] Vgl. zum folgenden R. Spaemann, Gesichtspunkte der Philosophie, in: H. J. Schultz (Hrsg.), Wer ist das eigentlich – Gott?, München 1969, 56–65; ders., Die Frage nach der Bedeutung des Wortes »Gott«, in: Intern. kath. Zeitschr. 1 (1972) 54–72.
[129] Aristoteles, De an. III, 8, 431 b; Thomas v. A., De ver. q.1 a.1; Summa theol. I q.14 a.1 u.ö.

Ganzen zur Voraussetzung hat[130]. Jede partielle Sinnerfahrung erweist sich als ein Vorgriff der Hoffnung auf den unbedingten Sinn des Ganzen. Doch dieser unbedingte Sinn des Ganzen läßt sich angesichts der Endlichkeit menschlichen Erkennens und Tuns weder theoretisch noch praktisch erweisen und beweisen. Hier ist nur eine begründete Hoffnung, eine docta spes möglich. *Die Sinnhaftigkeit des Ganzen kann vor allem nicht aus dem endlichen Menschen kommen, sondern nur aus einem Sinn und einem Geist, der Mensch und Welt nochmals umgreift, aus einem Geist, der zugleich die alles bestimmende Wirklichkeit ist, also von dem, den wir in der Sprache der Religion Gott nennen.*

Unser Gedankengang kann noch etwas konkretisiert werden. Die geschichtliche Hoffnung der Menschen ist letztlich *Hoffnung auf Gerechtigkeit,* d. h. Hoffnung darauf, als Mensch anerkannt zu werden. Hier ist Hoffnung keineswegs eine positionelle und parteiliche Einstellung, sondern eine transzendentale Bedingung der Möglichkeit gemeinsamen Menschseins. Wir können als Menschen gar nicht aufhören zu hoffen, daß der Mörder am Ende nicht triumphiert über seine unschuldigen Opfer[131]. Würden wir diese Hoffnung aufgeben, würden wir uns selbst aufgeben. Doch ungerechte Gewalt läßt sich nur wieder mit Gewalt beseitigen. So bewegen wir uns in einem Teufelskreis von Schuld und Rache, aus dem nur ein ganz neuer Anfang, der nicht aus den Bedingungen der Geschichte ableitbar ist, erlösen kann. Der Vorgriff auf Zukunft impliziert also die Zukunft der neuen Gerechtigkeit und des Reiches Gottes. Diese Gerechtigkeit kann jedoch nicht die Toten auslassen. Eine Hoffnung auf Zukunft, die auf Kosten der Arbeit, der Leiden, des Verzichts früherer Generationen ginge und diese einfach opfern würde auf dem Altar der Zukunft, wäre zynisch. Will man also die Hoffnung nicht halbieren zugunsten einer künftigen Generation und zugunsten derer, die an der Front des Fortschritts stehen, dann impliziert die Hoffnung den Gott der Hoffnung, der die Toten lebendig macht[132]. *Die Zukunft kann dann nicht nur Verlängerung und Steigerung der Gegenwart sein (Futurum), sie muß vielmehr die Zukunft einer in sich gründenden Macht der Zukunft sein (Adventus).*

[130] Diesen Aspekt der Antizipation des Ganzen im Einzelnen hat vor allem W. Pannenberg herausgearbeitet. Kritische Differenzierungen finden sich bei E. Schillebeeckx, Erfahrung und Glaube, in: Christlicher Glaube in moderner Gesellschaft 25, Freiburg–Basel–Wien 1980, 103 ff.

[131] M. Horkheimer, Die Sehnsucht nach dem ganz Anderen. Ein Interview mit Kommentar von Helmut Gumnior, Hamburg 1970, 62.

[132] Vgl. H. Peukert, Wissenschaftstheorie – Handlungstheorie – Fundamentale Theologie. Analysen zu Ansatz und Status theologischer Theoriebildung, Düsseldorf 1976, 293 ff; J. B. Metz, Glaube in Geschichte und Gesellschaft. Studien zu einer praktischen Fundamentaltheologie, Mainz 1977, 114 ff.

Der Gott der Hoffnung, zu dem uns das geschichtsphilosophische Argument führt, ist nicht der Gott am Ende, der Gott, der am Ende eines denkerischen Rückstiegs in die Gründe der Wirklichkeit auftaucht und der als der unbewegte Beweger selbst nur Ende und niemals Anfang sein kann. Er ist der lebendige Gott, der Anfang sein kann; er ist die Macht der Zukunft, der Kommende. Der Gott der Hoffnung kann nicht anders denn als schlechthinnige Freiheit gedacht werden. Deshalb kann dieser Gottesbeweis *nur ein Art Hypothese* sein, die sich im Fortgang der Geschichte erst bestätigen muß. Er ist die begründete Entscheidung für ein bestimmtes Paradigma der Wirklichkeitsbetrachtung, ein Paradigma, das sich nach dem Zeugnis der biblischen Autoren, aber auch aller wahrhaft Gläubigen bis heute bewährt hat und das wir an unserer Erfahrung zu bewähren haben. An diesem geschichtsphilosophischen Argument wird besonders deutlich, was sich auch schon bei den anderen Argumenten zeigte: Letztlich kann Gott nicht von einer äußeren Instanz her bewiesen werden. Er muß sich selbst erweisen. Man kann den Gottesgedanken nur daran bewähren, daß man ihn an seinen eigenen Implikationen mißt. Dies ist der Weg des sogenannten ontologischen Arguments, auf das alle anderen Argumente hinauslaufen.

Das ontologische Argument

Allen bisher behandelten Gottesbeweisen liegt eine einheitliche Struktur zugrunde: Sie gehen aus von kosmologischen, anthropologischen oder geschichtlichen Erfahrungen und fragen dann von dort nach dem letzten Grund und Sinnziel dieser Erfahrungen. In einem dritten Denkschritt identifizieren sie das absolute Sein mit Gott: »und das nennen alle Gott«. Aufgrund dieser Gleichsetzung des Seins bzw. des letzten Seinsgrundes mit Gott kann man von der ontotheologischen Verfassung der klassischen Metaphysik sprechen[133]. Diese Identifizierung wurde freilich in der klassischen Tradition nur wenig reflektiert. Es herrschte ein unausgesprochener Konsens darüber, daß das Letzte, Höchste, Allesumfassende Gott sei. Dieser Konsens ist durch den modernen Atheismus und erst recht durch den Nihilismus zerbrochen. In der Auseinandersetzung mit diesen Positionen wurde immer deutlicher, daß über dieses Letzte keine eindeutigen Aussagen möglich sind. Eindeutig kann Gott nur durch Gott werden. Das aber heißt: *Gott kann nicht im strengen Sinn des Wortes bewiesen werden, er muß sich selbst erweisen. Deshalb gilt es nicht nur von der Welt her auf Gott hin zu denken, sondern auch umgekehrt von Gott her auf die Welt und den*

---

[133] M. Heidegger, Identität und Differenz, Pfullingen 1957, 50 ff. Der Begriff Ontotheologie schon bei Kant, Kritik der reinen Vernunft, B 660 (WW II, ed. Weischedel, 556).

Gottesgedanken an der Wirklichkeit von Welt, Mensch und Geschichte zu bewähren. Dies ist der Weg des Gottesbeweises des Anselm von Canterbury, den man seit Kant den ontologischen nennt[134].

Anselm entwickelt das ontologische Argument im Proslogion, wo er die vielen Argumente seiner vorangehenden Schrift, dem Monologion, in einem einzigen Argument zusammenfassen will. Anselm beschreibt, daß er von diesem Plan schon verzweifelt ablassen wollte, bis sich ihm der Gedanke aufnötigte und ihn schließlich mit Freude erfüllte[135]. Das ontologische Argument gibt also eine Denkerfahrung, einen Durchbruch des Denkens, oder besser: die Erfahrung eines Durchbruchs der Wahrheit im Denken, ein Überwältigtwerden von der Wahrheit wieder. Entsprechend bewegt sich dieses Argument nicht wie die anderen Gottesbeweise von unten nach oben, es geht von oben, von der Erfassung bzw. dem Erfaßtwerden durch den Gedanken Gottes aus, um seine Wirklichkeit zu erweisen. Anselm beginnt deshalb mit einem Gebet: »Lehre mich Dich suchen und zeige Dich dem Suchenden; denn ich kann Dich weder suchen, wenn Du es nicht lehrst, noch finden, wenn Du Dich nicht zeigst«. Wo und wie zeigt sich Gott? Dadurch, »daß Du in mir dieses ›Dein Bild‹ geschaffen hast, damit ich, Deiner mich erinnernd, Dich denke, Dich liebe«[136]. Anselms ontologisches Argument steht also im Zusammenhang mit seiner Lehre vom Bild Gottes im Menschen. Dieser Zusammenhang wird meist übersehen. Wird er beachtet, dann verliert sein Argument den Eindruck des rein Apriorischen und Deduktiven; es rückt dann näher an die Lehre der Kirchenväter vom Bild Gottes bzw. von der Gottesidee im Menschen heran.

Anselm versucht nun, das im Menschen aufleuchtende Bild Gottes ins Denken zu erheben. Das Denken erfaßt Gott als »aliquid quo maius nihil cogitari potest« (»etwas, über dem nichts Größeres gedacht werden kann«)[137]. Das Denken erfährt die Wirklichkeit Gottes also nicht in einem Begriff, sondern in einem Grenzbegriff, der eine dynamische

---

[134] Zum ontologischen Argument: J. Kopper, Reflexion und Raisonnement im ontologischen Gottesbeweis, Köln 1962; Ch. H. Hartshorne, Anselm's Discovery: A Reexamination of the Ontological Proof for God's Existence, La Salle 1965; D. Henrich, Der ontologische Gottesbeweis. Sein Problem und seine Geschichte in der Neuzeit, Tübingen ²1967; H. K. Kohlenberger, Similitudo und ratio. Überlegungen zur Methode bei Anselm von Canterbury (Münch. phil. Forsch. 4), Bonn 1972; J. Brechtken, Das Unum Argumentum des Anselm von Canterbury. Seine Idee und Geschichte und seine Bedeutung für die Gottesfrage von heute, in: FZThPh 22 (1975) 171–203; K. Barth, Fides quaerens intellectum. Anselms Beweis der Existenz Gottes im Zusammenhang seines theologischen Programms (1931) (hrsg. v. E. Jüngel/I. U. Dalferth) Zürich 1981.
[135] Anselm von Canterbury, Proslogion, prooem.
[136] Ebd. c. 1.
[137] Ebd. c. 2.

Bewegung des Denkens über sich hinaus ausdrückt. Konsequent definiert Anselm Gott nicht nur als das, »über dem Größeres nicht gedacht werden kann«, sondern als »etwas Größeres, als gedacht werden kann«[138]. So muß vom Verstand gesagt werden: »rationabiliter comprehendit incomprehensibile esse«[139]. Im Gottesgedanken, der mit dem Wesen des menschlichen Geistes als Bild Gottes mitgesetzt ist, ist das Denken also radikal über sich selbst hinausgewiesen. Das ontologische Argument ist nichts anderes als eine *logische Explikation dieser ontologischen Konstitution der ratio.* Anselm gibt ihm folgende Gestalt: »Und sicherlich kann ›das, über dem Größeres nicht gedacht werden kann‹, nicht im Verstande allein sein. Denn wenn es wenigstens im Verstande allein ist, kann gedacht werden, daß es auch in Wirklichkeit existiere – was größer ist. Wenn also ›das, über dem Größeres nicht gedacht werden kann‹, im Verstande allein ist, so ist eben ›das, über dem Größeres nicht gedacht werden kann‹, über dem Größeres gedacht werden kann. Das aber kann gewiß nicht sein. Es existiert also ohne Zweifel ›etwas, über dem Größeres nicht gedacht werden kann‹, sowohl im Verstande als auch in Wirklichkeit«[140]. Kurzum: Die Gottesidee kann gar nicht widerspruchsfrei als nichtexistierend gedacht werden[141].

Es stellt eine Karikatur des Gedankengangs von Anselm dar, ihm vorzuwerfen, er vollziehe im ontologischen Argument eine Deduktion der Existenz aus dem Begriff, er schließe vom Gedanken auf das Sein Gottes. Diese Kritik am ontologischen Argument wurde schon zu Lebzeiten Anselms laut. Schon der Mönch *Gaunilo* hat in seinem Werk »Liber pro insipiente« eingewandt, Anselm mache einen Sprung von der idealen in die reale Ordnung; aus der Idee einer vollkommenen Insel folge aber noch nicht deren Existenz[142]. Von anderen Voraussetzungen aus hat *Kant* später einen ähnlichen Einwand gemacht: Hundert gedachte Taler sind keine wirklichen Taler, man kann aus dem Begriff die Existenz nicht herausklauben[143]. Schulmäßig formuliert lautet der Einwand: Das ontologische Argument ist ein Sophisma; es enthält eine quaternio terminorum. Zwar folgt aus dem Begriff Gottes seine Existenz; aber der Begriff Existenz ist zweideutig, er kann gedachte und reale Existenz bedeuten. Aus dem Gedanken der Notwendigkeit der Existenz folgt nur die gedachte, aber nicht die reale Existenz. Diese Kritiken verkennen die Struktur des ontologischen Beweises. In ihm geht es nicht um die Existenz einer beliebigen Idee, sondern um die höchste Idee, die dem Denken notwendig ist und in der es sich zugleich überschreitet.

---

[138] Ebd. c. 15.
[139] Anselm von Canterbury, Monologion, 64.
[140] Anselm, Proslogion aaO., 2.
[141] Ebd. c. 3.
[142] So auch Thomas v. A., Summa theol. I q.2 a.1 ad 2.
[143] I. Kant, Kritik der reinen Vernunft, B 628 (WW II, ed. Weischedel, 534).

Anselm ist ein ganz und gar platonischer Denker, dem das Denken gar nicht anders denn als Teilhabe am Sein und als Seinsauslegung denkbar ist. Bereits Augustin hat Gott als das »quo nihil superius« bezeichnet[144]. Wir können Gott freilich nur erkennen im Licht der Wahrheit, die Gott selbst ist und die der Seele gegenwärtig ist[145]. Die Gotteserkenntnis setzt also die Illumination der Wahrheit Gottes voraus. Im Proslogion konzentriert Anselm diesen Gedanken auf das Bild Gottes im Innern des Menschen, wo sich die Wirklichkeit Gottes unmittelbar zeigt. Das ontologische Argument will diesen ontologischen Zusammenhang nachzeichnen. Es ist deshalb bezeichnend, daß Denker der augustinischen Richtung (Alexander von Hales, Bonaventura, Duns Scotus u. a.) im Zusammenhang der Illuminationslehre Anselm zustimmten. Auch die idealistischen Denker der Neuzeit, Descartes, Spinoza, Leibniz, Hegel u. a., griffen sein Argument auf, wenngleich sie Anselms Argument in ihrer Weise umgedeutet haben. Zumal für Hegel geschieht im Denken die Selbstauslegung des Absoluten; die Gottesbeweise legen diesen notwendigen Zusammenhang aus[146].

An diesen idealistischen Voraussetzungen setzt eine zweite, wesentlich weiterführende Kritik an. Sie findet sich ebenfalls bereits bei Kant. Gerade weil es sich beim Gottesbegriff um einen notwendigen und höchsten Begriff handelt, handelt es sich um einen *Grenzbegriff*, den die Vernunft nicht näher bestimmen kann. Er ist »der wahre Abgrund für die menschliche Vernunft«[147]. Kant folgert daraus, man könne von dieser Idee nur einen regulativen, aber keinen konstitutiven Gebrauch machen[148]. Hier setzt auch der späte *Schelling* mit seiner Kritik des ontologischen Arguments an. Nach ihm konstruiert das Denken in der Gottesidee etwas, »vor dem das Denken verstummt, vor dem die Vernunft selbst sich beugt«, in dem die Vernunft »außer sich gesetzt, absolut ekstatisch« ist. Sie ist im Setzen dieser Idee »wie regungslos, wie erstarrt«[149]. Deshalb bezeichnet Schelling die ganze dialektisch aufsteigende Philosophie als negative Philosophie. Mit deren negativem Ausgang kann sich das Denken freilich nicht zufrieden geben. Der Mensch verlangt nach Sinn und diesen kann er nur in absoluter Freiheit finden[150]. Deshalb entwirft Schelling eine zweite, eine positive Philosophie. Sie geht von dem als absolute Freiheit interpretierten notwendigen Sein aus und versucht es als Herrn des Seins, d. h. als Gott zu erweisen. Sie geht also gegenüber dem ontologischen Argument den umgekehrten Weg: Nicht vom Begriff zur Existenz, sondern von der Existenz zum Wesen bzw. zum Begriff[151]. Schelling will also das Gottsein des Absoluten erweisen und das Absolute »in Gott zu seinem Begriffe« bringen[152]. Hier liegt nach Schelling der Knoten der ganzen Metaphysik. Sie hat den Begriff der höchsten Existenz mit dem Begriff Gottes identifiziert. Darin war sie Ontotheologie.

[144] Augustinus, De libero arbitrio II, 6, 14, 54 f (CCL 29, 246 f).
[145] Ebd. II, 12, 34, 133; 15, 39, 156 (CCL 29, 260 f; 263 f).
[146] Hegel, Vorlesungen über die Philosophie der Religion I/1 (ed. Lasson), 207–225.
[147] Ebd. B 641 (543).
[148] Ebd. B 642 ff (544 f).
[149] F. W. J. Schelling, Philosophie der Offenbarung (WW Erg. Bd. 6, ed. Schröter), 161, 163, 165.
[150] Ebd. 45 f, 91 ff, 125 ff, 203 ff.
[151] Ebd. 168.
[152] Ebd. 170.

Schellings Gegenthese zur Ontotheologie: »Das notwendig Existierende ist nicht notwendig, aber faktisch das notwendig notwendig-existierende Wesen oder Gott«[153]. Dieser nicht notwendige, sondern faktische Zusammenhang kann nicht apriorisch, sondern nur aposteriorisch aufgewiesen werden. Dies geschieht nicht dadurch, daß das Denken von der Erfahrung zu Gott aufsteigt, vielmehr dadurch, daß es zur Erfahrungswirklichkeit herabsteigt, um vom notwendig Existierenden her die Wirklichkeit zu begreifen und so das notwendig Existierende als Herrn des Seins, als Gott, zu erweisen[154]. Schelling hat seine geniale Idee selbst freilich nicht konsequent durchgehalten. Wäre er konsequent geblieben, hätte er seine positive Philosophie nicht mit spekulativen Erörterungen über die innergöttlichen Potenzen beginnen dürfen, sondern nur als Nachdenken des geschichtlichen Selbsterweises Gottes entwerfen können.

In der *gegenwärtigen Theologie* wird das ontologische Argument in einer der veränderten Problemsituation entsprechenden Weise wieder mehr und mehr rehabilitiert[155]. Wir können heute zwar den platonischen Teilhabegedanken, der den Hintergrund dieses Arguments bildet, nicht mehr ohne weiteres voraussetzen, da dieser seinerseits bereits die Gottesidee voraussetzt und nur die innere Notwendigkeit dieser Voraussetzung erweist. Wir müssen von der verschärften nachhegelianischen Problemsituation ausgehen, wonach das Denken, das sich seit Anselm als reines, von theologischen Begründungszusammenhängen emanzipiertes Denken konstituiert hat, bezüglich der Gottesfrage aporetisch wird. Es muß notwendig ein Letztes, Absolutes, Unendliches denken, kann aber dieses nicht mehr begrifflich fassen und eindeutig in seinem Wesen bestimmen. Das reine Denken überbietet sich am Ende notwendig, indem es etwas denkt, das es wesensmäßig nicht mehr denken kann, weil das Unendliche jeden endlichen Begriff sprengt. *Gott kann deshalb nur durch Gott erkannt werden; er kann nur erkannt werden, wenn er sich selbst zu erkennen gibt*. Dies meint im Grunde auch die augustinische Illuminationslehre, in deren Tradition Anselms Argument steht. In dieser Richtung wollten auch die Theologen der Tübinger Schule, vor allem J. E. Kuhn, das argumentum ontologicum erneuern[156].

Nach Kuhn erhalten die von der Erfahrung ausgehenden Argumente, der kosmologische, anthropologische und geschichtsphilosophische

[153] Ebd. 169.
[154] Ebd. 57ff, 111ff, 130f.
[155] Ausgangspunkt ist die Anselmauslegung von K. Barth (vgl. o. Anm. 134), der Anselms Argument streng theologisch als Anwendung von dessen Programm »fides quaerens intellectum« versteht, d. h. im Sinn des Aufweises der inneren Stimmigkeit und Vernünftigkeit des Glaubens. Freilich ist Barth damit nicht der ganzen ontologischen Tiefe des Arguments gerecht geworden.
[156] J. E. Kuhn, Katholische Dogmatik I/2: Die dogmatische Lehre von der Erkenntnis, den Eigenschaften und der Einheit Gottes, Tübingen ²1862, 648–668.

Beweis, ihre Kraft erst im Licht der dem Menschen eingestifteten Gottesidee. Sie ist uns in allgemeiner und noch unbestimmter Form schon durch die schöpfungsmäßige Gottebenbildlichkeit eingestiftet; sie wird erneuert, vertieft und bestimmt durch die Offenbarung Gottes. *Die Gottesbeweise bringen also die Gottesidee nicht erst herbei, sie erzeugen sie nicht, sondern explizieren, konkretisieren und bewähren sie auf dem Weg denkender Weltbetrachtung.* Die Gottesidee ist sozusagen das Licht, das diesen Überlegungen voranleuchtet. In der gegenwärtigen Theologie kommt W. Pannenberg dem neuzeitlich modifizierten Anliegen Anselms am nächsten. Nach ihm gilt es, den geschichtlich überlieferten Gottesgedanken an seinen eigenen Implikationen zu messen. »Der Gedanke Gottes als der seinem Begriff nach alles bestimmenden Wirklichkeit ist an der erfahrenen Wirklichkeit von Welt und Mensch zu bewähren.« Pannenberg nennt dieses Verfahren »der Form des ontologischen Gottesbeweises gemäß, als Selbstbeweis Gottes«[157].

Das sogenannte ontologische Argument vollzieht also angesichts der Aporie des reinen Denkens von unten nach oben eine Kehre des Denkens und denkt von oben, von der geschichtlich überlieferten Gottesidee her, die im reinen Denken nur in sehr allgemeiner, unbestimmter und vieldeutiger Weise aufleuchtet, die Wirklichkeit deutet. *Damit vollzieht dieses Argument eine Bestimmung der an sich unbestimmten Idee des Absoluten, und es bewährt diese Bestimmung denkerisch an der Wirklichkeit von Welt, Mensch und Geschichte.* Diese Bewährung geschieht so, daß sich die Gottesidee in der denkenden Betrachtung der Wirklichkeit als fähig erweist, Wirklichkeit zu erschließen, Zusammenhänge sichtbar zu machen, Leben zu ermöglichen und Freiheit zu ermutigen. *Der Streit des Glaubens mit dem Unglauben ist darum kein Streit um irgendeine Hinter- und Überwelt, sondern ein Streit um das Verstehen und Bestehen der Wirklichkeit von Mensch und Welt.* Der Glaube an Gott erhebt also den Anspruch: Wer glaubt, sieht mehr. Er will an dem empirisch Faßbaren ein Mehr als das empirisch Faßbare aufzeigen. Er erschließt die Wirklichkeit als Zeichen und als Symbol. Die Gleichnis- und Metaphernsprache des Glaubens läßt also die Wirklichkeit selbst als Gleichnis erscheinen. *Dieses »Mehr« kann man nicht in einem zwingenden Sinn beweisen. Aber aus einer Vielzahl von Zeichen und Hinweisen auf Sinn ergibt sich im Licht der unbedingten Sinnoption doch eine gesamtmenschliche Gewißheit.*

Diesen *Wahrscheinlichkeitsbeweis* hat vor allem J. H. Newman durchgeführt[158]. Newman ist besonders an der Erkenntnis des Konkreten interessiert. Abstrakte Konklusionen helfen hier nicht weiter; sie hängen an beiden Enden

---

[157] W. Pannenberg, Wissenschaftstheorie und Theologie, Frankfurt a. M. 1973, 302.
[158] J. H. Newman, Entwurf einer Zustimmungslehre, aaO. 241 ff.

sozusagen in der Luft, sowohl auf der Seite der ersten Prinzipien, die sie jeweils voraussetzen müssen, wie auf der Seite ihrer Ergebnisse, die die konkrete Wirklichkeit nie erreichen. Wenn es um konkrete Erkenntnis geht, ist nur eine Häufung von Wahrscheinlichkeitsurteilen möglich, die zusammengenommen zur Gewißheit führen. Dazu bedarf es freilich einer gewissen Intuition, eines Instinkts, eines Takts, einer Urteilskraft; Newman selbst spricht von einem Folgerungssinn (illative sense), der als Licht unserem konkreten Folgern voranleuchtet. Er bezieht sich dabei auch auf die neuplatonisch-augustinische Erkenntnislehre, die von einer Erleuchtung spricht. In ähnlichem Sinn hat Pascal von der Erkenntnis des Herzens gesprochen: »Das Herz hat seine Gründe, die die Vernunft nicht kennt«[159]. Als Beispiele für eine solche konkrete Folgerung verweist Newman etwa auf den Archäologen, der aus einzelnen Funden eine ganze kulturelle Lebenswelt, auf einen Juristen, der aufgrund von Indizien den Hergang eines Verbrechens rekonstruiert, einen Arzt, der aufgrund von einzelnen Krankheitssymptomen eine Gesamtdiagnose gibt. Dazu bedarf es jeweils einer Originalität und Genialität. Allgemeiner und in unserer Terminologie formuliert: *Nur im Licht eines Vorgriffs auf unbedingten Sinn lassen sich Sinnzusammenhänge in der Wirklichkeit erkennen.*

Die Sinnoption des Gottesglaubens erweist sich gerade dadurch als der Wirklichkeitserfahrung adäquat, daß sie als Vorgriff auf ein unaufhebbares Geheimnis gar nicht den Anspruch einer vollständigen Erklärung der Wirklichkeit und aller ihrer Phänomene stellen kann. Im Gegenteil, die Sinnoption des Glaubens ist eminent kritisch gegen jegliche Totalerklärung der Welt. Ihr kommt eine ausgesprochen ideologiekritische Potenz zu, weil sie über alle Verabsolutierungen endlicher Größen, sei es Eigentum, Macht, Genuß, Ehre oder Nation, Rasse oder Klasse, in die je größere Freiheit hineinweist und so immer wieder neu frei macht und Geschichte offenhält. Sie hat nicht nur eine affirmative, sondern ebenso eine kritische Funktion. Die Glaubwürdigkeit des Glaubens erweist sich also gerade dadurch, daß er keine Art von Wirklichkeitserfahrung zu verdrängen braucht. Er ist nicht darauf angewiesen, ideologische Scheuklappen anzulegen und das vielschichtige und vieldeutige Ganze der Wirklichkeit eindimensional positivistisch oder eindimensional spiritualistisch, einseitig pessimistisch oder einseitig optimistisch zu reduzieren. Der Glaube kann der Größe und dem Elend des Menschen gerecht werden.

Diese Sicht kann man niemandem andemonstrieren; man kann sie aber mit guten Argumenten bezeugen. Ihre Evidenz gewinnt sie nur für den, der bereit ist, sich auf sie einzulassen und umzudenken, der – augustinisch gesprochen – sein Herz reinigt und – biblisch gesprochen – mit den Augen des Herzens die Wirklichkeit betrachtet. Im Glauben findet der Mensch also den Sinn seines Seins, indem er sich selbst ins Spiel bringt. Der Glaube widerspricht damit der spießbürgerlichen Meinung, daß die

---

[159] B. Pascal, Über die Religion, Fr. 277 (ed. Wasmuth, 141).

Wahrheit und das Gute sich ohne Einsatz der Person »von selbst« »durchsetzen«. Der Glaube ist der hochgemute Entschluß, das Wagnis des Lebens einzugehen und dabei sein Leben zu riskieren.

So ist der Gottesglaube der Grund- und Urakt des Geistes. Im Glauben ist weder allein der Verstand noch allein der Wille, sondern der Mensch als ganzer engagiert. Erkennen und Wollen sind also Elemente am einen Akt des Glaubens; beide bilden im Glauben eine innere Einheit. Deshalb ist der Gottesglaube weder ein rein intellektueller Fürwahrhalte-Glaube, noch ein rein willentlicher Entscheidungsglaube, noch bloße Sache des Gefühls. Er ist ein Akt des ganzen Menschen, ein Akt, durch den es erst zur vollen Menschwerdung des Menschen kommt.

Mit dieser zusammenfassenden These haben wir das Ziel unserer Überlegungen zum Problem der natürlichen Theologie erreicht. Es ging um die Frage der menschlichen Verantwortbarkeit des Glaubens an Gott und seine Offenbarung. Das Ergebnis unserer Überlegungen ist: *Der Mensch ist das Wesen, das in den Erfahrungen seines Lebens, in seinem Sprechen und in seinem Erkennen vorgreift auf das absolute Geheimnis einer unbedingten, vollkommenen Freiheit. Dieser glaubende und hoffende Vorgriff setzt sein Erkennen und Handeln in dieser Welt erst frei.* So ist er auf der Suche nach Zeichen, in denen sich ihm das absolute Geheimnis einer unbedingten Freiheit zuspricht und mitteilt. Er ist das Wesen vor dem unendlichen Geheimnis, das auf die freie Selbstoffenbarung dieses Geheimnisses hofft und wartet. Er ist auf der Suche nach Zeichen und Worten, in denen sich Gott ihm offenbart.

V. GOTTESERKENNTNIS IM GLAUBEN

1. Die Offenbarung Gottes

Das *Ergebnis* alles bisher Gesagten lautet: Das göttliche Geheimnis ist offenbar mitten in unserer Welt. Wir können ihm begegnen in der Natur, die als Gottes Kreatur auf den Schöpfer verweist, im Geheimnis, das sich im Menschen selbst auftut, und in der Geschichte, die von einer Hoffnung lebt, die mehr als Geschichte meint. Das Geheimnis des Menschen, seiner Welt und der Geschichte weist jeweils über sich hinaus. Dieser ersten These müssen wir freilich eine zweite hinzufügen: Im Geheimnis des Menschen und seiner Welt ist Gott auch verborgen. Wir können das »Daß« dieses Geheimnisses erfassen, sein »Was« ist uns verborgen. Es bleibt deshalb für das reine Denken unbestimmt und ist vielfältiger Deutung offen. Zwar gibt es Argumente, dieses Geheimnis als ein existierendes, von der Welt verschiedenes, heiliges Geheimnis zu deuten. Aber eine letzte Eindeutigkeit ist hier rein denkerisch nicht möglich. Wir können in sein Wesen nicht eindringen, weil der Ähnlichkeit aller unserer Aussagen eine je größere Unähnlichkeit entspricht. Das innere Wesen dieses göttlichen Geheimnisses ist uns deshalb verborgen, unzugänglich, verschlossen. Als endliche Wesen leben, denken, handeln wir zwar immer schon im Licht eines Vorgriffs auf das Unendliche; aber dieses Unendliche ist nur ein Vorgriff und kein Begriff, es ist ein Grenzbegriff, den wir nicht nochmals auf den Begriff bringen können. Vor ihm muß unser Denken verstummen. Soll uns das Unendliche zugänglich werden, dann muß es sich uns selbst erschließen und eröffnen, es muß sich selbst offenbaren. Deshalb sind Offenbarungen für alle Religionen wesentlich[1].

[1] Zum Offenbarungsverständnis: R. Garrigou-Lagrange, De revelatione per ecclesiam catholicam proposita, Rom 1931; R. Guardini, Die Offenbarung, Würzburg 1940; P. Althaus, Die Inflation des Begriffs Offenbarung in der gegenwärtigen Theologie, in: Zeitschr. syst. Theol. 18 (1941) 131–149; H. Schulte, Der Begriff Offenbarung im Neuen Testament, München 1949; K. Barth, Die Kirchliche Dogmatik. I/1 u.2; W. Pannenberg u. a., Offenbarung als Geschichte, Göttingen 1961; H. Fries, Art. Offenbarung. III. Systematisch, in: LThK VII, 1109–1115; D. Lührmann, Das Offenbarungsverständnis bei Paulus und in paulinischen Gemeinden, Neukirchen-Vluyn 1965; R. Latourelle, Théologie de la révélation, Bruges-Paris ²1966; A. Dulles, Was ist Offenbarung?, Freiburg-Basel-Wien 1970; F. Konrad, Das Offenbarungsverständnis in der evangelischen Theologie, München 1971; M. Seybold, H. Waldenfels u. a., Offenbarung (HDG I/ 1 und 2) Freiburg-Basel-Wien 1971. 1977; P. Eicher, Offenbarung. Prinzip neuzeitlicher

Schon immer und in allen Religionen haben die Menschen nach Spuren und Zeichen gesucht, um in ihnen das Geheimnis Gottes zu ertasten. *Das Wort Offenbarung dient als kategorialer Ausdruck für solche weltliche Erfahrungen, Erfahrungsbereiche und Aspekte der Erfahrung, in denen der Mensch Signale, Zeichen, Symbole erkennt, durch die sich ihm das unsagbare göttliche Geheimnis eröffnet.* Offenbarung meint also zunächst eine indirekte Erfahrung, d. h. Erfahrungen »in, mit und unter« anderen Erfahrungen, in denen sich Gott bzw. das Göttliche zur Erscheinung bringt (Theophanie) oder seinen Willen kundtut (Divination). Als solche Erfahrungen gelten wunderbare, d. h. Verwunderung auslösende Ereignisse in der Natur (Gewitter, Blitz, Donner, Sturm, Sonne u. ä.), in der zwischenmenschlichen Begegnung (besonders die Faszination zwischen Mann und Frau), geschichtliche Ereignisse (Siege und Niederlagen, Stadt- und Staatsgründungen u. ä.), Kultereignisse, Träume und Traumdeutungen, Losorakel, Ordal (Gottesurteil) u. a. Ekstatische Phänomene wie Audition und Vision spielen dabei ebenso eine Rolle wie Tradition, Reflexion, Meditation und Kontemplation. Diese Erfahrungen sind auch der allgemeinen Erfahrung zugänglich und können heute wenigstens grundsätzlich etwa durch Psychologie oder Soziologie auch wissenschaftlich »erklärt« werden. Für den religiösen Menschen geschieht in, mit und unter solchen weltlichen Erfahrungen mehr; er erkennt in ihnen Zeichen und Symbole des sich eröffnenden göttlichen Geheimnisses. Für den religiösen Menschen eröffnet sich in und unter solchen weltlichen Erfahrungen, die jedermann zugänglich sind, ein neuer Horizont und Gesamtzusammenhang; es geht ihm sozusagen ein Licht auf, in dem das Ganze der Wirklichkeit neu erscheint. Im Anschluß an die heutige Sprachphilosophie kann man von *Erschließungssituationen* sprechen, in denen ein einzelnes Ereignis einen Gesamtsinn und Gesamtzusammenhang eröffnet[2]. So muß man unterscheiden zwischen dem *kategorialen Begriff von Offenbarung* (Offenbarungen) im Sinn von einzelnen Offenbarungsereignissen und dem *transzendentalen Begriff*, d. h. jenem überkategorialen Geschehen, in dem sich das in und über aller Wirklichkeit waltende Geheimnis eröffnet[3]. In diesem letzten Sinn ist Offenbarung nicht ein an sich Gegebenes, sondern ein Sichgebendes, nicht ein Faktum, sondern ein Geschehen (nomen actionis). Da dieses Geschehen das Fundament des religiösen Glaubens ist, kann es nicht nochmals begründet werden. Man

Theologie. München 1977; P. Ricoeur u. a., La révélation, Brüssel 1977; M. Seckler, Dei verbum religiose audiens: Wandlungen im christlichen Offenbarungsverständnis, in: J. J. Petuchowski u. W. Strolz (Hrsg.), Offenbarung im jüdischen und christlichen Glaubensverständnis (Quaest. disp. 92), Freiburg–Basel–Wien 1981, 214–236.

[2] Vgl. dazu o. 114; 119f.

[3] P. Eicher, aaO.

»hat« es nur, indem man sich engagiert darauf einläßt und sich ihm eröffnet, also im Akt eines vorläufig noch sehr weit und allgemein verstandenen religiösen Glaubens.

Glauben in diesem allgemeinen Sinn meint nicht ein kategoriales Fürwahrhalten einzelner überrationaler Wahrheiten, sondern *die Grundoption, sich auf jene Dimension des göttlichen Geheimnisses einzulassen und von ihr her Leben, Welt, Mensch und Geschichte zu verstehen und zu bestehen.* Der religiöse Glaube liegt also nicht auf der Ebene eines regionalen und kategorialen Aktes; er ist weder ein reiner Akt des Verstandes noch des Willens oder des Gefühls. Der religiöse Glaube liegt auf der Ebene einer Lebensentscheidung, die den ganzen Menschen und alle seine Akte umgreift. Er ist eine Art Urwahl, eine Fundamentaloption, die Entscheidung für ein bestimmtes Verständnis der Wirklichkeit insgesamt wie für ein bestimmtes praktisches Verhältnis zu dieser Wirklichkeit. Diese Entscheidung ist als verantwortliche Tat des Menschen Antwort, die sich auf die Offenbarung einläßt; sie weiß sich von dieser Offenbarung eingeladen, herausgefordert, getragen. Sie ist ein Urvertrauen, das sich als Geschenk versteht.

Solche *Offenbarungsereignisse außerhalb der »amtlichen« Heilsgeschichte des Alten und des Neuen Testaments* werden von der biblischen Offenbarung durchaus anerkannt. Die Bibel berichtet an verschiedenen Stellen von »heiligen Heiden«, die Zeugen des lebendigen Gottes sind: Abel, Henoch, Melchisedek, Ijob u. a. Gott will ja, »daß alle Menschen gerettet werden und zur Erkenntnis der Wahrheit gelangen« (1 Tim 2,4). Deshalb lehrt das II. Vatikanische Konzil: »Von den ältesten Zeiten bis zu unseren Tagen findet sich bei den verschiedenen Völkern eine gewisse Wahrnehmung jener verborgenen Macht, die den Lauf der Welt und den Ereignissen des menschlichen Lebens gegenwärtig ist, und nicht selten findet sich auch die Anerkenntnis einer höchsten Gottheit oder sogar eines Vaters… Die katholische Kirche lehnt nichts von alledem ab, was in diesen Religionen wahr und heilig ist. Mit aufrichtigem Ernst betrachtet sie jene Handlungs- und Lebensweisen, jene Vorschriften und Lehren, die zwar in manchem von dem abweichen, was sie selber für wahr hält und lehrt, doch nicht selten einen Strahl jener Wahrheit erkennen lassen, die alle Menschen erleuchtet«[4].

Der Sinn dieser allgemeinen Offenbarungsgeschichte Gottes enthüllt sich uns erst in der *besonderen Geschichte der Offenbarung,* der Offenbarungsgeschichte des Alten und des Neuen Testaments. Denn das Bild Gottes bleibt in der allgemeinen Offenbarungsgeschichte vieldeutig. Neben großartigen Einsichten steht oft die Fratze des Dämonischen. Dazu kommt, daß Gott sich dem Menschen nicht nur

---

[4] Vatikanum II, Nostra aetate, 2.

einzeln, unabhängig von aller wechselseitigen Verbindung, sondern dem Menschen als einem sozialen und geschichtlichen Wesen offenbaren will. Er will die Menschen zu einem Volk sammeln und dieses zum Licht der Völker machen (Jes 42,6)[5]. So gibt es um der allgemeinen Geschichte Gottes mit den Menschen willen eine besondere Geschichte der Offenbarung Gottes.

Der *theologische Begriff Offenbarung* ist freilich einer der dunkelsten und am schwersten zugänglichen Begriffe[6]. Gewöhnlich geht man von einzelnen Offenbarungen bzw. Offenbarungswahrheiten aus und versteht darunter einzelne, dem menschlichen Verstand aus sich selbst nicht zugängliche Wahrheiten, die Gott durch seine Offenbarungsboten dem Menschen autoritativ zu glauben vorlegt. Dieses autoritäre Offenbarungsverständnis, das am *Modell der Information und Instruktion* orientiert ist, gerät von der Sache her notwendig in Konflikt mit dem verantwortlichen Gebrauch menschlicher Vernunft und menschlicher Freiheit. Es ist deshalb von Bedeutung, daß dieses autoritative Offenbarungsverständnis in der neueren Theologie meist ersetzt wird durch ein Offenbarungsverständnis, das am *Modell der Kommunikation* orientiert ist. Hier ist nicht von Offenbarungen im Plural, sondern von Offenbarung im Singular die Rede, wobei diese nicht als Sachoffenbarung, sondern als *personale Selbstoffenbarung* verstanden wird. Gott offenbart primär nicht etwas, sondern sich selbst und seinen Heilswillen für den Menschen. Indem er sich selbst und sein Geheimnis offenbart, offenbart er dem Menschen auch den Menschen und sein Geheimnis. *Die Offenbarung ist also die Bestimmung des unbestimmt-offenen Geheimnisses des Menschen, seiner Welt und Geschichte.*

Dieses neuere Verständnis der Offenbarung kann sich auf die Schrift berufen. Fragt man nach dem *Offenbarungsverständnis der Schrift,* dann muß man freilich sehen, daß die Bibel noch keinen Offenbarungsbegriff im eigentlichen Sinn des Wortes kennt. Die Bibel kennt vielmehr sehr vielfältige Phänomene, die sie mit wiederum sehr unterschiedlichen Begriffen deutet. Sie spricht etwa von enthüllen, zu erkennen geben, kundtun, offenbar machen, in Erscheinung treten. Von den Phänomenen, die sie mit diesen Begriffen deutet, ist die *prophetische Offenbarungsvermittlung* am bekanntesten. Bei den Propheten heißt es immer wieder: »So spricht der Herr«; »geh und sag diesem Volk« (Jes 6,9); »ruf Jerusalem laut ins Ohr: so spricht der Herr« (Jer 2,2). Auf diese prophetische Redeweise kann sich das genannte autoritäre Offenbarungsverständnis bis zu einem gewissen Grad berufen. Doch diese prophetische Rede darf nicht losgelöst werden von der Tatsache, daß die Propheten mit dieser ihrer

---

[5] Vatikanum II, Lumen gentium, 9.

[6] Es ist im folgenden selbstverständlich nicht möglich, eine vollständige Lehre von der Offenbarung zu vermitteln. Das käme der Darstellung des gesamten fundamentaltheologischen Traktats »De revelatione« gleich, was selbstredend hier nicht leistbar ist. Ausführungen zu diesem Thema werden im folgenden nur insoweit gemacht, als es für die Gotteslehre notwendig ist.

Rede an Gottes große Taten in der Vergangenheit erinnern und heutiges und künftiges Handeln Gottes ansagen. Es geht bei den Propheten also um vollmächtige Deutung der Geschichte, in der sich Gott selbst seinem Volke offenbart. Damit leitet der prophetische Offenbarungstyp über zur *narrativen Gestalt der Offenbarung*, wie wir sie vor allem in den geschichtlichen Büchern des Alten Testaments, in den neutestamentlichen Evangelien und in der Apostelgeschichte finden. Hier legen sich die geschichtlichen Ereignisse im Erzählen dieser Geschichte selbst als Gottes Offenbarung aus. In dieser Geschichte redet Gott die Menschen an und verkehrt mit ihnen wie mit Freunden.

Wieder anders geschieht *Offenbarung in der Thora*. Auch sie knüpft an die heilsgeschichtliche Offenbarung an: »Ich bin Jahwe, dein Gott, der dich aus Ägypten geführt hat, aus dem Sklavenhaus« (Ex 20,2; vgl. Dtn 5,6). Aus den den Bund Gottes mit seinem Volk konstituierenden Taten folgt nun aber das bundesgemäße Verhalten des Menschen. Hier kommt der personale Charakter der Offenbarung besonders deutlich zum Ausdruck. Die Offenbarung ist danach Einladung und Aufforderung zum Bund und zur Gemeinschaft mit Gott. Doch erst im Tun der Wahrheit kommt der Mensch zum Licht der Wahrheit (Joh 3,21). Nochmals anders geschieht *Offenbarung nach der Weisheitsliteratur:* die Weisheit als Offenbarung der Wirklichkeit und ihrer Gesetze, wobei festgehalten wird, daß die Weisheit allein in Israel und im Gesetz eine endgültige Wohnstatt gefunden hat (Sir 24,8 ff). Offenbarung geschieht auch in den *alt- und neutestamentlichen Liedern*, den Lob-, Klage- und Bittgebeten, besonders in den Psalmen, wo das Leben des Beters und seine Erfahrungen zur Offenbarungsgeschichte Gottes mit den Menschen werden. *In der apokalyptischen Literatur* schließlich besteht die Offenbarung im Kundwerden des ewigen Heilsratschlusses Gottes, in der Enthüllung des Geheimnisses, »das seit ewigen Zeiten in Schweigen gehüllt war« (Röm 16,25; vgl. Eph 1,9). Die eschatologische Enthüllung des Geheimnisses Gottes geschieht nach dem Neuen Testament in *Jesus Christus*, wie er durch die Kirche bezeugt wird.

So ist die gesamte Offenbarungsgeschichte des Alten und des Neuen Testaments eine einzige Illustration dessen, was das Neue Testament zusammenfaßt: »Viele Male und auf vielerlei Weise hat Gott einst zu den Vätern gesprochen durch die Propheten; in dieser Endzeit hat er zu uns gesprochen durch seinen Sohn« (Hebr 1,1–2).

Aus den verschiedenen Weisen der biblischen Offenbarung folgt: *Die Offenbarung ist nach biblischem Verständnis nicht etwas, was in der Welt einfach zutage liegt oder was der Mensch meditierend und reflektierend von sich aus an der Welt ablesen kann. Sie bedeutet vielmehr ein unableitbar freies Sicheröffnen Gottes, durch das der Mensch und die Welt erst ins Licht der Wahrheit gerückt werden.* Offenbarung geschieht deshalb nicht immer und überall, sondern hier und heute. *Sie ist geschichtliche Offenbarung,* die jeweils mit einem unabdingbaren *Zeitindex* versehen ist.

Näherhin geschieht die *Offenbarung nach der Bibel durch Worte und Taten.* Beim Wort ist sowohl an das prophetische Wort wie an das Wort des Gesetzes (Weisungen) wie an Weisheitsworte und Lieder (Lob-,

Bitt- und Klagelieder) zu denken. Die Tatoffenbarung geschieht in der Schöpfung (Weisheit) und vor allem durch die geschichtlichen Heilstaten. Dabei sind Wort- und Tatoffenbarung innerlich aufeinander bezogen. *Die Wortoffenbarung deutet die Tatoffenbarung;* sie ist erinnernd, deutend und verheißend auf die Tatoffenbarung in der Schöpfung und in der Geschichte bezogen. *Umgekehrt bekräftigt die Tatoffenbarung das Wort;* die Wortoffenbarung erweist und bewährt sich also in der geschichtlichen Erfahrung[7].

Wort und Tat sind schon im menschlichen Bereich die Formen, in denen Personen sich offenbaren und mitteilen. Ohne solche offenbarenden Worte und Taten ist uns der andere Mensch verschlossen; in ihnen erschließt er sich und gibt sich zu erkennen. *So ist auch der geschichtliche Charakter der Offenbarung die leibhaftig-zeichenhafte Seite einer unableitbaren personalen Freiheit, die uns ohne diese Offenbarung verborgen ist.* Die biblische Offenbarung ist also *primär nicht Sachoffenbarung,* nicht Offenbarung von Wahrheiten, Lehren, Geboten, »übernatürlichen« Wirklichkeiten, sondern *personale Selbstoffenbarung Gottes.* In ihr erschließt Gott primär nicht irgendwelche Wahrheiten und Wirklichkeiten, sondern sich selbst und seinen Heilswillen für den Menschen[8]. Dieser personale Charakter der Offenbarung Gottes kommt in der Bibel in vielfältiger Weise zum Ausdruck. Geradezu emphatisch wird in Gottes Selbsterschließung immer wieder das Wort »Ich« gebraucht. Dies gilt vor allem von der Selbstvorstellungsformel: »Ich bin Jahwe, dein Gott« (Ex 20,2; Dtn 5,6; vgl. Ez 20,5; Hos 12,10 u. ö.). Ja, die Offenbarung geschieht, damit wir erkennen, daß er, Jahwe, unser Gott ist (Ex 6,7; Ez 20,26.38.42.44). In besonders eindrücklicher Weise kommt die Personalität Jahwes in seiner Offenbarung in der biblischen Metaphernsprache zum Ausdruck, wonach Gott sein Angesicht (Ex 34,20; Dtn 10,8; 18,7; Ps 86,9 u. ö.), sein Herz (Hos 11,8; Jer 31,20 u. ö.) und seinen Namen (Ex 6,3; Joh 17,6 u. ö.) offenbart. Dies alles zeigt, daß Gott in seiner Offenbarung kein Es ist, sondern ein Ich und ein Du[9].

Diese Selbsterschließung Gottes geschieht geschichtlich »in, mit und unter« Worten und Taten. Sie bedient sich also vielfältiger kategorialer Offenbarungsgestalten[10]. Die eine Offenbarung geschieht in vielen

---

[7] Vatikanum II, Dei Verbum, 2.

[8] So schon das Vatikanum I: DS 3004; NR 27 f; noch deutlicher Vatikanum II, Dei Verbum, 2.

[9] Vgl. A. Deissler, Die Grundbotschaft des Alten Testaments. Ein theologischer Durchblick, Freiburg–Basel–Wien [5]1972,43 ff.

[10] Diesen Aspekt hat vor allem H. U. von Balthasar herausgestellt. Wir machen uns im folgenden im wesentlichen seinen Standpunkt zu eigen. Vgl. bes. Herrlichkeit. Eine theologische Ästhetik. Bd. 1. Einsiedeln 1961, bes. Teil 3: Die objektive Evidenz.

einzelnen Offenbarungen. *Der Höhepunkt und die Vollendung dieser geschichtlichen Offenbarung ist Jesus Christus*[11]. Bei ihm ist der personale Gehalt und die geschichtliche Gestalt identisch geworden. Denn bei Jesus Christus ist die Gestalt die Form der sich selbst mitteilenden und sich selbst entäußernden Liebe Gottes. Diese radikale sich selbst hingebende und entäußernde Liebe ist das Äußerste, das Gott möglich ist. Deshalb ist Jesus Christus nicht aufgrund eines letztlich willkürlichen Dekrets Gottes der Abschluß der geschichtlichen Offenbarung Gottes; er ist vielmehr vom inneren Wesen dieser Offenbarung her deren geschichtlich nicht mehr überbietbare Vollendung. *Jesus Christus ist das »id quo maius cogitari nequit« und damit in Person die eschatologische Selbstdefinition Gottes.* Wer ihn sieht, sieht den Vater (Joh 14,9). Deshalb kann es einer christlichen Gotteslehre nicht um »irgendeinen« Gott gehen, sondern nur um den einen Gott Abrahams, Isaaks und Jakobs, den Gott Jesu Christi. Er ist als die Liebe (1 Joh 4,8.16) die endgültige Bestimmung des Geheimnisses Gottes und des Menschen. In dieser eschatologischen Selbstoffenbarung Gottes in Jesus Christus hat eine christliche Gotteslehre ihren Grund und ihren Inhalt, an ihr muß sie sich immer wieder neu messen lassen.

Der personalen Selbsterschließung Gottes im Wort entspricht als Antwort *der Glaube als personale Selbstübereignung des Menschen an Gott*[12]. Da der Glaube die Antwort auf das in Wort und Tat, zusammenfassend in Jesus Christus, ereignete Wort Gottes ist, hat er jeweils einen konkreten Inhalt. Er findet Gott nicht in einem vagen Gefühl, sondern in konkreten Worten, Ereignissen, Menschen. Aber Glaube ist weit mehr als ein Fürwahrhalten von Offenbarungswahrheiten und Offenbarungsfakten. Er zielt über die konkreten Offenbarungsgestalten und in ihnen auf den sich persönlich offenbarenden Gott. Die Grundfigur des Glaubens heißt deshalb nicht: »Ich glaube, daß«, »ich glaube etwas«, sondern: »Ich glaube dir«, »ich glaube an dich«. Darin ist, wie Augustin und Thomas v. A. gezeigt haben, ein Dreifaches enthalten: credere Deum, glauben, daß Gott ist – credere Deo, Gott glauben im Sinn von Gott vertrauen – credere in Deum, sich auf Gott hinbewegen, sich auf ihn einlassen und ihm anhängen[13]. Der Glaube ist also kein bloßer Akt des Verstandes (Fürwahrhalten), des Willens (Vertrauen) oder des Gefühls, er ist vielmehr ein alle diese menschlichen Kräfte umfassender und sie einschließender Lebensentwurf und eine ganzheit-

---

[11] Vgl. dazu u. 209 ff.
[12] Vatikanum II, Dei Verbum, 5.
[13] Augustinus, In Johannis Evangelium Tract 26,6 (CCL 36, 286 f); Enarr. in Ps. LXXVII, 8 (CCL 39, 1072 f); Thomas v. A., Summa theol. II/II q.2 a.3. Vgl. dazu J. B. Metz, Art. Credere Deum, Deo, in Deum, in: LThK III, 86–88.

liche Daseinsgestalt. Er ist in einem Akt des Glaubens (fides qua creditur) und Inhalt (fides quae creditur). *Glaube meint die alles umfassende reactio des Menschen auf die primäre actio der Selbstoffenbarung Gottes: ein Trauen und Bauen auf Gott, ein Standgewinnen in ihm, ein Amensagen zu Gott mit allen Konsequenzen.* Glauben bedeutet, Gott als Gott restlos ernst nehmen, ihm die Ehre geben, ihn als den Herrn verherrlichen, seine Herr-lichkeit lobend und dankend anerkennen.

Welches ist der letzte Grund und die letzte Begründung eines solchen umfassenden Glaubens? Dies ist eine der schwierigsten Fragen der Fundamentaltheologie, auf die wir in diesem Zusammenhang nicht im einzelnen eingehen können[14]. Schon in den bisherigen Überlegungen wurde deutlich, daß wir den Glauben letztlich nicht durch Vernunftbeweise oder durch historische Belege begründen können. Das Letzte kann nicht vom Vorletzten, das Allumfassende und Unendliche nicht durch das Endliche begründet werden; für Gott als den, über den hinaus Größeres nicht gedacht werden kann, kann es nicht nochmals einen größeren und umfassenderen Horizont geben, von dem her und innerhalb dessen wir ihn begreifen können. Erst recht kann Freiheit nie bewiesen, sondern nur wieder in Freiheit erkannt und anerkannt werden. Die Vernunft wie die Historie geben uns Hinweise, die den Glauben als vernunftgemäß erweisen; diese aber erhalten selbst ihre letzte Gewißheit erst im Licht des Glaubens, genauer: im Licht der Selbstoffenbarung der Wahrheit Gottes, die im Akt des Glaubens aufleuchtet. Die Schrift sagt, niemand könne zum Glauben an Jesus Christus kommen, wenn nicht der Vater ihn zieht (Joh 6,44). Deshalb gilt: »Wer an den Sohn Gottes glaubt, trägt das Zeugnis in sich« (1 Joh 5,10). Das I. Vatikanische Konzil definierte deshalb, daß wir »auf Antrieb und Beistand der Gnade Gottes glauben, nicht weil wir die innere Wahrheit der Dinge mit dem natürlichen Licht der Vernunft durchschauten, sondern auf die Autorität des offenbarenden Gottes selbst hin, der weder täuschen noch getäuscht werden kann«[15]. Bei dieser Formulierung ist zu beachten, daß es nicht heißt: Wir glauben auf die Autorität des Befehls Gottes

---

[14] Zum Problem der Glaubensbegründung: S. Harent, Art. foi, in: DThC VI (1920) 55–514, bes. 109–115; H. Lang, Die Lehre des Hl. Thomas von Aquin von der Gewißheit des übernatürlichen Glaubens, Augsburg 1929; R. Aubert, Le problème de l'acte de foi, Löwen ²1950; A. Brunner, Glaube und Erkenntnis. Philosophisch-theologische Darlegung, München 1951; J. Trütsch, Glaube und Erkenntnis, in: Fragen der Theologie heute, hrsg. v. J. Feiner u. a., Einsiedeln-Zürich-Köln 1957, 45–68; F. Malmberg, Art. Analysis fidei, in: LThK I, 477–483; J. Beumer, Art. Glaubensgewißheit, in: LThK IV, 941–42; M. Seckler, Instinkt und Glaubenswille nach Thomas von Aquin, Mainz 1961; J. Alfaro, Art. Glaube, Glaubensmotiv, in: Sacram. mundi II, 390–409; 409–412.

[15] DS 3008; NR 31.

(auctoritas Dei imperantis), sondern auf die Autorität der Offenbarung Gottes (auctoritas Dei revelantis). *Der letzte Grund des Glaubens ist also die offenbare Wahrheit Gottes selbst. Es ist die Wahrheit Gottes selbst, die dem Menschen im Glauben einleuchtet und ihn überzeugt*[16]. Dieses Einleuchten geschieht nicht sozusagen »senkrecht« von oben; es geschieht als ein Aufleuchten in der und durch die geschichtliche Offenbarungsgestalt. Letztlich geht es um die *Selbstevidenz der Liebe Gottes,* die nicht von außen andemonstriert werden kann, sondern nur durch sich selbst zu überzeugen vermag. Denn glaubhaft ist nur Liebe[17].

Erst wo Gott im Glauben als Gott anerkannt wird, kommt sein Gottsein in der Welt zur Geltung; nur wo er als der Herr so verherrlicht wird, kann seine Herrlichkeit aufstrahlen und seine Herrschaft geschichtlich Ereignis werden. So geschieht Offenbarung nicht als etwas objektiv Feststellbares, das erst nachträglich im Glauben zur Kenntnis genommen wird. Sie geschieht im Glauben des Menschen und in der Lebensgestalt, die aus dem Glauben folgt. Offenbarungswahrheit ist darum Zeugniswahrheit (martyria). Das heißt auch: Gottes Offenbarung gibt es nie an sich, sondern nur in menschlicher geschichtlicher Vermittlung. Wir begegnen dem sich offenbarenden Gott nur als dem in seinen menschlichen und geschichtlichen Offenbarungsformen verborgenen Gott. Die Glaubenserkenntnis Gottes aufgrund seiner Offenbarung hebt Gottes dem Menschen verborgenes Geheimnis nicht auf, sondern bringt es zur Geltung. *Die Offenbarung in der Geschichte ist deshalb ein Bild und Gleichnis, Vorgeschmack und Vorwegnahme der eschatologischen Offenbarung, wo wir Gott schauen von Angesicht zu Angesicht (1 Kor 13,12) so wie er ist (1 Joh 3,2). In ihr geschieht Vorwegereignung (Antizipation) des eschatologischen Sinns und der eschatologischen Erfüllung, wo Gott alles in allem sein wird (1 Kor 15,28).* So weist jede geschichtliche Offenbarungsgestalt über sich hinaus, hinein in das Geheimnis Gottes.

2. Die Verborgenheit Gottes

Selbstoffenbarung Gottes besagt: Das Geheimnis, das sich im Menschen auftut, ist nicht nur eine Chiffre für die Tiefendimension des Menschen und der Welt. Es ist kein Prädikat an der Welt, es ist vielmehr ein von der Welt unabhängiges heiliges Geheimnis, ein eigenständiges Subjekt, das sprechen und handeln kann. Das Geheimnis ist kein schweigendes Geheimnis, das man nur wieder anschweigen kann, es ist ein sprechendes Geheimnis, das den Menschen anredet und das wir anreden können.

[16] Thomas v. A., Summa theol. II/II q.1 a.1 c. a.: »Sic igitur in fide, si consideremus formalem rationem obiecti, nihil est aliud quam veritas prima«. Vgl. q.2 a.10.
[17] Vgl. H. U. von Balthasar, Glaubhaft ist nur Liebe, Einsiedeln 1963.

Doch solche Offenbarung ist etwas anderes als in einem oberflächlichen Sinn verstandene Aufklärung. *Im Akt der Offenbarung hebt Gott sein Geheimnis nicht auf; er entschleiert es nicht, so daß wir nun über Gott Bescheid wüßten. Offenbarung besteht vielmehr darin, daß Gott sein verborgenes Geheimnis, nämlich das Geheimnis seiner Freiheit und seiner Person, offenbart. Offenbarung ist also Offenbarung der Verborgenheit Gottes*[18].

Dieser Verborgenheits- und Geheimnischarakter der Offenbarung kommt in der *Bibel* ausführlich zur Geltung. In den Berichten über Gotteserscheinungen ist nie von einer sichtbaren Gestalt Gottes die Rede. Sichtbar sind immer nur Zeichen der Gegenwart Gottes: der brennende Dornbusch (Ex 3,2), die Wolkensäule beim Auszug aus Ägypten (Ex 13,21), Wolke und Gewitter am Sinai (Ex 19,9.16; vgl. Dtn 4,33–36). Moses wird ausdrücklich gesagt, daß er das Antlitz Gottes nicht sehen könne, »denn kein Mensch kann mich sehen und am Leben bleiben«. Er darf nur den Rücken Gottes sehen (Ex 33,20).

Von besonderer Bedeutung ist das alttestamentliche *Bilderverbot:* »Du sollst dir kein Gottesbild machen« (Ex 20,4; Dtn 5,8). Dieses Verbot wäre mißverstanden, wollte man es als Ausdruck einer besonderen Geistigkeit des Gottesdienstes verstehen und meinen, es sage, daß die Gottesverehrung mehr eine Sache des Herzens als des Auges sei und daß man den unsichtbaren Gott nicht sichtbar darstellen könne. Auszugehen ist vielmehr von der Vorstellung in der alten Welt, wonach die Gottheit im Bild präsent wird und die Welt insgesamt eine Transparenz auf das Göttliche hin besitzt. Genau diese Vorstellung wird im Bilderverbot als Widerspruch zum Wesen der Jahweoffenbarung bezeichnet. Weder durch das Bild noch das Aussprechen des Namens Gottes kann der Mensch Macht über Gott gewinnen. Gottes Freiheit, sich zu offenbaren, wann, wo und wie er will, muß vielmehr unangetastet bleiben. »Das heißt dann aber, daß das Bilderverbot zu der Verborgenheit gehört, in der sich Jahwes Offenbarung in Kultus und Geschichte vollzog... Das rücksichtslose Zerbrechen liebgewonnener Vorstellungen von Gott... steht in einem vielleicht verborgenen, aber doch

---

[18] Zum Geheimnischarakter und zur Verborgenheit Gottes: R. Garrigou-Lagrange, Le sens du mystère, Paris 1934 (deutsch: Der Sinn für das Geheimnis und das Hell-Dunkel des Geistes, Paderborn 1937); P. Siller, Die Incomprehensibilitas Dei bei Thomas von Aquin, Innsbruck 1963; ders., Art. Unbegreiflichkeit, in: LThK X, 470–472; P. Weß, Wie von Gott sprechen? Eine Auseinandersetzung mit Karl Rahner, Graz 1970; K. Rahner, Über die Verborgenheit Gottes, in: Schriften. Bd. 12. 285–305; ders., Fragen zur Unbegreiflichkeit Gottes nach Thomas von Aquin, in: ebd. 306–319; Ch. Schütz, Verborgenheit Gottes. Martin Bubers Werk – Eine Gesamtdarstellung. Zürich–Einsiedeln–Köln 1975; W. Kasper, Atheismus und Gottes Verborgenheit in theologischer Sicht, in: Glaube in moderner Gesellschaft. Bd. 22, Freiburg–Basel–Wien 1982, 32–52. Vgl. o. 126 Anm. 73 und u. Anm. 29–31.

tatsächlich engen theologischen Bezug zum Bilderverbot. Jede Deutung, die sich um das Phänomen der Bildlosigkeit Jahwes an sich bemüht, und die das Bilderverbot nicht in engem Zusammenhang mit dem Ganzen der Jahweoffenbarung sieht, geht am Entscheidenden vorbei«[19]. So steht das alttestamentliche Bilderverbot jenseits der Alternative von Idolatrie und Ikonoklasmus. Es will die Verborgenheit in der Offenbarung Gottes wahren.

Die Dialektik von Offenbarung und Verborgenheit Gottes gilt auch vom Höhepunkt der Offenbarung in *Jesus Christus*. Als der ewige Sohn Gottes ist Jesus Christus das Bild, die Ikone Gottes des Vaters (2 Kor 4,4; Kol 1,15), der Abglanz seiner Herrlichkeit und das Abbild seines Wesens (Hebr 1,3). In ihm wird anschaulich, wer Gott ist, der Gott mit einem menschlichen Antlitz. Wer ihn sieht, sieht den Vater (Joh 14,9). Doch dieses Sehen ist ein Sehen des Glaubens. Denn in Jesus Christus ist das »Sein in der Gestalt Gottes« eingegangen in die Entäußerung »in die Gestalt eines Sklaven« und in den »Gehorsam bis zum Tod am Kreuz« (Phil 2,6–8). Das Wort vom Kreuz ist aber für die Juden ein empörendes Ärgernis, für die Heiden eine Torheit; nur für die Glaubenden ist es Gottes Kraft, Gottes Weisheit (1 Kor 1,23 f). In der Selbstoffenbarung Gottes in Jesus Christus ist also – wie Martin Luther in seiner theologia crucis dargetan hat – Gott sub contrario, unter seinem Gegenteil verborgen[20]. Diese verborgene Gegenwart Gottes in Jesus Christus setzt sich in gewisser Weise fort in der Gegenwart in den Brüdern und Schwestern Jesu Christi, vor allem in den Armen, Kleinen, Kranken, Verfolgten und Sterbenden (Mt 25,31–46). Die Verborgenheit Gottes meint also theologisch nicht den jenseitigen und fernen Deus absolutus, sondern den mitten unter den Entfremdungen der Welt gegenwärtigen Deus revelatus. In Tod und Auferweckung Jesu ist die Gottesherrschaft unter den Bedingungen dieses Äons gegenwärtig: die Herrschaft Gottes in menschlicher Ohnmacht, der Reichtum in der Armut, die Liebe in der Verlassenheit, die Fülle in der Leere, das Leben im Tod.

In der *apokalyptischen Literatur* wird die Offenbarung der Geheimnisse bzw. des Geheimnisses Gottes zum ausdrücklichen Thema. Die Enthüllung (ἀποκάλυψις) göttlicher Geheimnisse ist sogar das eigentliche Thema der spätjüdischen Apokalyptik[21]. Gemeint sind verborgene Wirklichkeiten, die im Himmel seit Anbeginn bereitsind, die am Ende der Zeit offenbar werden sollen und in die der apokalyptische Seher schon jetzt durch geheimnisvolle Bilder, Gesichte und dergleichen

[19] G. v. Rad, Theologie des Alten Testaments. Bd. 1. München ⁶1969, 231.
[20] M. Luther, Heidelberger Disputation (1518) (WA 1), 134, 362. Dazu: W. von Loewenich, Luthers Theologia crucis, Witten 1967; E. Jüngel, Zur Freiheit eines Christenmenschen, München 1978, 28–53.
[21] G. Bornkamm, Art μυστήριον, in: ThWNT IV, 809–839.

Einblick erhält. Die Offenbarung dieser eschatologischen Geheimnisse bedeutet die Offenbarung des Geheimnisses der Zeiten und der geschichtlichen Epochen. Es geht in diesen Geheimnissen um Gottes eschatologischen Heilsratschluß, der von allem Anfang an wirksam ist, aber erst am Ende der Zeit aus seiner Verborgenheit heraustreten und offen zum Ereignis werden wird. Dabei handelt es sich nicht um krause Spekulationen, sondern um konkrete Trost- und Hoffnungszusagen. In einer schweren Stunde der Geschichte soll gesagt werden, daß das Kommen der Herrschaft Gottes absolut gewiß ist. Diesen apokalyptischen Begriff des Geheimnisses greift das Neue Testament auf. Jesus spricht vom Geheimnis der Gottesherrschaft, das den Jüngern geoffenbart, den andern aber verborgen ist (Mk 4,11; vgl. Mt 13,11; Lk 8,10). Neu gegenüber der jüdischen Apokalyptik ist, daß Jesus es ist, der dieses Geheimnis der Gottesherrschaft offenbart, nicht nur durch sein Wort und durch sein Tun, sondern durch seine ganze Person. Er ist die Offenbarung und Verwirklichung des Geheimnisses Gottes in Person[22]. Die paulinischen und noch mehr die deuteropaulinischen Briefe nehmen dieses Thema auf. Jesus Christus ist die Verwirklichung des ewigen, bisher verborgenen Geheimnisses Gottes, d. h. seines ewigen Willensratschlusses. Dieses in Jesus Christus erschienene Geheimnis wird durch die Predigt des Apostels und durch das Zeugnis der Kirche offenbar, kundgemacht, verkündigt (vgl. Röm 16,25; 1 Kor 2,1–16; Eph 1,9; 3,9; Kol 1,26 f; 1 Tim 3,9.16).
Die eindrücklichste Zusammenfassung dieser Glaubensüberzeugung findet sich in Jes 45,15: »Wahrhaftig, dein Gott ist ein verborgener Gott«. In diesem Sinn ist es für die Bibel selbstverständlich, daß Gott unsichtbar (Röm 1,20; Kol 1,15) und unbegreiflich (Ps 139,6; Ijob 36,26) ist, daß seine Gedanken und Ratschlüsse unergründlich sind (Röm 11,33 f), daß er im unzugänglichen Licht wohnt (1 Tim 1,17).

Die *theologische Tradition* war sich des Geheimnischarakters Gottes voll bewußt. Von Anfang an lehrte sie, daß Gott unsichtbar (invisibilis), unbegreiflich (incomprehensibilis) und unaussprechlich (ineffabilis) ist[23]. Sie hatte diese Lehre im Zusammenhang der arianischen Wirren vor allem gegen die Eunomianer zu verteidigen. Diese lehrten die Möglichkeit einer erschöpfenden, adaequaten und komprehensiven Gotteserkenntnis schon in diesem Leben. Dagegen entfalteten vor allem Basilius, Gregor von Nazianz, Gregor von Nyssa und Chrysostomus die Lehre von der Unbegreiflichkeit Gottes[24]. Johannes von

[22] Vgl. u. 209ff.
[23] DS 16; 293f; 501; 525; 683; 800; 853; 3001; NR 174ff; 193; 266f; 277; 295; 918; 923; 315.
[24] J. Hochstaffl, Negative Theologie. Ein Versuch zur Vermittlung des patristischen Begriffs, München 1976, 99–119; E. Mühlenberg, Die Unendlichkeit Gottes bei Gregor von Nyssa, Göttingen 1966.

Damaskus faßt die Lehre der griechischen Väter lapidar zusammen: »Unaussprechlich ist das göttliche Wesen und unbegreiflich«[25]. Alle großen Theologen des Westens: Augustinus, Anselm von Canterbury, Bonaventura, Thomas von Aquin, Duns Scotus, nicht zuletzt Nikolaus von Kues bezeugen einhellig, daß das Höchste in der Erkenntnis Gottes die Erkenntnis von Gottes Nichterkennbarkeit ist. Die docta ignorantia (Nikolaus von Kues) ist das Letzte, was uns Menschen möglich ist[26]. Diese Einsichten sind auch in die amtliche Lehrverkündigung eingegangen. Das Bekenntnis zum Deus invisibilis begegnet uns schon in frühen Bekenntnisformeln; das Bekenntnis zum Deus incomprehensibilis findet sich vor allem im IV. Laterankonzil (1215)[27] und auf dem I. Vatikanischen Konzil (1869/70)[28].

Es ist freilich auffallend, daß die theologische Tradition kaum von der Verborgenheit Gottes, sondern mehr von der Unbegreiflichkeit Gottes spricht. Darin zeichnet sich schon rein terminologisch eine *Akzentverschiebung* gegenüber der Bibel ab. Die Tradition betrachtete das Geheimnis Gottes nicht heils- und offenbarungsgeschichtlich, sondern erkenntnis- und wesensmäßig als Geheimnis des unendlichen Wesens Gottes, das der endlichen Erkenntnis des Menschen unerreichbar ist. In dieser Sicht kam nicht die ganze Tiefe der biblischen Lehre von der Verborgenheit Gottes zur Geltung. In der Neuzeit setzte sich außerdem ein Erkenntnisbegriff durch, in dem Erkennen als Begreifen, Durchschauen, ja Bemächtigen verstanden wurde. Dieses rationalistische Erkenntnisideal führte in der Theologie der Aufklärung zur Auflösung der theologischen Kategorie des Geheimnisses. Im Gegenzug zu dieser Entwicklung kam die Theologie zu einem Begriff des Geheimnisses, der negativ am Nicht-Begreifbaren und Über-Rationalen orientiert war. Das Geheimnis war hier eine unübersteigbare Grenze für das Erkennen und nicht die letzte überbietende Erfüllung des Erkennens. Das führte zu einem antirationalistisch verengten Verständnis: Geheimnis im strengen Sinn (mysterium stricte dictum) ist eine Wahrheit, die der menschlichen Vernunft schlechterdings nicht zugänglich ist, für deren Erkenntnis die Offenbarung nicht nur den ersten Anstoß gibt, so daß wir sie post festum einsehen könnten, für die die Offenbarung und der Glaube vielmehr die bleibende und einzige Grundlage bildet.

Zweierlei ist an diesem Verständnis verkürzt: 1. Der Begriff des Geheimnisses wird rein negativ abgrenzend gegenüber der menschlichen Vernunft bestimmt. Es wird nicht gesehen, daß die menschliche Vernunft als solche dadurch konstituiert ist, daß sie sich in ein unfaßbares Geheimnis hinein transzendiert. Es wird ebenfalls nicht gesehen, daß die Offenbarung, die dieses Geheimnis als Geheimnis offenbar macht, eben darum das Heil des Menschen ist. In diesem positiven Verständnis ist das Geheimnis Gottes kein Denk-, sondern ein Heilsgeheimnis. 2. Der Begriff des Geheimnisses, der rein negativ abgrenzend von der kategorialen Erkenntnis gewonnen wird, gerät indirekt selbst unter die Vorherrschaft dieses Erkenntnisideals. Es ist nicht mehr von dem einen Geheimnis Gottes, sondern von vielen Geheimnissen (mysteria) die Rede. Nicht

---

[25] Johannes von Damaskus, De fide orthodoxa I, 12 (aaO, 35f.)
[26] Nikolaus von Kues, Drei Schriften vom verborgenen Gott (Schriften III, ed. E. Bohnenstaedt, Hamburg 1958).
[27] DS 800; NR 277; 295; 918.
[28] DS 3001; NR 315.

mehr das Heilsgeschehen und die Heilswirklichkeit als ganze sind ein Geheimnis, sondern nur noch »der höhere und edlere Teil desselben«[29] (Trinität, Inkarnation, Gnade, Transsubstantiation u. a). Die Unbegreiflichkeit Gottes wird eine Eigenschaft Gottes neben anderen und dabei nicht einmal zu einer systematisch bestimmenden und das Ganze mittragenden. Kurzum: Das Geheimnis wird in den Geheimnissen selbst kategorial gefaßt.

Eine *vertiefte Theologie des Geheimnisses* verdanken wir vor allem Karl Rahner[30]. Er hat aufgezeigt, daß die Tradition zwar an der Unbegreiflichkeit Gottes festhält, ihr aber keinen systembestimmenden Platz einräumt. Die Unbegreiflichkeit Gottes ist in der Tradition nur eine Eigenschaft Gottes neben vielen anderen, aber sie ist nicht die alle anderen Aussagen über Gott bestimmende, fundierende und qualifizierende Dimension, nicht *die alles zusammenfassende Aussage über Gott*, so daß, wer nicht über Gottes Verborgenheit gesprochen hat, gar nicht von Gott, sondern von einem Götzen geredet hat. Rahners eigener Ausgangspunkt ist der Mensch als Wesen des Geheimnisses. Der Mensch ist in jedem Begriff über alles Begreifen hinaus in ein unumgreifbares und unbegreifbares Namenloses hinein verwiesen. Das Geheimnis ist sogar die apriorische Bedingung jeder kategorialen Erkenntnis. So ist die Erkenntnis des Geheimnisses nicht ein defizienter Modus des Erkennens, nicht etwas Negatives, keine Grenze, sondern die ursprünglichste Weise der Erkenntnis, die alle andere Erkenntnis erst aufschließt. Die Erfüllung des Menschen ist nicht das Durchschauen des Geheimnisses, sondern der endgültige Aufgang des Geheimnisses. *Die Offenbarung des Geheimnisses Gottes ist die Antwort auf das Geheimnis des Menschen.* Offenbarung bedeutet jedoch nicht Aufklärung; sie harmonisiert nicht die Dissonanzen und schafft das Geheimnis nicht ab; sie ist vielmehr Offenbarung des Geheimnisses und damit die endgültige Annahme des Geheimnisses des Menschen. Die Erkenntnis der Unbegreiflichkeit Gottes ist deshalb die selige Vollendung des Menschen.

Die Offenbarung Gottes als Geheimnis bedeutet positiv, daß Gott sich selbst vorbehaltene, uns aber entzogene Freiheit ist. Gottes Offenbarung bedeutet seine Offenbarung als uns sich eröffnende und zugewandte Freiheit, als Freiheit in der Liebe. Das Geheimnis von Gottes

---

[29] M. J. Scheeben, Die Mysterien des Christentums (Ges. Schriften. Bd. 2. Freiburg i. Br. 1951), 14. Dies wendet Scheeben ein gegen den nach wie vor lesenswerten Artikel des aus der Tübinger Schule kommenden W. Mattes, Mysterien, in: Kirchenlexikon VII (1851) 428–437, der im Geist der Kirchenväter aufweisen möchte, daß das ganze Christentum ein einziges Mysterium ist.
[30] K. Rahner, Über den Begriff des Geheimnisses in der katholischen Theologie, in: Schriften. Bd. 4, 51–99. Von evangelischer Seite vgl. G. Ebeling, Profanität und Geheimnis, in: Wort und Glaube. Bd. 2. Tübingen 1969, 184–208.

Offenbarung ist also seine freie Selbstmitteilung in der Liebe. Diese Selbstmitteilung in der Liebe ist das eine Geheimnis der Offenbarung, das Grundgeheimnis, das sich in den vielen Geheimnissen des Glaubens auslegt und entfaltet. *Diese Selbstauslegung des einen Geheimnisses Gottes geschieht nach christlicher Überzeugung abschließend und zusammenfassend in Jesus Christus; er ist Gottes Selbstmitteilung in Person, das offenbar gewordene Geheimnis Gottes.* Diese Selbstmitteilung Gottes wird uns vergegenwärtigt im Heiligen Geist. Denn wir können das Geheimnis Gottes als Geheimnis nur annehmen, wenn Gott uns die Möglichkeit zu dieser Annahme schenkt. Gott kann nur durch Gott erkannt und anerkannt werden. Deshalb bedarf es einer neuen Selbstmitteilung Gottes an uns, durch die wir zu Söhnen und Töchtern Gottes nach dem Bild des einen Sohnes Gottes, Jesus Christus, werden. Diese gnadenhafte Selbstmitteilung Gottes im Heiligen Geist ist nur das Angeld, das seine Vollendung findet in der eschatologischen Schau von Angesicht zu Angesicht. So geht es in der gesamten Offenbarung um die Offenbarung des einen Geheimnisses der sich durch Jesus Christus im Heiligen Geist selbst mitteilenden Liebe Gottes des Vaters. *Das trinitarische Bekenntnis ist deshalb nicht nur die Zusammenfassung der Offenbarung des Geheimnisses Gottes, es ist auch die konkrete Auslegung der Verborgenheit Gottes, die der Ursprung, das Ziel und der Inbegriff aller Offenbarung ist.*

Aus dem Gesagten ergibt sich eine *dreifache Bestimmung des göttlichen Geheimnisses:*

1. *Der Satz vom Geheimnis und von der Verborgenheit Gottes taucht in der Bibel nicht auf im Zusammenhang einer Theorie über Reichweite und Grenzen der menschlichen Erkenntnis, sondern im Zusammenhang der Selbstoffenbarung Gottes.* Er ist kein erkenntnistheoretischer, sondern ein theologischer Satz, nicht das letzte Wort menschlicher Selbsterkenntnis, sondern das erste Wort der uns von Gott geschenkten Glaubenserkenntnis. Wenn die Bibel vom Geheimnis und von der Verborgenheit Gottes spricht, dann meint sie deshalb etwas anderes, als wenn Platon und noch mehr Plotin davon sprechen, daß die Idee des Guten und des Einen über alles Sein und Wesen hinaus ist, oder wenn Kant die Vernunftidee als unbestimmbar und als wahren »Abgrund für die menschliche Vernunft« bezeichnet. *Das Geheimnis Gottes ist nicht der letzte noch erreichbare und sich je entziehende Horizont unseres Erkennens, sondern der grundlegende Inhalt der Offenbarung Gottes.* Es ist nicht eine negative, sondern eine positive Aussage, es ist nicht ein Wort, das zum Schweigen verurteilt, sondern zum Reden, näherhin zum Lob, zum Preis und zur Anbetung und Verherrlichung Gottes ermächtigt. Das heißt nicht, daß wir über Gott Bescheid wissen. Die

Offenbarung als Offenbarung des Geheimnisses Gottes ist ja eben keine Aufklärung in dem Sinn, daß sie das Geheimnis Gottes aufhebt, sie ist vielmehr dessen endgültige Aufrichtung und Bestätigung. Der Glaubende weiß über Gott nicht besser Bescheid als der Ungläubige, und die Theologen sind nicht die »Geheimräte« Gottes. Im Gegenteil, der Ungläubige vermeint endgültig Bescheid zu wissen; der Glaubende dagegen weiß, daß er sich die Antwort nicht selbst geben kann und daß die Antwort, die ihm von Gott gegeben wird, das Wort vom bleibenden Geheimnis ist. Wenn wir von der Offenbarung Gottes sprechen, ist darum beides zu betonen: das Wort Offenbarung, in der sich Gott menschlichem Erkennen mitteilt, wie die Tatsache, daß es sich dabei um die Offenbarung *Gottes* handelt, in der Gott Subjekt und Objekt ist, in der Gott also seine schlechthinnige Unverfügbarkeit und Verborgenheit offenbart.

2. *Der Satz vom Geheimnis und von der Verborgenheit Gottes meint in der Bibel nicht Gottes dem Menschen entzogenes Wesen, sondern sein den Menschen zugewandtes Wesen, seine ewigen Heilsratschlüsse und deren Verwirklichung in der Geschichte.* Gottes Verborgenheit ist nicht Gottes An-sich-Sein vor, über und »hinter« der Heilsgeschichte, sondern sein Für-uns- und Mit-uns-Sein in der Geschichte. Die Offenbarung des Geheimnisses Gottes führt uns also nicht wie im Neuplatonismus »bis zu der nihilistischen Höhe des rein negativen, inhaltsleeren Gottesbegriffs«[31], *nicht zu einer ungegenständlichen, nur noch in Chiffren aussagbaren bestimmungslosen Transzendenz, sondern zu dem sich in die Bestimmungen von Raum und Zeit herablassenden Gott der Menschen, zu dessen Kondeszendenz (Herablassung).* Gottes Verborgenheit ist die Verborgenheit in seiner Offenbarung, konkret: die Verborgenheit seiner Herrlichkeit im Leiden und Sterben Jesu Christi. *Die Theologie der Verborgenheit Gottes ist letztlich theologia crucis.* Das Geheimnis Gottes ist deshalb auch nicht wie im Nominalismus und in manchen Aussagen Luthers und Calvins ein verborgener Rest und ein dunkler Rand der unergründlichen Majestät Gottes, die dem Menschen Angst und Schrecken einjagt; das Geheimnis Gottes ist vielmehr Gottes Heilswille, seine Zuwendung, seine restlose und vorbehaltlose Selbstmitteilung in Gnade, seine Liebe. So kann das Neue Testament Gottes Geheimnis zusammenfassend als *Liebe* definieren (1 Joh 4,8.16). Damit sagt es nicht, Gott sei der »liebe Gott« in dem harmlosen Sinn, mit dem wir dieses Wort meist verwenden. Es sagt vielmehr, daß das unbegreifliche Geheimnis, in das der Mensch hineinweist, nicht ihm entzogene und ihn richtende Ferne, sondern ihm huldvoll zugewandte, bergende Nähe

---

[31] K. Barth, Die Kirchliche Dogmatik II/1, 200 ff.

ist, durch die er in Jesus Christus unbedingt und endgültig angenommen ist.

3. *Die Offenbarung des Geheimnisses und der Verborgenheit Gottes ist kein Wort theoretischer Spekulation, sondern ein »praktisches« Wort des Heils. Es ist sowohl ein Wort des Gerichts wie ein Wort der Gnade.* Es ist ein *Wort des Gerichts,* weil es definitiv sagt, daß der Mensch weder erkennend noch handelnd des Geheimnisses Gottes mächtig ist. Insofern ist die Offenbarung des Geheimnisses Gottes das Gericht über die menschliche Hybris, die sein will wie Gott (Gen 3,5). Die Offenbarung Gottes ist deshalb das Gericht über alle selbstgemachten Götzen, über unsere Gottesbilder und über alle Verabsolutierungen, die uns nicht freilassen, sondern versklaven. Indem die Offenbarung des Geheimnisses Gottes den Menschen richtend an seine Grenzen erinnert, erweist sie ihm zugleich eine Wohltat, spricht sie ein *Wort der Gnade.* Sie setzt das Gesetz der Leistung, des Leistungswillens und des Leistungsdrucks außer Kraft und sagt uns, daß wir unser Leben nicht leisten können und auch nicht zu leisten brauchen. Wir sind mit unseren Grenzen definitiv angenommen; wir sollen also unsere Grenzen nicht nur erkennen, wir können und dürfen sie auch anerkennen. Als von Gott absolut Angenommene dürfen wir uns selbst und alle anderen bejahen. Theologisch gesprochen: Die Offenbarung des Geheimnisses Gottes setzt das Gesetz der Selbstrechtfertigung durch die Werke außer Kraft und proklamiert das Evangelium von der allein rechtfertigenden Gnade. *So ist die Offenbarung des Geheimnisses Gottes die Offenbarung des Geheimnisses unseres Heils; sie ist die fundamentale und zentrale Heilswahrheit des christlichen Glaubens.* Das Bekenntnis zum Offenbarungs- und Heilshandeln Gottes des Vaters durch Jesus Christus im Heiligen Geist ist die Explikation dieses einen Geheimnisses unseres Heils.

II. Die Botschaft vom Gott Jesu Christi

I. GOTT – DER ALLMÄCHTIGE VATER

1. Das Problem eines allmächtigen Vater-Gottes

Das christliche Glaubensbekenntnis beginnt mit dem Satz: »Ich glaube an Gott, den allmächtigen Vater«[1]. Mit dieser Aussage wird der Inbegriff der Botschaft Jesu gültig und verbindlich zusammengefaßt: Das Kommen der Herrschaft Gottes – des Gottes, den Jesus »seinen Vater« nannte, und den er uns als »unseren Vater« anzurufen lehrte. Damit wird zugleich der an sich unbestimmte und vieldeutige Begriff Gott durch den Begriff Vater bestimmt und interpretiert.

Durch diese Interpretation wird die Gottesfrage für uns heute freilich kaum einfacher. Im Gegenteil, *die für das Neue Testament so zentrale Aussage, daß Gott der Vater Jesu Christi und unser aller Vater ist, ist heute für viele nur noch schwer verständlich und vollziehbar.* Diese Feststellung ist auch deshalb so schwerwiegend, weil Vater ein Urwort der Kultur- und der Religionsgeschichte ist. Dabei ist der Vater in der bisherigen Geschichte weit mehr als der Erzeuger. Der Vater ist der schöpferische Ursprung und zugleich der Hüter und Nährer des Lebens. Vom Vater hängt das eigene Leben ab, aber der Vater gibt und setzt es auch frei und nimmt es als solcher an. So repräsentiert der Vater die gültige Ordnung des Lebens. Er ist Ausdruck der Macht und der Autorität wie der Zuwendung, der Güte, der Fürsorge und des Helfens. Dieses Vaterbild ist uns heute nach einer langen Vorgeschichte unsicher geworden[2]. M. Horkheimer stellt fest: Es gibt keine Väter mehr, wenn man unter Vater das versteht, was sozialgeschichtlich jahrhundertelang darunter verstanden wurde[3]. A. Mitscherlich spricht im Anschluß an S. Freud von einer vaterlosen Gesellschaft[4]. Die Frage liegt auf der Hand: Wenn die Erfahrung des menschlichen Vaters ausfällt, ja vorwiegend

---

[1] DS 30; NR 125.
[2] H. Tellenbach (Hrsg.), Das Vaterbild in Mythos und Geschichte, Stuttgart 1976; ders., Das Vaterbild im Abendland. Bd. 1 und 2. Stuttgart 1978; ders., Vaterbilder in den Kulturen Asiens, Afrikas und Ozeaniens, Stuttgart 1979. Vgl. G. Marcel, Die schöpferische Verpflichtung als Wesen der Vaterschaft, in: Homo Viator. Philosophie der Hoffnung, Düsseldorf 1949, 132–172.
[3] M. Horkheimer, Kritische Theorie. Bd. 1 und 2. Frankfurt a. M. 1968. Hier: Kritische Theorie. Bd. 1, 277ff; ders., Die Sehnsucht nach dem ganz Anderen. Ein Interview mit Kommentar von H. Gumnior, Hamburg 1970.
[4] A. Mitscherlich, Auf dem Weg zur vaterlosen Gesellschaft. Ideen zur Sozialpsychologie, München 1963.

negativ besetzt ist, wie soll dann eine positive Beziehung zu Gott als Vater möglich sein? Wie können wir dann Gott als den allmächtigen Vater verkünden und bekennen?

Die *Hintergründe dieses »Vater-Debakels«* (H. Tellenbach) sind vielfältig. *Soziologisch* betrachtet kann man beim Ende der patriarchalischen Gesellschaftsform in unserer modernen industriellen Tauschgesellschaft ansetzen. Wo alles auf gleichwertige Leistung und Gegenleistung aufgebaut, wo alles auf Eigenständigkeit, Aufstieg, Fortschritt, Emanzipation und Selbstverwirklichung abgestellt ist, da ist kein Platz mehr für Autorität und Würde, schon gar nicht für die Autorität des Alten und Ursprünglichen. Entsprechend ist die Familienstruktur und -kultur und mit ihr die Autorität des Vaters in einem revolutionären Umformungs-, ja Auflösungsprozeß begriffen. Dabei ist das Problem nicht nur der Protest und die Auflehnung gegen den Vater, sondern der Verzicht der Väter auf verantwortliches Vatersein und auf verbindliche und verantwortliche Autorität.

Unter *tiefenpsychologischem* Aspekt haben S. Freud und, sozialpsychologisch erweitert, A. Mitscherlich das Vaterproblem analysiert[5]. Freud deutet das ambivalente Verhältnis zum Vater als Vaterkomplex, näherhin als Ödipuskomplex. Er ist nach Freud der Kern aller Neurosen. Doch die Auflehnung gegen den Vater und der Vatermord führten zum Kampf aller gegen alle, zum angsterzeugenden Chaos und zum Terror. So kommt es zur Suche nach dem verlorenen Vater und zur Neubelebung des Vaterideals. Am unverhülltesten bekennt sich nach Freud die christliche Lehre zur schuldvollen Tat der Urzeit. Christus opfert sein eigenes Leben, und dadurch erlöst er die Brüderschar von der Erbsünde. Mit der gleichen Tat, welche dem Vater die größtmögliche Sühne bietet, erreicht er aber auch das Ziel seiner eigenen Wünsche gegen den Vater. Er wird selbst zum Gott neben, eigentlich anstelle des Vaters. Die Sohnesreligion löst die Vaterreligion ab. Diese Thesen Freuds sind historisch betrachtet mehr als fraglich. Psychologisch machen sie indes die Schwierigkeiten verständlich, die viele Menschen mit Gott als Vater haben. Sie erklären den »Gotteskomplex« (Richter)[6], ja das Leiden an Gott, wie es etwa T. Moser in seiner »Gottesvergiftung«[7] eindrücklich beschrieben hat. Schließlich machen sie das Paradox der Gott-ist-tot-Theologie verständlich, die auf den Slogan hinausläuft: Gott ist tot, und

[5] Wichtig vor allem: S. Freud, Totem und Tabu (WW IX, Frankfurt a. M. 1944); ders., Die Zukunft einer Illusion (WW XIV, Frankfurt a. M. 1948), 323–380; ders., Das Unbehagen in der Kultur (WW XIV, Frankfurt a. M. 1948), 419–506; ders., Der Mann Moses (WW XVI, Frankfurt a. M. 1950), 101–246.

[6] H. E. Richter, Der Gotteskomplex. Die Geburt und die Krise des Glaubens an die Allmacht des Menschen, Hamburg 1979.

Jesus Christus ist sein einziger Sohn. Hier liegt eine extreme Sohnestheologie vor, die sich vom Vatergott radikal emanzipiert hat.

In diese größeren soziologischen und tiefenpsychologischen Zusammenhänge gehört auch die *moderne Frauenbewegung* und die damit verbundene feministische Theologie[8]. Ihr Protest gegen die patriarchalische Gesellschaftsform und die Überordnung des Mannes über die Frau führt sie zur Kritik an der Vorstellung von einem Vater-Gott, in dem sie die Sakralisierung des Patriarchats und die ideologische Überhöhung des Vorrangs der Männer und der Unterdrückung der Frauen wie der fraulichen Werte sehen. Diese Kritik muß nicht notwendig wie bei M. Daly[9] zu einer nachchristlichen Religiosität der Muttergottheiten führen; sie kann auch wie bei R. Radford Ruether dazu führen, die prophetische Kritik herauszustellen, die vom biblischen Verständnis von Gott als Vater ausgeht[10]. Diese prophetische Kritik ist darin begründet, daß Gott der Vater aller Menschen ist, und daß er allein in Wirklichkeit der Vater ist (Mt 23,9). Wenn dies gilt, dann darf es keine Unterdrückung von Menschen durch Menschen geben; dann sind nämlich alle Menschen Brüder und Schwestern. Brüder und Schwestern sind sie freilich nur so lange, als sie in Gott ihren gemeinsamen Vater haben. So verstanden ist die feministische Theologie eine Herausforderung, die Vatervorstellung kritischer und tiefer zu bedenken und in ihrer Bedeutung neu zu erschließen.

Mit der soziologischen und psychologischen Betrachtungsweise sind wir bereits an die Schwelle der zutiefst *metaphysischen Dimension des Vaterproblems* geführt worden. Es muß letztlich verstanden werden auf dem Hintergrund der neuzeitlichen Philosophie der Emanzipation, von der die Frauenemanzipation nur ein, freilich ein wichtiger und charakteristischer Teilaspekt ist[11]. Emanzipation als Befreiung von allen vorgegebenen Abhängigkeiten ist ein epochales Stichwort für die neuzeitliche Wirklichkeitserfahrung und eine grundlegende geschichtsphilosophische Kategorie zur Charakterisierung der neuzeitlichen Aufklärungs- und Freiheitsprozesse[12]. Während nämlich Emanzipation im römischen Recht die huldvoll gewährte Freilassung von Sklaven oder die Entlas-

[7] T. Moser, Gottesvergiftung, Frankfurt a. M. 1976.
[8] Vgl. Überblick in: Concilium 17 (1981) Heft 3.
[9] M. Daly, Beyond God the Father, Beacon – Boston 1973.
[10] R. Radford Ruether, Frauen für eine neue Gesellschaft. Frauenbewegung und menschliche Befreiung, München 1979.
[11] Vgl. M. Greiffenhagen, Art. Emanzipation, in: HWPH II, 448f; G. Rohrmoser, Emanzipation und Freiheit, München 1970; R. Spaemann, Autonomie, Mündigkeit, Emanzipation, in: Kontexte 7, Stuttgart – Berlin 1971, 94–102.
[12] J. B. Metz, Erlösung und Emanzipation, in: L. Scheffczyk (Hrsg.), Erlösung und Emanzipation (Quaest. disp. 61), Freiburg–Basel–Wien 1973, 120–140, hier: 121.

sung des erwachsen gewordenen Sohnes aus der väterlichen Gewalt bedeutet, wird in der Neuzeit daraus die autonome Selbstbefreiung des Menschen bzw. gesellschaftlicher Gruppen von Menschen (der Bauern, Bürger, Proletarier, Juden, Schwarzen, Frauen, der Kolonialstaaten u. a.) aus geistiger, rechtlicher, sozialer oder politischer Bevormundung, Benachteiligung oder aus als Unrecht empfundener Herrschaft. Wie sehr Emanzipation am Ende der Neuzeit zu einer ideologischen Totalkategorie geworden ist, zeigt die Definition von K. Marx: »Alle Emanzipation ist Zurückführung der menschlichen Welt, der Verhältnisse, auf den Menschen selbst«[13].

Man darf sich freilich nicht darüber täuschen, daß hinter der Philosophie der Emanzipation und dem damit gegebenen Verlust des Vaters letztlich *eine neue Form der Gnosis* steht. Dabei verstehen wir unter Gnosis eine Geisteshaltung, die sich in verschiedenen kulturellen Zusammenhängen entwickeln kann. Bedrohlich für das Christentum wurde sie vor allem in dem kulturellen Zerfall der hellenistischen Welt im zweiten nachchristlichen Jahrhundert. Die Welt wurde nicht mehr wie im klassischen Griechentum als geordneter und harmonischer Kosmos, sondern als eine fremde, unheimliche, bedrohliche Größe erfahren. Weltangst machte sich breit; die Grundstimmung war die des Verlorenseins in dieser Welt. Die Erfahrung der Entfremdung führte zum Versuch eines Ausbruchs aus dem als Gefängnis empfundenen Kosmos und seinen Strukturen und zur Preisgabe der materiellen Welt, um das wahre Göttliche selbst zu retten. H. Jonas hat diese prometheische Rebellion des sich selbst befreienden Menschen gegen die überkommenen Vaterreligionen zusammenfassend so charakterisiert: »Wirklich ist jene Zeitenwende in der Religion- (oder Mythen-) Geschichte ein echter Götteraufstand und Göttersturz, die mythologisch sinnfällige Einsetzung einer neuen Herrschaft; wir erleben im allegorischen Symbol die weltgeschichtliche Ablösung der alten und mächtigen Vaterreligionen durch die Sohnesreligionen, der kosmischen durch die akosmische Religion: der ›Mensch‹ oder der ›Sohn des Menschen‹ wird über die alten Götter erhoben und selbst zum höchsten Gott oder zum göttlichen Zentrum der Heilsreligion... Die großen Weltvatergötter, selber in geschichtlicher Zeit eingesetzt und eine tausendjährige Phase der Kulturmenschheit bezeichnend, treten im ganzen Raume die Herrschaft ab«[14]. G. Bornkamm bemerkt: »Daß der christliche Glaube dem Sog dieser religiösen Bewegung widerstehen mußte und ihm nicht erlag, ist nicht

---

[13] K. Marx, Zur Judenfrage (Werke – Schriften – Briefe. Bd. 1, ed. H. J. Lieber u. P. Furth, Darmstadt 1962), 451–487, hier: 479.
[14] H. Jonas, Gnosis und spätantiker Geist. Bd. 1. Die mythologische Gnosis, Göttingen ³1964, 219.

zuletzt darin begründet, daß ihm durch den Gekreuzigten als den Sohn der Glaube an den Vater sich neu eröffnete und er darum auch die Welt als Gottes Schöpfung nicht preisgeben konnte«[15].

Man wird nicht fehlgehen, wenn man behauptet, daß dem Christentum heute eine ähnliche Bewährungsprobe auferlegt ist. Die moderne Wissenschaft und Technik und die von ihnen erst ermöglichte Industriegesellschaft haben das metaphysische Ordnungsdenken ausgehöhlt. Sie waren der gigantische Versuch des Menschen, die Welt und die materiellen, physischen, biologischen, soziologischen und ökonomischen Abhängigkeiten zu durchschauen und zu beherrschen. Am Ende dieser Entwicklung steht der Mensch da wie der Zauberlehrling, der die Geister nicht mehr los wird, die er rief[16]. Die von ihm selbst entworfene und konstruierte Welt ist zu einem kaum mehr durchschaubaren System mit unabweisbaren Systemzwängen geworden, zu einem Schicksal zweiter Ordnung. Wiederum macht sich Angst breit, die oft in zynische Weltverachtung umschlägt. F. Nietzsche hat die nihilistischen Konsequenzen, die der Tod Gottes hat, vorausgesehen und bejaht: Es gibt kein Oben und kein Unten mehr, wir stürzen nach allen Seiten und irren wie durch ein unendliches Nichts[17]. *In dieser Situation des Zusammenbruchs allen metaphysischen Ordnungsdenkens muß das Christentum die Frage nach dem Grund aller Wirklichkeit, aus dem alles kommt, der alles trägt und allem sein Maß gibt, neu stellen.* Es muß die Welt und die naturalen Einbindungen des Menschen gegen deren radikale Diffamierung als Gottes guten Schöpfungswillen neu bejahen lehren. Nur so kann es dem Verlust alles Maßstäblichen, aller Orientierung und jeden Halts widerstehen und neu Geborgenheit schaffen, innerhalb derer die Freiheit allein möglich und sinnvoll ist. Wir müssen uns also erneut auf den ersten Glaubensartikel besinnen und uns fragen, was es heißt, sich zu Gott dem allmächtigen Vater zu bekennen.

2. DIE CHRISTLICHE BOTSCHAFT VON GOTT DEM VATER

Gott als Vater in der Religionsgeschichte

Die Vorstellung von der Gottheit als Vater der Welt und der Menschen ist uralt[18]. *Die Anrufung der Gottheit unter dem Vaternamen gehört*

---

[15] G. Bornkamm, Das Vaterbild im Neuen Testament, in: H. Tellenbach (Hrsg.), Das Vaterbild in Mythos und Geschichte, aaO., 136–154, hier: 153.
[16] J. W. von Goethe, Der Zauberlehrling (WW I, Zürich ²1961), 149ff.
[17] F. Nietzsche, Die fröhliche Wissenschaft (WW II, ed. K. Schlechta), 7–274, hier: 127.
[18] Vgl. außer der o. a. Literatur vor allem: G. Schrenk – G. Quell, Art. πατήρ in: ThWNT V, 946–1016, hier: 948–959.

geradezu zu den Urphänomen der Religionsgeschichte. Sie findet sich ebenso in den einfachen und noch unentwickelten Religionen wie bei den kulturell gehobenen Völkern, bei den Anwohnern des Mittelmeeres wie bei den Assyrern und Babyloniern. Überall gilt die Gottheit als Allvater, von dem alles kommt und der alles lenkt. Im Griechentum stellt es ein Zentraldogma dar, daß Zeus der Vater der Götter und der Menschen ist. Auch in den Mysterienkulten ist die Anrede »Vater« für Gott geläufig. Sowohl die platonische wie die stoische Philosophie haben diese Vorstellungs- und Redeweise auf ihre Art übernommen und mit ihren philosophischen Spekulationen verbunden. Der Begriff Vater eignete sich im besonderen Maße, Gott als letzten Ursprung und als Einheit und Zusammenhang (Verwandtschaft) stiftendes Prinzip aller Wirklichkeit zu begreifen.

Im Hintergrund dieses mythischen und philosophischen Sprachgebrauchs steht im wesentlichen ein Doppeltes: Einmal der Erzeugergedanke, der einen umgreifenden Lebenszusammenhang von Gottheit, Welt und Menschen voraussetzt. Der Mythos kennt ja weder eine im biblischen Sinn verstandene Transzendenz Gottes und noch weniger ein rein natürliches oder gar profanes immanentes Weltverständnis. Göttliches und Weltliches gehen ineinander über. Das Göttliche ist die Tiefendimension der Welt, sozusagen ein Prädikat eines numinos verstandenen Kosmos[19]. Zum anderen steht hinter dem religionsgeschichtlichen Gebrauch des Vaternamens für Gott eine Apotheose und eine sakrale Legitimation der Stellung des Hausvaters als Hausherr und Hauspriester. Vater war in der alten Welt nicht nur ein genealogischer, sondern auch ein soziologisch-juristischer Begriff; vor allem in der lateinisch-römischen Welt spielten der pater familias und die patris potestas eine vorragende Rolle[20]. »Vater« war Symbol und Inbegriff des Alten und Ehrwürdigen, der Autorität, der nicht nur Leben spendenden, sondern auch Leben erhaltenden Macht. Insofern verbanden sich im Vaterbegriff die Motive der Strenge und des Respekts mit denen der Güte und der Fürsorge. Wer deshalb die patriarchalische Ordnung einseitig im Sinn marxistischer Herrschafts- und Ausbeutungsideologie interpretiert und entsprechend kritisiert, hat sie von vornherein mißverstanden. Die auctoritas des Vaters ist darin begründet, daß er Ursprung und Mehrer des Lebens ist (auctoritas von augere = mehren).

Der Vater ist also Inbegriff des Ursprungs, von dem man zwar abhängt, dem man aber auch sein Dasein verdankt. Er ist ein freisetzender und das eigene Dasein rechtfertigender Ursprung. Die Vater-Kind-Relation ist

[19] Vgl. o. 29f; 151ff.
[20] Vgl. ThWNT V, 950f. A. Wlosok, Vater und Vatervorstellungen in der römischen Kultur, in: H. Tellenbach, Das Vaterbild im Abendland. Bd. 1. aaO., 18–54.

deshalb Symbol der condition humaine allgemein; sie bringt zum Ausdruck, daß die Freiheit des Menschen bedingte und endliche Freiheit ist. Die Abschaffung des Vaters wäre nur um den Preis der hybriden Utopie einer absoluten Freiheit und eines unmenschlichen Herrenmenschentums möglich. Da die Vater-Kind-Relation jedoch nicht nur unaufhebbar zum Menschen gehört, sondern auch durch keine andere Relation ersetzt werden kann, ist *Vater ein Urwort der Menschheits- und Religionsgeschichte, das durch keinen anderen Begriff ersetzt und in keinen anderen Begriff übersetzt werden kann.* Erst auf diesem Hintergrund wird das ganze Ausmaß der gegenwärtigen Krise sichtbar.

Gott als Vater im Alten Testament

Der Gott der Offenbarung ist ein Gott der Menschen, der die Sprache der Menschen spricht. Das menschliche Urwort »Vater« ist deshalb auch ein *Grundwort der biblischen Offenbarung*[21]. Die beiden religionsgeschichtlichen Motive, das genealogisch-mythologische wie das soziologisch-juristische, die hinter dem religionsgeschichtlichen Gebrauch des Vaterbegriffs für Gott stehen, erschwerten freilich dessen biblische Rezeption in erheblichem Maße. Der biblische Gott ist ja nicht einfach die Tiefendimension der Wirklichkeit, sondern der freie Herr der Geschichte[22].

Zentral für das Alte Testament ist die Rede vom »Gott der Väter« (Ex 3,13 u.ö.), dem Gott Abrahams, Isaaks und Jakobs, wie vom Volk Israel als Sohn Gottes nicht aufgrund naturhafter Abstammung, sondern aufgrund geschichtlicher Erwählung und Berufung (Ex 4,22; Hos 11,1; Jer 31,9). Die Vaterschaft Gottes und die Sohnschaft Israels werden also nicht mythologisch begründet, sondern mit der konkreten Erfahrung einer Heilstat in der Geschichte. Die so begründete Gotteskindschaft gilt noch Paulus als das größte Privileg Israels (Röm 9,4).

Zwar fehlen Andeutungen des mythologischen Vaterverständnisses auch im Alten Testament nicht ganz (vgl. Dtn 32,8; Ps 29,1; 89,7 u.ö.); sie sind aber nahezu bis zur Unkenntlichkeit verflüchtigt. Das Mythologem vom Vater der Götter ist »nur ein stilistisches Intermezzo, eine dichterische Formulierung«, welche »die mythologische Vorstellung eben noch streift«[23]. Wenn einmal

---

[21] Vgl. G. Schrenk – G. Quell, aaO., 981–1016; W. Marchel, Abba, Père! La prière du Christ et des Chrétiens (Analecta Biblica, Bd. 19a), Rom 1971; J. Jeremias, Abba. Studien zur neutestamentlichen Theologie und Zeitgeschichte, Göttingen 1966; L. Perlitt, Der Vater im Alten Testament, in: H. Tellenbach (Hrsg.), Das Vaterbild in Mythos und Geschichte, aaO., 50–101; G. Bornkamm, Das Vaterbild im Neuen Testament, ebd. 136–154.

[22] Vgl. o. 29f; 151ff.

[23] G. Schrenk – G. Quell, aaO., 965.

davon die Rede ist, daß Gott den König »gezeugt« habe (Ps 2,7), dann ist damit kein verwandtschaftliches Verhältnis gemeint, sondern ein Akt der Erwählung, den wir wohl am ehesten als Adoption bezeichnen können.

Ausgehend vom Berufungs- und Erwählungsgedanken kann das Alte Testament das legitime Anliegen des Mythos kritisch aufgreifen. Der Bundesgedanke weist ja auf den *Schöpfungsgedanken* zurück. Denn Gottes souveräne Berufung und Erwählung setzt voraus, daß Gott der Herr aller Wirklichkeit ist, d. h. daß er der Vater ist, der alles geschaffen hat (Dtn 32,6; Mal 2,10), und daß er deshalb Grund und Herr aller Wirklichkeit ist (Jes 45,9f; 64,7). Das im *Bundesgedanken* begründete Vatermotiv weist aber nicht nur auf die Schöpfung zurück, es weist auch über sich hinaus. Erst in der Endzeit wird man zu den Söhnen Israels sagen: »Die Söhne des lebendigen Gottes seid ihr« (Hos 2,1; vgl. 2 Sam 7,14; Ps 89,27). Die geschichtliche Begründung des Vatermotivs in der Bibel ist also nicht allein vom Gedanken der Herkunft und der Autorität des Altehrwürdigen und Uralten geprägt, sondern ebenso vom Gedanken der Zukunft und der Hoffnung auf das Neue. Dieses Urneue besteht letztlich in der verzeihenden und erbarmenden väterlichen Liebe Gottes (Hos 11,9; Jes 63,16; Jer 31,20). »Wie ein Vater sich seiner Kinder erbarmt, so erbarmt sich der Herr über alle, die ihn fürchten« (Ps 103,13). An dieses Erbarmen des Vaters kann Israel immer wieder appellieren mit dem wiederkehrenden Ruf: »Du bist doch unser Vater« (Jes 63,15f; 64,7f). Diesen Vater-Gott kann schon der alttestamentliche Fromme voll Ehrfurcht und Vertrauen als Vater anrufen (Sir 23,1; 51,10). Gott ist insbesondere der »Vater der Waisen« (Ps 68,6). Von ihm gilt: »Wenn mich auch Vater und Mutter verlassen, der Herr nimmt mich auf« (Ps 27,10).

Die zuletzt aufgezeigten Aspekte zeigen, daß die vom Bundesgedanken geprägte Vorstellung von Gott als Vater sich *prophetisch-kritisch* gegen die konkreten Väter in der Welt richten kann. In Wahrheit kommt die Würde des Vaters allein Gott zu. Nicht vom menschlichen Vater, sondern von Gott, von dem alle Vaterschaft herkommt (Eph 3,15), bestimmt sich, was wahre Vaterschaft ist. Im Sinn der Bibel ist deshalb die Rede von Gott als Vater nicht einfach die sakrale Apotheose der väterlichen Gewalt, sondern als deren Grund auch deren Norm und deren Kritik. Damit ist auch das sexistische Mißverständnis des religiösen Vaterbegriffs ausgeschlossen. Das geht u. a. daraus hervor, daß das Alte Testament das liebende Erbarmen des Vaters auch durch fraulich-mütterliche Züge umschreiben kann (Jes 66,13).

So bringt die alttestamentliche Neuprägung des religionsgeschichtlichen Vatermotivs das Proprium und Specificum des alttestamentlichen Gottesglaubens zum Ausdruck: die Freiheit und Souveränität Gottes, seine Transzendenz, die eine Freiheit in der Liebe ist und sich deshalb geschichtlich als Kondeszendenz Gottes in die Immanenz, als Mit-uns-Sein erweist. Als Vater ist Gott nicht nur Herkunft, auch nicht nur Gegenwart, sondern auch Zukunft – ein Gott der Geschichte. Richtende Ferne und rettende Nähe, Gericht und Gnade, Allmacht wie Erbarmen und Vergebung sind deshalb im alttestamentlichen Vatermotiv zu einer unauflösbaren Spannungseinheit verbunden. Diese Spannung weist nochmals über sich hinaus und drängt auf eine letzte Eindeutigkeit hin.

Gott als Vater im Neuen Testament

Im Neuen Testament kommt das Alte Testament dadurch zu seiner überbietenden Erfüllung, daß *das Wort »Vater« bzw. »der Vater« zur Gottesbezeichnung schlechthin* wird. Es besteht eine breite Übereinstimmung unter den Exegeten darin, daß dieser auffallende Sprachgebrauch auf Jesus selbst zurückgeht. Nicht weniger als hundertsiebzigmal begegnet uns in den Evangelien das Wort »Vater« für Gott im Munde Jesu. Man kann in der Evangelienüberlieferung sogar eine wachsende Tendenz feststellen, die Bezeichnung Gottes als Vater in die Worte Jesu einzufügen. Es wäre jedoch verkehrt, daraus auf eine erst spätere Gemeindetheologie zu schließen. Vielmehr drückt sich in dieser Tendenz die Erinnerung an die für Jesus charakteristische Rede von Gott als »meinem Vater«, »eurem Vater«, ja »dem Vater« bzw. dem »himmlischen Vater« aus.

Bei *Jesus* steht die Rede von Gott als Vater im Zusammenhang mit dem, was Mitte und Horizont seiner gesamten Verkündigung und seines ganzen Auftretens ist: die *Botschaft vom Kommen der Herrschaft Gottes*[24].

Dieser Begriff »Herrschaft Gottes« ist eine erst späte Abstraktbildung für die verbale Aussage, daß Jahwe Herr bzw. König ist (Ps 47, 6–9; 93,1 u. ö.). In der Herrschaft Gottes geht es also nicht primär um ein räumlich verstandenes Reich, sondern um das geschichtliche Ereigniswerden des Herrseins Gottes, um die Offenbarung seiner Herrlichkeit und um den Erweis seines Gottseins. Es geht letztlich um eine radikalisierende Auslegung des ersten Gebots und um dessen geschichtsmächtigen Erweis: »Ich bin Jahwe, dein Gott... Du sollst keine anderen Götter haben« (Ex 20,2 f). Deshalb ist die Botschaft vom Kommen der

[24] Dazu aus der uferlosen Literatur: H. Kleinknecht – G. v. Rad – K. G. Kuhn – K. L. Schmidt, Art. βασιλεύς u. a. in: ThWNT I, 562–595; N. Perrin, The Kingdom of God in the Teaching of Jesus, London 1963; R. Schnackenburg, Gottes Herrschaft und Reich. Eine biblisch-theologische Studie, Freiburg–Basel–Wien ⁴1965; H. Schürmann, Das hermeneutische Hauptproblem der Verkündigung Jesu, in: Gott in Welt I (FS Karl Rahner), Freiburg–Basel–Wien 1964, 579–607; H. Merklein, Die Gottesherrschaft als Handlungsprinzip. Untersuchung zur Ethik Jesu (Forschung zur Bibel. Bd. 34), Würzburg 1978.

Herrschaft Gottes bei Jesus unmittelbar und unlösbar mit dem Ruf zu Umkehr und Glaube verbunden (Mk 1,15).

Weil die Herrschaft Gottes und ihr Kommen einzig und allein Gottes Tat und Gottes Sache sind, kann sie weder durch religiös-ethische Leistung noch durch politischen Kampf verdient, gebaut oder herbeigezwungen werden. Sie wird gegeben (Mt 21,43; Lk 12,32) und vermacht (Lk 22,29). Die Gleichnisse bringen diesen Sachverhalt am deutlichsten zur Sprache: Das Kommen der Gottesherrschaft ist, allen menschlichen Erwartungen, Widerständen, Berechnungen und Planungen zum Trotz, Gottes Wunder. Wir können es weder konservativ noch progressiv, weder evolutionär noch revolutionär »machen«, wir können uns dafür nur in Umkehr und Glaube bereiten. Nur in äußerer und innerer Armut, Ohnmacht und Gewaltlosigkeit wird der Mensch der Göttlichkeit Gottes gerecht. Er kann nur beten: »Dein Reich komme« (Mt 6,10; Lk 11,2). Wer so glaubt und betet, der darf teilnehmen an Gottes Allmacht (Mk 9,23); deshalb gilt, daß, wer betet, schon jetzt empfängt (Lk 11,9f; Mt 7,7f). Das gläubige Gebet hat nicht nur die Gewißheit künftiger Erhörung bei sich; es ist schon jetzt Antizipation der Herrschaft Gottes, weil es Gottes Herrsein Raum gibt und Gott in Aktion treten läßt. Nicht das akademische Reden über Gott, sondern das Sprechen mit Gott, das Gebet, ist für Jesus der »Sitz im Leben« wahrer Theologie.

Charakteristisch für Jesus ist also die absolute innerweltliche Bedingungslosigkeit und die reine Gnädigkeit der Herrschaft Gottes. Seine Zuwendung zu den Sündern, den Gottlosen, ist sozusagen nur die eine Seite dieser Botschaft, seine Rede von Gott als liebendem und erbarmendem Vater die andere und die sachlich grundlegende. Sie bringt mit letzter Deutlichkeit zum Ausdruck, daß die Herrschaft Gottes allein in Gott ihren Ursprung hat, daß sie reine Gnade, lauteres Erbarmen ist. Daß beide Aspekte zusammengehören, zeigt in ergreifender Weise Jesu Gleichnis vom verlorenen Sohn, das man besser als Gleichnis von der Vaterliebe Gottes bezeichnen müßte (Lk 15, 11–32). Nicht emanzipatorischer und protestlerischer Auszug, sondern Rückkehr in das Haus des Vaters, freilich des Vaters, der den verlorenen Sohn nicht demütigt, sondern ihn neu in seine Sohnesrechte einsetzt, ist das Heil des Menschen. Die Herrschaft Gottes unterdrückt nicht die Freiheit des Menschen; sie holt sie vielmehr aus ihrer Erniedrigung heraus und setzt sie wieder in ihre Rechte ein.

Charakteristisch für Jesu Auftreten und Verkündigung ist außerdem, daß Jesus das Kommen der Herrschaft Gottes als der Herrschaft der Liebe mit seinem Kommen verbindet[25]. Er erzählt das Gleichnis vom verlorenen Sohn als Antwort auf das Murren der Pharisäer über seinen Umgang mit Sündern (Lk 15,2). Er will also sagen: So wie ich mich zu den Sündern verhalte, so verhält sich Gott. Er wagt es gleichsam, an Gottes Stelle zu handeln. Wenn *er* die Dämonen austreibt, dann ist die

---

[25] Vgl. u. 211 ff.

Herrschaft Gottes gekommen (Mt 12,28; Lk 11,20). Entsprechend ist auch er es, der uns Gott als Vater erst erschließt. In diesem Zusammenhang ist vor allem der Jubelruf Mt 11,27 wichtig: »Mir ist von meinem Vater alles übergeben worden; niemand kennt den Sohn, nur der Vater, und niemand kennt den Vater, nur der Sohn und der, dem es der Sohn offenbaren will.« Nach diesem Logion ist »Vater« bzw. »mein Vater« ein Offenbarungswort, in dem sich eine Offenbarungschristologie ausdrückt. *Jesus selbst und Jesus allein ist es, der uns Gott als Vater erschließt und uns zu beten lehrt und ermächtigt: »Unser Vater« (Mt 6,9).*

Die Vaterwahrheit ist also keine naturgegebene allgemeine Wahrheit wie in der Stoa, sondern eine geschichtliche Offenbarungswahrheit, die an den Sohn gebunden ist. Erst durch den Sohn wird offenbar, daß Gott Vater aller Menschen ist; er läßt seine Sonne über Bösen und Guten aufgehen und läßt regnen über Gerechte und Ungerechte (Mt 5,45); er sorgt für alle, auch für die Vögel des Himmels, das Gras auf dem Feld (Mt 6,26.32) und für die Spatzen in der Luft (Mt 10,29). Wir finden bei Jesus also dieselbe Grundstruktur der Vateraussage für Gott wie im Alten Testament: eine einmalige geschichtliche Offenbarungswahrheit, die zugleich den universalen Sinn und den Grund aller Wirklichkeit erschließt. Neu am Neuen Testament ist die Konzentration der Offenbarung auf die Person des eschatologischen Offenbarers des Vaters; durch ihn wird die alttestamentliche Offenbarung in überbietender Weise erfüllt.

Mit dieser christologischen Konzentration ist ein weiterer Unterschied gegeben: eine unerhörte persönliche Intensivierung der Vateraussage. Das kommt vor allem in der für Jesus charakteristischen *Anrede Gottes als Vater (abba)* zum Ausdruck. In der Abba-Anrede haben wir es mit größter Gewißheit mit der ipsissima vox Jesu zu tun. Anders wäre es nicht zu erklären, daß uns diese Vateranrede auch in ursprünglich griechischen neutestamentlichen Texten im aramäischen Wortlaut begegnet (Gal 4,6; Röm 8,15). Offensichtlich handelt es sich hier um ein für die spätere Kirche besonders wichtiges und heiliges Wort, das für Jesu Gottesverhältnis charakteristisch ist. Dieses abba stammt aus der Kindersprache; es ist ursprünglich ein Lallwort, ähnlich unserem deutschen Papa. Es wurde aber auch auf andere Respektspersonen, zu denen man ein vertrautes Verhältnis hatte, übertragen (»Väterchen«). So ist das Wort abba als Gottesanrede Ausdruck großer, geradezu familiärer Vertrautheit und persönlicher Intimität, die jedem Juden als anstößig erscheinen mußte. Doch daraus ist keine banale Vertraulichkeit gegenüber Gott oder gar eine Verharmlosung des Gottseins Gottes herauszulesen. Das abba steht bei Jesus im Kontext seiner Verkündigung von der kommenden Herrschaft Gottes. Der Vater-Gott ist zugleich der Herr-

Gott, dessen Name geheiligt werden muß, dessen Reich kommt und dessen Wille geschehen soll (Mt 6,9f). Gott als unser Vater ist also zugleich der allmächtige Vater, der Schöpfer Himmels und der Erde, wie der eschatologische Richter über alles Unrecht und alle Sünde (Mt 7,21; 18,23–35).

In Jesu Vaterbotschaft wird im Grunde das Ganze seiner Botschaft in höchster persönlicher Weise zusammengefaßt: Die *Antwort auf die Hoffnung des Menschen,* die allein in der unbedingten und endgültigen Annahme der Liebe ihre Erfüllung findet, wie die *Antwort auf die Frage nach dem Grund aller Wirklichkeit,* der dem Menschen unverfügbar ist und dessen er nur im Glauben teilhaftig werden kann – nicht weil Gott ferne wäre, sondern gerade weil er in der Liebe nahe ist, Liebe aber nur Geschenk sein kann.

Die neutestamentlichen Schriften sind ein getreues Echo der Vater-Botschaft Jesu. Bei *Paulus* werden Gott (θεός) und Vater (πατήρ) unlösbar miteinander verknüpft. In den Grußüberschriften zu Beginn und in den Segenswünschen am Schluß der paulinischen Briefe ist immer von »Gott und unserem Vater« bzw. von »Gott und dem Vater unseres Herrn Jesus Christus« die Rede (1 Thess 1,1; Gal 1,3; 1 Kor 1,3; 2 Kor 1,2; Röm 1,7; Phil 1,2 u. ö.). Ihren eigentlichen »Sitz im Leben« haben die Vateraussagen des Paulus offensichtlich in der Liturgie und im Gebet. In den liturgisch geprägten Gruß- und Segensworten der paulinischen Briefe bereitet sich die spätere dogmatische Bekenntnisbildung vor. Das Wort »Vater« wird bei Paulus fast wie ein Eigenname Gottes gebraucht; es erscheint jedoch niemals ohne die nachfolgende Erwähnung »Vater unseres Herrn Jesus Christus«. Er ist für Paulus der Sohn, der uns erst zu Söhnen und Töchtern macht (Röm 8,15; Gal 4,6). Der Vater aber ist Ursprung, Ausgangspunkt und Ziel des Erlösungs-werks Jesu Christi. Von ihm her kommen Segen, Gnade, Liebe, Erbarmen, Trost, Freude. Ihm gilt deshalb auch das Gebet, der Lobpreis, der Dank und die Bitte. Gott zum Vater zu haben bedeutet für Paulus jedoch nicht Knechtschaft; im Gegenteil, Gott zum Vater zu haben bedeutet Befreiung von Knechtschaft und Angst und Einsetzung zur mündigen Sohnschaft (Gal 4,1 ff; Röm 8,15 ff). Mündigkeit im Sinn des Paulus ist jedoch nicht selbstherrliche und eigensüchtige Willkür, sondern Freiheit, die sich in der Liebe und im Dienen erweist (Gal 5,13). Das Offenbarwerden der Herrschaft und Herrlichkeit des Vaters ist demnach auch für Paulus das Kommen der Herrschaft der Freiheit in der Liebe.

Eher noch entschiedener führt *Johannes* den Sprachgebrauch Jesu in theologisch reflektierter Weise fort. Er spricht an vielen Stellen im absoluten Sinn von »dem Vater« und von »meinem Vater«. Die Botschaft Jesu von Gottes Vaterschaft wird hier ausgeweitet zur Erläuterung des Offenbarungsgedanken schlechthin. Der Vater ist der Ursprung und der Inhalt der Offenbarung, der Sohn der Offenbarende. Das kommt bereits im Prolog des Johannesevangeliums zum Ausdruck. Weil Jesus der einzige ist, der von Ewigkeit bei Gott ist, ja, der selbst Gott ist und am Herzen des Vaters ruht, kann er Kunde vom Vater bringen (1,18). Er kommt im Auftrag des Vaters (5,43); wer ihn sieht, sieht den Vater (14, 7–10). Sinn seines Lebenswerkes ist es, den Namen des Vaters zu offenbaren (17, 6.26). Die sich im Johannesevangelium besonders zuspitzende Auseinandersetzung mit den Juden geht letztlich um die Vater-Beziehung Jesu. Jesus wird angeklagt, weil er nicht nur den Sabbat bricht, sondern auch Gott seinen Vater nennt und sich damit Gott gleichstellt (5,18; vgl. 8,54). Das Bekenntnis zu Gott als dem Vater Jesu Christi ist für Johannes also das Proprium und Specificum christianum, das er auf den Begriff bringt, indem er formuliert: »Gott ist Liebe« (1 Joh 4,8.16).

Zusammenfassend läßt sich sagen: Wenn im Neuen Testament in konkreter und bestimmter Weise von Gott als ὁ ϑεός die Rede ist, dann ist von wenigen, jedoch umstrittenen Ausnahmen (etwa Röm 9,5f) abgesehen, immer der Vater gemeint[26]. Das Neue Testament interpretiert also die an sich vieldeutige Gottesaussage durch die Vateraussage. Dadurch wird *Gott als Ursprung gebender, selbst aber ursprungsloser Ursprung aller Wirklichkeit* bestimmt. Insofern nimmt das Neue Testament die Grundfrage der antiken Philosophie in seiner Weise auf, die Frage nach dem letzten, Einheit und Sinn stiftenden Grund aller Wirklichkeit, der zugleich das letzte Ziel menschlichen Tuns ist. Die biblische Vateraussage geht freilich über diese abstrakte philosophische Gottesidee hinaus. Mit dem Begriff Vater charakterisiert sie *Gott als ein personales Wesen,* das in der Geschichte frei handelt und spricht und in einen Bund mit den Menschen eintritt. Gott als Vater ist ein Gott, der ein konkretes personales Antlitz hat, der einen Namen hat und der bei seinem Namen gerufen werden kann. Die personale Freiheit Gottes ist der Grund, daß Gott freimachender Ursprung aller Wirklichkeit ist, daß er also das von ihm Gewirkte in Freiheit annimmt, daß er Freiheit in der Liebe ist. Als Freiheit in der Liebe ist Gott nicht nur Herkunft, sondern auch *Zukunft der Geschichte,* ein Gott der Hoffnung (Röm 15,13). Daß Gott der in Freiheit Liebende und der in der Liebe Freie ist und sich als solcher in Jesus Christus erwiesen hat, kann als zusammenfassende Formel neutestamentlicher Gottesverkündigung dienen.

---

[26] Dies hat vor allem Karl Rahner herausgestellt: K. Rahner, Theos im Neuen Testament, in: Schriften. Bd. 1. 91–167.

Gott als Vater in der Theologie- und Dogmengeschichte

Die frühchristliche Tradition griff die biblische Rede von Gott als Vater auf und bezeichnete Gott in einem absoluten Sinn als »den Vater«[27]. Justin, Irenäus, Tertullian zeigen denselben Sprachgebrauch. Wenn von Gott die Rede ist, dann ist immer der Vater gemeint. Origenes spitzt diese Redeweise zu und macht einen Unterschied zwischen ὁ θεός (mit Artikel) und θεός (ohne Artikel). Ὁ θεός bezeichnet den Vater; er ist αὐτοθεός, Gott selbst, Gott im eigentlichen Sinn. Der Sohn dagegen ist θεός; er ist göttlicher Art, womit bei Origenes durchaus eine subordinatianische Tendenz mitgegeben war, die etwa darin zum Ausdruck kommt, daß er den Sohn auch als δεύτερος θεός bezeichnen kann[28].

Die Grundüberzeugung, daß mit Gott zunächst und unmittelbar der Vater gemeint ist, kommt auch in den altkirchlichen *Bekenntnisformeln* zum Ausdruck. Die frühchristlichen Bekenntnisse richten sich immer an »Gott, den allmächtigen Vater«[29]. Entsprechend gilt der Vater allein als der ursprungslose Ursprung (ἀρχή) aller Wirklichkeit; er ist principium sine principio[30]. Bezeichnend ist vor allem *die Gebetssprache der ältesten Liturgien*. Das älteste uns überlieferte Eucharistiegebet richtet sich an den Vater: »Wir danken dir, unser Vater, für den heiligen Weinstock Davids, deines Knechtes, den du uns zu erkennen gabst durch Jesus, deinen Knecht; dir sei die Ehre in Ewigkeit«[31]. Das Konzil von Hippo (393) schreibt ausdrücklich vor: »Wenn beim Altar gedient wird, soll das Gebet stets an den Vater gerichtet werden«[32]. Die liturgische Doxologie lautete deshalb: »Ehre sei dem Vater durch den Sohn im Heiligen Geist«[33]. Nicht nur die Ostkirche, auch die römische Liturgie hat diese Form des Gebets bis heute bewahrt in den Orationsschlüssen oder in der großen Doxologie zum Abschluß des eucharistischen Kanons: »Durch ihn und mit ihm und in ihm ist dir, Gott, allmächtiger Vater, in der Einheit des Heiligen Geistes alle Herrlichkeit und Ehre jetzt und in Ewigkeit.«

---

[27] Vgl. Didache 1,5 (SC 248, 144 ff); Justin, Dialog mit Tryphon 74,1; 76,3; 83,2; u. ö. (Corpus Apol. II, ed. v. Otto, 264 ff); Clemens von Alexandrien, Protreptikos X, 94,3 (SC 2, 162).

[28] Origenes, Contra Celsum V, 39 (SC 147, 117–121). In Ioan. VI, 39, 202 (SC 157, 158 f, 280 f).

[29] Vgl. DS 1–5; anders nur DS 6.

[30] Vgl. DS 60; 75; 441; 485; 490; 525; 527; 569; 572; 683; 800; 1330 f; NR 915; 226; 267; 269; 277; 295; 918; 281–286.

[31] Didache 9,2 (SC 248, 174 ff).

[32] A. Schindler, Gott als Vater in Theologie und Liturgie der christlichen Antike, in: H. Tellenbach (Hrsg.), Das Vaterbild im Abendland. Bd.1, aaO., 55–69, hier: 66.

[33] Vgl. zum Gesamtproblem: J. A. Jungmann, Die Stellung Christi im liturgischen Gebet, Münster ²1962.

Schon bei den Apologeten des zweiten Jahrhunderts (Justin, Tatian, Athenagoras, Theophilus von Antiochien) vernehmen wir freilich auch andere Töne. Sie wenden sich an die Gebildeten der heidnischen Welt und müssen deshalb deren Sprache sprechen. Dabei kam ihnen zustatten, daß das Wort Vater schon bei Platon dazu diente, das höchste Wesen zu bezeichnen, von dem alles ausgeht[34]. Im Neuplatonismus (und in der Gnosis) ist der Vater die höchste Instanz jenseits des Seins, bei den Stoikern dagegen kommt mit der Gottesbezeichnung Vater die natürliche Einheit von Gott und Welt und die verwandtschaftliche Verbundenheit aller Menschen zum Ausdruck[35]. Hier kann Justin anknüpfen, wenn er Gott als »Vater des Alls« und als »Vater aller Menschen« bezeichnet[36]. Solche Rede hat ohne Zweifel einen Anhalt im Alten und Neuen Testament; die christologische Vermittlung der Vaterschaft Gottes bleibt dabei aber ausgeblendet. Die Vaterschaft Gottes erscheint fast wie ein der Vernunft zugänglicher Gedanke, wobei Justin freilich nachdrücklich betont, daß die Fülle des Logos erst in Jesus Christus erschienen ist. Richtig an diesem Gedankengang ist vor allem, daß sich das Wort »Vater« in vorzüglicher Weise eignete für eine Synthese zwischen der philosophischen Frage nach dem letzten Grund (ἀρχή; principium) aller Wirklichkeit und der biblischen Botschaft vom Ursprung und vom Ziel der Schöpfung und der Heilsgeschichte[37]. Die biblische Vateraussage konnte, von der Philosophie selbst vorbereitet, als Antwort auf die Grundfrage der Philosophie gelten.

Der Versuch der Apologeten, die christliche Botschaft im Gewand der Philosophie vorzutragen, war ein mutiger und notwendiger Schritt. Er war nicht ein Schwächeanfall, sondern Ausdruck der Vitalität des jungen Christentums, das damit einen missionarischen Vorstoß in einen neuen Kulturbereich wagte. Freilich gelingt ein solcher Versuch selten gleich beim ersten Ansatz. So führte der Schritt der Apologeten zunächst in eine Krise, weil zwei Fragen nicht klar genug geschieden wurden: das Verhältnis der Welt zu Gott als ihrem Ursprung und das Verhältnis Jesu als des Sohnes zum Vater, anders ausgedrückt, die ewige und die zeitliche Vaterschaft Gottes. Beide Fragen wurden sogar oft miteinander vermengt. Dies geschah besonders bei Arius, der den Sohn als eine Art Schöpfungsmittler (Demiurg) und als höchstes Geschöpf verstand. Erst die beiden Konzilien von Nikaia (325) und Konstantinopel (381) brachten eine Klärung, indem sie den Sohn als gleichen bzw. einen Wesens mit dem Vater (ὁμοούσιος) bezeichneten[38]. Damit war entschieden, Gott sei von Ewigkeit her Vater seines ihm wesensgleichen Sohnes[39]. Innergöttlich gilt nun, daß der Vater Ursprung (ἀρχή) und Quelle (πηγή), wie die Griechen sagten[40], bzw. Prinzip,

---

[34] Platon, Timaios 28 c.

[35] A. Schindler, aaO., 57 f.

[36] Justin, Dialog mit Tryphon 56,15; 60,3; 61,3; 63,3 (aaO., 186 f; 210 f; 212 f; 222 f).

[37] W. Pannenberg, Die Aufnahme des philosophischen Gottesbegriffs als dogmatisches Problem der frühchristlichen Theologie, in: Grundfragen systematischer Theologie. Gesammelte Aufsätze, Göttingen ³1979, 296–346.

[38] Vgl. dazu u. 226 ff; 314 f.

[39] DS 125 f; 150; NR 155 f; 250.

[40] Vgl. Johannes von Damaskus, De fide orth. 8 (Die Schriften des Johannes von Damaskus, ed. B. Kotter II, Berlin–New York 1973, 18–31).

wie die Lateiner sagten[41], ist. Nach außen dagegen gilt, daß die Schöpfung wie die Heilsgeschichte das Werk der gesamten Trinität ist[42]. Auf die schon bei Origenes grundgelegte Lehre[43] vom Vater als Ursprung und Quelle der Gottheit[44] legten vor allem die griechischen Väter größten Wert[45]; Johannes von Damaskus hat sie in seinem in der Ostkirche praktisch zum Schulbuch gewordenen Werk »De fide orthodoxa« nochmals zusammengefaßt[46]. Aber auch der für die westliche Theologie grundlegende Augustinus schreibt: »totius divinitatis vel si melius dicitur deitatis principium pater est«[47]. Die Konzilien von Toledo 675 und 693 greifen diese Aussage auf und sagen vom Vater »fons ergo ipse et origo est totius divinitatis«[48]. Noch bei Thomas von Aquin findet sich ein Nachklang dieser Redeweise[49]. Am nachdrücklichsten von allen Scholastikern hat Bonaventura den Vater als auctor und fontalis plenitudo der Gottheit herausgestellt und die innascibilitas als sein Wesen bestimmt[50]. Die theologie- und dogmengeschichtlichen Klärungen hatten freilich auch negative Auswirkungen. Die Hervorhebung der wahren Gottheit Christi hatte zur Folge, daß man mit Gott immer weniger den Vater, sondern immer mehr das eine, Vater, Sohn und Geist gemeinsame göttliche Wesen bezeichnete. Das wird bis in die liturgische Gebetssprache der Kirche hinein deutlich. Die liturgische Doxologie »Ehre sei dem Vater durch den Sohn« wurde schon bei Basilius geändert: »Ehre sei dem Vater mit dem Sohn und mit dem Heiligen Geist«[51], bis es schließlich hieß: »Ehre sei dem Vater und dem Sohn und dem Heiligen Geist«. Die Auswirkungen zeigten sich vor allem in der für den lateinischen Westen maßgebend gewordenen Trinitätslehre Augustins, besonders in dessen Gebeten. Selbstverständlich redet Augustin in den vielen Gebetsanrufungen seiner Confessiones Gott *auch* als Vater an; meist aber sagt er entsprechend dem Sprachgebrauch der alttestamentlichen Psalmen: »Gott« oder »Herr«. Wo Augustinus dagegen selbst sprachschöpferisch wird, da spricht er in merkwürdig abstrakten, philosophisch klingenden Ausdrücken: »O ewige Wahrheit und wahre Liebe und liebe Ewigkeit«[52].

Diese Veränderungen in der Gebetssprache zeigen die Gefahr an, daß nämlich die innergöttliche Vaterschaft des Vaters für dessen Welt- und Menschenbezug irrelevant wurde, so daß die Trinität weithin zu einem theologisch interessanten, aber weltlich und geschichtlich irrelevanten Lehrstück wurde. So konnte in der scholastischen Gotteslehre in den Traktaten »De Deo uno« über Gott, sein

---

[41] Vgl. Augustinus, De Trinitate IV, 20 (CCL 50, 195–202); Thomas v. A., Summa theol. I q.33 a.1.

[42] DS 800; 1331; NR 277; 295; 918; 285; 286.

[43] Vgl. dazu Y. Congar, Je crois en l'esprit saint. Bd. 3: La fleuve de vie coule en orient et en occident, Paris 1980, 181–188.

[44] Origenes, In Ioan. II, 20 (SC 120, 220)

[45] Gregor von Nazianz, Oratio II, 38 (SC 247, 138–141).

[46] Johannes von Damaskus, De fide orth. 8; 12 (aaO., 18–31; 35f).

[47] Augustinus, De Trinitate IV, 20 (CCL 50, 195–202).

[48] DS 525; 568; NR 266; 267.

[49] Thomas v. A., I Sent. d. 28 q.1 a.1; III d.25 q.1 a.2; Summa theol. I q.33 a.1; q.39 a.5 ad 6.

[50] Bonaventura, I Sent. d.27 p.1 q.2 ad 3; d.28 q.1–3; d.29 dub.1; Breviloquium p.1 c.3.

[51] Basilius, De spiritu sancto, 6f (SC 17, 126ff).

[52] Augustinus, Conf. VII, 10, 16 (CCL 27, 103f).

Wesen, seine Eigenschaften und damit auch über seinen Weltbezug geredet werden, ohne daß ein Wort vom Vater gesprochen wurde; davon war erst in dem Traktat »De Deo trino« die Rede. Diese Zweiteilung der einen Gotteslehre in zwei unterschiedene Traktate »De Deo uno« und »De Deo trino« ist jedoch im Blick auf das Zeugnis der Schrift und der frühen Tradition, für die der eine Gott immer der Vater ist, überaus problematisch[52a]. Wir werden deshalb versuchen, die sachlichen Anliegen des Traktats »De Deo uno« als Lehre von Gott dem Vater zu entfalten.

Diese Entwicklung macht deutlich, daß es auch in der Dogmen- und Theologiegeschichte kein Gewinnkonto ohne Verlustkonto gibt. Definitionen sind als Klärungen zugleich Eingrenzungen. Wir werden den Gewinn, den sie erbracht haben, freilich nicht aufs Spiel setzen dürfen, wenn wir das, was dabei nach heutiger theologiegeschichtlicher Einsicht zu kurz kam oder verloren ging, wieder zurückholen wollen. Bei dem Versuch, den christlichen Glauben in der Sprache der Zeit zu artikulieren, geht es ja nicht nur um ein Problem von damals, sondern um eine bleibende Aufgabe der Verkündigung und der Theologie. Die Vermittlung von philosophischer und theologischer Gotteslehre ist deshalb nicht ein überholtes spekulatives Problem, sondern der Versuch, die christliche Vaterbotschaft in intellektueller Redlichkeit vor dem Denken zu verantworten. Dieses Problem stellt sich uns heute angesichts der prinzipiellen Infragestellung der Gottesidee, besonders der Rede vom Vater-Gott, sogar wesentlich dringlicher als in den früheren Jahrhunderten.

3. Theologische Wesensbestimmung Gottes

Die Wesensbestimmung Gottes im Horizont der abendländischen Metaphysik

Die philosophische Frage nach dem letzten Grund (ἀρχή) aller Wirklichkeit und die biblische Botschaft von Gott dem Vater, d. h. dem personalen Ursprung und der Quelle der Schöpfungs- wie der Erlösungswirklichkeit, stehen bei aller Verschiedenheit in einer inneren Korrespondenz. Das führte schon sehr früh zu einer Synthese der beiden Betrachtungsweisen von Glauben und Denken. Im Zuge dieser theologischen Reflexion über das Zeugnis von Schrift und Tradition kam es zu einer theologischen Wesensbestimmung Gottes, die grundlegend wurde für die gesamte theologische Tradition. Aus dem biblischen Namen Gottes wurde eine theologische Aussage über das Wesen Gottes. Wir befinden uns mit dieser Synthese *im Schnittpunkt aller Probleme der traditionellen Gotteslehre.*

[52a] Vgl. K. Rahner, Bemerkungen zum dogmatischen Traktat »De Trinitate«, in: Schriften. Bd. 4, 103–133.

Der Ausgangspunkt dieser Reflexion war die alttestamentliche *Offenbarung des Namens Gottes am brennenden Dornbusch* in Ex 3,14[53]. Nach dem hebräischen Text offenbart sich Gott dem Moses als der »Ich bin da, der ich da bin«. Das hier gebrauchte hebräische Wort haya, das wir gewöhnlich mit »sein« übersetzen, meint im Grunde »wirksamsein«[54]. Es geht in diesem Offenbarungswort also nicht um die bloße Existenz, oder um Gott als das absolute Sein. Es handelt sich vielmehr um eine *Verheißungsaussage,* nämlich um die Zusage Gottes, daß er da ist, d. h. daß er in wirksamer Weise mit seinem Volk ist. Der zweite Teil dieser Aussage fügt freilich hinzu, daß Gott da ist, als der er da ist, d. h. in einer nicht berechenbaren und nicht festlegbaren Weise. Gottes schützende und rettende Gegenwart bleibt das Geheimnis seiner Freiheit. Sein Da-Sein ist absolut gewiß und bleibt doch unverfügbar; Gott ist in seiner Verheißung unbedingt treu und doch je neu. Diese geschichtliche Selbstbestimmung Gottes findet sich in der Schrift auch an anderen Stellen: Gott ist der Erste und der Letzte (Jes 41,4; 44,6; 48,12; Offb 1,17). Er ist das Alpha und das Omega (Offb 1,4). Bereits die Septuaginta übersetzte jedoch die Zusage des Da-Seins mit einer Aussage über das Sein: »Εγώ εἰμι ὁ ὤν«. Ähnlich die Vulgata: »Ego sum qui sum«. Die landläufige deutsche Übersetzung lautet entsprechend: »Ich bin, der ich bin«. In diesen Übersetzungen wird *aus der geschichtlichen Verheißungsaussage eine Seinsaussage* und eine Definition. Dieser Übergang deutet sich bereits innerhalb des Alten Testaments selbst an, wenn Weish 13,1 Gott als den Seienden (τὸν ὄντα) bestimmt.

Diese sich bereits in der Bibel selbst und in ihren Übersetzungen abzeichnende Transposition des Gottesnamens in eine Wesensdefinition wurde für die spätere Tradition grundlegend. Bereits der jüdische Religionsphilosoph Philo von Alexandrien konnte im Anschluß an Ex 3,14 behaupten, der Name Gottes sei »der Seiende« (ὁ ὤν) oder »das Seiende« (τὸ ὄν)[55]. Mit dieser These hat Philo Schule gemacht. Wir finden sie bei den Kirchenvätern immer wieder[56]. Augustinus meinte

---

[53] Zur Auslegung vgl. außer den einschlägigen Kommentaren: M. Buber, Moses (WW II, München 1964), 47–66; Th. C. Vriezen, 'Ehje 'ašer 'ehje, in: W. Baumgartner u. a. (FS A. Bertholet), Tübingen 1950, 498–512; A. Deissler, Die Grundbotschaft des Alten Testaments. Ein theologischer Durchblick, Freiburg i. Br. 1972, 48 ff.

[54] T. Boman, Das hebräische Denken im Vergleich mit dem griechischen, Göttingen ⁴1965, 33 ff.

[55] Philo, Quod Deus sit immutabilis, 14 (Philonis Alex. Opera, ed. P. Wendland. Bd. 2. Berlin 1897, 72); De Vita Mosis, 14 (ebd. Bd. 4, 136 f); De Abraham, 24 (ebd. 28).

[56] Athanasius, De synodis 35 (PG 26, 753 f); Gregor von Nazianz, Oratio II 45,3 (SC 247,148); Gregor von Nyssa, Contra Eunomium I,8 (PG 45, 255 ff); Hilarius, De Trinitate I,5 (CCL 62,4 f).

feststellen zu können, daß hier Platon und Moses dasselbe sagen[57]. Athanasius, der Vorkämpfer auf dem Konzil von Nikaia, interpretiert von daher die Konzilsaussage, der Sohn sei aus dem Wesen des Vaters[58]. Die mittelalterliche Scholastik hat diese Synthese aufgegriffen und sie zur Grundlage ihrer Systeme gemacht[59]. Selbstverständlich hat diese Synthese nicht nur das biblische Denken, sondern auch die Philosophie verändert. Man darf Denkern vom Format des Origenes, Augustinus und des Thomas keine geistlose Rezeption vorgegebener Denkmuster unterstellen; sie alle haben eine kritische und schöpferische Vermittlung versucht. Dies könnte man bei allen großen Theologen aufweisen; wir beschränken uns im folgenden auf Thomas von Aquin.

Thomas von Aquin begründet die *Gleichsetzung des biblischen Gottesnamens mit dem philosophischen Seinsbegriff* u. a. damit, daß Sein der universalste Begriff ist. Je umfassender ein Begriff ist, um so mehr ist er Gott angemessen, denn Gott umgreift in sich alles Seiende. Damit übernimmt Thomas über Johannes von Damaskus indirekt von Gregor von Nazianz die Idee vom Sein als pelagus substantiae infinitum et indeterminatum[60]. Er verbindet diese Idee mit neuplatonischen Vorstellungen. Für den Neuplatonismus steht das Sein (ipsum esse) an der Spitze der Ideenpyramide; es ist die erste Wesenheit nach dem Einen bzw. dem Über-Seienden. Thomas übernimmt diese Lehre vom ipsum esse als der höchsten Idee, bezeichnet sie selbst aber als esse commune, d. h. als das allgemeine Sein, an dem alle Seienden, nicht aber Gott teilhaben[61]. Denn Gott als Ursprung allen Seins »hat« nicht Sein, er »ist« vielmehr das Sein. Im Unterschied zum Neuplatonismus ist Gott für Thomas deshalb nicht der Überseiende, er ist vielmehr das ipsum esse subsistens, das subsistierende Sein selbst, an dessen Sein alles andere Seiende Anteil hat[62]. Deshalb nimmt nicht Gott am esse commune teil, vielmehr das esse commune an Gott[63], es ist die erste und eigentliche Wirkung Gottes[64]. *So ist Gott als das subsistierende Sein selbst Ursprung und Grund, biblisch: der Vater aller Wirklichkeit.*

Mit dieser Lehre von Gott als dem subsistierenden Sein selbst erreicht Thomas einmal, daß er die *Transzendenz Gottes* gegenüber der Welt

[57] Augustinus, De civitate Dei VIII, 11 (CCL 47,227 f); De Trinitate V, 10 (CCL 50, 217 f).

[58] Athanasius, De decretis nicaenae synodi (PG 25, 449); vgl. auch Cyrill, De Trinitate dialogi I (PG 75, 672 BD).

[59] Thomas v. A., Summa theol. I q.13 a.11.

[60] Summa theol. I q.13 a.11.

[61] Vgl. K. Kremer, Die neuplatonische Seinsphilosophie und ihre Wirkung auf Thomas von Aquin, Leiden 1966.

[62] Summa theol. I q.3 a.4; q.7 a.1 u. ö.

[63] Summa c. gent. p.1 q.26.

[64] Summa theol. I/II q.66 a.5 ad 4.

wahren kann. Denn zwischen dem Sein-Sein Gottes und dem Sein-Haben der Geschöpfe besteht ein unendlich qualitativer Unterschied. Mit der Wesensbestimmung Gottes als ipsum esse subsistens wird Gott also nicht in einen Gott und Welt umgreifenden Seinszusammenhang eingeordnet; Thomas hält vielmehr ausdrücklich daran fest, daß Gott nicht innerhalb irgendeiner Gattung, auch nicht innerhalb des Seins ist[65]. Er ist gegenüber aller anderen Wirklichkeit unendlich erhaben. Auf der anderen Seite kann Thomas mit seiner Wesensbestimmung Gottes, anders als der Neuplatonismus, auch an der mit dem Schöpfungsgedanken gegebenen *Immanenz Gottes* in der Welt festhalten. Denn wenn Gott die alles Sein umfassende Wirklichkeit selbst ist, dann kann er in seinem Verhältnis zur Welt und zum Menschen nicht nur in der Weise des Gegenübers gedacht werden; wäre Gott der Welt nur gegenüber, dann wäre er durch die Welt begrenzt und damit ein endliches Wesen. Wird Gott aber als das Sein selbst gedacht, dann nimmt alles, was ist, teil an der Wirklichkeit Gottes; dann ist Gott in allen Dingen[66]. Er ist also nicht nur der ferne und unerreichbare Überseiende, sondern der in der Welt gegenwärtige Gott; er ist allgegenwärtig. *So ist Gott transzendent und immanent zugleich.*

Aus der Wesensbestimmung Gottes als ipsum esse subsistens folgt, daß *Gott als Fülle des Seins* keinerlei Mangel an Sein (Potentialität) kennt, daß er vielmehr das absolut vollkommene Sein schlechthin und damit reine Aktualität (actus purus) ist. Dieses Ineinsfallen von Wesen und Sein in Gott begründet die *Einfachheit Gottes* wie seine *Unveränderlichkeit.* Es besagt ja, daß Gott sein Wesen nicht sukzessiv verwirklicht, sondern sein Wesen schlechterdings ist[67]. Die *Ewigkeit Gottes* besagt darum nicht nur, daß Gott ohne Anfang und Ende ist, sondern daß er gleichzeitig Anfang und Ende ist. Da er sein Sein nicht erst sukzessiv zu verwirklichen braucht, besteht seine Ewigkeit in der »tota simul et perfecta possessio« seines Seins[68].

Die Unveränderlichkeit und Ewigkeit, die aus der Wesensbestimmung Gottes als ipsum esse subsistens folgen, bedeuten nicht, daß Gott in jeder Hinsicht ein bewegungsloses und starres Wesen wäre. Im Gegenteil, aus eben dieser Wesensbestimmung folgt, daß er *reines Erkennen* ist[69] und daß ihm deshalb *Leben* in höchstem Maße eigen ist[70]. Auch und gerade der Gott, der mit Hilfe der Kategorien der klassischen Metaphy-

[65] Summa theol. I q.3 a.5.
[66] Summa theol. I q.8 a.1.
[67] Summa theol. I q.9 a.1f.
[68] Summa theol. I q.10 a.1.
[69] Summa theol. I q.14 a.5; q.19 a.1.
[70] Summa theol. I q.18 a.3.

sik gedacht wird, ist also kein toter, sondern in höchstem Maße ein lebendiger Gott.

Was Thomas mit Hilfe des Begriffs ipsum esse subsistens ausdrückt, haben spätere Theologen im Anschluß an die Kirchenväter oft mit Hilfe des Begriffs der *Aseität Gottes* zum Ausdruck zu bringen versucht[71]. Dabei haben sie Aseität nicht nur im unmittelbaren Wortsinn, d. h. negativ verstanden. Sie wollten damit nicht nur sagen, daß Gott nicht von einem anderen her existiert, sondern ausschließlich von sich selbst her ist, daß er, ungeworden und unabhängig von aller anderen Wirklichkeit, die schlechterdings unbedingte Wirklichkeit ist. Aseität wird also auch im positiven Sinn verstanden und besagt, daß Gott die Selbstwirklichkeit ist, daß er das Sein aus sich selbst ist. Freilich bringt der Begriff Aseität unmittelbar nur den negativen Aspekt zum Ausdruck, während der Begriff ipsum esse subsistens den positiven Grund aussagt. *Gott als ipsum esse subsistens hat deshalb als die eigentliche metaphysische Wesensbestimmung Gottes zu gelten.*

Die klassisch gewordene Synthese des Thomas von Aquin ist genial und imponierend. Aber ist sie haltbar? Je mehr man sich in sie vertieft, um so mehr gewinnt man den Eindruck, daß man sich auf einer einsamen Gratwanderung befindet. Grundsätzlich in Frage gestellt wurde sie in unserem Jahrhundert vor allem durch die dialektische Theologie. E. Brunner sah in der Übersetzung des Jahwe-Namens mit dem Begriff des Seins ein »verheerendes Mißverständnis«, ja ein »tragisches Mißverständnis«[72]. Man wird Brunner freilich nicht den Vorwurf ersparen können, daß er selbst Thomas gründlich mißverstanden hat. Denn Thomas will mit dem Begriff des ipsum esse subsistens eben nicht, wie Brunner ihm vorwirft, Gott in einen Gott und Welt umgreifenden Seinszusammenhang einordnen, sondern gerade umgekehrt die Transzendenz Gottes wahren. Es gibt freilich ein Korn Wahrheit in dieser Kritik. Die Unterschiede zwischen dem biblischen Gottesnamen und der traditionellen Wesensbestimmung Gottes liegen auf der Hand. Die Bibel spricht nicht vom Sein, sondern vom Dasein im Sinn des Mit-uns- und Für-uns-Seins Gottes. Diesen lebendigen Gott der Geschichte und sein persönliches Wesen kann die klassische Wesensbestimmung Gottes – wenigstens auf den ersten Blick – nicht zum Ausdruck bringen. Aus Gott scheint vielmehr ein Abstraktum, ein Neutrum, ja ein antlitzloser Begriffsgötze geworden zu sein, dem man alles zuschreibt, nur keine personalen Züge. Die Seinsphilosophie scheint das Zeugnis der Schrift nicht voll zur Geltung bringen zu können.

Die eindringlichste *Kritik an der onto-theo-logischen Verfassung der Metaphysik und an der theo-onto-logischen Verfassung der Theologie* hat *M. Heidegger* geleistet. Er stellt zusammenfassend fest: »Zu diesem Gott kann der Mensch weder beten, noch kann er ihm opfern. Vor der Causa sui kann der Mensch weder aus Scheu aufs Knie fallen, noch kann er vor diesem Gott musizieren und tanzen.« Ja, Heidegger meint sogar, daß das gott-lose Denken, das den Gott der

---

[71] Vgl. F. Lakner, Art. Aseität, in: LThK I, 921 f.
[72] E. Brunner, Die christliche Lehre von Gott, Zürich ³1960, 132 f.

Philosophie, den Gott als causa sui preisgeben muß, dem göttlichen Gott vielleicht näher ist. »Es ist freier für ihn, als die Onto-theo-logik wahrhaben möchte«[73]. Doch auch diese Kritik wird der denkerischen Leistung des Thomas von Aquin zumindest nicht voll gerecht. Die Wesensbestimmung Gottes als ipsum esse subsistens zielt ja eben darauf, Gott vom ens commune zu unterscheiden. Ob man Thomas im Sinn Heideggers eine Seinsvergessenheit zum Vorwurf machen kann, ist zumindest sehr umstritten[74].

Wie sehr die scholastische Synthese den für die Bibel zentralen Gedanken der Personalität Gottes einschließt, hat vor allem *J. E. Kuhn* gezeigt. Kuhn versucht eine Synthese der verschiedenen scholastischen Wesensbestimmungen Gottes[75]. Dabei geht er aus von der Unendlichkeit als der skotistischen Wesensbestimmung Gottes. Sie unterscheidet Gott von allen endlichen Geschöpfen. Aber diese negative Aussage würde in Pantheismus umschlagen, würde man Gott nicht mit manchen Thomisten positiv als absoluten Geist (Intellektualität) bestimmen, zu dessen Wesen es gehört, nicht nur wie der menschliche Geist intentional unendlich, sondern real unendlich zu sein. Geistigkeit besagt aber auch Reflexivität, also ein bewußtes An-sich- und Für-sich-Sein, was beim absoluten Geist Aseität bedeutet. Wird die Aseität Gottes so im Zusammenhang seiner Geistigkeit gesehen, dann begründet sie seine Freiheit. Man kann Gott also als absolute Freiheit und als absolute Person bestimmen. Mit dieser Synthese der verschiedenen Schulmeinungen hat Kuhn zugleich gezeigt, wie sehr die klassische metaphysische Wesensbestimmung Gottes der Sache nach durchaus schriftgemäß ist; sie verdeckt nicht das personale Antlitz des Vaters, sondern versucht, die biblische Botschaft ins Denken zu erheben und vor dem Denken zu verantworten.

Mit seiner Interpretation hat Kuhn noch ein Weiteres geleistet: Er hat den *Zusammenhang* aufgezeigt, der *zwischen der klassischen metaphysischen Wesensbestimmung Gottes und einer Wesensbestimmung im Kontext der neuzeitlichen Freiheitsphilosophie* besteht. Er hat deutlich gemacht, daß zwischen beiden keine sich ausschließenden Gegensätze, sondern innere Zusammenhänge bestehen.

Am weitesten hat sich in dieser Frage der Würzburger Dogmatiker *H. Schell* vorgewagt, indem er Gott als causa sui bestimmt[76]. Schell griff damit auf den Neuplatonismus und auf gelegentliche Formulierungen bei manchen Kirchenvätern zurück; gleichzeitig knüpfte er an der neuzeitlichen Philosophie der sich selbst setzenden Freiheit an. Nach Schell kann der absoluten Freiheit anders als der endlichen Freiheit keine Natur und kein in sich müßiges substantielles Sein vorausgehen. Gott ist deshalb für Schell »nicht erst Tatsache oder Wesen und dann Tat, sondern Urtat und darum Urtatsache«, er ist »der ewige Selbstvollzug der unendlichen Tatkraft...der Selbstvollzug der selbstbewußten Wahrheit und Heiligkeit«. Statt Selbstverursachung und Selbstsetzung sprach Schell später etwas zurückhaltender von der Selbstwirklichkeit und Selbsttat Gottes. Diese Bestimmung Gottes als causa sui wurde von den meisten Theologen abgelehnt,

[73] M. Heidegger, Identität und Differenz, Pfullingen 1957, 70.
[74] Vgl. G. Siewerth, Das Schicksal der Metaphysik von Thomas zu Heidegger, Einsiedeln 1959.
[75] J. E. Kuhn, Katholische Dogmatik. Bd. 1/2. Die dogmatische Lehre von der Erkenntnis, den Eigenschaften und der Einheit Gottes, Tübingen 1862, 758 ff.
[76] H. Schell, Katholische Dogmatik. Bd. 1. Münster 1889, 238 ff.

weil ein Wesen, das sich selbst verursacht, wirken müßte, ehe es existiert; es müßte sein, ehe es ist, was dem Kontradiktionsprinzip widerspricht. Außerdem befürchteten die meisten Theologen, mit der Idee der Selbstverwirklichung würde Werden und damit Potentialität in Gott hineingetragen. Diese Einwände sind auf der Grundlage der klassischen Metaphysik unabweisbar. Doch damit werden sie dem Anliegen Schells, das trotz seiner nicht ganz glücklichen Formulierungen Bestand hat, eben nicht gerecht. Geht es ihm doch darum, auf der Grundlage des neuzeitlichen Denkens ein dinglich-substantielles Seins-verständnis zu überwinden und Gott als Sein in der Tat, als Freiheit und Leben zu denken. Damit ist Schell nicht nur dem neuzeitlichen Denkansatz, sondern auch dem biblischen Gottesverständnis weit näher gekommen als seine neuscho-lastischen Gegner, die 1898 seine Indizierung erreichten und damit zum Schaden des christlichen Glaubens verhinderten, daß seine Ansätze für eine neue, der geistigen Situation der Neuzeit entsprechenden Synthese von Glauben und Wissen zum Tragen kamen. Oder sollte die Theologie des 19. und 20. Jahrhunderts weniger Mut zur kritischen und schöpferischen Synthese besitzen als die Kirchenväter der ersten Jahrhunderte?

Die Wesensbestimmung Gottes im Horizont der neuzeitlichen Freiheits-philosophie

Während die klassische Metaphysik vom Sein zur Freiheit hin denkt und Freiheit als die höchste Form des Seins, nämlich als in sich stehendes und bei sich selbst seiendes Sein versteht, geht die neuzeitliche Philosophie vom Subjekt, näherhin von der Freiheit aus, um das *Sein im Horizont der Freiheit* zu denken. Kant spricht in diesem Zusammenhang von einer kopernikanischen Wende[77], die Fichte noch entschiedener als Option für die Freiheit verstanden hat[78]. Nicht die konstatierbare Tatsache, sondern die Tathandlung der Freiheit ist das erste, von dem her sich die Welt erst eröffnet. Sein ist also Tat, Vollzug, Geschehen, Ereignis. Nicht die in sich stehende Substanz, sondern die Ek-sistenz, die Freiheit, die aus sich heraustrat und die sich im Vollzug verwirk-licht, ist jetzt Ausgangspunkt und Horizont des Denkens. Es liegt auf der Hand, daß im Horizont dieses Neuansatzes und dieser neuen Denkform auch Gott neu gedacht werden mußte.

Auf den ersten Blick scheint eine Wesensverwandtschaft zwischen dem biblischen und dem neuzeitlichen Denken zu bestehen. Man hat deshalb gelegentlich versucht, das neuzeitliche Denken als Säkularisierung und als weltliche Verwirklichung des biblischen Denkens zu verstehen. Man darf freilich nicht die Gefahren dieses Denkansatzes für das christliche Gottesverständnis übersehen. Gott drohte immer wieder zu einem

---

[77] I. Kant, Kritik der reinen Vernunft B XVI (WW II, ed. W. Weischedel, 25).
[78] J. G. Fichte, Über den Grund unseres Glaubens an eine göttliche Weltregierung (WW III, ed. Medicus), 119–133.
[79] Vgl. o. 42 f.

Moment am Selbstvollzug des Subjekts und der Freiheit zu werden; er war dann noch das Medium der sittlichen Freiheit, Inbegriff des Reichs der Freiheit, aber nicht mehr personales Gegenüber des Menschen[79]. Diese Gefahr wurde paradigmatisch im sog. Atheismusstreit offenbar, den Fichte 1798 durch seinen Artikel »Über den Grund unseres Glaubens an eine göttliche Weltregierung« ausgelöst hat. Da es Person nur im Gegenüber zu anderen Personen unserer Welt gibt, meinte Fichte, Persönlichkeit sei gleichbedeutend mit Beschränkung und Endlichkeit und sei deshalb als Prädikat Gottes ausgeschlossen[80]. Ein ähnlicher Einwand begegnet uns in unserem Jahrhundert wieder bei K. Jaspers[81] und in den Richtungen moderner Theologie, die aus Furcht vor einer Vergegenständlichung Gottes zu einer Ablehnung des Theismus kommen[82] oder Gott lieber als überpersonal denn als personal bestimmen möchten[83]. Diese Probleme sind nicht neu. Sie begegnen uns auch nicht nur in den pantheistischen und panentheistischen Strömungen der Neuzeit, in der Weltfrömmigkeit Goethes, der Philosophie von G. Bruno und B. Spinoza, sondern auch in dem monistischen Wirklichkeitsverständnis der asiatischen Hochreligionen, besonders im Buddhismus, der Gott weder positive noch negative Prädikate zuschreiben möchte. Der Begriff Person, besonders in seiner Anwendung auf Gott, ist der vielleicht schwierigste Punkt im *Dialog zwischen dem Christentum und den östlichen Religionen*.

Eine Wesensbestimmung Gottes im Horizont der Freiheit läßt sich in einem ersten Reflexionsgang schon vom *klassischen Begriff der Person* her rechtfertigen. Denn zum klassischen Begriff der Person gehört *einerseits* Individualität im Sinn unvertauschbarer und unübertragbarer *Einmaligkeit*. Die für die gesamte Tradition bestimmende Definition der Person bei Boethius lautet: »naturae rationalis individua substantia«[84]. Diese individuelle Daseinsweise einer Geistnatur scheint Endlichkeit zu implizieren und damit die Anwendung des Personbegriffs auf Gott auszuschließen. *Auf der anderen Seite* gehört zur Person Rationalität und damit *Unendlichkeit*. Schon der endliche Geist ist nach Thomas im Anschluß an Aristoteles »quodammodo omnia«; er ist auf das Ganze der Wirklichkeit hin entgrenzt und ausgerichtet. Zur Geistnatur gehört

[80] Fichte, aaO.
[81] K. Jaspers, Der philosophische Glaube angesichts der Offenbarung, München 1962, 236 f.
[82] Zur Gott-ist-tot-Theologie: J. Bishop, Die Gott-ist-tot-Theologie, Düsseldorf 1968; D. Sölle, Stellvertretung. Ein Kapitel Theologie nach dem »Tode Gottes«, Stuttgart–Berlin 1965; dies., Atheistisch an Gott glauben. Beiträge zur Theologie, Olten–Freiburg i. Br. 1968.
[83] H. Küng, Existiert Gott? Antwort auf die Gottesfrage der Neuzeit, München–Zürich 1978, 692 f.
[84] A. M. S. Boethius, Liber de persona et duabus naturis III (PL 64, 1343).

deshalb Ek-sistenz, Aus-sich-heraus- und Über-sich-hinaus-Sein. Diesen Aspekt hat vor allem Richard von St. Viktor in einer Definition des Personbegriffs zur Geltung gebracht: »naturae rationalis incommunicabilis existentia«[85]. Die Person ist in ihrer je Einmaligkeit zugleich auf das Ganze der Wirklichkeit hin ausgerichtet. Schon im endlichen Bereich ist die Person also ausgezeichnet durch die *Spannung zwischen dem jeweils konkreten, unvertauschbaren Einzelnen und dessen unbegrenzter Offenheit auf* das Ganze der Wirklichkeit. Anders formuliert: *In der Person ist das Ganze der Wirklichkeit in je einmaliger Weise da. Person ist Da-sein, d. h. das Da des Seins*[86]. Die endliche Person ist in intentionaler Weise die Subsistenz des Seins und insofern esse subsistens intentionale. Weil in der Person das Ganze des Seins in intentionaler Weise da ist, darf die Person keinem angeblich höheren Ziel, Wert, Zusammenhang und Ganzen untergeordnet und geopfert werden; ihr Personsein begründet vielmehr ihre unbedingte Würde, aufgrund derer sie nie nur Mittel zum Zweck, sondern Zweck in sich selber ist.

Ausgehend vom klassischen Personbegriff können wir nun in einem zweiten Reflexionsgang die anthropologische Wende der Neuzeit nachvollziehen. Das braucht nicht notwendig zu den genannten Aporien für das Gottesverständnis zu führen. Denn aufgrund ihrer Dynamik auf das Ganze des Seins findet die Person in nichts Endlichem ihr Genügen, weder in materiellen noch in geistigen Werten, auch nicht in endlichen Personen. Daher das rast- und ruhelose ständige Unterwegs- und Über-sich-hinaus-Sein des Menschen. Ihre endgültige Erfüllung kann die menschliche Person nur finden, wenn sie einer Person begegnet, die nicht nur ihrem intentionalen Anspruch, sondern ihrem realen Sein nach unendlich ist, wenn sie der absoluten Person begegnet. Ein angemessener Begriff der Person als je einmaliges Da des Seins führt also notwendig zum Begriff der absoluten, der göttlichen Person[87]. Versteht man die Person als je einmalige Verwirklichung des Seins im Ganzen, dann bedeutet die Kategorie Person in ihrer Anwendung auf Gott keinerlei Vergegenständlichung Gottes. Im Gegenteil, *die Kategorie Person kann in neuer Weise zum Ausdruck bringen, daß das Sein in Gott in einer einmaligen Weise subsistiert, daß Gott also das ipsum esse subsistens ist.*

Die personale Wesensbestimmung Gottes greift die klassische Wesensbestimmung auf und überbietet sie zugleich. Sie denkt Gott nicht mehr

[85] Richard von St. Viktor, De Trinitate IV, 22–24 (ed. Ribaillier, 187–190).
[86] Vgl. M. Müller – W. Vossenkuhl, Art. Person, in: Handb. phil. Grundbegr. II, 1059–1070.
[87] H. Krings, Freiheit. Ein Versuch, Gott zu denken, in: Phil. Jahrbuch 77/2 (1970), 225–237; H. Krings, Art. Freiheit, in: Handb. phil. Grundbegr. I, 493–510; H. Krings/ E. Simons, Art. Gott, in: Handbuch phil. Grundbegr. II, 614–641.

im Horizont der Substanz, bestimmt ihn also nicht als absolute Substanz, sie denkt ihn vielmehr im Horizont der Freiheit und bestimmt *Gott als die vollkommene Freiheit.* Diese personale Wesensbestimmung Gottes hat den Vorteil, daß sie konkreter und lebendiger wirkt als die abstrakte metaphysische Wesensbestimmung der Tradition. Sie kommt damit auch dem biblischen Bild von Gott als Vater wieder näher. Dies ist vor allem deshalb der Fall, weil *Personalität notwendig Relationalität* besagt. Person existiert ja nur im Selbstvollzug von anderer Person her und auf andere Personen hin. Die menschliche Person ist konkret gar nicht anders lebensfähig, als daß sie von anderen Personen angenommen und bejaht wird, daß sie Liebe empfängt und zugleich Liebe scherkt; sie findet ihre Erfüllung, indem sie sich in Liebe entäußert, um so ihre intentionale Unendlichkeit zu verwirklichen. Im Horizont der Person erscheint der Sinn des Seins als Liebe. Diese These ist von grundlegender Bedeutung für das rechte Verständnis der Personalität Gottes. *Die Personalität Gottes besagt dann, daß Gott das subsistierende Sein ist, das Freiheit in der Liebe ist.* Damit führt uns die Wesensbestimmung Gottes zurück auf die biblische Aussage: »Gott ist Liebe« (1 Joh 4,8.16).

Selbstverständlich können wir die *Kategorie Person nur in analoger Weise auf Gott anwenden.* Das heißt nicht, Gott sei weniger Person als wir, sondern er sei in unvergleichlich höherem Maße Person, als wir es sind. Diese Aussage, Gott sei in unvergleichlich höherem Maße Person als wir, ist aber zu unterscheiden von der These, Gott sei überpersonal. Diese letztere These ist im Grunde nichtssagend; denn Person ist die höchste Kategorie, die uns überhaupt zur Verfügung steht. Man kann diese Kategorie analog anwenden, aber sie in eine nochmals höhere überpersonale Dimension überschreiten zu wollen hieße, den Bereich sinnvollen und verantwortbaren Sprechens zu verlassen. Das Wesen Gottes verliert sich dann ins völlig Vage, Unbestimmte und Allgemeine. Der biblische Gott, der einen konkreten Namen hat, wird damit verfehlt. In positiver Hinsicht leistet die Kategorie Person ein Dreifaches:

1. Die Kategorie Person hält fest, daß *Gott kein Objekt,* kein Gegenstand, keine Sache ist, die man feststellen und damit festlegen kann; er ist vielmehr Subjekt, das in unableitbarer Freiheit ist, spricht und handelt. *Die Kategorie Person wahrt also die Unverfügbarkeit und Verborgenheit Gottes in der Offenbarung seines Namens.* Da nach scholastischer Tradition gilt, »persona est ineffabilis«, erweist sich gerade die Kategorie Person als sperrig dagegen, daß Gott in irgendeinen allgemeinen Begriff, in irgendein System aufgehoben wird. Die Bestimmung Gottes als Person hält also paradoxerweise fest, daß man Gott letztlich nicht bestimmen, nicht definieren kann. Als Person ist *Gott schlechterdings und unverwechselbar einmalig.*

2. Die Kategorie Person hält fest, daß *Gott kein Prädikat,* sei es der Welt oder sei es des Menschen, ist; sie insistiert darauf, daß Gott souveränes Subjekt ist. Er ist nicht die Verklärung und Ideologisierung der Welt, des Menschen, irgendwelcher Ideen, Bewegungen und Interessen. Er darf deshalb nicht ideologisch für innerweltliche Interessen in Anspruch genommen werden; man darf seinen Namen nicht eitel nennen und mißbrauchen, man muß ihn vielmehr heilig halten. Gott ist also von den Götzen, den Verabsolutierungen weltlicher Größen (Macht, Geld, Sexualität, Ruhm, Erfolg u. a.) zu unterscheiden. Modern formuliert: Dem biblisch bestimmten Gottesglauben kommt eine *ideologiekritische Funktion* zu. Durch prophetische Kritik an den die Menschen versklavenden Vergötzungen und Verabsolutierungen aller Art kann er der Freiheit des Menschen dienen und die Transzendenz der menschlichen Person wahren[88]. *Eben die Anerkennung der Herrschaft Gottes bedeutet die Freiheit des Menschen.* Da Gott in unvergleichlich höherem Maß als die Person des Menschen ein Zweck in sich selbst und niemals Mittel zum Zweck ist, hat ein solcher Aufweis der innerweltlichen Relevanz des Gottesglaubens jedoch eine unübersteigbare Grenze. Der Personbegriff widersteht jeder Funktionalisierung Gottes, sei es in konservativ-affirmativer oder in progressiv-kritischer Absicht. Nicht die Bedeutsamkeit Gottes für uns ist das erste, sondern *die Anerkennung des Gottseins Gottes,* die Anbetung und der Lobpreis Gottes. »Wir danken dir wegen deiner großen Herrlichkeit.« So bringt der Personbegriff die *Herrlichkeit und Heiligkeit Gottes* zum Ausdruck.

3. Die Kategorie Person hält nicht nur das einmalige Subjektsein Gottes fest, sondern sagt auch, daß *Gott die alles bestimmende Wirklichkeit* ist. Sie macht Ernst damit, daß Gott nicht nur ein jenseitiges Wesen und damit nicht nur ein personales Gegenüber ist, daß er vielmehr *in allen Dingen* ist, daß man ihn in allen Dingen finden, daß man ihm besonders in allen Menschen begegnen kann. Doch damit nicht genug! Indem man Gott, die alles bestimmende Wirklichkeit, personal bestimmt, wird auch das Sein im Ganzen personal bestimmt. Damit geschieht eine *Revolution im Seinsverständnis.* Nicht die Substanz, sondern die Relation ist das Letzte und Höchste. Für Aristoteles gehört die Relation zu den Akzidenzien, die zur Substanz hinzukommen; sie galt sogar als das Schwächste alles Seienden. Wenn nun aber Gott selbst sich als der Gott des Bundes und des Dialogs offenbart, dessen Name Für-uns- und Mit-uns-Sein bedeutet, dann ist die Relation gegenüber der Substanz das Erste. Dann begründet die freie Zuwendung Gottes zur Welt und zu uns

---

[88] Vatikanum II, Gaudium et spes., 76.

erst alle innerweltliche Substantialität. *Der Sinn von Sein ist also nicht in sich stehende Substanz, sondern sich selbst mitteilende Liebe.* Damit hat der biblische Gottesgedanke nicht nur eine kritische, sondern auch eine positive Bedeutung. Er besagt, daß die menschliche Person als Person absolut angenommen und geliebt ist. Wo immer also Liebe geschieht, da ereignet sich in antizipatorischer Weise der endgültige Sinn aller Wirklichkeit, da ist in fragmentarisch vorläufiger Weise das Reich Gottes gekommen. An Gott den allmächtigen Vater glauben heißt also auch, an die Allmacht der Liebe und ihren eschatologischen Sieg über Haß, Gewalt, Egoismus zu glauben, und bedeutet die Verpflichtung, darauf hin zu leben.

An dieser Stelle erhebt sich eine Frage, die über den weiteren Fortgang unseres Sprechens von Gott schlechterdings entscheidend ist: »Gott ist Liebe« – was heißt das? Sicherlich heißt das nach allem bisher Gesagten nicht, daß man diesen Satz auch umkehren und formulieren kann: Die Liebe ist Gott. Wer so formuliert, verkennt das Subjektsein Gottes und ordnet Gott doch wieder einem Allgemeinen unter. Die alles entscheidende Frage ist aber: Wem gilt die Liebe, die Gott selbst ist? Ist Gott in seiner Liebe reines Verströmen seiner selbst an die Welt, kann Gott also nicht ohne Welt sein, wie Hegel meinte? Aber ist er dann noch Gott? Oder ist Gott Liebe in sich selbst, Mitteilung, Selbstentäußerung in sich? Ist also Gott nicht nur Vater der Welt und der Menschen, sondern zuerst Vater seines ewigen, ihm wesensgleichen Sohnes? So weist die Wesensbestimmung Gottes als vollkommene Freiheit in der Liebe ebenso wie das biblische Bild von Gott als Vater wieder zurück auf die christologische Begründung der biblischen Rede von Gott.

II. JESUS CHRISTUS – GOTTES SOHN

1. Die Heilsfrage als Ausgangspunkt der Gottesfrage

Dem kirchlichen Glaubensbekenntnis geht es nicht um Gott in irgendeinem allgemeinen Sinn; es geht um den Gott Jesu Christi, um den Gott, der der Vater unseres Herrn Jesus Christus ist. Deshalb fährt das Credo nach dem Bekenntnis zu Gott dem allmächtigen Vater fort: »…und an Jesus Christus, Gottes Sohn«. Die Gottesfrage ist also nicht ablösbar von der Christusfrage. Aber auch von Jesus Christus, dem Sohn Gottes, spricht das Glaubensbekenntnis nicht abstrakt; es fügt diesem zentralen Inhalt des christlichen Glaubens dessen Bedeutung für uns hinzu: »der für uns Menschen und zu unserem Heil vom Himmel gekommen ist«. Die Christusfrage und damit auch die Gottesfrage stehen somit wiederum im Horizont der Heilsfrage. *Es geht christlich nicht um den Gott an sich, sondern um den Gott für uns, den Gott Jesu Christi, der ein Gott der Menschen ist (Hebr 11,16).* Eine Gottesverkündigung und Gotteslehre, die nur von Gott an sich sprechen würde, ohne zu sagen, was er für mich und für uns bedeutet, würde irrelevant und verfiele dem Ideologieverdacht. Darum geht es immer um den konkreten Gott, der das Heil des Menschen und dessen Ehre der lebendige Mensch ist[1]. Mit dieser These kehrt das christliche Bekenntnis das Grunddogma der neuzeitlichen Religionskritik um: Nicht daß Gott tot ist, sondern daß er ein lebendiger Gott der Menschen ist, wird als Hoffnung und Erfüllung des Menschen behauptet.

Wer die *Heilsfrage zum Ausgangspunkt der Gottes- und der Christusfrage* macht, setzt sich freilich – zumal heute – von vornherein schwersten Einwänden aus. Die Frage liegt nahe: Wenn Gott ist, und wenn er gar ein Gott der Menschen ist, *woher dann das Böse,* das ungerechte Leiden in seinen vielfältigen Gestalten? Warum und wozu Ausbeutung und Unterdrückung, Schuld, Angst, Krankheit und Sterben, Verfolgung und Ausgestoßensein? Warum und wozu nicht zuletzt das Leiden von Kindern, die nicht nur persönlich unschuldig sind, sondern dem Leiden auch distanzlos ausgeliefert sind? Diese Erfahrungen unverschuldeten ungerechten Leidens sind ein existentiell viel stärkeres Argument gegen den Gottesglauben als alle erkenntnis- und wissenschaftstheoretischen, alle religions- und ideologiekritischen wie sonsti-

---

[1] Irenäus, Adv. haer. III, 20,2 (SC 211, 388–393).

gen philosophischen Argumente. Sie sind der Felsen des Atheismus[2]. Am eindringlichsten hat Epikur dieses Argument formuliert: Gott will entweder das Übel abschaffen, aber er kann nicht – dann ist er ohnmächtig und nicht Gott, oder er kann und will es nicht – dann ist er böse, im Grunde ist er dann der Teufel, oder er will es weder, noch kann er es – was auf beide Folgerungen zugleich hinausläuft, oder er will und kann es – woher dann aber das Böse?[3] Bei A. Camus hat das Argument folgende Form: »Entweder sind wir nicht frei, und der allmächtige Gott ist für das Böse verantwortlich. Oder wir sind frei und verantwortlich, aber Gott ist nicht allmächtig.« Alle scholastischen Spitzfindigkeiten haben der Schärfe dieses Paradoxons nichts hinzugefügt und nichts genommen[4]. Nach dem Grauen und den Greueln unseres Jahrhunderts glaubt deshalb die Nach-Auschwitz-Theologie es nicht mehr länger verantworten zu können, von einem allmächtigen und zugleich gütigen Gott zu sprechen[5].

Einwände, wie sie hier gegen die christliche Botschaft von der Erlösung der Welt erhoben werden, hat die *jüdische Theologie* von Anfang an gegen das Christentum formuliert: Wie kann man angesichts des offenkundig unerlösten Zustands der Welt die Erlösung der Welt behaupten? Auch jüdische Theologie hält fest: Gott ist ein Gott der Menschen, der in der Geschichte spricht und handelt. Aber sie hat »stets an einem Begriff von Erlösung festgehalten, den sie als einen Vorgang auffaßte, welcher sich in der Öffentlichkeit vollzieht, auf dem Schauplatz der Geschichte und im Medium der Gemeinschaft, kurz, der sich entscheidend in der Welt des Sichtbaren vollzieht und ohne solche Erscheinungen im Sichtbaren nicht gedacht werden kann«[6]. Solche Erlösung ist für das Judentum vorläufig noch eine eschatologische Hoffnung.

In säkularisierter Gestalt begegnet uns diese Hoffnung in den vielgestaltigen modernen Utopien, von denen der evolutionäre Fortschrittsglaube und die revolutionäre marxistische Utopie vom kommenden Reich der Freiheit am wirkmächtigsten sind. Beide gehen davon aus, daß der Mensch sein Schicksal selbst in die Hand nehmen muß, und daß er

---

[2] G. Büchner, Dantons Tod, 3. Akt (Zit. bei J. Moltmann, Trinität und Reich Gottes. Zur Gotteslehre. München 1980,64). Zum Gesamtproblem: W. Kasper, Das Böse als theologisches Problem, in: Christlicher Glaube in moderner Gesellschaft 9, Freiburg–Basel–Wien 1981, 176–180.

[3] Zit. bei Laktanz, De ira Dei, 13 (PL 7, 121).

[4] A. Camus, Der Mythos von Sisyphos, in: Das Frühwerk, Düsseldorf 1967, 449.

[5] Vgl. R. L. Rubenstein, After Auschwitz. Radical Theology and Contemporary Judaism. Indianapolis 1966.

[6] G. Scholem, Zum Verständnis der messianischen Idee im Judentum, in: Judaica I. Frankfurt a. M. 1963, 7.

seines eigenen Glückes Schmied ist. Diese neuzeitliche Idee von der Autonomie des Menschen schließt – radikal zu Ende gedacht – die Idee eines Mittlers und damit einer Erlösung, die nicht Selbsterlösung und Selbstbefreiung des Menschen ist, grundsätzlich aus[7]. Die Hoffnung auf Erlösung und Befreiung durch Gott scheint in dieser Perspektive die Freiheit des Menschen zu unterdrücken, seinen Einsatz zu entwerten, ja den Menschen zur reinen Passivität und zum bloßen Erdulden zu verurteilen und so den Status quo zu sanktionieren[8]. Sie scheint dem Menschen seine Verantwortung für sich und die Zustände in der Welt abzunehmen und durch den Gedanken der erlösenden Stellvertretung diese Verantwortung gar nicht ernst zu nehmen.

Inzwischen ist klar geworden, daß die neuzeitliche Aufklärung im Grunde von einem abstrakten Menschenbild ausging. Sie verkannte, daß *die menschliche Freiheit immer situierte Freiheit* ist, daß sie also unter physiologischen, biologischen, soziologischen, ökonomischen und psychologischen Bedingungen steht, so daß man sie nicht einfach »hat«, um von ihr Gebrauch zu machen, wenn man nur will. Die Freiheit des einzelnen ist in eine universale Unheilssituation hineinverflochten. Jeder Versuch, diese Situation zu verändern, steht selbst unter den Bedingungen des Unheils. So kommt es zu einem nie endenden Teufelskreis von Schuld und Rache, Gewalt und Gegengewalt. Es gibt denn auch keine Revolution, die später nicht verraten worden wäre. Dazu kommt die Endlichkeit des Menschen, die im Tod ihren stärksten Ausdruck findet. Vor allem der Tod ist ein Zeichen dafür, daß alle menschlichen Versuche, mit seiner Unheilssituation fertig zu werden, fragmentarisch bleiben müssen und letztlich immer scheitern. *Der Mensch kann das Böse bestenfalls eindämmen, Versuche, es abzuschaffen, enden immer gewalttätig und totalitär, was selbst ein Böses ist.*

Solche Einsichten in das mit dem Menschsein gegebene Leiden hat die Situation der Theologie verändert. War der Gesprächspartner der neuzeitlichen Theologie im Grunde der aufgeklärte Ungläubige, so ist *der Gesprächspartner einer heutigen Theologie der leidende Mensch*, der die bestehende Unheilssituation konkret erfährt und dabei auch der Ohnmacht und der Endlichkeit seines Menschseins bewußt wird. Dieses Leiden kann vielfältige Gestalten annehmen: die Gestalt der Ausbeutung und Unterdrückung, der Schuld, des Krankseins, der Angst, der Verfolgung, des Ausgestoßenseins und des Sterbens in seinen

---

[7] Vgl. K. Marx, Zur Judenfrage (Werke – Schriften – Briefe. Bd. 1, ed. H. J. Lieber u. P. Furth, Darmstadt 1962), 459.

[8] Die positiven, utopischen, weltverändernden Impulse der Erlösungsvorstellung hat vor allem E. Bloch in das marxistische Denken aufzunehmen versucht, freilich auf Kosten einer strikt atheistischen Interpretation. Vgl. Das Prinzip Hoffnung, Frankfurt a. M. 1959; Atheismus im Christentum, Frankfurt a. M. 1968.

vielfältigen Gestalten[9]. Es geht bei allen diesen Leidenserfahrungen nicht um Rand- und Restphänomene des Daseins, sozusagen um die Schattenseiten des Menschen; es geht vielmehr um die condition humaine als solche. Mit Recht sagt Nietzsche, es bestimme fast die Rangordnung, wieviel Menschen leiden könnten[10]. Eine Theologie, die von der Leidenserfahrung des Menschen ausgeht, geht also nicht von Grenzphänomenen, sondern von der Mitte und Tiefe des Menschseins aus.

Die *Gottesfrage und die Leidensfrage gehören* auch noch aus einem anderen Grund *zusammen*. Wir könnten nämlich an unserer Situation gar nicht leiden, wenn wir nicht ein zumindest implizites Vorverständnis von einem nicht beschädigten, von einem geglückten und erfüllten Dasein hätten, wenn wir nicht zumindest implizit nach Heil und Erlösung fragen würden. Nur weil wir als Menschen auf Heil angelegt sind, leiden wir an unserer Unheilssituation, nur deshalb bäumen wir uns gegen sie auf. Gäbe es nicht die »Sehnsucht nach dem ganz anderen« (M. Horkheimer), dann würden wir uns abfinden mit dem, was ist, und das hinnehmen, was nicht ist. Leidenserfahrungen sind also Kontrasterfahrungen; gerade in unserem Elend erfahren wir auch unsere Größe (B. Pascal). Deshalb erleidet am Fels des Leidens auch derjenige Atheismus Schiffbruch, für den diese Welt alles ist. »Denn auch die Abschaffung Gottes erklärt das Leid nicht und beschwichtigt nicht den Schmerz. Der im Schmerz über das Leid aufschreiende Mensch hat seine eigene Ehre, die ihm kein Atheismus rauben kann«[11].

Soll angesichts der universalen Leidens- und Unheilssituation überhaupt noch Hoffnung möglich sein, soll der Mensch angesichts himmelschreienden Unrechts seine Würde nicht aufgeben, so nur, wenn ein neuer Anfang möglich ist, der nicht aus den Bedingungen unserer Situation ableitbar ist, wenn eine Instanz existiert, die über alles Unrecht erhaben am Ende der Geschichte das letzte Wort sprechen wird. Thomas von Aquin hat diesen Gedanken in unerhörter denkerischer Kühnheit formuliert und die These, das Böse sei ein Argument gegen Gott, umgekehrt: »quia malum est, deus est« (weil das Böse existiert, existiert Gott)[12]. Denn *Hoffnung angesichts der Verzweiflung ist nur von der Erlösung her möglich*[13]. Einen absoluten Sinn ohne Gott zu retten, wäre eitel[14].

---

[9] Vgl. dazu E. Schillebeeckx, Christus und die Christen. Die Geschichte einer neuen Lebenspraxis, Freiburg–Basel–Wien 1977, 627ff.
[10] F. Nietzsche (WW II, ed. K. Schlechta), 744; 1057.
[11] J. Moltmann, aaO., 64.
[12] Thomas v. A., Summa c. gent. III, 71.
[13] Th. W. Adorno, Minima Moralia. Reflexionen aus dem beschädigten Leben, Frankfurt a. M. 1951, 333.

Die Gottesfrage und die Frage des Leidens gehören also zusammen. *Die Leidensfrage verändert aber auch die Gottesfrage.* Traditionellerweise nennt man den Versuch, die Gottesfrage angesichts der Leidensfrage zu artikulieren, *Theodizee*[15]. Dieser Begriff findet sich erstmals bei Leibniz[16], die Sache ist jedoch wesentlich älter. Immer geht es darum, Gott angesichts des Bösen zu rechtfertigen. Dabei waren von den Voraussetzungen des christlichen Glaubens her zwei Lösungsmöglichkeiten von vornherein ausgeschlossen, da beide den christlichen (ja eigentlich schon jeden vernünftigen) Gottesbegriff in der Wurzel zerstört hätten: die Zurückführung des Bösen auf Gott selbst (Monismus) und die Zurückführung des Bösen auf ein von Gott unabhängiges böses Urprinzip (Dualismus). Schon Platon wußte, daß von Gott nur Gutes kommen kann[17]. Erst recht muß christliche Theologie, die Gott als absolute Freiheit in der Liebe bestimmt, sowohl den die Absolutheit der Freiheit Gottes begrenzenden Dualismus wie den die Liebe in Frage stellenden Monismus ausschließen. So kann Gott – das war die These – das Böse nur zulassen um des Guten willen, als Mittel zum Zweck der göttlichen Vorsehung und der Ordnung des Kosmos. Gott läßt das Böse also zu entweder als Strafe für die Schuld, als Prüfung und Läuterung für den Menschen oder um erst so den ganzen Reichtum und die Vielfalt des Kosmos zum Ausdruck und die Schönheit des Guten zum Leuchten zu bringen[18]. Neuerdings versucht man in ähnlicher Weise, das Böse als unvermeidliches Nebenprodukt der Evolution zu verstehen[19]. Am weitesten ging Leibniz, der auf diese Weise die bestehende Welt als die

[14] M. Horkheimer, Die Sehnsucht nach dem ganz Anderen. Ein Interview mit Kommentar von H. Gumnior, Hamburg 1970, 69.
[15] Dazu: A. D. Sertillanges, Le problème du mal. 2 Bde., Paris 1948–51; F. Billicsich, Das Problem des Übels in der Philosophie des Abendlandes. 3 Bde., Wien–Köln 1952–59; Th. Haecker, Schöpfer und Schöpfung, München ²1949; B. Welte, Über das Böse (Quaest. disp. 6), Freiburg–Basel–Wien 1959; P. Ricoeur, Die Fehlbarkeit des Menschen, Freiburg–München 1971; ders., Symbolik des Bösen, Freiburg–München 1971; K. Lüthi, Gott und das Böse, Zürich 1961; Y. Congar, Schicksal oder Schuld. Das Problem des Übels und des Bösen, in: J. Hüttenbügel (Hrsg.), Gott – Mensch – Universum. Der Christ vor den Fragen der Zeit, Graz–Wien–Köln 1974, 653–675; J. Maritain, Dieu et la permission du mal, Brügge 1963; W. Brugger, Theologia Naturalis, Pulldach 1959, 369–390; O. Marquard, Idealismus und Theodizee, in: Schwierigkeiten mit der Geschichtsphilosophie, Frankfurt a. M. 1973, 52–65; W. Kern – J. Splett, Art. Theodizee-Problem in: Sacram. mundi IV, 848–860; L. Oeing-Hanhoff–W. Kasper, Negativität und Böses, in: Christlicher Glaube in moderner Gesellschaft 9, Freiburg–Basel–Wien 1981, 147–201.
[16] G. W. Leibniz, Versuche in der Theodizee über die Güte Gottes, die Freiheit des Menschen und den Ursprung des Übels (1710) (ed. Buchenau, Hamburg 1968).
[17] Platon, Pol 379.
[18] Augustinus, De ordine I, 7; II, 7 (CCL 29, 97–99; 117–120); Enchiridion, 11 (CCL 46, 69–70); Thomas v. A., Summa theol. I q.22 a.2; q.48 a.2; Summa c. gent. III, 71.
[19] Vgl. bes. P. Teilhard de Chardin, Der Mensch im Kosmos, München 1959, 308 ff.

beste aller denkbaren Welten erweisen und so Gott rechtfertigen wollte. Doch in dieser optimistischen Gestalt kann die Theodizee kaum noch von einer pessimistischen, ja tragischen Weltauffassung unterschieden werden. Die Endlichkeit muß als metaphysisches Übel verstanden und insofern »verbösert« werden, während das Böse als Dienst am Guten verstanden letztlich »entbösert« wird. Durch solche Mediatisierung des Bösen wird nicht zuletzt die menschliche Freiheit überspielt und im Grunde nicht ernstgenommen. Wo bleibt da der Respekt vor dem Leiden des je Einzelnen, der ja nicht irgendein Fall des Allgemeinen und nicht ein bloßes Moment einer noch so großartigen Weltordnung ist? D. Sölle hat diese Versuche, das Theodizeeproblem zu lösen, gar als theologischen Sadismus bezeichnet[20]. Auf jeden Fall hat Dostojewski mit Recht eingewandt, daß solche Harmonie zu teuer bezahlt werde. »Darum aber beeile ich mich, mein Eintrittsbillet zurückzugeben«[21]. Festzuhalten von der traditionellen Theodizeelehre ist trotz dieser Kritik die Einsicht, daß das Böse bei all seiner Entsetzlichkeit nur eine sekundäre Wirklichkeit ist, die nur im Widerspruch zum Guten möglich und die nur im Horizont des Guten als böse erfahrbar ist. Diese richtige Grundeinsicht ist jedoch gegenüber den traditionellen Theorien wesentlich zu vertiefen. Die Relativität des Bösen gegenüber dem Guten erlaubt nämlich keinen harmonisierenden Ausgleich und schon gar kein gegenseitiges Aufrechnen, sie macht im Gegenteil den in sich widersprüchlichen Charakter des Bösen offenbar. Aufgrund dieser inneren Widersprüchlichkeit ist das Böse letztlich zwar nicht Nichts, aber doch in sich nichtig[22]. Deshalb hat der Sünder nach der Schrift sein Daseinsrecht verwirkt, er verdient den Tod. Das aber heißt: *Nicht die Rechtfertigung Gottes, sondern die Rechtfertigung des Sünders ist das Problem.* Schon die Tatsache, daß der Sünder trotz seiner Sünde lebt, zeigt, daß die Sünde immer schon durch je größere Liebe umgriffen ist, die eben, indem sie den Sünder annimmt und rechtfertigt, das Böse in seiner Nichtigkeit entlarvt und überwindet. Gerade die Identifikation mit dem Sünder macht die Sünde zunichte, indem sie diese von innen her durch das Gute überwindet. Damit wird im Modus der Hoffnung eine Antwort auf das Problem des Bösen und des Leidens deutlich, die gerade indem sie den sündigen wie den leidenden Menschen ernst nimmt, die Sünde und das Leiden durch die je größere Liebe erlöst. Es ist die Hoffnung auf das Ereignis absoluter Liebe, die sich mit dem Leiden und den Leidenden in der Welt identifiziert. *Die Frage nach dem Gott für die Leidenden ist die Frage nach dem – im eigentlichen Sinn des*

---

[20] D. Sölle, Leiden, Stuttgart–Berlin 1973, 32 ff.
[21] F. M. Dostojewski, Die Brüder Karamasoff, München–Zürich 1952, 399.
[22] Vgl. W. Kasper, aaO., 193 ff.

Wortes verstandenen – Mit-leid Gottes, der Identifikation Gottes mit
dem Leiden und Sterben des Menschen.
Die Verklammerung von Gottesfrage, Heilsfrage und Christusfrage ist
damit deutlich geworden. So wird vom Wesen der Sache her einsichtig,
daß für den christlichen Glauben Jesus Christus, genauer: das Kreuz
Jesu Christi zum Ort wird, an dem sich in der Gottesfrage alles
entscheidet. *Die Gottesfrage, wenn sie konkret angesichts des Bösen und*
des Leidens gestellt wird, ist darum nur christologisch und staurologisch
als theologia crucis zu beantworten. Indem der christliche Glaube dies
unternimmt, beantwortet er die Frage nach dem Sinn des Leidens nicht
mit Hilfe einer abstrakten kosmischen Ordnung. Das Gute, auf das
Gott alles hinordnet, hat nach der Bibel vielmehr einen konkreten
Namen: Jesus Christus, auf den hin alles geschaffen ist und in dem alles
Bestand hat (Kol 1,16 f). Er ist die konkrete Vorherbestimmung (Präde-
stination) aller Wirklichkeit (Eph 1,4); in ihm will Gott am Ende alles
zusammenfassen (Eph 1,10) und so »alles in allem« sein (1 Kor 15,28).

2. Die Heilsverkündigung von Jesus dem Christus

Die messianische Heilsverheißung im Alten Testament

Die Apostelgeschichte verkündet, Jesus sei der Messias, griechisch: er
sei der Christus (Apg 17,3; 18,5 u. ö.). Damit wird Jesus von Nazaret als
die Erfüllung der messianischen Erwartung des Alten Testaments und
als der eschatologische Heilbringer verkündet. Dieses messianische
Bewußtsein hat sich der Christenheit so sehr eingeprägt, daß das
ursprüngliche Bekenntnis »Jesus ist der Christus« später geradezu zu
dem Eigennamen »Jesus Christus« werden konnte. Die Anhänger Jesu
von Nazaret nannte man entsprechend schon früh »Christen« (Apg
11,26), d. h. Messiasleute. Aufgrund dieser messianischen Überzeugung
wurde die christologische Auslegung des Alten Testaments für das Neue
Testament wie für die Schriftauslegung der frühen und der mittelalterlichen Kirche grundlegend.

Der Widerspruch, den schon das Judentum gegen diesen christologischen
Gebrauch des Alten Testaments anmeldete, wurde in neuer Weise von der
neuzeitlichen Bibelkritik aufgegriffen. Sie ist heute überwiegend der Meinung,
daß die Messiashoffnung im Alten Testament nur ein Nebenzweig und nur eine
Nebenlinie ist, keineswegs aber die Mitte des Alten Testaments und der
Schlüssel zu seinem Verständnis. In der Mitte des Alten Testaments steht
vielmehr die Verheißung, daß Gott selbst das Heil seines Volkes sein wird; es
geht also um das Kommen Gottes und seines Reiches und nicht um das Kommen
des Messias. Im großen und ganzen geht die moderne Bibelkritik noch von einer

zweiten Voraussetzung aus. Danach hat sich Jesus zwar ganz im Horizont des Alten Testaments verstanden; aber er hat sich nicht als Messias begriffen und sich nicht als solchen verkündet[23]. Wenn beides stimmt, dann stellt sich dringend die Frage nach der Kontinuität zwischen dem Alten und dem Neuen Testament, ja sogar die Frage nach der Kontinuität zwischen Jesus und dem Christentum, wie es schon im Neuen Testament bezeugt ist. Gehört Jesus gar, wie M. Buber und R. Bultmann von ganz verschiedenen Voraussetzungen her behaupten, noch ins Judentum?[24] Wie legitimiert sich dann aber das Christentum, wenn es sich weder auf das Alte Testament noch auf Jesus selbst berufen kann?

Soviel ist deutlich geworden: Der messianische Anspruch des Christentums wirft offenkundig notwendig die Frage auf nach dem Verhältnis von Jesu Kommen zum Kommen Gottes. *Die messianische Frage ist nur lösbar, wenn man die Frage nach dem Verhältnis Jesu zu Gott und damit die Gottesfrage stellt.*

Diese Frage ist nicht zu beantworten, wenn man nur von einzelnen Stellen des Alten Testaments ausgeht. Denn die sicheren messianischen Prophetien sind im Alten Testament nicht sehr zahlreich. Anders verhält es sich, wenn man mit H. Gese vom *Zusammenhang des Gesamtzeugnisses des Alten und des Neuen Testaments* ausgeht[25]. Von der Grundstruktur der biblischen Offenbarung her ist die *Gestalt eines Offenbarungsmittlers* grundlegend. Zur biblischen Offenbarung gehört ja das personale Gegenüber Gottes zu den Menschen, wobei diese nach dem Gesetz der Stellvertretung von einzelnen repräsentiert werden.

Die vom Stellvertretungsgedanken bestimmte Offenbarungsgeschichte kam durch die *Institution des davidischen Königtums* in eine neue Phase. Die altisraelitische Tradition ging ja von der Exoduserfahrung, von der Befreiung aus der Knechtschaft unter dem Königtum von Ägypten aus; sie war deshalb von Haus aus antimonarchisch eingestellt (vgl. Ri 9,8–12; 1 Sam 8,1–22). In der Zwischenzeit erwies sich aber das davidische Königtum als Friedensbringer nach innen und außen. So konnte das königliche Amt als Institution des Heilshandelns Jahwes begriffen werden, ja als »institutionelle Sicherstellung der von Jahwe selbst initiierten Befreiungsgeschichte seines Volkes«[26]. In den Bileam-(Num 24) und Nathanweissagungen (2 Sam 7), vor allem aber in den Königspsalmen (Ps 2; 45; 72; 89; 110) wurde das Königtum theologisch

---

[23] E. Zenger, Jesus von Nazaret und die messianischen Hoffnungen des alttestamentlichen Israel, in: W. Kasper (Hrsg.), Christologische Schwerpunkte, Düsseldorf 1980, 37–78.
[24] M. Buber, Zwei Glaubensweisen (WW I, München 1962) 656; R. Bultmann, Theologie des Neuen Testaments, Tübingen ⁵1965, 1 f.
[25] H. Gese, Der Messias, in: Zur biblischen Theologie. Alttestamentliche Vorträge, München 1977, 128–151.
[26] E. Zenger, aaO., 43.

legitimiert. Dies geschah in Anknüpfung oder zumindest in Analogie zur orientalischen Königsideologie: Der König wurde als Sohn Gottes tituliert und inthronisiert, ihm wurde die ganze Erde als Herrschaftsgebiet zugesprochen, schließlich wird ihm Überlegenheit über alle Feinde verheißen. Solche Einflüsse aus der Umwelt Israels sind nur möglich, wenn sich in der eigenen Tradition analoge Fragestellungen herausgebildet haben, die die Übernahme ermöglichen und die durch sie interpretiert und benannt werden konnten. Dem äußeren Einfluß muß also eine innere Vorbereitung entsprechen. H. Gese sieht diesen Ansatzpunkt in der Ziontradition. Mit der Überführung der Gotteslade auf den Zion ergreift Gott Besitz von einem Stück Erde; er geht ein in den Raum dieser Welt. Es handelt sich um ein Irdischwerden, um ein kondeszendierendes Einwohnen Gottes. Der auf dem Zion inthronisierte Davidssohn ist deshalb zugleich Gottessohn. Freilich versteht die Bibel die Gottessohnschaft nicht wie ihre Umwelt physisch, sondern im Zusammenhang des geschichtlichen Erwählungsglaubens, also in einem entmythologisierten Sinn, den wir am ehesten als adoptianisch bezeichnen können[27].

Mit der Inthronisation und Adoption zum Sohn Gottes war freilich jedem Davididen ein Mantel umgelegt, der für ihn viel zu weit war. Die realen Machtverhältnisse und der erhobene Anspruch standen in einem krassen Spannungsverhältnis. Bei jeder Inthronisation mußte sich deshalb die Frage stellen: Bist du es, der da kommen soll, oder sollen wir auf einen anderen warten? Das davidische Königtum wies damit über sich hinaus; es war Verheißung einer erst künftigen Erfüllung; fast notwendig mußte es messianische Erwartungen aus sich entlassen. Es mußte die Hoffnung wecken nach einem neuen Davidssohn, der in Wahrheit Gottes Sohn und der der endgültige universale Bringer des Friedens und des Heils ist[28].

Im engen und eigentlichen Sinn ist die *messianische Hoffnung* erst nach der Katastrophe der Zerstörung Jerusalems und nach dem Untergang des historischen Königtums aus der Not der Exilszeit entstanden. Damals kam es zu einer umfassenden Eschatologisierung aller Heilsvorstellungen. Die großen Heilstaten der Vergangenheit, der Exodus, der Bundesschluß am Sinai und die Errichtung des davidischen Königtums wurden nun in gesteigerter Weise in die Zukunft projiziert[29]. Von dieser Ursprungssituation her ist die messianische Idee keine Legitimierung bestehender Machtverhältnisse, sondern vielmehr ein kritisch-utopi-

[27] H. Gese, Natus ex virgine, in: Vom Sinai zum Zion. Alttestamentliche Beiträge zur biblischen Theologie, München 1974, 136.
[28] G. v. Rad, Theologie des Alten Testaments. Bd. 1. München ⁵1966, 336.
[29] G. v. Rad, Theologie des Alten Testaments. Bd. 2. München ⁴1965, 121ff.

sches Gegenbild der Erfahrungen, die Israel mit seinen historischen Königen wie mit den politischen Institutionen seiner Besatzungsmächte machen mußte[30].

Im einzelnen nahmen die messianischen Erwartungen unterschiedliche Gestalt an. Am wichtigsten ist die *Immanuelweissagung* bei Jesaja. Die Verheißung an König Achaz, daß die Jungfrau ein Kind empfangen und einen Sohn gebären wird (Jes 7,14), war ursprünglich eine Gerichtsverheißung über das ungläubige Haus David; später wurde daraus die Heilsverheißung eines neuen messianischen Königs. »Denn uns ist ein Kind geboren, ein Sohn ist uns geschenkt. Die Herrschaft liegt auf seiner Schulter; man nennt ihn: wunderbarer Ratgeber, starker Gott, Vater in Ewigkeit, Fürst des Friedens. Seine Herrschaft ist groß, und der Friede hat kein Ende. Auf dem Thron Davids herrscht er über sein Reich; er festigt und stützt es durch Recht und Gerechtigkeit, jetzt und für alle Zeiten« (Jes 9,5f) Jes 11,2 fügt die Verheißung des Geistes hinzu; zum Frieden unter den Völkern kommt die Vision eines universalen kosmischen Friedens (11,6–9). – Beim Propheten *Sacharja* wird diese Hoffnung auf einen gerechten und gewaltlosen, einen demütigen und armen Friedensfürsten wieder aufgegriffen: »Juble laut, Tochter Zion! Jauchze, Tochter Jerusalem! Siehe, dein König kommt zu dir. Er ist gerecht und hilft; er ist demütig und reitet auf einem Esel, auf einem Fohlen, dem Jungen einer Eselin...Er verkündet für die Völker den Frieden; seine Herrschaft reicht von Meer zu Meer und vom Euphrat bis an die Enden der Erde« (9,9; vgl. Jer 23,5; Mi 5,1f). Diese spiritualisierende Tendenz führte zu einer doppelten Messiaserwartung: Neben den davidischen Gesalbten tritt der hohepriesterliche Messias (Sach 4,1–14), eine Hoffnung, die später bei den Qumranleuten weiterlebte. – Bei *Ezechiel* ist die Verheißung, daß Jahwe selbst der eschatologische Hirt seines Volkes sein wird, verbunden mit der Verheißung der Bestellung eines einzigen Hirten, eines Knechts Davids (34,23). – Erst in der *Verfolgungszeit der Makkabäer* nimmt die Messiaserwartung allmählich die Züge einer personalen Einzelgestalt an. Der Messias erscheint jetzt als der Kämpfende, ja, als der Märtyrer (Sach 13,7). Daneben tritt der pharisäische Messias der Gesetzesbeobachtung[31]. – Schließlich wird in der *apokalyptischen Literatur*, beginnend mit Daniel 7, die Messiasgestalt mit der Gestalt des apokalyptischen Menschensohns verschmolzen. Er ist nicht nur Bringer einer neuen Zeit, sondern eines neuen Äons, d. h. eines radikalen, nicht nur nationalen, sondern universal-kosmischen, qualitativ neuen Anfangs nach dem totalen Zusammenbruch des alten Äons. Nach den Bilderreden des Henochbuches wird diese Menschensohngestalt mit dem Geist der Weisheit ausgerüstet[32] (vgl. schon Sir 24,10ff).

So konvergieren in der Messiaserwartung alle großen alttestamentlichen Traditionslinien: der Davidismus, der Prophetismus, die Weisheits-theologie und die Apokalyptik. Alle diese Bewegungen kommen zu

---

[30] E. Zenger, aaO., 50.

[31] H. L. Strack/P. Billerbeck, Kommentar zum Neuen Testament aus Talmud und Midrasch. Bd. 1. München 1922, 6ff.

[32] Henoch, 45–50 (Die Apokryphen und Pseudepigraphen des Alten Testaments, übers. u. hrsg. v. E. Kautzsch. Bd. 2. Darmstadt 1962, 262–265).

ihrem Ziel in Jesus dem Christus, dem armen, gewaltlosen, demütigen und leidenden Messias, dem kommenden Menschensohn, der als der Logos die Weisheit selbst ist. In ihm hat Gott die Zionsverheißung endgültig wahr gemacht; in ihm ist Gott endgültig in die Geschichte eingegangen, um seine Herrschaft als Reich der Freiheit in der Liebe zu errichten. *Jesus Christus ist die Summe alttestamentlicher Hoffnung und zugleich deren Überbietung*[33]. Was also ist das Neue am Neuen Testament und das spezifisch Christliche?

Auftreten und Verkündigung Jesu von Nazaret

Es besteht heute ein sehr breiter Konsens unter den Exegeten darüber, daß die neutestamentliche Christologie[34] ihren Ausgangspunkt und Urgrund im Glauben seiner Jünger besitzt, daß Jesus, der Gekreuzigte, von den Toten auferweckt worden ist. Demnach hat es vor Ostern noch

---

[33] H. Gese, Der Messias, aaO., 150 f.

[34] V. Taylor, The Names of Jesus, London 1954; W. Marxsen, Anfangsprobleme der Christologie, Gütersloh 1960; H. Ristow/K. Matthiae, Der historische Jesus und der kerygmatische Christus. Beiträge zum Christusverständnis in Forschung und Verkündigung, Berlin 1960; R. Bultmann, Das Verhältnis der urchristlichen Christusbotschaft zum historischen Jesus, Heidelberg 1960 (Sitzungsberichte der Heidelberger Akademie der Wissenschaften. Phil.-hist. Klasse. 1960. 3. Abhandlung); ders., Jesus, Tübingen 1961; F. Hahn, Christologische Hoheitstitel. Ihre Geschichte im frühen Christentum, Göttingen 1963; ders., Methodenprobleme einer Christologie des Neuen Testaments, in: Verkündigung und Forschung (Beihefte zu »Evangelische Theologie«) Heft 2 (1970), 3–41; L. Cerfaux, Christus in der paulinischen Theologie, Düsseldorf 1964; R. H. Fuller, The Foundations of New Testament Christology, London 1965; M. Hengel, Der Sohn Gottes. Die Entstehung der Christologie und die jüdisch-hellenistische Religionsgeschichte, Tübingen 1975; W. G. Kümmel, Jesusforschung seit 1950, in: Theol. Rundschau N. F. 31 (1965/66), 15–46, 289–315; O. Cullmann, Die Christologie des Neuen Testaments, Tübingen ⁴1966; X. Léon-Dufour, Die Evangelien und der historische Jesus, Aschaffenburg 1966; W. Trilling, Fragen zur Geschichtlichkeit Jesu, Düsseldorf 1966; ders., Christusverkündigung in den synoptischen Evangelien. Beispiele gattungsgemäßer Auslegung, München 1969; H. R. Balz, Methodische Probleme der neutestamentlichen Christologie, Neukirchen-Vluyn 1967; E. Schweizer, Jesus Christus im vielfältigen Zeugnis des Neuen Testaments, München 1968; G. Bornkamm, Jesus von Nazareth, Stuttgart ⁶1968; H. Braun, Jesus. Der Mann aus Nazareth und seine Zeit, Stuttgart–Berlin 1969; J. Gnilka, Jesus Christus nach den frühen Zeugnissen des Glaubens, München 1970; J. Jeremias, Neutestamentliche Theologie, Teil I, Gütersloh 1971; G. Schneider, Die Frage nach Jesus. Christus-Aussagen des Neuen Testaments, Essen 1971; H. Schürmann, Das Geheimnis Jesu. Versuche zur Jesusfrage, Leipzig 1972; K. Rahner/W. Thüsing, Christologie – systematisch und exegetisch. Arbeitsgrundlagen für eine interdisziplinäre Vorlesung (Quaest. disp. 55), Freiburg–Basel–Wien 1972; H. Küng, Christ sein, München 1974; C. H. Dodd, Der Mann, nach dem wir Christen heißen (= The Founder of Christianity), Limburg 1975; W. Pannenberg, Grundzüge der Christologie, Gütersloh ⁵1976; E. Schillebeeckx, Jesus. Die Geschichte von einem Lebenden, Freiburg–Basel–Wien 1977; W. Kasper, Jesus der Christus, Mainz ⁷1978; W. Thüsing, Die neutestamentlichen Theologien und Jesus Christus. Bd. 1. Düsseldorf 1981.

kein ausdrückliches christologisches Glaubensbekenntnis gegeben. Alle die biblischen christologischen Hoheitstitel: Christus (Messias), Erlöser, Gottesknecht, Gottessohn u. a. sind nachösterliche Bekenntnisaussagen, die Jesus selbst nicht ausdrücklich für sich in Anspruch genommen hat. Eine Ausnahme bildet der Begriff Menschensohn, der in den Evangelien, mit einer Ausnahme, nur im Munde Jesu vorkommt, der in die spätere Bekenntnisbildung aber nicht eingegangen ist.

Im Zentrum der Verkündigung und des Auftretens Jesu selbst steht nicht seine Person, sondern die kommende Herrschaft Gottes. Mk 1,14 faßt diesen zentralen, alles andere umfassenden Inhalt des Auftretens und der Verkündigung Jesu gültig zusammen: »Die Zeit ist erfüllt, das Reich Gottes ist nahe. Kehrt um, und glaubt an das Evangelium!« Es ist schon oft versucht worden, die Reichgottesbotschaft aus ihrer zentralen Stellung in der Verkündigung Jesu zu verdrängen. Nach A. Harnack geht es Jesus um Gott den Vater und um den unendlichen Wert der Menschenseele[35]. Nach H. Conzelmann stehen Jesu Verkündigung, die Gotteslehre, die Eschatologie und die Ethik relativ unverbunden nebeneinander[36]. Es läßt sich jedoch zeigen, daß alle diese Themen in einem inneren Zusammenhang mit Jesu Reichgottesbotschaft stehen und daß diese Zentrum und Rahmen der gesamten Verkündigung Jesu ist[37].

Reich Gottes ist im Alten Testament eine relativ späte Abstraktbildung für die verbale Aussage: »Jahwe ist König (geworden)« (Ps 93,1; 96,10; 97,1; 99,1)[38]. Daraus ergibt sich, daß es in der Gottesherrschaft nicht primär um ein Reich im Sinne eines von Gott beherrschten Raumes, sondern um das aktuelle Herrsein Gottes in der Geschichte, um das Offenbarwerden des Gottsein Gottes geht. Dieses Herrsein Gottes wird schon im Alten Testament mit der Herrschaft von Gerechtigkeit, Friede und Leben verbunden. In dem Begriff der Gottesherrschaft bzw. des Gottesreiches geht also die ganze Verheißungs- und Hoffnungsgeschichte des Alten Testaments ein. Jesus greift sie bewußt auf: »Die Blinden sehen, die Lahmen gehen, die Aussätzigen werden rein, die Tauben hören; die Toten stehen auf, und den Armen wird die Heilsbotschaft verkündet« (Mt 11,5)! Jesus verbindet seine Reichgottesbotschaft aber auch mit der apokalyptischen Vorstellung vom neuen Äon. Die Verbindung beider Vorstellungen wird dadurch deutlich, daß Jesus das Reich Gottes auch wie einen Heilsbereich beschreibt, den man erben (Mt 25,34) und in den man eingehen (Mk 9,46) kann. Mit der Aufnahme dieser apokalyptischen Vorstellung ist ein Doppeltes geleistet. Auf der einen Seite wird klar, daß die Herrschaft Gottes ganz und gar Gottes ureigene Tat ist, die wir weder planen noch machen können; sie ist keine bessere Welt, sondern die neue Welt. Sie ist deshalb auch kein höchstes Gut, nicht das Reich des Geistes und der Freiheit, wie die liberale Theologie wollte,

---

[35] A. v. Harnack, Das Wesen des Christentums (1900), München–Hamburg 1964, 45.
[36] H. Conzelmann, Art. Jesus Christus, in: RGG III, 633 f.
[37] H. Merklein, Die Gottesherrschaft als Handlungsprinzip. Untersuchung zur Ethik Jesu (Forschung zur Bibel Bd. 34), Würzburg 1978, 31 ff.
[38] G. v. Rad, Art. βασιλεύς in: ThWNT I, 569.

noch eine gesellschaftliche und politische Utopie, wie alte und neue politische Theologie manchmal wollen. Auf der anderen Seite nimmt die Botschaft der Herrschaft Gottes, gerade wenn man sie in apokalyptischem Horizont versteht, nicht nur die Frage und die Hoffnung Israels auf, sondern die Menschheitsfrage nach Frieden, Freiheit, Gerechtigkeit und Leben. Sie ist der unableitbare neue Anfang, den allein Gott geben kann; aber dieses Neue bringt das Alte in überbietender Weise zur Erfüllung. *Die Offenbarung von Gottes Gottsein bedeutet zugleich die Verwirklichung der Menschlichkeit des Menschen, das Heil der Welt.* Deshalb kann Jesus im Zusammenhang seiner Reichgottesverkündigung, vor allem in seinen Gleichnissen, die Welt als Schöpfung neu entdecken und Gott als den Herrn aller Wirklichkeit verkünden. Jesu Wundertaten, deren historischen Kern man nicht bestreiten kann, sind Zeichen und Antizipationen dieser neuen, versöhnten und heilen Welt.

Daß Gottes Herrschaft ganz von Gott her kommt und darin die Welt ins Heil bringt, bedeutet nicht, daß Gottes Tun das menschliche Tun unterdrückt; das Kommen der Herrschaft Gottes fordert menschliches Tun heraus, ermöglicht und befreit es. Das heißt nicht, daß wir die Herrschaft Gottes planen, machen, bauen könnten. Sie ist Gottes Tat. Aber als Gottes Heilstat für den Menschen geht sie nicht über den Menschen hinweg. Das konkrete Kommen der Gottesherrschaft ist deshalb an Umkehr und Glaube gebunden. Die Antwort des Menschen ist ein konstitutives Element des Kommens der Gottesherrschaft. Sie würde gar nicht in unserer Geschichte ankommen, würde sie nicht in den Herzen und das heißt auch in der Freiheit des Glaubens ankommen. So ist sie *ganz Tat Gottes und ganz Tat des Menschen.* Sie ist aber nicht Gewalt-Tat; sie kommt darin, daß der Mensch sich beschenken läßt und daß er selbst weiterschenkt. Die Gottesherrschaft besteht im Kommen der gewaltlosen Liebe Gottes in die Welt.

Damit haben wir *das Neue von Jesu Reichgottesverkündigung* erreicht. Jesus verkündet die Herrschaft Gottes *nicht im Zeichen des Gerichts,* wie noch Johannes der Täufer, *sondern im Zeichen der Gnade, des Verzeihens, des Erbarmens und der Liebe.* Er verkündet Gott als Vater, der die Menschen liebt, der Sünden vergibt und die Sünder neu zu Söhnen macht (Lk 15). Diese erbarmende und verzeihende Liebe Gottes ist bedingungslos. Zwar weiß sich Jesus nur an Israel gesandt; doch die Bedingungslosigkeit des von ihm verkündeten Heils ist der sachliche Anhalt und Ausgangspunkt, der nach Ostern zur missionarischen Verkündigung führen konnte, die das Heil loslöste von den Bedingungen der Zugehörigkeit zu Israel und damit auch vom jüdischen Gesetz. So hat *Paulus* zwar Jesus nicht gekannt, ihn aber doch am besten verstanden, wenn er Jesu Basileia-Botschaft in die Verkündigung der Gerechtigkeit Gottes allein aus Glauben transponierte. In anderer Weise hat *Johannes* den Sinn der Verkündigung Jesu richtig verstanden, wenn er alles zusammenfaßt in dem Satz: »Gott ist Liebe« (1 Joh 4,8.16).

Neu an der Botschaft Jesu ist nicht nur ihr Inhalt, sondern vor allem die Tatsache, daß er seine »Sache«, das Reich Gottes, unlösbar mit seiner Person verband. Immer wieder heißt es »jetzt«, »heute« (vgl. Lk 4,21; 10,23 f; Mt 11,5). Der Zusammenhang zwischen der Entscheidung zu seiner Person und seiner Botschaft mit der eschatologischen Entscheidung des Menschensohns, wenn er zum Gericht kommt, wird am besten in Mk 8,38 deutlich: »Denn wer sich vor dieser treulosen und sündigen Generation meiner und meiner Worte schämt, dessen wird sich auch der Menschensohn schämen, wenn er mit den heiligen Engeln in der Hoheit seines Vaters kommt.« In der Entscheidung des Glaubens oder Unglaubens vollzieht sich schon jetzt das eschatologische Gericht. In Jesu Auftreten, seiner Verkündigung und seiner ganzen Person ist Gottes »Sache« schon jetzt wirksam, gegenwärtig; in ihm kommt die kondeszendierende Bewegung, die sich im ganzen Alten Testament abzeichnet, zu ihrem Höhepunkt. In Jesus ist Gott endgültig eingegangen in Raum und Zeit dieser Welt. Deshalb haben sich in ihm die davidischen Erwartungen des eschatologischen Königtums wie die prophetischen Verheißungen erfüllt.

Auch wenn Jesus nicht explizit christologische Hoheitstitel in Anspruch nimmt, wenn er vor allem nicht von sich als dem Sohn Gottes spricht, so kommt dieser Anspruch doch implizit und indirekt in höchst eindrücklicher Weise zum Ausdruck. Diese *indirekte Christologie Jesu* kann in verschiedener Weise aufgezeigt werden:

Ein *erster Weg* geht von der *Verkündigung Jesu* aus. Auf den ersten Blick tritt Jesus auf wie ein Rabbi, ein Prophet oder ein Weisheitslehrer. Bei genauerem Zusehen ergeben sich jedoch charakteristische Unterschiede zwischen ihm und allen drei genannten Gruppen. Diesen Unterschied bemerkten offensichtlich schon Jesu Zeitgenossen. Sie fragten einander erstaunt: »Was bedeutet das? Es ist eine neue Lehre, und sie wird mit Vollmacht verkündet« (Mk 1,22.27 u. ö.). Wenn Jesus dem Wort des Alten Testaments sein: »Ich aber sage euch« gegenüberstellt (Mt 5,22.28 u. ö.), dann will er damit nicht nur verbindlich das alttestamentliche Gesetz auslegen; er überbietet es zugleich. Mit seinem: »Ich aber sage euch« stellt er sein Wort neben, ja über das, »was den Alten gesagt worden ist«, d. h., was Gott selbst im Alten Bund gesagt hat. Mit seinem : »Ich aber sage euch« beansprucht Jesus also, das endgültige Wort Gottes zu sagen. Dabei spricht Jesus anders als die Propheten. Er sagt nie wie die Propheten: »So spricht der Herr«, »Spruch Jahwes«. Anders als die Propheten unterscheidet Jesus sein Wort nicht vom Wort Gottes. Bei ihm heißt es einfach: »Amen, amen, ich aber sage euch«. Er versteht sich offensichtlich *als Gottes sprechenden Mund, als Gottes Stimme.* Das ist für das Judentum ein unerhörter Anspruch.

Ein *zweiter Weg*, die implizite Christologie bei Jesus selbst aufzuzeigen, besteht darin, daß man vom *Auftreten und Verhalten Jesu* ausgeht. Einer der bestbezeugten Züge im Auftreten Jesu ist, daß er Mahlgemeinschaften mit Sündern und Zöllnern pflegte, daß er also mit solchen verkehrte, die man damals als Gottlose bezeichnete. Man schimpfte ihn deshalb der Sünder und Zöllner Gesell (Mt 11, 19). Mit Gesellschaftskritik und gesellschaftlichen Veränderungen hat dieses Verhalten nur indirekt zu tun. Im Orient bedeutet Tischgemeinschaft Lebensgemeinschaft, im Judentum speziell Gemeinschaft vor Gottes Angesicht. Letztlich ist jedes Mahl ein Vorzeichen des eschatologischen Mahls und der eschatologischen Gemeinschaft mit Gott. So sind auch Jesu Mahlzeiten mit den Zöllnern und Sündern eschatologische Mahlzeiten, Vorfeiern des Heilsmahls der Endzeit. Wenn Jesus also Sünder in seine Mahlgemeinschaft aufnimmt, nimmt er sie damit indirekt in die Gemeinschaft mit Gott auf. Dieses Verhalten Jesu gegenüber den Sündern impliziert wiederum einen unerhörten christologischen Anspruch. Jesus bringt ihn indirekt selbst zum Ausdruck: Als er wegen seines Verhaltens zu den Sündern angegriffen wird (Lk 15,2), erzählt er das Gleichnis vom verlorenen Sohn, das eigentlich ein Gleichnis von der verzeihenden Liebe des Vaters ist (Lk 15, 11–32). *Jesus identifiziert also sein Tun mit Gottes Handeln an den Sündern. Jesus handelt wie einer, der an Gottes Stelle steht.* In ihm und durch ihn ereignet sich Gottes Liebe und Erbarmen. Von hier aus ist es nicht mehr weit zu dem Wort bei Johannes: »Wer mich sieht, sieht den Vater« (Joh 14,9).

Es gibt noch einen *dritten Weg*, um eine implizite Christologie beim irdischen Jesus aufzuzeigen: *Jesu Ruf zur Nachfolge.* Daß Jesus einen Jüngerkreis um sich gesammelt hat und daß speziell die Wahl der Zwölf auf ihn zurückgeht, ist historisch kaum zu bestreiten. Jesus verhält sich hier zunächst ähnlich wie ein jüdischer Rabbi, der Schüler um sich sammelt. Trotzdem gibt es bezeichnende Unterschiede zwischen der Jüngerschaft bei den Rabbinen und der Jüngerschaft Jesu. Der Unterschied wird schon daran deutlich, daß man sich bei Jesus nicht um Aufnahme in den Jüngerkreis bewerben kann; Jesus wählte frei und souverän, »die er wollte« (Mk 3,13). Es geht auch nicht wie bei den Rabbinen um ein zeitweises Meister-Schülerverhältnis bis zu dem Zeitpunkt, da der ehemalige Schüler selbst Lehrer wird. Es gibt nur einen Lehrer (Mt 10,24 f; 23,8). Deshalb ist die Bindung der Jünger Jesu an ihren Meister umfassender als bei den Rabbinen; sie teilen seine Wanderschaft, seine Heimatlosigkeit und sein gefährliches Schicksal. Es handelt sich um eine ungeteilte Lebensgemeinschaft, um eine Schicksalsgemeinschaft auf Gedeih und Verderb. Die Entscheidung zur Nachfolge bedeutet zugleich den Bruch mit allen anderen Bindungen, bedeutet »alles verlassen« (Mk 10,28); es gilt letztlich Kopf und Kragen, ja, den Galgen zu riskieren (Mk 8,34). *Eine solche radikale und ungeteilte Nachfolge kommt einem Bekenntnis zu Jesus gleich,* impliziert also eine Christologie. Diese Christologie der Nachfolge zeigt zugleich, daß es nicht nur eine sachliche Kontinuität im Bekenntnis zwischen der vor- und der nachösterlichen Zeit gibt, sondern auch eine soziologische Kontinuität zwischen vor- und nachösterlichem Jüngerkreis.

Schließlich noch ein *vierter Weg!* Der wichtigste Hinweis auf eine indirekte Christologie bei Jesus selbst ist *Jesu Gottesanrede.* Es ist kaum zu bestreiten, daß Jesus Gott als abba angesprochen hat und daß die Art und Weise, wie er dies tat, für ihn bezeichnend ist. Bezeichnend ist aber auch, daß er immer unterscheidet zwischen »mein Vater« (Mk 14,36 par; Mt 11,25 par) und »euer Vater« (Lk 6,36; 12,30.32) bzw. »euer himmlischer Vater« (Mk 11,25 par; Mt 23,9). Nie schließt er sich mit seinen Jüngern zusammen, indem er sagt: »Unser Vater«. Das »Vaterunser« ist kein Einwand dagegen, denn hier heißt es: »So sollt ihr sprechen« (Lk 11,2; Mt 6,9). Dieser Sprachgebrauch wird konsequent durch alle neutestamentlichen Schichten durchgehalten bis zu der klassischen Formulierung des Johannesevangeliums: »Mein und euer Vater« (Joh 20,17). Es sprechen gute Gründe dafür, diese Unterscheidung der Sache nach auf Jesus selbst zurückzuführen. Aus diesem exklusiven »mein Vater« spricht ein unübertragbares einmaliges Verhältnis Jesu zu Gott. *In diesem Sprachgebrauch wird sein besonderes Sohnesbewußtsein sichtbar.* Ob er den Titel »Sohn« ausdrücklich für sich in Anspruch genommen hat oder nicht, implizit drückt sich in dieser Redeweise aus, daß, wenn alle Söhne Gottes sind (Mt 5,9.45), er es in einer besonderen und einmaligen Weise ist. Er ist *der* Sohn, der uns erst zu Söhnen und Töchtern Gottes macht.

Mit diesem indirekten Zugang zur Sohneschristologie ist nun freilich nicht nur die traditionelle dogmatische Christologie, die auch die des nachösterlichen Zeugnisses des Neuen Testament ist, historisch neu begründet und gerechtfertigt. Vielmehr haben wir damit auch sachlich *einen neuen christologischen Ansatz* gewonnen. Dies gilt in doppelter Hinsicht. *Einmal:* Wir gehen nicht mehr im Sinn der chalkedonensischen Zwei-Naturen-Christologie von der Frage nach dem Verhältnis von menschlicher und göttlicher Natur in Jesus Christus aus; wir sehen vielmehr in Jesu Verhältnis zu seinem Vater indirekt und der Sache nach die Zwei-Naturen-Lehre grundgelegt[39]. In seinem Sohnsein ist Jesus nämlich radikale Herkünftigkeit von Gott und radikales Übereignetsein an Gott. Die Hinwendung Jesu zum Vater setzt die Zuwendung des Vaters an Jesus voraus. Das Verhältnis Jesu zum Vater impliziert das vorgängige Verhältnis des Vaters zu ihm, die Selbstmitteilung Gottes an ihn. *Die spätere Sohneschristologie ist also nichts anderes als die Auslegung und Übersetzung dessen, was im Sohnesgehorsam und in der Sohneshingabe Jesu verborgen gegenwärtig ist.* Was Jesus vor Ostern ontisch lebte, wurde nach Ostern ontologisch ausgelegt. Nicht nur das! Der Neuansatz einer indirekten Christologie erlaubt *zum zweiten,* gleich im Ansatz *Christologie und Soteriologie miteinander zu verknüp-*

---

[39] W. Kasper, Jesus der Christus, aaO., 274.

fen. Jesus ist ja die Daseinsweise der sich selbst mitteilenden und verströmenden Liebe Gottes; er ist dies für uns. Jesu Sein ist also von seiner Sendung und seinem Dienst unablösbar; umgekehrt setzt sein Dienst sein Sein voraus. *Sein und Sendung, Wesenschristologie und Funktionschristologie können nicht gegeneinander ausgespielt werden; sie können nicht einmal voneinander getrennt werden, sie bedingen sich gegenseitig. Jesu Funktion, sein Dasein für Gott und für die andern, ist zugleich sein Wesen.*

So ist die indirekte Christologie des irdischen Jesus eine personale Zusammenfassung seiner Botschaft von der kommenden Herrschaft Gottes als der Herrschaft der Liebe. Er ist diese Herrschaft Gottes in Person. Deshalb kann nunmehr von Gott nicht mehr die Rede sein an Jesus vorbei; *Gott definiert sich in Jesus eschatologisch-endgültig als der Vater Jesu Christi; Jesus gehört deshalb ins ewige Wesen Gottes hinein.* Jesus ist in Person die endgültige Auslegung des Willens und des Wesens Gottes. In ihm ist Gott endgültig in die Geschichte eingetreten.

Schließlich ist noch eine dritte »Neuerung« im Auftreten und in der Verkündigung Jesu zu nennen, wohl die entscheidende Neuerung: *das Kreuz.* Das revolutionär Neue und geradezu Skandalöse des Kreuzes für Juden und Heiden (1 Kor 1,23) wird deutlich, wenn man die volkstümliche jüdische Messiaserwartung und die Verachtung und den Abscheu, den die Römer vor der Strafe des Kreuzestodes empfanden, betrachtet[40]. Zwar sind viele Exegeten heute der Meinung, Jesus selbst habe seinen Tod nicht als Heilsereignis verstanden[41]. Demgegenüber kann man darauf hinweisen, daß der gewaltsame Tod Jesu in der Konsequenz seines Auftretens und seiner Verkündigung liegt. Jesus ahnte wohl die Möglichkeit seines gewaltsamen Endes. Zu deutlich war die Feindschaft seiner Gegner und ihre Absicht, ihm Fallen zu stellen. Er hatte das Schicksal der Propheten, vor allem das Schicksal des Täufers vor Augen. Er kannte die alttestamentlichen Gottesknechtlieder bei Deuterojesaja und die spätjüdischen Vorstellungen vom Tod des Gerechten (Weish 2,20) und seiner sühnenden Bedeutung (2 Makk 7,18.37 f; 4 Makk 6,28 f; 17,22). Da er sein ganzes Dasein als Gehorsam gegen den Vater und als Dienst für die Menschen verstand, liegt es eigentlich nahe, daß er von diesen vorgegebenen Deutemöglichkeiten Gebrauch machte. Wie sollte man es sich anders erklären, daß die Urgemeinde schon sehr früh das Kreuz als Erlösungstat verkündete. Dies geschah vor allem in der Abendmahlsüberlieferung (Mk 14,22–25 par; 1 Kor 11,23–25) und in dem Lösegeldwort von Mk 10,45. Beide Perikopen gehen nach der

---

[40] Cicero, M. Tullius, Oratio Pro C. Rabiro perduellionis reo, Cap. V (Ciceronis Opera, ed. J. C. Orellius, Vol. II/1, Turici 1954, 650).
[41] R. Bultmann, Das Verhältnis der urchristlichen Christusbotschaft, aaO., 11 f.

größeren Wahrscheinlichkeit ihrem Grundgehalt nach auf Jesus selbst zurück[42].

Die Basileia-Botschaft Jesu und ein soteriologisches Verständnis seines Todes stehen keineswegs in einem ausschließenden Gegensatz zueinander. Im Gegenteil, *der gewaltsame Tod Jesu ist gleichsam die konkrete Gestalt des Abbruchs des alten Äons.* Hier geht Gottes Allmacht vollends in die äußerste Ohnmacht ein; hier nimmt Gott die condition humaine, das Schicksal des Menschen, bis zur letzten Konsequenz auf sich. Gott geht ein in die Gottverlassenheit. Es gibt nun keine menschliche Situation mehr, die grundsätzlich gottlos und heillos wäre. Insofern ist Jesu Sterben am Kreuz nicht nur die äußerste Konsequenz seines mutigen Auftretens, sondern die Zusammenfassung und die Summe seiner Botschaft. Der Tod Jesu am Kreuz ist die letzte Verdeutlichung dessen, um was es ihm allein ging: das Kommen der eschatologischen Herrschaft Gottes. Dieser Tod ist die Verwirklichungsgestalt der Gottesherrschaft unter den Bedingungen dieses Äons, der Herrschaft Gottes in menschlicher Ohnmacht, des Reichtums in der Armut, der Liebe in der Verlassenheit, der Fülle in der Leere, des Lebens im Tod.

Die Sohneschristologie des Neuen Testaments

Das Neue Testament verkündete schon bald nach Jesu Tod, Jesus sei nach seinem schimpflichen Tod am Kreuz aufgrund von Auferweckung und Erhöhung zum Sohn Gottes eingesetzt worden (Röm 1, 3 f), ja er, der in göttlicher Wesensgestalt ist (Phil 2,6), sei der von Gott in die Welt gesandte Sohn (Gal 4,4; Röm 8,3). Für Paulus ist die Gottessohnaussage der zentrale Inhalt seines Evangeliums; er bezeichnet es einfach als »das Evangelium von seinem (d. i. Gottes) Sohn« (Röm 1,3). Schließlich faßt Johannes im Prolog seines Evangeliums das Bekenntnis des Neuen Testaments zusammen, indem er Jesus Christus als das Wort Gottes verkündet, das schon im Anfang bei Gott ist, ja Gott ist (Joh 1,1) und in der Fülle der Zeit Fleisch geworden ist (1,14). Am Ende seines Evangeliums findet sich das alles umfassende Bekenntnis: »Mein Herr und mein Gott« (Joh 20,28).

Die Frage ist, wie es zu dieser Entwicklung kommen konnte. Die *liberale Theologie*, repräsentiert etwa von A. von Harnack, sah darin eine Verdrängung des historischen Christus durch den spekulativen und dogmatischen präexistenten Christus. »Der lebendige Glaube scheint sich in ein zu glaubendes Bekenntnis verwandelt zu haben, die Hingabe an Christus in Christologie«[43]. Deshalb

[42] R. Pesch, Wie Jesus das Abendmahl hielt. Der Grund der Eucharistie, Freiburg–Basel–Wien [2]1978.

[43] A. v. Harnack, Lehrbuch der Dogmengeschichte. Bd. 1. Tübingen [5]1931, 121.

forderte Harnack die Rückkehr zum schlichten Evangelium Jesu. Nach der *religionsgeschichtlichen Schule*, deren Thesen R. Bultmann nochmals eindrucksvoll zusammenfaßte[44], ist die Hellenisierung des Evangeliums, die bereits im Neuen Testament einsetzt, durch die Übernahme von Motiven der hellenistischen Frömmigkeit und Philosophie zustandegekommen[45]. Je nachdem verwies man auf Parallelen aus der griechischen Mythologie oder Philosophie, aus dem Bereich der Mysterienreligionen, auf Vorstellungen von sog. göttlichen Männern (θεῖοι ἄνδρες) oder – und dies vor allem – auf den gnostischen Erlösermythos. Alle diese Thesen haben sich inzwischen als phantastische pseudowissenschaftliche Mythen erwiesen. Über die Mysterienreligionen und die Gnosis besitzen wir Quellen erst aus dem zweiten und dritten Jahrhundert n. Chr.; nichts berechtigt uns, diese Zeugnisse ins erste Jahrhundert zurückzuprojizieren und einen Einfluß auf das frühe Christentum zu konstruieren; eher kann man fragen, ob nicht diese Quellen ihrerseits christlich beeinflußt sind.

Anders verhält es sich mit *Einflüssen aus dem alttestamentlich-jüdischen Bereich*. Der Titel »Sohn Gottes« ist in der königlichen Messianologie des Alten Testaments fest verankert[46]. Deshalb ist es kein Zufall, daß die beiden Königspsalmen, Psalm 2 und 110, die wichtigsten Stützen für den christologischen Schriftbeweis der Urkirche werden konnten. Ps 2,7 heißt es: »Mein Sohn bist du. Heute habe ich dich gezeugt« (vgl. Ps 110,3). Auch im Neuen Testament werden die messianische Davidssohnschaft und die Gottessohnschaft Jesu in engem Zusammenhang gesehen (Röm 1,3f; Lk 1,32–35). Jesu Selbstbezeichnung als Menschensohn mußte den Blick außerdem auf die *apokalyptischen Erhöhungs- und Präexistenzaussagen* lenken, wie sie sich etwa in den Bilderreden des Henochbuches und in Esra 4 finden[47]. Am bedeutsamsten ist freilich die Vorstellung von der *Weisheit* als einer präexistenten Hypostase, die bereits bei der Schöpfung zugegen ist (Spr 8, 22ff), die überall in der Welt nach einer Wohnstatt sucht, sie aber nur in Israel auf dem Zion findet (Sir 24,8–12). Die Parallelen zur Logosvorstellung im Prolog des Johannesevangeliums sind deutlich[48]. Wie leicht sich solche jüdische Weisheitsspekulation mit philosophischen Ideen aus dem griechischen Bereich verbinden konnte, zeigt das Werk des jüdischen Religionsphilosophen Philo von Alexandrien. So lagen im zwischentestamentlichen Judentum alle wesentlichen Bausteine für die neutestamentliche Christologie bereit.

[44] R. Bultmann, Das Urchristentum im Rahmen der Antiken Religionen, Zürich–Stuttgart ²1954; ders., Theologie des Neuen Testaments, Tübingen ⁵1965; ders., Die Christologie des Neuen Testaments, in: Glauben und Verstehen. Bd. 1. Tübingen ⁶1966, 245–267.

[45] Dazu M. Hengel, Der Sohn Gottes. Die Entstehung der Christologie und die jüdisch-hellenistische Religionsgeschichte, Tübingen 1975.

[46] H. Gese, Der Messias, in: aaO., 129ff.

[47] Das Buch Henoch, 37–41 (Die Apokryphen und Pseudepigraphen des Alten Testaments, übers. und hrsg. v. E. Kautzsch. Bd. 2. Darmstadt 1962, 258–261). Die biblische Grundlage dieser Vorstellung ist bekanntlich Dan 7.

[48] R. Schnackenburg, Das Johannesevangelium. Bd. 1. Freiburg–Basel–Wien 1965, 257–269 (Herders theologischer Kommentar zum NT, Bd. IV/1); H. Gese, Der Johannesprolog, in: Zur biblischen Theologie. Alttestamentliche Vorträge, München 1977, 152–201; E. Schweizer, Neotestamentica. Deutsche und englische Aufsätze 1951–1963, Zürich–Stuttgart 1963, 110–121.

Dennoch ist die neutestamentliche Christologie nicht einfachhin aus solchen jüdischen Vorstellungen ableitbar. Sie hat einen durchaus *originären Charakter* und stellt eine *analogielose Innovation*[49] dar. Die Botschaft von der Erhöhung und Präexistenz des Gekreuzigten war für Juden wie für Griechen ein unerträgliches Skandalon. Der Sachgrund für die neutestamentliche Christologie kann deshalb nur in der Verkündigung und im Auftreten des irdischen Jesus selbst sowie in der das Skandalon des Kreuzes überwindenden Erfahrung und Botschaft von Ostern gesucht werden. So muß die *Botschaft von der Auferweckung und Erhöhung des Gekreuzigten* nach der Überzeugung fast aller Exegeten *als der Ausgangspunkt der christologischen Entwicklung im Neuen Testament* betrachtet werden.

Von diesem Ausgangspunkt her ergab sich die *Sohneschristologie des Neuen Testaments mit zwingender Notwendigkeit.* Die religionsgeschichtlich vorgegebenen Kategorien dienten sozusagen sekundär dazu, ein originär christliches Anliegen ins Wort zu fassen. Die Präexistenzaussage erwies sich nämlich nicht nur als hilfreich, sondern geradezu als notwendig, um das einzigartige sohnhafte Gottesverhältnis Jesu, das in der Gottesanrede »abba« zum Ausdruck kommt, festzuhalten. Nur durch die Präexistenzaussage konnte sichergestellt werden, daß im irdischen Leben, in Kreuz und Auferweckung Jesu Gott selbst im Spiele war und daß sich in Jesus Christus Gott selbst eschatologisch-endgültig geoffenbart hat. Der *eschatologische Charakter von Person und Werk Jesu Christi* verlangte ja von der Sache her notwendig zu sagen, daß Jesus ins ewige Wesen Gottes hineingehört. Anders hätte Jesus nicht eschatologisch-endgültig Gott »definieren« können. Zum andern konnte nur so die *universale Bedeutung Jesu Christi,* der nicht nur die Erfüllung des Alten Testaments, sondern aller Wirklichkeit ist, zum Ausdruck gebracht werden. Das zeigt, daß es sich in den Gottessohnaussagen des Neuen Testaments nicht um theoretisch motivierte Spekulationen, sondern um soteriologisch motivierte Aussagen handelt, in denen es um die Endgültigkeit und die Nichtüberbietbarkeit wie um die Universalität des Heils geht. Es soll gesagt werden: Jesus Christus ist der eine Sohn Gottes, der uns zu Kindern Gottes macht (Röm 8,14–17; Gal 3,26; 4,5); in ihm hat uns Gott dazu bestimmt, »an Wesen und Gestalt seines Sohnes teilzuhaben« (Röm 8,29).

Diese Thesen können leicht anhand der wichtigsten Stellen der neutestamentlichen Sohneschristologie erhärtet werden. Dabei kann zugleich gezeigt werden, daß diese Sohneschristologie nicht erst ein Spätprodukt der neutestamentlichen Entwicklung ist, sondern sich bereits in den frühesten, schon vorpaulinischen Schichten des Neuen Testaments findet.

[49] M. Hengel, aaO., 92.

Als ein solches, bereits vorpaulinisches Bekenntnis gilt nach dem übereinstimmenden Urteil der exegetischen Forschung Röm 1,3 f: »Der dem Fleisch nach geboren ist als Nachkomme Davids, der dem Geist der Heiligkeit nach eingesetzt ist als Sohn Gottes in Macht seit der Auferstehung von den Toten«[50]. Diese alte »Zwei-Stufen-Christologie« stellt der irdisch-heilsgeschichtlich begründeten messianischen Würde aufgrund der davidischen Abstammung die himmlische Seinsweise, die Teilhabe an der göttlichen Herrlichkeit und insofern die Gottessohn-schaft aufgrund der Auferstehung von den Toten gegenüber. Damit ist zum Ausdruck gebracht, daß Jesus als Sohn Gottes in einer qualitativ neuen, durch Kreuz und Auferstehung vermittelten Weise die Erfüllung der messianischen Hoffnung des Alten Testamentes ist. Als der Messias am Kreuz ist er zugleich der Messias im Geist. Auffällig ist, daß in diesem alten Bekenntnis noch nicht ausdrücklich von der *Präexistenz* die Rede ist. Paulus, der die Präexistenzvorstellung bereits voraussetzt, interpretiert die alte Bekenntnisformel, indem er den Titel Sohn als Subjekt bereits dem ersten Teil dieser Bekenntnisaussage voranstellt. Damit ist deutlich: Jesus wird nicht erst Sohn Gottes durch die Auferstehung, er ist es bereits in seinem irdischen Leben. Diese Präexistenzaussage stellt jedoch keine »Erfindung« des Apostels Paulus dar; er hat auch sie bereits aus der Tradition übernommen. Das bezeugen die sog. *Sendungsformeln* in Röm 8,3 und Gal 4,4 (vgl. auch Joh 3,17; 1 Joh 4,9 f. 14). Die Rede von der Sendung des Sohnes durch den Vater setzt die Präexistenz eindeutig voraus.

Das wichtigste vorpaulinische Zeugnis ist das Christuslied in Phil 2, 6–11: »Der in göttlicher Gestalt war, achtete es nicht als Raub, Gott gleich zu sein, sondern entäußerte sich, nahm Knechtsgestalt an, wurde den Menschen gleich und in seiner Erscheinung als Mensch erfunden. Er erniedrigte sich und war gehorsam bis zum Tod, bis zum Tod am Kreuz«[51]. Es ist vollkommen ausgeschlossen, in diesem Zusammenhang

---

[50] Dazu: E. Käsemann, An die Römer, Tübingen 1973, 8 ff (Handbuch zum NT. 8 a); H. Schlier, Der Römerbrief, Freiburg–Basel–Wien 1977, 24 ff (Herders theologischer Kommentar zum NT, Bd. VI); U. Wilckens, Der Brief an die Römer. Bd. 1. Neukirchen-Vluyn–Zürich 1978, 64 ff (Evangelisch-Katholischer Kommentar zum NT, Bd. VI/1); M. Hengel, aaO., 93 ff.

[51] Dazu: E. Lohmeyer, Kyrios Jesus. Eine Untersuchung zu Phil 2, 5–11, Heidelberg ²1961 (Sitzungsberichte der Heidelberger Akademie der Wissenschaften. Phil.-hist. Klasse. 1927/28, 4. Abhandlung); E. Käsemann, Kritische Analyse von Phil 2, 5–11, in: Exegetische Versuche und Besinnungen, Bd. 1, Göttingen ⁶1970, 51–95; G. Bornkamm, Zum Verständnis des Christus-Hymnus Phil 2, 6–11, in: Studien zu Antike und Urchristentum. Gesammelte Aufsätze. Bd. 2. München 1959, 177–187; J. Gnilka, Der Philipperbrief, Freiburg–Basel–Wien 1968 (Herders theologischer Kommentar zum NT, Bd. X/3); C. Hofius, Der Christushymnus Philipper 2, 6–11. Untersuchung zur Gestalt und Aussage eines urchristlichen Psalms, Tübingen 1976.

auf alle die komplizierten Probleme der Auslegung dieses Textes einzugehen. Es besteht weitgehender Konsens unter den Exegeten, daß es sich hier um ein bereits vorpaulinisches Christuslied handelt. Im allgemeinen sind sich die Exegeten auch darüber einig, daß die Selbstentäußerung vom präexistenten Christus und nicht vom irdischen Jesus ausgesagt wird. Damit hebt bei der Menschwerdung des Präexistenten ein Weg der Selbstentäußerung an, der am Kreuz zum Ziel kommt; die Menschwerdung wird auf das Kreuz hin und von ihm her verstanden. Entscheidend ist also die Frage, was mit dem Begriff der Selbstentäußerung (κένωσις) gemeint ist. Seiner wörtlichen Bedeutung nach heißt ἐκένωθεν »er hat sich selbst leer gemacht«; wer im Neuen Testament als κενός bezeichnet wird, der steht mit leeren Händen da, weil er um etwas gebracht worden ist, das er zuvor besessen hat. Wer sich selbst leer macht, der gibt seinen Reichtum auf und wird arm. Damit stimmt unser Christuslied mit der Aussage von 2 Kor 8,9 überein, wo von Jesus Christus gesagt wird: »Er, der reich war, wurde euretwegen arm, um euch durch seine Armut reich zu machen.« Der Reichtum Jesu Christi wird als μορφή θεοῦ bezeichnet, seine Armut als μορφή δούλου. Der Begriff μορφή kann sowohl die äußere Erscheinungsform, die Gestalt, wie das Wesen bedeuten. Eine dritte, gegenwärtig oft versuchte Deutung, die μορφή als Status, Position, Stellung u. ä. deutet, ist mehr aus einem wirklichen oder vermeintlichen biblischen Denken erschlossen als lexikographisch belegt. Da man bei Gott nicht von einer äußeren Gestalt sprechen kann und da das Verb μεταμορφοῦσθαι im Neuen Testament immer im Sinn einer seinsmäßigen Verwandlung verstanden wird, kommt man kaum um die Feststellung herum, daß hier von einer »Wesensgestalt« die Rede ist.

So geht es in diesem wichtigen Text um Jesus Christus, der von Ewigkeit her in göttlicher Wesensgestalt existiert, der sich entäußert bis zum Tod am Kreuz und schließlich erhöht wird zum Kyrios, d. h. zum Weltherrscher von göttlicher Würde. Präexistenz-, Kreuzes- bzw. Kenosis- und Erhöhungs-Christologie bilden in einem großen, Himmel und Erde umfassenden Drama eine Einheit. Dabei kommt die Christologie im Rahmen der Soteriologie in den Blick. Indem nämlich der präexistente Gottgleiche in freiem Gehorsam das Sklavenschicksal auf sich nimmt, tritt an die Stelle der Ananke, des schicksalhaften Verhaftetseins unter die kosmischen Mächte, die Freiheit unter dem neuen Herrn der Welt. Es findet also ein Herrschaftswechsel statt, der freilich nicht mit Gewalt, sondern in Gehorsam und Ohnmacht des Kreuzes geschieht.

Die paulinischen Präexistenzaussagen stehen also bereits in einer festen, ihr vorgegebenen Tradition. Wichtig an diesen Aussagen ist, daß es Paulus *nicht um die formale und abstrakte Präexistenz als solche* geht. Paulus füllt die Präexistenzaussagen vielmehr inhaltlich; es handelt sich jeweils um *soteriologische Aussagen*. Das zeigt der an die Sendungsformeln jeweils angefügte Finalsatz, der den soteriologischen Sinn der Präexistenzaussage verdeutlicht: die Befreiung von der Macht der Sünde und des Gesetzes und die Einsetzung in das Sohnesverhältnis gegenüber Gott. Daß dabei von der Sendung ins Fleich und unter das Gesetz die Rede ist, zeigt, daß die alte Christologie nicht nur Inkarnations-, sondern vor allem Kreuzeschristologie war. Das machen auch die mit den Sendungsformeln verwandten Hingabeformeln deutlich (Röm 8, 32; Gal 2,20; vgl. Joh 10, 11; 15,13; 1 Joh 3,16)[52]. Sie zeigen: Es geht bei der Präexistenz um die Aussage, daß in Jesus Christus Gottes ewige, sich selbst wegschenkende Liebe ein für alle Mal in die Geschichte eingetreten ist, um durch diese Selbsterschließung von Gottes Freiheit in der Liebe die Freiheit der Kinder Gottes zu begründen. So geschieht in der Fleischwerdung des Sohnes Gottes ein Tausch: »Der reich war, ist für euch arm geworden, damit ihr durch seine Armut zu Reichen werdet« (2 Kor 8,9; vgl. Gal 4,5; 2,19; 3,13; 2 Kor 5,21; Röm 7,4; 8,3 f). Der soteriologische und universal-kosmische Bezug der Gottessohnaussage wird in dem *Christuslied Kol 1,15–17* nochmals aufgegriffen und entfaltet. Danach ist Jesus Christus »das Ebenbild des unsichtbaren Gottes, der Erstgeborene der ganzen Schöpfung«; »alles ist durch ihn und auf ihn hin geschaffen. Er ist vor aller Schöpfung, in ihm hat alles Bestand«[53]. Hinter dieser Aussage von der Schöpfungsmittlerschaft steht wiederum ein soteriologisches Anliegen; es soll die Universalität des durch Christus geschenkten Heils begründet und zugleich gesagt werden, daß alle anderen »Mächte und Gewalten« abgetan sind, daß wir außer Jesus Christus keinen anderen Herren verpflichtet sind, sondern in christlicher Freiheit in der Welt leben dürfen.

Die wichtigsten und für die Weiterentwicklung folgenschwersten Aussagen zur Sohneschristologie finden sich in den *johanneischen Schriften*. Bereits der Prolog[54] des vierten Evangeliums macht drei fundamentale Aussagen: Vers 1a beginnt: »Im Anfang war das Wort«. Damit wird gesagt, daß das Wort, das in Jesus Christus Fleisch geworden ist (1,14) bereits am Anfang war, d. h. es existiert absolut zeitlos-ewig. Deshalb

[52] Vgl. W. Popkes, Christus traditus. Eine Untersuchung zum Begriff der Dahingabe im NT, Zürich 1967.
[53] J. Gnilka, Der Kolosserbrief (Herders theologischer Kommentar zum NT, Bd. X/1), Freiburg–Basel–Wien 1980, 51 ff; E. Schweizer, Der Brief an die Kolosser (Evangelisch-Katholischer Kommentar zum NT), Neukirchen–Zürich 1976, 50ff.
[54] R. Bultmann, Das Evangelium des Johannes (Kritisch-exegetischer Kommentar über das NT, 2), Göttingen [19]1968, 1 ff; R. Schnackenburg, Das Johannesevangelium, aaO., 208ff; F. M. Braun, Jean le théologien. Les grandes traditions d'Israel d'accord des écritures d'après le quatrième évangile, Paris 1964; R. E. Brown, The gospel according to John (The Ancor Bible, Bd. 29 A), New York 1970.

kann Jesus Christus im vierten Evangelium von sich sagen: »Ehe Abraham war, bin ich« (Joh 8,58). Vers 1b fährt konkretisierend fort: »Und das Wort war bei Gott«. Dieses Sein bei Gott wird 1,18 als personale Gemeinschaft beschrieben, als Gemeinschaft in der Herrlichkeit (17,5), in der Liebe (17,24) und im Leben (5,26), so daß Jesus nach dem vierten Evangelium von sich sagen kann: »Ich und der Vater sind eins« (10,30). Den Höhepunkt bringt die Aussage in Vers 1c: »Und das Wort war Gott«. Das artikellose »Gott« ist hier Prädikat und nicht Subjekt; es ist also nicht identisch mit ὁ θεός, von dem vorher die Rede war. Es soll also gesagt werden, das Wort sei göttlicher Art. Bei aller Unterschiedenheit von Gott und Wort sind beide durch das eine göttliche Wesen geeint. *Diese Wesensaussage ist jedoch auf eine Heilsaussage hin geordnet.* Denn als das ewige göttliche Wort ist Christus das Leben und das Licht in aller Wirklichkeit (1,4). So wird in ihm der Ursprung und das Ziel aller Wirklichkeit offenbar. Was der Prolog gleichsam programmatisch entfaltet, kommt im weiteren Evangelium noch oft zur Sprache. Auf dem Höhepunkt der Auseinandersetzung zwischen Jesus Christus und den »Juden« fällt die Aussage: »Ich und der Vater sind eins« (10,30). Am Schluß wird alles nochmals zusammengefaßt in dem Bekenntnis des Thomas: »Mein Herr und mein Gott« (20,28). Schließlich wird in 20,31 als Zweck des ganzen Evangeliums angegeben: »Damit ihr glaubt, daß Jesus der Messias ist, der Sohn Gottes, und damit ihr durch den Glauben das Leben habt in seinem Namen.« Ähnlich endet der erste Johannesbrief mit der Aussage: »Er ist der wahre Gott und das ewige Leben« (5,20).

Es ist weder möglich noch notwendig, alle Aussagen des Neuen Testaments zur Sohneschristologie im einzelnen darzustellen: die Aussage von Jesus Christus als Bild Gottes (Röm 8,29; 2 Kor 4,4; Kol 1,15), als Abglanz seiner Herrlichkeit und Abbild seines Wesens (Hebr 1,3), als Epiphanie Gottes (1 Tim 3,16; 2 Tim 1,9f; Tit 3,4). *Immer geht es um das eine Thema: Jesus Christus ist Wort und Bild des Vaters, in dem der verborgene Gott für uns offenbar geworden ist.* Aber es handelt sich um eine *Offenbarung am Kreuz,* um eine *Offenbarung in der Verborgenheit;* Gott offenbart seine Macht in Ohnmacht, seine All-Macht ist zugleich All-Leid; seine Ewigkeit ist nicht starre Unveränderlichkeit, sondern Bewegung, Leben, Liebe, die sich selbst mitteilt an das von ihr Verschiedene. So liegt in der Sohneschristologie sowohl eine *Neuinterpretation Gottes* wie eine *Veränderung unserer Wirklichkeit* vor. Die Umwertung, Krisis, ja Revolution des Gottesbildes führt zur Krisis, Veränderung, Erlösung der Welt. Es ist nur zu gut verständlich, daß dieses neue Bild von Gott, wie es in Jesus Christus erschienen ist, zu heftigen Auseinandersetzungen führen mußte und daß seine Implikationen erst in langen Auseinandersetzungen geklärt werden konnten.

Die Klärung der Gottessohnschaft Jesu Christi in der Dogmen- und Theologiegeschichte

Es ist nicht möglich, in diesem Zusammenhang eine Gesamtdarstellung der christologischen Lehrentwicklung der alten Kirche zu geben. Es muß genügen, einige entscheidende Phasen und einige leitende Motive dieser Entwicklung herauszustellen[55]. In der frühesten Phase wurde die christologische Entwicklung naturgemäß von einer *doppelten Auseinandersetzung* geprägt: der Auseinandersetzung mit dem Judentum und der Auseinandersetzung mit dem Hellenismus.

Die *Begegnung mit dem Judentum* und seinem strengen Monotheismus führte zu der Gefahr einer *Verkürzung der wahren Gottheit Jesu Christi*. Man bezeichnet die judenchristliche Gruppe, die Christus in die Reihe der Propheten, der besonders Begnadeten und Auserwählten Gottes oder der Engel einzuordnen versuchte, als Ebioniten. Wir begegnen ihren Ansätzen wieder in der adoptianischen Christologie von Theodot dem Gerber und dessen Schüler Theodot dem Wechsler. Voll ausgeprägt ist diese Christologie bei Paul von Samosata, nach dem der Mensch Jesus Christus mit einer unpersönlich gedachten Kraft (δύναμις) begabt vorgestellt wird.

Das entgegengesetzte Extrem findet sich in *hellenistischen Kreisen,* wo es zu einer *Verkürzung der wahren Menschheit Jesu Christi* kommt. Die sog. Doketen suchten das Problem der eines Gottes unwürdigen Menschwerdung und eines skandalösen Leidens des Sohnes Gottes auf dualistisch-spiritualistische Weise zu lösen, indem sie Christus nur einen Scheinleib (δόκημα) bzw. ein Scheinleiden zuschrieben. Mit den Vorformen dieser doketischen Irrlehre setzten sich bereits die späteren Schriften des Neuen Testaments, besonders der erste und zweite Johannesbrief wie wohl auch der Kolosserbrief und die Pastoralbriefe auseinander. Das Bekenntnis zum Ins-Fleisch-gekommen-Sein Jesu Christi gilt geradezu als die Scheidelinie zwischen Christentum und Nichtchristentum, ja Antichristentum (1 Joh 4,2 f; vgl. 4.15; 5,5 f; 2 Joh 7). In voller Schärfe nimmt dann Ignatius von Antiochien die Auseinandersetzung auf. Seine Argumentation ist ganz soteriologisch bestimmt: Jede Leugnung der Realität der Menschheit Jesu bedeutet die Leugnung der Realität unserer Erlösung, denn wenn Jesus nur einen Scheinleib hatte, dann hat er uns nur zum Schein erlöst (Smyrn. 2), dann ist auch die Eucharistie nur ein Schein (Smyrn. 7); dann ist es schließlich sinnlos, daß wir leiblich für Jesus leiden und Verfolgung erdulden (Smyrn. 4,1). Das ganze Christentum verflüchtigt sich dann zu einer Scheinwirklichkeit. So kommt bereits Ignatius zu einer christologischen Sicht, in der die Einheit der beiden Seinsweisen in Christus (Fleisch – Geist; geworden – ungeworden; aus Maria – aus Gott u. a.) eindrücklich herausgestellt wird (Eph 7,2).

---

[55] Dazu: A. Grillmeier, Jesus der Christus im Glauben der Kirche. Bd. 1. Freiburg–Basel–Wien 1979; A. Gilg, Weg und Bedeutung der altkirchlichen Christologie, München 1955; G. L. Prestige, God in Patristic Thought. London ²1952; I. Ortiz de Urbina, Nizäa und Konstantinopel, Mainz 1964; J. Liébaert, Christologie. Von der Apostolischen Zeit bis zum Konzil von Chalcedon (451), mit einer biblisch-christologischen Einleitung von P. Lamarche (HDG III/1 a), Freiburg–Basel–Wien 1965; P. Smulders, Dogmengeschichtliche und lehramtliche Entfaltung der Christologie, in: Mysal III/1, 389–475.

Die große Auseinandersetzung um das rechte Verständnis Jesu Christi fand im zweiten und dritten Jahrhundert in der *Auseinandersetzung mit der Gnosis* statt[56]. Erst in dieser Auseinandersetzung war das Christentum gezwungen, seine Lehre über Gott, Erlösung, Mensch und Welt systematisch darzustellen; erst jetzt nahm es lehrmäßig und institutionell feste Konturen an. Herkunft und Wesen der Gnosis sind freilich in der Forschung sehr umstritten. Man weiß heute, daß die Gnosis eine bereits vorchristliche synkretistische religiöse Bewegung ist, die auch, wie die Qumran-Texte zeigen, auf dem Boden des Judentums Eingang gefunden hat. Der große und rasche Erfolg dieser gnostischen Strömung ist in einer neuen, in der Antike bis dahin nicht bekannten Gottes-, Welt- und Menschenerfahrung begründet. Der Mensch der Spätantike weiß sich nicht mehr im Kosmos beheimatet; er erfährt die Welt vielmehr als eine ihm fremde, undurchsichtige Größe, als ein Gefängnis und als ein starres System, aus dem er sich befreien will. Im Mittelpunkt dieses extrem dualistischen Denkens der Gnosis steht deshalb die rätselhafte Gestalt des Gottes »Mensch«, der in das Reich der Materie herabgefallen ist und der durch das Wissen (Gnosis) des rechten Weges sein in die Welt geworfenes, fast verschüttetes Selbst wieder befreit. Erlösung wird hier also physisch als Erlösung von der Materie und vom Leib und nicht wie im Christentum geistig als Erlösung von der als Ungehorsam gegen Gott verstandenen Sünde begriffen. Dem geschichtlich-freiheitlichen Dualismus des Christentums stellt die Gnosis einen metaphysischen Dualismus gegenüber, in dem Gott der ganz andere, der fremde und neue, der unbekannte und unweltliche Gott, die Erlösung aber Emanzipation aus der vorgegebenen Ordnung ist. Die Auseinandersetzung mit dieser das Christentum in seinen Fundamenten bedrohenden Lehre nahmen Irenäus von Lyon, Clemens von Alexandrien, Tertullian und Hippolyt auf. Sie mußten in gleicher Weise die Wirklichkeit der Schöpfung gegen deren Verlästerung wie die Wirklichkeit Gottes und der Erlösung verteidigen.

Nachdem die kirchliche Theologie die Wirklichkeit des Gottes der Geschichte, der in Jesus Christus leibhaftig spricht, handelt und da ist, verteidigt hatte, mußte *das eigentlich christologische Problem* zum Vorschein kommen: Wie kann Gott Gott sein und bleiben und doch wirklich in der Geschichte anwesend sein. Bereits der Gegner des Christentums Celsus hat dieses Problem scharfsinnig bemerkt: »Entweder verwandelt sich Gott wirklich, wie diese meinen, in einen sterblichen Leib; ...oder er selbst verwandelt sich nicht, bewirkt aber, daß die Zuschauer glauben, er habe sich verwandelt, und führt sie also in die Irre und lügt«[57]. Die Auseinandersetzung um diese Frage war das große *Thema des vierten Jahrhunderts* in dem Konflikt mit Arius und dem Arianismus. In diesem Zusammenhang fiel die für die ganze weitere Tradition maßgebende Entscheidung des Konzils von Nikaia (325).

Vorbereitet war dieser Konflikt längst, zumindest seit die *Apologeten* im zweiten Jahrhundert den Logosbegriff der griechischen Philosophie, praktisch ein Allerweltsbegriff, heranzogen, um das Verhältnis zwischen dem Vater und dem Sohn begrifflich zu klären. Dieser Schritt war vorbereitet durch die biblische Weisheitsliteratur und das johanneische Logoslied im Prolog des vierten Evangeliums. Jetzt wurde durch das Aufgreifen der stoischen Logos-

[56] A. Orbe, Christología gnóstica. 2 Bde.. Madrid 1976; H. Jonas, Gnosis und spätantiker Geist, Göttingen ³1963.
[57] Origenes, Contra Celsum IV, 18 (SC 136, 224–229).

lehre daraus eine umfassende Lehre vom Ganzen, von Gott, Welt und Geschichte. Der Logos wurde als das vernünftige Prinzip des Kosmos und der Geschichte begriffen. Fragmentarisch ist er in aller Wirklichkeit enthalten (λόγος σπερματικός); aber erst in Jesus Christus ist er in seiner Fülle erschienen[58]. Was das Verhältnis des Logos zu Gott betrifft, so denkt Justin subordinatianisch. Der Logos ist die erste Hervorbringung Gottes[59]; er wurde erst zum Zwecke der Weltschöpfung nach außen hin selbständig[60], d. h. eine göttliche, aber dem Vater untergeordnete Person[61]. Dabei konnten die Apologeten auf die anthropologische Unterscheidung zwischen dem inneseienden Logos (λόγος ἐνδιάθετος) und dem nach außen hervorgebrachten Logos (λόγος προφορικός) zurückgreifen und sie vom Menschen auf Gott übertragen[62].

Die Ansätze der Apologeten wurden schon bald überboten durch zwei geniale Entwürfe, die die gesamte weitere Entwicklung bestimmten: Tertullian im lateinischen Westen und Origenes im griechischen Osten. Mit sicherem Griff und juristischer Präzision prägt *Tertullian* bereits um 200 die entscheidenden Begriffe der späteren Trinitätstheologie[63]. Er erspart dem Westen damit zu einem großen Teil die langwierigen Auseinandersetzungen des Ostens. Dennoch findet sich auch bei ihm noch eine subordinatianische Tendenz. Der Logos ist zwar schon vor der Weltschöpfung, aber erst durch diese kommt es zu einer »nativitas perfecta«[64]. Der Sohn geht vom Vater aus, wie die Frucht aus der Wurzel, der Fluß aus der Quelle, der Sonnenstrahl aus der Sonne[65]. Nur der Vater hat die ganze Fülle der Gottheit, der Sohn nur einen Teil[66]. Die Theologie des *Origenes* (+ 253/54) ist der des Tertullian an spekulativer Kraft zweifellos überlegen. Wir haben es hier mit einem der größten und kühnsten theologischen Entwürfe zu tun. Origenes behauptet die Ewigkeit des Sohnes sehr entschieden[67]. Er ist der Glanz des Lichtes[68]. Er ist vom Vater substantialiter hypostatisch verschieden[69] und kein Teil des Vaters[70]. Aber er ist nicht schlechthin gut wie der Vater[71]; er ist nicht αὐτόθεος, sondern δεύτερος θεός[72]. Im Sohn

[58] Justin, Apologia I, 46/II, 8; 10; 13 (Corpus Apol. I, ed. v. Otto, 128 ff/220 ff; 224–228; 236 ff).

[59] Justin, Apologia I, 21 (aaO., 64–68).

[60] Justin, Apologia II, 6 (aaO., 212–216); Justin, Dialog mit Tryphon 61 (Corpus Apol. II, ed. v. Otto, 212–216); Athenagoras, Bittschrift für die Christen 10 (TU Bd. 4/2, 8–10).

[61] Justin, Apologia I, 13 (aaO., 40 ff); vgl. Dialog mit Tryphon 56; 126 (aaO., 186–196; 451–454).

[62] Theophilus von Antiochien, Ad Autolycum 2, 10.22 (SC 20, 122–124; 154).

[63] Tertullian, Adv. Praxean 2; 8; 25 (CCL 2, 1160 f; 1167 f; 1195 f); Tertullian, De pud. 21, 16 (CCL 2, 1328).

[64] Tertullian, Adv. Praxean 7 (CCL 2, 1165 ff); ders., Adv. Hermogenem 2 (CCL 1, 397 f).

[65] Tertullian, Adv. Praxean 8 (CCL 2, 1167 f); vgl. 13 (CCL 2, 1173–1176).

[66] Adv. Praxean 9 (CCL 2, 1168 f).

[67] Origenes, De principiis I, 2, 2.9 (SC 252, 112 ff. 128 ff); IV, 4,1 (SC 268, 400–405).

[68] De principiis I, 2,5 (SC 252, 118–121); IV, 4,1 (SC 268, 400–405).

[69] De principiis I, 2,7 (SC 252, 124 f).

[70] De principiis I, 2,2 (SC 252, 112–115); De oratione 15, 1 (GCS Orig. 2, 333 f).

[71] De principiis IV, 4,1 (SC 268, 400–405).

[72] De principiis I, 2,13 (SC 252, 140–143); Commentaria in Evangelium Ioannis II, 6 (SC 120, 210–213).

nehmen die transzendenten Eigenschaften des Vaters Gestalt an[73]. Der Sohn ist damit Mittler zur Erlösung[74]. Auch wenn Origenes in erster Linie Schrifttheologie auf dem Boden der kirchlichen Tradition betreiben will, so bedeutet seine Theologie doch die eigentliche Geburtsstunde der spekulativen Theologie, bei der der Einfluß platonischen Gedankenguts unübersehbar ist[75].

Diese Begegnung mit der zeitgenössischen Philosophie war kein Unfall oder Zufall der Theologie, wie der Hellenisierungsvorwurf meint; sie war hermeneutisch notwendig, sie war im Grunde das aggiornamento von damals. Dennoch führte dieser Schritt am Ende zu der Krise, die mit dem Namen des *Arius* verbunden ist. Diese Krise war im Grunde nichts anderes als das Ausbrechen des Fiebers in einem Prozeß, der durch Keime eingeleitet wurde, deren Virulenz die Apologeten zu wenig bedacht hatten. Denn der stoische Logos war wesentlich monistisch und nur in Beziehung auf die Welt zu begreifen. Im späteren Mittelplatonismus dagegen wurde die absolute Transzendenz, die Unsichtbarkeit und Unerkennbarkeit Gottes überbetont; der Logos diente entsprechend als vermittelndes Prinzip. Daraus ergab sich die Gefahr des Subordinatianismus, also der Unterordnung des Sohnes unter den Vater. Der Logos wird vom Vater im Blick auf die Schöpfung gezeugt; der Hervorgang des Logos aus dem Vater ist also von der Schöpfung abhängig. *Aus der soteriologischen Heilslehre der Bibel drohte eine kosmologische Spekulation zu werden.* Diese Gefahr wurde bei dem »linken« Origenesschüler Arius akut[76]. Er wagte es, die Halbheiten des Subordinatianismus der Theologie vor ihm einseitig zu lösen. Gott ist für ihn im Sinn des mittleren Platonismus unaussprechlich, ungezeugt, ungeworden, ursprungslos und unveränderlich. Das Grundproblem war deshalb die Vermittlung dieses ungewordenen und unteilbaren Seins mit der Welt des Gewordenen und Vielfältigen. Dazu diente der Logos, ein zweiter Gott (δεύτερος θεός), den Arius als das erste und vornehmste Geschöpf und zugleich als Schöpfungsmittler verstand. Er ist folglich in der Zeit aus dem Nichts geschaffen, veränderlich und fehlbar; lediglich aufgrund seiner ethischen Bewährung ist er zum Sohn adoptiert worden. Bei Arius hat offensichtlich der Gott der Philosophen den lebendigen Gott der Geschichte verdrängt. Seine Theologie stellt eine *akute Hellenisierung des Christentums* dar.

Das *Konzil von Nikaia*[77], das in den durch die Lehre des Arius hervorgerufenen Auseinandersetzungen eine Entscheidung bringen und die Einheit der Kirche und des Reiches wieder herstellen sollte, ließ sich nicht auf die spekulativen Fragen der arianischen Lehre ein. Es wollte lediglich die Lehre von Schrift und Tradition wahren. Deshalb griff es auf das Taufsymbol – sei es der Kirche von Cäsarea, sei es der von Jerusalem – zurück, um die im wesentlichen biblischen Formulierungen

---

[73] Contra Celsum V, 39 (SC 147, 116–121).

[74] De principiis I, 2,8 (SC 252, 126–129).

[75] De principiis II, 6,1 (SC 252, 308–311); Contra Celsum III, 35 (SC 136, 82f).

[76] A. Grillmeier, Jesus der Christus im Glauben der Kirche. Bd. 1. Freiburg–Basel–Wien 1979, 356–385.

[77] I. Ortiz de Urbina, Nizäa und Konstantinopel (Geschichte der ökumenischen Konzilien. Bd. 1), Mainz 1964; J. N. D. Kelly, Altchristliche Glaubensbekenntnisse. Geschichte und Theologie, Göttingen 1972, 205ff; A. Grillmeier, aaO., 386–413 (Lit.).

dieses Bekenntnisses durch interpretierende Zusätze, welche die Lehre des Arius ausschließen sollten, zu ergänzen. Die entscheidende Aussage des Bekenntnisses von Nikaia lautet: »Wir glauben...an den einen Herrn Jesus Christus, den Sohn Gottes, als einzig Geborener gezeugt vom Vater, das heißt aus der Wesenheit des Vaters, Gott von Gott, Licht vom Lichte, wahrer Gott vom wahren Gott, gezeugt, nicht geschaffen, wesenseins (ὁμοούσιος) mit dem Vater, durch den alles geworden ist, was im Himmel und auf Erden ist, der um uns Menschen und um unseres Heiles willen herabgestiegen und Fleisch und Mensch geworden ist...«[78].

Das Glaubensbekenntnis von Nikaia ist in mehrfacher Hinsicht bedeutsam:

1. Es bewegt sich in der *Spannung von Tradition und Interpretation*. Es erstrebt keine abstrakte Spekulation; es ist vielmehr ein liturgisches Bekenntnis, das aus der biblischen und der kirchlichen Tradition stammt. Das neue Dogma versteht sich also als Dienst am Glauben und als Interpretation der Tradition. Die Kirche gründet ihren Glauben nicht auf die private Spekulation, sondern auf die gemeinsame und öffentliche Tradition, die sich vor allem im Gottesdienst der Kirche artikuliert. Sie versteht diese Tradition jedoch nicht als starren Buchstaben, sondern als lebendige Tradition, die sie in Auseinandersetzung mit neuen Fragen entfaltet. Die Indienstnahme von hellenistischen Kategorien stellt deshalb keinen Abfall und Schwächeanfall des Christentums dar; es geht nicht um Selbstaufgabe sondern um Selbstbehauptung des Christentums. Im Grunde ging es um das aggiornamento von damals, um den *hermeneutisch notwendigen Versuch, die eine und ein für alle Mal gültige christliche Botschaft angesichts der neuen Fragestellungen in der Sprache der Zeit auszusagen*. Die vermeintliche Hellenisierung ist also ein Zeichen von inkarnatorischer Kraft und geistlicher Präsenz.

2. Die »neuen« Wesensaussagen stellen im Grunde *keine Hellenisierung, sondern eine Enthellenisierung des Christentums* dar. Der Arianismus war die illegitime Hellenisierung, die das Christentum in Kosmologie und Moral auflöste. Das Konzil will demgegenüber die Sohnesaussagen des Neuen Testaments festhalten und bekräftigen, daß in Jesus Christus Gott selbst auf dem Plan ist. Deshalb muß das Konzil sagen, daß Jesus Christus nicht auf die Seite der Geschöpfe, sondern auf die Seite Gottes gehört, daß er nicht geschaffen, sondern gezeugt und gleichen Wesens (ὁμοούσιος) mit dem Vater ist. Der Begriff ὁμοού-

[78] DS 125; NR 155.

σιος[79] stammte zwar aus der Emanationenlehre der valentinanischen Gnosis und war darum vielen Vätern in Nikaia und erst recht vielen Bischöfen und Theologen nach Nikaia höchst verdächtig. Das Konzil wollte damit jedoch nicht den Gottesbegriff der Offenbarung und des kirchlichen Kerygmas »hellenisieren« und durch einen philosophisch-technischen Wesensbegriff überlagern. Es ging ihm vielmehr darum, daß der Sohn seiner Natur nach göttlich ist und auf einer Seinsstufe mit dem Vater steht, so daß, wer ihm begegnet, dem Vater selbst begegnet. Deshalb kam es dem Konzil auch gar nicht darauf an, genauer zu klären, wie sich dieses eine Wesen Gottes des Vaters und des Sohnes zu der Unterscheidung beider verhält. Es handelt sich in Nikaia – wie bei den meisten Konzilsentscheidungen – um eine Lösung »ad hoc«. Die Klärung der Implikation einer solchen Aussage ist die Aufgabe der folgenden theologischen Rezeption und Interpretation.

3. *Das Interesse der Konzilaussage von Nikaia ist kein spekulatives, sondern in erster Linie ein soteriologisches.* Athanasius, der Vorkämpfer in der Auseinandersetzung mit Arius, schärfte immer wieder ein: Wenn Jesus Christus nicht wahrer Sohn Gottes ist, dann sind wir durch ihn nicht erlöst, d. h. nicht zu Söhnen und Töchtern Gottes geworden. Athanasius kann sogar formulieren: »Er ist also nicht, da er Mensch war, später Gott geworden, sondern da er Gott war, später Mensch geworden, um vielmehr uns zu Göttern zu machen«[80]. Die Lehre von der wahren Gottheit Jesu Christi muß also verstanden werden im Rahmen der gesamten altkirchlichen Soteriologie und ihrer Idee von der Erlösung als Vergöttlichung des Menschen. Diese Lehre von der Vergöttlichung begegnet heute vielfältiger Kritik, als ob es sich um eine magisch-naturhafte Verwandlung handeln würde. Im mißbräuchlichen Anschluß an Ignatius von Antiochien [81] spricht man abwertend gar von einem pharmakologischen Prozeß. Damit wird übersehen, daß Vergöttlichung bei Athanasius nichts anderes heißt, als daß wir durch den, der Sohn Gottes von Natur ist, Söhne Gottes durch Gnade und Annahme werden[82], indem wir den Heiligen Geist empfangen, der in uns ruft:

---

[79] H. Kraft, ΟΜΟΟΥΣΙΟΣ, in: ZKG 66 (1954/55), 1–24; A. Grillmeier, Art. homoousios, in: LThK V, 467f; F. Ricken, Das Homoousios von Nikaia als Krisis des altchristlichen Platonismus, in: B. Welte (Hrsg.), Zur Frühgeschichte der Christologie (Quaest. disp. 51), Freiburg–Basel–Wien 1970, 74–99.
[80] Athanasius, Adv. Arianos I, 39 (PG 26, 91–94); ders., Adv. Arianos II, 47; 59; 69f (PG 26, 245–248; 271–274; 293–296).
[81] Ignatius von Antiochien, Ad Ephesios 20, 2 (Patres Apostolici II, ed. Funk-Diekamp, 204).
[82] Athanasius, Adv. Arianos I, 38; III, 19 (PG 26, 89–92; 361–364).

»Abba, Vater«[83]. Also ein durch und durch biblischer Gedanke, bei dem im Unterschied zu ähnlich klingenden hellenistischen Vorstellungen der Unterschied zwischen Gott und Mensch keinen Augenblick verwischt wird, und wo nicht naturhaft, sondern personal gedacht wird.

4. Sosehr Nikaia die Aussage der Bibel gegenüber deren verphilosophierender Verfälschung festhalten will, sosehr kann das Konzil den Angriff doch nur abwehren, indem es mit denselben Waffen kämpft und besonders mit dem nicht biblischen Begriff ὁμοούσιος selbst die Sprache der Philosophie spricht. Insofern bedeutet das Dogma von Nikaia den *Einzug des metaphysischen Wesensdenkens in die Verkündigung der Kirche und in die Theologie*. In der Folge wurde das eschatologisch-heilsgeschichtliche Denken der Schrift oft spekulativ überlagert und teilweise verdrängt. Hier liegt das Korn Wahrheit an der These von der Enteschatologisierung des Christentums als Voraussetzung und Folge von dessen Hellenisierung[84]. Die unmittelbare Folge war, daß das Gottesbild der Tradition – im Grunde gegen die Intentionen von Nikaia – geprägt wurde durch die griechische Vorstellung von der Unveränderlichkeit, der Leidenslosigkeit und der Leidenschaftslosigkeit (ἀπάθεια) Gottes. Die Kenosisaussagen, die mit den biblischen Inkarnationsaussagen engstens verbunden sind, konnten nicht mehr voll zum Zug kommen. Die Menschwerdung Gottes – das große Thema des Athanasius – und erst recht das Leiden und Sterben Gottes wurden damit ausgerechnet im Gefolge von Nikaia zum Problem. Dieses Problem wird uns erst heute, da wir am Ende der klassischen Gestalt der Metaphysik stehen, voll bewußt. Für uns entsteht die Frage, ob ein Gott, der nicht leiden kann, uns in unserem Leiden helfen kann. Ist er dann noch ein Gott der Menschen und der Geschichte? Ist er dann noch der Gott, wie er durch Menschwerdung und Kreuz Jesu Christi offenbar geworden ist?
Indem Nikaia in Treue zur Schrift und zur Tradition ein Problem gelöst hat, hat es andere geschaffen, die uns heute auf der Grundlage von Nikaia neu zur Lösung aufgegeben sind. So zeigt bereits das Dogma des ersten allgemeinen Konzils, daß dogmatische Formulierungen nie nur der klärende Abschluß einer Auseinandersetzung, sondern zugleich immer der Anfang neuer Fragen und Probleme sind. Gerade weil Dogmen wahr sind, bedürfen sie immer wieder neu der Interpretation.

[83] Adv. Arianos II, 59 (PG 26, 271–274).
[84] Vgl. M. Werner, Die Entstehung des christlichen Dogmas – problemgeschichtlich dargestellt, Stuttgart 1959.

3. Theologische Interpretation der Gottessohnschaft Jesu Christi

Logos-Christologie

Die Theologie ist »fides quaerens intellectum«; sie will die Selbstoffenbarung Gottes nicht nur äußerlich positivistisch feststellen, sondern sucht auch sie innerlich zu verstehen. Dies geschieht dadurch, daß sie die vielen Offenbarungswahrheiten in ihrem inneren Zusammenhang als Gestalten des einen Geheimnisses Gottes zu begreifen versucht, und daß sie *das eine Geheimnis Gottes in Entsprechung setzt zum Geheimnis des Menschen,* so daß uns ein analoges Begreifen möglich wird. Vor allem der letztere Versuch wurde für die Christologie bedeutsam. Schon die Rede von Jesus Christus als Sohn Gottes stellt eine Analogie aus dem menschlichen Bereich dar, welche die Gleichwesentlichkeit wie die Unterschiedenheit von Gott dem Vater und Jesus Christus gleichermaßen zum Ausdruck bringt. Um das Verhältnis von Jesus Christus zu seinem Vater aber von allzu anthropomorphen Vorstellungen von natürlicher Zeugung freizuhalten und um aussagen zu können, daß Jesus und sein Vater nicht nur gleichen Wesens, sondern eines Wesens sind, bedurfte es zusätzlich einer Analogie aus dem geistigen Bereich. *Man mußte sozusagen das Bild vom Sohn auf den Begriff bringen, und dies geschah mit Hilfe des Begriffs »Wort«. Der entscheidende Schritt in der Christologie war also die Interpretation des biblischen Bildes von Jesus Christus als dem Sohn Gottes durch den Begriff Wort Gottes.* Dieser Schritt vom Bild zum Begriff wird bereits in der alttestamentlichen Weisheitsliteratur vorbereitet und im *Johannesprolog* ausdrücklich vollzogen[85]. Nachdem lange Zeit die These vom gnostischen Ursprung des johanneischen Logosbegriffs vertreten wurde, betont man heute wieder viel stärker die alttestamentlichen und urchristlichen Wurzeln. Johannes greift zurück auf das biblische Wortverständnis und auf den impliziten Selbstanspruch Jesu, das abschließende und endgültige Wort Gottes zu sein. Der absolute Gebrauch des Begriffs »das Wort« kann freilich nicht allein aus der alttestamentlich-jüdischen Tradition abgeleitet werden. Johannes steht hier vielmehr im geistigen Raum des jüdischen Hellenismus, repräsentiert durch den jüdischen Religionsphilosophen Philo, bei dem sich die alttestamentliche Weisheitsspekulation mit der philosophischen Logosspekulation der Griechen verband. Die Unterschiede zwischen Philo und dem Johannesprolog sind freilich nicht zu übersehen. Eine personale Auffassung des Logos und erst recht der Inkarnationsgedanke blieben Philo fremd; der Logos war für ihn im Unterschied zu Johannes eine mittlerische Potenz zwischen Gott und

---

[85] Vgl. o. Anm. 48.

der Welt. So ist die Synthese des Johannesprologs als eine eigenständige Leistung zu werten, die dazu diente, auf dem Boden des biblischen und urchristlichen Denkens Sein und Bedeutung Jesu dem hellenistischen Judentum zu erschließen.

Die *Logoschristologie* des Johannesevangeliums erwies sich als überaus geschichtsmächtig; sie wurde von der gesamten christlichen Tradition aufgegriffen. Wir finden diesen Ansatz bereits bei Ignatius von Antiochien, bei Justin und den anderen Apologeten, bei Irenäus von Lyon und erst recht bei den späteren Vätern[86]. Doch obwohl solid biblisch begründet, führte er, wie gezeigt, schon bald in eine schwere *Krise*, aus der dann im 4. Jahrhundert die klassische Christologie erwachsen ist. Diese Krise war im *unterschiedlichen Logosverständnis in der griechischen Philosophie und in der Bibel* angelegt. In der griechischen Philosophie seit Heraklit diente der Logosbegriff dazu, die innere Vernünftigkeit und Sinneinheit aller Wirklichkeit auszusagen[87]. Der Logos ist die alle Wirklichkeit durchwaltende und einende Vernunft. Diese Sinneinheit und Vernünftigkeit der Wirklichkeit wird aber erst in der Vernunft des Menschen offenbar. Erst die menschliche Vernunft und das menschliche Wort – beide werden als Logos bezeichnet – bringen die Offenbarkeit der Vernunft zur Offenbarung[88]. Im Logosbegriff geht es also um das Offenbarsein des Seins im Denken und Sprechen und damit um die Einheit von Denken und Sein. Damit besteht eine *formale Entsprechung zwischen dem biblischen Wort- und dem griechischen Logosverständnis bei gleichzeitiger grundsätzlicher inhaltlicher Verschiedenheit.* Beide sind – wenngleich in inhaltlich unterschiedlicher Weise – an der Offenbarung der Wirklichkeit interessiert. Was jedoch für die Bibel ein unableitbares geschichtliches Geschehen ist, begreift das griechische Denken als inneres Wesen der Wirklichkeit. Dem im griechischen Logosbegriff enthaltenen Gesamtverständnis von Gott, Welt und Mensch eignete demnach eine monistische Tendenz, die von der christlichen Theologie so nicht übernommen werden konnte. Anders wurde die Situation, als in der Spätantike die Erfahrung eines harmonisch geordneten Kosmos zerbrach. Das Göttliche wurde jetzt nicht mehr als der Tiefengrund der Wirklichkeit verstanden; Gott wurde vielmehr als der absolut transzendente und unerkennbare, ja fremde Gott begriffen. Jetzt diente der Logos als Mittler zwischen

---

[86] Ignatius von Antiochien, Ad Magnesianos 8, 2; Ad Ephesios 3,2; 17, 2 (Patres Apostolici II, ed. Funk-Diekamp, 86; 184; 200); Justin, Dialog mit Tryphon 61 (Corpus Apol. II, ed. v. Otto, 212–216); Athenagoras, Bittschrift für die Christen 10 (TU Bd. 4/2, 10f); Irenäus, Epid. 39 (TU Bd. 31/1, 29*, 22; BKV Bd. 4, ed. S. Weber, 610).

[87] Vgl. H. Kleinknecht, Art. λέγω, 3. Der Logos in Griechenland und Hellenismus, in: ThWNT IV, 79ff.

[88] H. Krings. Art. Wort, in: Handb. theol. Grundbegr. II, 835–845.

diesem transzendenten Gott und der Welt. In dieser dualistischen Konzeption war der biblische Schöpfungsglaube wie der Glaube an den Gott der Geschichte und der Menschen wiederum verfehlt. Bei dieser komplizierten Problemlage war eine authentische christliche Logos-Christologie verständlicherweise erst nach einem langwierigen Prozeß der Reinigung und der kritischen Unterscheidung möglich.

Als hilfreich erwies sich dabei eine Reflexion auf das *Verhältnis von innerem und äußerem Wort*. Die griechische Philosophie hatte in dieser Frage längst vorgearbeitet. In seinem Dialog Kratylos setzt sich *Platon* mit der Auffassung der Sophisten auseinander, nach denen das äußere Wort nur ein im Grunde willkürliches, auf Konvention beruhendes Zeichen ist. Diese sophistische Position ist nach Platon in sich unhaltbar, weil jede Konvention nur in und durch Sprache geschehen kann und deshalb Sprache bereits voraussetzt. Deshalb behauptet Platon eine Entsprechung zwischen dem äußeren Wort und dem inneren Wort, d. h. dem inneren Verständnis und dessen nach außen im Wort geäußerter Gestalt. Er versteht das äußere Wort als Bild und Zeichen für die Dinge[89]. Die Erkenntnis der Dinge verdankt sich nun aber bei Platon nicht primär der sinnlichen Erfahrung der Dinge, auch nicht dem äußeren Wort, sondern der inneren Einsicht in die Wirklichkeit selbst[90]. Deshalb ist die Erkenntnis nach Platon am Ende doch ein wortloser Dialog der Seele mit sich selbst[91].

Die Überlegungen Platons führten vor allem bei *Augustinus* zu einer geklärten Logoschristologie. Augustinus versteht das äußere Wort als ein Zeichen »des Wortes, das drinnen leuchtet… alle Worte, nämlich in welcher Sprache immer sie erklingen mögen, werden auch schweigend gedacht«[92]. Entscheidend ist also auch für Augustinus das innere Wort, dem mit größerem Recht die Bezeichnung Wort zukommt. Es entsteht durch einen der Zeugung vergleichbaren schöpferischen Akt, in dem etwas vom Zeugenden Verschiedenes und doch ihm Wesensgleiches hervorgebracht wird. »Wenn wir sprechen, was wir wissen, dann muß aus dem Wissen, welches unser Gedächtnis enthält, ein Wort geboren werden; es ist durchaus von der Art, von der das Wissen ist, von dem es geboren wird. Der von dem gewußten Gegenstand geformte Gedanke ist nämlich das Wort, das wir im Herzen sprechen«[93]. »Der Geist hält alles, was er durch sich selbst oder durch die Leibessinne oder durch das Zeugnis anderer sich angeeignet hat und weiß, in der Schatzkammer des Gedächtnisses verborgen. Daraus wird das wahre Wort gezeugt, wenn

[89] Platon, Kratylos 434 b.
[90] Ebd. 438 a–439 b.
[91] Platon, Sophistes 363 c; 364 a.
[92] Augustinus, De Trinitate XV, 11 (CCL 50 A, 486–490).
[93] Ebd. XV, 10 (CCL 50 A, 483–486).

wir aussprechen, was wir wissen, das Wort, das jeglichem Klanglaut, ja jeglichem Denken des Klanglautes vorangeht«[94]. Auch wenn sich Augustinus des Unterschiedes zwischen göttlichem und menschlichem Wissen voll bewußt ist[95], so ist er doch der Überzeugung, damit eine *Analogie* gefunden zu haben, *um das Verhältnis des Vaters zum Sohn, ihre Verschiedenheit bei gleichzeitiger Wesensgleichheit und Wesenseinheit zu verstehen.* »Das Wort Gottes des Vaters ist der eingeborene Sohn, in allem dem Vater ähnlich und gleich, Gott von Gott, Licht vom Lichte, Weisheit von Weisheit, Wesen von Wesen... Mithin zeugte der Vater, indem er gleichsam sich selbst aussprach, sein ihm in allem gleiches Wort«[96].

Thomas von Aquin hat diese Konzeption des Augustinus aufgegriffen und weitergeführt. Deutlicher als Augustinus spricht er jedoch davon, daß das Wort ein Prozeß (processio), ein Geschehen und ein Vollzug ist, den Thomas – philosophiegeschichtlich überaus mutig – auch als geistigen Ausfluß (emanatio) bezeichnen kann. Das Eigentümliche dieses Wortgeschehens besteht darin, daß hier kein Fortschritt vom einen zum anderen geschieht, daß der Hervorgang des Wortes vielmehr im Erkennenden verbleibt[97], so daß man von einer perfectio operantis sprechen kann[98]. Je höher nämlich ein Seiendes ist, um so mehr steht es in sich selbst, um so mehr ist es in sich konzentriert und reflektiert. Die höchste Form dieser Innerlichkeit kommt dem Geist zu, der auf sich selbst reflektiert und sich so selbst verstehen kann. Während nun aber beim menschlichen Geist sein Selbstbewußtsein nur ein Abbild seines Seins ist, fällt bei Gott Sein und Bewußtsein zusammen; indem er sich selbst erkennt, hat er nicht nur ein geistiges Bild von sich, vielmehr ist er dieses Bild bzw. Wort in seinem Sein. Der Akt göttlicher Selbsterkenntnis ist also ein geistiger Zeugungsakt, eine Emanation des Geistes. Anders als in der neuplatonischen Emanationslehre kommt freilich dem so Erzeugten keine mindere, sondern dieselbe Seinswirklichkeit zu, die auch das Wesen Gottes besitzt[99]. Wollte man diese Zeugung des Wortes bestreiten, müßte man bestreiten, daß Gott Leben und Geist ist, man müßte ihn als tot und als geistlos erklären[100]. *Der lebendige Gott kann also nur als Vater und Sohn gedacht werden, während ein nichttrinitari-*

---

[94] Ebd. XV, 12 (CCL 50 A, 490–494).
[95] Ebd. XV, 13 (CCL 50 A, 494 f).
[96] Ebd. XV, 14; vgl. In Iohannis Evangelium Tract. I, 8–10 (CCL 50 A, 496 f; CCL 36, 4–6).
[97] Thomas v. A., Summa theol. I q.27 a.1; q.34 a.1.
[98] Thomas v. A., De Pot. q.10 a.1.
[99] Thomas v. A., Summa c. gent. IV, 11.
[100] Thomas v. A., De Pot. q. 10 a. 1.

scher, rein monotheistischer Gott tatsächlich als tot erklärt werden müßte.

Die Deutung der Gottessohnschaft Jesu Christi durch den Begriff Wort hilft Thomas nicht nur, dieses einzelne, wenngleich zentrale Dogma im Glauben zu verstehen; es gelingt ihm zugleich, von dieser Deutung her das Gesamte der Wirklichkeit gläubig zu begreifen. Weil Gott in einem einzigen Akt sich selbst wie auch alles andere versteht, ist das ewige Wort nicht nur Ausdruck und Darstellung des Vaters, sondern auch der Geschöpfe. Besser ausgedrückt: In seinem Sohn, dem ewigen Wort, erkennt der Vater nicht nur sich, sondern auch die geschöpfliche Wirklichkeit[101]. So gelingt es Thomas mit Hilfe des Begriffes Wort verständlich zu machen, daß in Jesus Christus und auf ihn hin alles erschaffen ist (Kol 1,16 f) und daß wir von Ewigkeit her in ihm erkannt und erwählt sind (Eph 1,4 f).

Man kann die Größe, die Tiefe und die Konsistenz dieser klassischen Worttheologie unmöglich bestreiten. Sie ist in Schrift und Tradition bestens begründet, und sie ist eine nicht hoch genug einzuschätzende Hilfe für ein tieferes Verständnis der Offenbarung, ihres inneren Zusammenhangs und ihrer Entsprechung zur menschlichen Erkenntnis. Die Logoschristologie kann verständlich machen, daß uns in Jesus Christus zugleich Gottes innerstes Wesen wie der letzte Grund und Sinn aller Wirklichkeit offenbar ist. Sie macht deutlich, daß Jesus Christus das Haupt der ganzen Schöpfung ist, daß in ihm als dem einen Wort des Vaters alle Wirklichkeit zu Wort kommt und ihren tiefsten Sinn findet. Nur wer Jesus Christus kennt, versteht letztlich den Menschen und die Welt.

Dennoch bleiben *Fragen.* Ist diese Worttheologie letztlich nicht schwerpunktmäßig philosophisch statt theologisch gedacht? Und kommt in ihr auch philosophisch gesehen die Bedeutung des Wortes und der Sprache in der rechten Weise zum Ausdruck? Läßt sich das Wort vom inneren Selbstgespräch der Seele her adäquat fassen, oder muß man nicht eher vom Dialog, und d. h. vom äußeren Wort, vom Wort als Entäußerung ausgehen? Das führt zur theologischen Anfrage. Bringt die klassische Logoschristologie die Intentionen der biblischen Worttheologie, wie sie sich im Johannesprolog finden, hinreichend zur Geltung? Kann sie deutlich machen, daß der Johannesprolog in der Aussage gipfelt: »Das Wort ist Fleisch geworden«? »Fleisch«, das meint den Menschen in seiner Hinfälligkeit und Todesverfallenheit. In der Fleischwerdung deutet sich also eine Kreuzes– und Kenosischristologie an, nach der sich

---

[101] Thomas v. A., Summa theol. I q. 34 a. 3; De ver. q. 4 a. 5.

Gott in Jesus Christus entäußert und sich gleichsam in seinem Gegenteil offenbart, in der Gottes Offenbarung zugleich die Offenbarung seiner Verborgenheit bedeutet. Dieses Moment der Entäußerung kommt in der klassischen Logoschristologie zu kurz. Das muß uns dazu anhalten, die klassische Lösung zwar nicht aufzugeben, wohl aber sie vom Gedanken der Entäußerung aus weiterzudenken und zu vertiefen.

Kenosis-Christologie

Geht man konsequent vom Zeugnis des Neuen Testaments aus und macht man dieses zur Grundlage der spekulativen Durchdringung des Christusglaubens, dann muß man Ernst damit machen, daß die Evangelien »Passionsgeschichten mit ausführlicher Einleitung« (M. Kähler) sind. *Das Kreuz ist dann nicht nur die Konsequenz des irdischen Auftretens Jesu, sondern das Ziel der Menschwerdung; es ist nicht etwas Hinzugekommenes, sondern das Sinnziel des Christusgeschehens, auf das alles andere final hingeordnet ist.* Gott wäre nicht wirklich Mensch geworden, wenn er nicht in den ganzen Abgrund und in die Nacht des Todes eingegangen wäre. Das aber bedeutet, daß wir das Wesen der Gottessohnschaft Jesu Christi letztlich nicht von seiner ewigen und zeitlichen Geburt, sondern von seinem Tod am Kreuz her denken müssen. Nicht die nach der Analogie der Hervorbringung des geistigen Wortes gedachte Zeugung des Sohnes durch den Vater, sondern die Hingabe des Sohnes durch den Vater und die Selbsthingabe des Sohnes an den Vater und für die vielen muß Ausgangspunkt der christologischen Reflexion sein[102].

Grundlegend für einen solchen christologischen Ansatz ist das *Christuslied in Phil 2,6–11*, das von der κένωσις dessen spricht, der in Gottes Wesensgestalt war und die Gestalt des Sklaven angenommen hat[103]. Bei der Interpretation dieses wichtigen Textes ist streng darauf zu achten, daß er nicht von einer Wesensverwandlung oder gar von einer Entgöttlichung Gottes spricht. Eine solche Interpretation stünde nicht nur im Widerspruch zu 2 Kor 5,19: »Gott war in Christus«, sondern auch zu der Aussage unseres Textes, nach der die Kenosis in der Annahme der Knechtsgestalt, aber nicht in der Aufgabe der Gottesgestalt besteht.

[102] Zum folgenden vor allem H. U. v. Balthasar, Mysterium Paschale, in: Mysal III/2, 133–326.
[103] Zur Auslegung außer der o. Anm. 51 genannten Lit.: P. Henry, Art. Kénose, in: Dict. Bibl. Suppl. V, 7–161; L. Oeing-Hanhoff, »Der in Gottesgestalt war...«, in: ThQ 161 (1981), 288–304. Zur Auslegungsgeschichte: J. Gewieß, Zum altkirchlichen Verständnis der Kenosisstelle, in: ThQ 128 (1948), 463–487.

Augustinus interpretiert völlig korrekt: »Sic se exinanivit: formam servi accipiens, non formam Dei amittens, forma servi accessit, non forma Dei discessit«[104]. Mit dieser Auslegung ist nun freilich das eigentliche Problem erst gestellt. Es gilt, durch den Engpaß hindurchzukommen, den Gottgleichen zum Subjekt der Entäußerung zu machen, diese Entäußerung ernst zu nehmen, ohne ihn dabei seiner Göttlichkeit zu berauben und zu entleeren. Wie kann also der unveränderliche Gott zugleich veränderlich sein? Wie kann die Geschichte Gottes in Jesus Christus so gedacht werden, daß sie Gott wirklich betrifft, Gottes eigene Geschichte ist und Gott dabei doch Gott bleibt? Wie kann der leidensunfähige Gott leiden?

Von der Bibel her läßt sich die *Frage nach dem Leiden Gottes* nicht umgehen. Immer wieder bezeugt uns das *Alte Testament,* daß Gott durch das Tun und das Leiden der Menschen betroffen wird bzw. sich betreffen läßt im Mitleid, im Zorn, im Erbarmen (Gen 6,6; Ps 78, 41; Jes 63,10; Hos 11,8 f; Jer 31,20 u. ä.)[105]. In der rabbinischen Theologie ist entsprechend oft vom Schmerz Gottes die Rede[106]. Das *Neue Testament* führt diese Linien fort, indem es vom Zorn Jesu (Mk 3,5), von seinem Mitleid (Mk 6,34) und von seinem Weinen über Jerusalem (Lk 19,41) berichtet. Grundlegend sind Jesu Worte von seiner Gottverlassenheit (Mk 15,34; Mt 27,46) und die grundsätzliche Aussage des Hebräerbriefes: »Wir haben ja nicht einen Hohenpriester, der nicht mitfühlen könnte mit unserer Schwäche, sondern einen, der in allem wie wir in Versuchung geführt worden ist, aber nicht gesündigt hat« (4,15). »Er ist fähig, für die Unwissenden und Irrenden Verständnis aufzubringen, da auch er der Schwachheit unterworfen ist... Obwohl er der Sohn war, hat er durch Leiden den Gehorsam gelernt« (5,2.8; vgl. 2,18; 4,15). Es ist unmöglich, dies alles nur als Anthropomorphismus abzutun, oder es nur der menschlichen Natur Jesu zuzuschreiben, seine Gottheit aber davon unberührt sein zu lassen. Es geht ja um die κένωσις des präexistenten Sohnes Gottes (Phil 2,7) und um das Erscheinen der Menschlichkeit Gottes (Tit 3,4). *Jesus Christus ist also in seiner Menschlichkeit, in seinem Leben und Sterben die Selbstauslegung Gottes.*

Die *Väter* hatten diesen biblisch verstandenen Gott der Geschichte abzugrenzen gegenüber mythologischen Vorstellungen von werdenden, leidenden, sich verändernden Göttern und deren mythologisch verstandener Menschwerdung. Sie konnten dabei auf Motive der griechischen Philosophie und ihr *Axiom von der Leidensunfähigkeit Gottes*

[104] Augustinus, Sermo IV, 5 (CCL 41, 21 f).
[105] J. Scharbert, Der Schmerz im Alten Testament, Bonn 1955, 215 ff.
[106] P. Kuhn, Gottes Selbsterniedrigung in der Theologie der Rabbinen, München 1968; ders., Gottes Trauer und Klage in der rabbinischen Überlieferung, Leiden 1978.

(ἀπάθεια) (Apathie-Axiom) zurückgreifen[107]. Zweifellos haben sie dabei oft die Leidensunfähigkeit in einer Weise verteidigt, die mehr den Einfluß der griechischen Philosophie als den der biblischen Zeugnisse verrät[108]. Es trifft freilich nicht zu, was oft behauptet wird, daß nämlich die Väter das philosophische Apathie-Axiom einfach übernommen und damit das biblische Zeugnis vom lebendigen Gott der Geschichte verkürzt haben[109].

Die frühen Kirchenväter ließen das *Paradox* einfach stehen. Nach Ignatius von Antiochien gilt: »Der Zeitlose, der Unsichtbare, der unsertwegen sichtbar wurde, der Unbegreifbare, der Leidensunfähige, der unsertwegen leidensfähig wurde«[110]. Ähnlich sprechen Irenäus[111] und Melito[112]. Tertullian, bekannt für seine paradoxen Formulierungen, sagt: »Gottes Sohn ist gekreuzigt worden, ich schäme mich dessen nicht, gerade weil es etwas Schmähliches ist; Gottes Sohn ist auch gestorben, es ist recht glaubwürdig, weil es abgeschmackt ist; er ist auch gestorben und wieder auferstanden, es ist dann sicher, eben weil es unmöglich ist«[113]. Auch an anderer Stelle redet er vom Deus mortuus[114] und vom Deus crucifixus[115]. Die Formel der skythischen Mönche im theopaschitischen Streit des 6. Jahrhunderts ist damit vorweggenommen: »Einer aus der heiligen Trinität hat im Fleisch gelitten«[116].

Eine weniger bizarre und durch Reflexion mehr ausgeglichene Sprechweise war den Vätern deshalb so schwierig, weil ihnen πάθος als ein unfreiwilliges äußeres Widerfahrnis[117], ja als ein Ausdruck der durch die Sünde bewirkten Verfallenheit des Menschen galt[118]. Unter diesen Voraussetzungen konnten Gott solche πάθη nur zugeschrieben werden, sofern er sie freiwillig annimmt, so daß diese πάθη bei Gott eben nicht Ausdruck von Endlichkeit, Unfreiheit und Sündigkeit, sondern

[107] Vgl. dazu W. Maas, Unveränderlichkeit Gottes. Zum Verhältnis von griechisch-philosophischer und christlicher Gotteslehre (Paderborner Theol. Stud. Bd. 1). München–Paderborn–Wien 1974, 34 ff.
[108] Das gilt etwa von Clemens von Alexandrien, vgl. dazu W. Maas, aaO., 125 ff.
[109] Das geht schon allein daraus hervor, daß die Kirchenväter im Anschluß an die Schrift Gott oft Affekte wie Zorn, Liebe, Erbarmen zuschreiben.
[110] Ignatius von Antiochien, Ad Polycarpum III, 2 (Patres Apostolici II, ed. Funk-Diekamp, 158); vgl. Ad Ephesios III, 2 (Patres Apostolici II, ed. Funk-Diekamp, 188 ff.)
[111] Irenäus, Adv. haer. IV, 20, 4 (SC 100/2, 634–637).
[112] Melito v. Sardes, Vom Pascha, 3 (SC 123, 60–62).
[113] Tertullian, De carne Christi V, 4 (CCL 2, 881).
[114] Tertullian, Adv. Marcionem II, 16, 3 (CCL 1, 493).
[115] Ebd. II, 27, 7 (CCL 1, 507).
[116] Vgl. R. Lachenschmid, Art. Theopaschismus, in: LThK X, 83.
[117] Vgl. Augustinus, De civitate Dei VIII, 17 (CCL 47, 234f).
[118] Vgl. Athanasius, Adv. Arianos III, 32–34 (PG 26, 389–398); Gregor von Nyssa, Contra Eunomium VI (PG 45, 721 B–725 B).

umgekehrt Ausdruck seiner Macht und Freiheit sind. Auf dieser Linie liegt die Antwort von Gregor Thaumaturgos[119] und Hilarius[120], ja selbst von Augustinus: »War er auch schwach, so doch aus eigener Machtvollkommenheit«[121]. Sehr eindringlich Gregor von Nyssa: »Sein Herabsteigen in die Niedrigkeit ist aber ein gewisses Übermaß von Macht, für die es auch in dem kein Hindernis gibt, was sozusagen gegen seine Natur ist«[122]. Von da aus ist es nur noch ein verhältnismäßig kleiner Schritt bis zu der bedeutendsten patristischen Auseinandersetzung mit dem Apathie-Axiom bei Origenes[123]. Er überbietet den Gedanken der Freiwilligkeit durch den der Liebe. Hätte nämlich der Sohn nicht von Ewigkeit Mitleid mit unserem Elend empfunden, dann wäre er nicht Mensch geworden, und dann hätte er sich nicht kreuzigen lassen: »Primum passus est deinde descendit. Quae est ista quam pro nobis passus est, passio? Caritatis est passio.« Aber nicht nur der Sohn, auch der Vater ist nicht einfach »impassibilis«, »patitur aliquid caritatis«[124]. *Damit ist eine Lösung angedeutet, die ausgeht vom innersten Wesen Gottes selbst, von seiner Freiheit in der Liebe.*

Die *scholastische Tradition* hat sich diese Ansätze der Vätertheologie leider kaum zunutze gemacht[125]. Einen Durchbruch durch die einseitige metaphysisch bestimmte Theologie der Scholastik bedeutete erst *Luthers Theologia crucis*[126]. Luther versuchte konsequent, nicht von einem philosophischen Gottesbegriff her das Kreuz, sondern umgekehrt vom Kreuz her Gott zu denken. In seiner Lehre von der communicatio idiomatum versucht er, alle Hoheitsaussagen der göttlichen Natur auf die menschliche Natur zu übertragen; die Menschheit Christi nimmt vor allem teil an der Allgegenwart der Gottheit. Umgekehrt nimmt aber auch die Gottheit teil an der Niedrigkeit der Menschheit, an deren Leiden und Sterben[127]. Dem widersprachen vor allem die Calviner mit dem »Extra calvinisticum«, mit dem sie die Transzendenz des Logos gegenüber Jesus Christus wahren wollten[128].

[119] Vgl. dazu H. Crouzel, La Passion de l'Impassible, in: L'Homme devant Dieu (Coll. Théologie. 56) (FS H. de Lubac), Paris 1963, 269–279.
[120] Hilarius, De Trinitate VIII, 45; X, 10.24 (CCL 62 A, 357f; 466f; 478f).
[121] Augustinus, De civitate Dei XIV, 9 (CCL 48, 425–430).
[122] Gregor von Nyssa, Oratio catechetica magna 24, 1 (PG 45, 64f).
[123] Origenes, De principiis II, 4, 4 (SC 252, 288f).
[124] Origenes, Homilia in Ezechielem 6, 6 (GCS Orig. 8, 383ff); vgl. Commentarium in Epistulam ad Romanos VII, 9 (PG 16, 1127 C–1130 A).
[125] Vgl. Thomas v. A., Summa theol. I q.13 a.7; De Pot. q.7 a.8–11.
[126] M. Luther, Disputatio Heidelbergae habita, These 19f (WA I, 354). Vgl. W. v. Loewenich, Luthers Theologia crucis, München ⁴1954.
[127] Vgl. P. Althaus, Die Theologie Martin Luthers, Gütersloh ³1972, 171–175; Th. Beer, Der fröhliche Wechsel und Streit. Grundzüge der Theologie Luthers, Einsiedeln ²1980, bes. 323–453.
[128] J. Calvin, Institutio christianae religionis (1559) II, 13,4 (Opera selecta III, ed. B. Barth, W. Niesel, München 1928, 456–458); Vgl. K. Barth, Die Kirchliche Dogmatik I/2, 181–187.

Das nicht ausdiskutierte Problem führte zum *kenotischen Streit* des 16. / 17. Jahrhunderts, zunächst zwischen Chemnitz und Brentz und dann zwischen der Gießener und der Tübinger Schule. Nach beiden Schulen nimmt die menschliche Natur Christi teil an der Allgegenwart, der Allwissenheit und der Allmacht der göttlichen Majestät. Nach den Gießenern verzichtet der Mensch-gewordene aber auf den Gebrauch dieser Attribute (κένωσις χρήσεως); die Tübinger dagegen behaupten, daß er diese Attribute nur nach außen nicht geoffenbart, sondern verborgen hat (κένωσις κρύψεως). Wie immer man sich hier entscheidet, deutlich ist, daß Luthers Lehre von der Idiomenkommunika-tion in kaum lösbare Aporien führt. Sie gerät in Konflikt mit dem Bild Jesu, wie es uns in der Schrift bezeugt wird. Denn wenn die Menschheit an den Majestätseigenschaften Gottes teil hat, wie kann dann noch die echte Mensch-lichkeit Jesu festgehalten werden? Wenn andererseits die Gottheit ins Leiden eingeht, wie ist dann die Gottverlassenheit Jesu am Kreuz zu verstehen?[129]

Die *Philosophie des deutschen Idealismus* machte einen neuen Versuch, die Kenosislehre der Schrift denkerisch zu bewältigen. Für Hegel ist das Absolute nicht Substanz, sondern Subjekt, das aber nur dadurch ist, daß es sich an das Andere seiner selbst entäußert. Zum Wesen des absoluten Geistes gehört es, daß er sich selbst offenbart und manifestiert, das heißt, daß er sich im andern und für anderes darstellt und sich so selbst gegenständlich wird[130]. Zum Wesen des absoluten Geistes gehört es also, daß er den Unterschied von sich in sich selbst setzt, daß er im Unterschied von sich mit sich selbst identisch ist. Für Hegel ist dies eine philosophische Auslegung des Bibelworts: Gott ist Liebe. Zur Liebe gehört es nämlich, daß sie im anderen, in der Entäußerung, sich selber findet. »Liebe ist ein Unterscheiden zweier, die doch schlechthin nicht unterschieden sind«[131]. In dieser Selbstentäußerung ist der Tod die höchste Spitze der Endlichkeit, die höchste Negation und damit die beste Anschauung der Liebe Gottes. Damit gelingt es Hegel, den Tod Gottes zu denken. Er zitiert, wie bereits früher vermerkt, das lutherische Kirchenlied: »O große Not, Gott selbst ist tot«, und er meint dies Ereignis »eine ungeheure, fürchterliche Vorstellung, die vor die Vorstellung den tiefsten Abgrund der Entzweiung bringt«[132]. Die Liebe meint aber in der Unterscheidung zugleich Versöhnung und Vereini-gung. So bedeutet der Tod Gottes zugleich die Aufhebung der Entäußerung, den Tod des Todes, die Negation der Negation, die Wirklichkeit der Versöh-nung. Das Wort vom Tod Gottes heißt also, daß Gott ein lebendiger Gott ist, daß er die Negation in sich aufnehmen und zugleich in sich aufheben kann. Das *Grundproblem der Hegelschen Philosophie* ist ihre unaufhebbare Zweideu-

---

[129] Vgl. M. Lienhard, Martin Luthers christologisches Zeugnis. Entwicklung und Grundzüge seiner Christologie, Göttingen 1980; Y. Congar, Regards et réflexions sur la christologie de Luther, in: Das Konzil von Chalcedon. Geschichte und Gegenwart, hrsg. v. A. Grillmeier u. H. Bacht. Bd. 3. Würzburg ⁴1973, 457–486.
[130] G. W. F. Hegel, Vorlesungen über die Philosophie der Religion II/2 (ed. Lasson), 53 ff.
[131] Ebd. 75.
[132] Ebd. 158; vgl. ders., Glauben und Wissen oder die Reflexionsphilosophie der Subjektivität in der Vollständigkeit ihrer Formen als Kantische, Jakobische und Fichtesche Philosophie (WW I, ed. H. Glockner), 432 f; ders., Phänomenologie des Geistes (ed. J. Hoffmeister), 521–548.

tigkeit. Wenn Gott sich notwendig entäußern muß, dann kann er ohne Welt nicht Gott sein[133]. Dann wird aber der Unterschied zwischen Gott und Welt in einem dialektischen Prozeß aufgehoben. Das führt zu der Frage, ob bei Hegel aus dem Skandal des Kreuzes nicht ein spekulativer Karfreitag geworden ist. Wenn das Kreuz spekulativ einsichtig wird, wird es dialektisch aufgehoben und versöhnt. Es ist dann nicht mehr ein unableitbares geschichtliches Ereignis, sondern Ausdruck eines Prinzips Liebe, ein notwendiges Schicksal Gottes. Wenn der Tod Gottes als notwendig begriffen ist, ist er dann noch ernstgenommen? Wird dann nicht auch die ganze Tiefe des menschlichen Leidens überspielt? Hier gilt das Wort Goethes: »Es steht das Kreuz mit Rosen dicht umschlungen. Wer hat dem Kreuz die Rosen zugesellt?«[134]. So bietet die neuzeitliche Subjektivitätsphilosophie einerseits neue Denkmöglichkeiten, um das der metaphysisch bestimmten theologischen Tradition kaum lösbare Problem des Leidens Gottes zu bewältigen; auf der anderen Seite beinhaltet sie auch unleugbare Gefahren, weil sie der Versuchung ausgesetzt ist, das Kreuz Christi zu entleeren (1 Kor 1,17).

Die Möglichkeiten und die Gefahren des an Hegel orientierten Denkens werden in der *kenotischen Theologie des 19. und des 20. Jahrhunderts* offenbar. Ihre Intention ist es, die christologische Tradition der alten Kirche zu bewahren und sie zugleich weiterzuführen. Dieser Neuansatz der Christologie begegnet uns bei den deutschen Kenotikern des 19. Jahrhunderts: G. Thomasius, F. H. R. Frank, W. F. Geß. Man hat diese Lehre auch schon »die vollendete Kenose des Verstandes« genannt; K. Barth ist allerdings der Meinung: »Es ist aber Schlimmeres als das von ihr zu sagen.« Denn in Wirklichkeit waren die Kenotiker gezwungen, die Gottheit Jesu Christi preiszugeben, was ihnen dann bei den Liberalen nur Spott und Hohn eingebracht hat. Die anglikanischen Kenotiker am Ende des letzten und zu Beginn dieses Jahrhunderts waren ebenfalls von Hegel geprägt, machten aber den selbständigen Versuch, die patristische Christologie mit dem Realismus des durch die Evangelienforschung ins Licht gestellten Menschen Jesus von Nazaret zu versöhnen. Der Ton lag deshalb mehr auf dem Empirischen des Selbstbewußtseins Jesu. Zu nennen sind Ch. Gore, F. Weston, C. E. Rolt, W. Temple, R. Brasnett u. a. Hegels Ideen, teilweise verbunden mit Gedanken Böhmes und Schellings, wirkten ebenfalls bei einigen russisch-orthodoxen Theologen und Denkern weiter, vor allem bei Solowjew, Tarajew, Bulgakov, Berdjajew. In mancher Hinsicht ist ihnen der spanische Philosoph Miguel de Unamuno verwandt, der seinerseits Reinhold Schneider beeinflußt hat.

In einer durch die nachidealistische Hegelkritik vermittelten Weise wird dasselbe Problem heute unter veränderten Vorzeichen von vielen *gegenwärtigen katholischen wie evangelischen Theologen* wieder aufgegriffen: K. Rahner, H. U. v. Balthasar, H. Mühlen, J. Galot, H. Küng, W. Kasper, J. Moltmann, E. Jüngel, G. Koch u. a.[135] Von ganz anderen Voraussetzungen her wird dasselbe Problem in der Prozeßtheologie (Ch. Hartshorne, J. B. Cobb, Sch. Ogden u. a.)

---

[133] Ders., Vorlesungen über die Philosophie der Religion I/1 (ed. Lasson), 148.

[134] Zit. bei J. Moltmann, Der gekreuzigte Gott. Das Kreuz Christi als Grund und Kritik christlicher Theologie, München ²1973, 37.

[135] Vgl. den Überblick bei H. Küng, Menschwerdung Gottes, aaO., 637–670; J. Galot, Vers une nouvelle christologie, Paris 1971, 67–94; ders., Dieu souffre-t-il?, Paris 1976.

im Anschluß an A. N. Whiteheads Unterscheidung zwischen primordial und consequent nature in Gott angegangen[136]. Dabei ist freilich nicht immer ersichtlich, wie das legitime Anliegen des Unveränderlichkeitsaxioms gewahrt werden kann. Wie aktuell eine Theologie der Passion und des Leidens für das asiatische Denken ist, zeigt K. Kitamoris »Theologie des Schmerzes Gottes«[137]. Letzte Ausläufer dieser kenotischen Tendenz finden sich in der Gott-ist-tot-Theologie, die freilich als modische Eintagsfliege inzwischen selbst tot ist[138].

Dieser Überblick zeigt, daß das biblische und kirchliche Bekenntnis zu Jesus als dem Sohn Gottes eine durch die Theologie bis heute nicht voll eingeholte Wirklichkeit darstellt. *Die Theologie des 19. und 20. Jahrhunderts ist der groß angelegte Versuch, von diesem Bekenntnis her, genauer: vom Kreuz Jesu Christi her, den Begriff Gottes und seiner Unveränderlichkeit einer Neuinterpretation zu unterziehen, um so das biblische Verständnis vom Gott der Geschichte neu zur Geltung zu bringen.* Daß sie dabei gute Anknüpfungspunkte in der patristischen Theologie hat, ist deutlich geworden. Ein solcher Versuch, Gott und Jesus Christus vom Kenosisgedanken her zu verstehen, wird aber von vornherein darauf zu achten haben, daß er nicht Weisheit dieser Welt sein kann, sondern sich an die Torheit des Wortes vom Kreuz, das Gottes Weisheit ist, halten muß (vgl. 1 Kor 1,18–31). Ausgangspunkt eines solchen Versuchs kann deshalb nur das Zeugnis der Bibel und nicht irgendeine Philosophie sein, sei es die klassische Metaphysik mit ihrem Apathie-Axiom, sei es der Idealismus mit seinem Gedanken von der notwendigen Selbstentäußerung des Absoluten, oder sei es die moderne Prozeßphilosophie. Wir werden also allen bereits in der Gnosis unternommenen Versuchen widerstehen müssen, aus dem Kreuz Jesu Christi ein Weltprinzip, ein Weltgesetz oder eine Weltformel zu machen oder es als Symbol des allgemeinen Prinzips des »Stirb und Werde« zu erklären[139].

Wir können den entscheidenden Gedankengang in zwei Schritten darlegen:

1. Am Kreuz kommt die Menschwerdung Gottes zu ihrem eigentlichen Sinnziel. Das ganze Christusgeschehen muß darum vom Kreuz her begriffen werden. Am Kreuz ereignet sich Gottes sich selbst entäu-

---

[136] A. N. Whitehead, Process and Reality. An Essay in Cosmology, New York 1960, 524.
[137] K. Kitamori, Theologie des Schmerzes Gottes, Göttingen 1972.
[138] J. Bishop, Die Gott-ist-tot-Theologie, Düsseldorf 1968; S. M. Daecke, Der Mythos vom Tode Gottes. Ein kritischer Überblick, Hamburg 1969; H. M. Barth, Der christologische Ansatz der nordamerikanischen Tod-Gottes-Theologie, in: Kerygma und Dogma 17 (1971), 258.
[139] Vgl. H. U. v. Balthasar, Mysterium Paschale, in: Mysal III/2, 164 ff.

ßernde Liebe in letzter Radikalität. *Das Kreuz ist das Äußerste, das Gott in seiner sich selbst wegschenkenden Liebe möglich ist; es ist das »id quo maius cogitari nequit«, die nicht mehr überbietbare Selbstdefinition Gottes.* Diese Selbstentäußerung ist deshalb keine Selbstaufgabe und keine Selbstentgöttlichung Gottes. Die am Kreuz offenbare Liebe Gottes ist vielmehr Ausdruck von Gottes unbedingter Treue zu seiner Verheißung. Vom lebendigen Gott der Geschichte gilt, daß er eben als Gott der Geschichte sich selbst treu bleibt und sich nicht selbst verleugnen kann (2 Tim 2,13). Deshalb ist das Kreuz keine Entgöttlichung Gottes, sondern die Offenbarung des göttlichen Gottes. Gerade in der Unergründlichkeit seiner vergebenden Liebe erweist er, daß er Gott und nicht Mensch ist (Hos 11,9). So sind für die Bibel die *Offenbarung von Gottes Allmacht und die Offenbarung von Gottes Liebe keine Gegensätze.* Gott braucht sich nicht seiner Allmacht zu entäußern, um seine Liebe zu offenbaren. Im Gegenteil, es gehört Allmacht dazu, sich ganz hingeben und wegschenken zu können; und es gehört wiederum Allmacht dazu, sich im Schenken zurückzunehmen und die Unabhängigkeit und Freiheit des Empfängers zu wahren. Nur eine allmächtige Liebe kann sich ganz dem anderen ausliefern und eine ohnmächtige Liebe sein. »Gottes Allmacht ist darum seine Güte. Denn Güte ist, ganz hinzugeben, aber so, daß man dadurch, daß man allmählich sich selbst zurücknimmt, den Empfänger unabhängig macht... Dieses ist das Unbegreifliche, daß die Allmacht nicht bloß das Imposanteste von allem hervorbringen kann: der Welt sichtbare Totalität, sondern das Gebrechlichste von allem hervorzubringen vermag: ein gegenüber der Allmacht unabhängiges Wesen«[140].

Damit haben wir den entscheidenden Punkt erreicht: *Gottes Selbstentäußerung, seine Ohnmacht und sein Leiden sind nicht Ausdruck* von Mangel wie bei endlichen Wesen; sie sind auch nicht Ausdruck einer schicksalhaften Notwendigkeit. *Wenn Gott leidet, dann leidet er auf göttliche Weise, das heißt, sein Leiden ist Ausdruck seiner Freiheit; Gott wird nicht vom Leiden betroffen, er läßt sich in Freiheit davon betreffen. Er leidet nicht wie die Kreatur aus Mangel an Sein, er leidet aus Liebe und an seiner Liebe, die der Überfluß seines Seins ist.* Werden, Leiden, Bewegung von Gott aussagen heißt also eben nicht, ihn zu einem werdenden Gott machen, der erst durch das Werden hindurch zur Fülle seines Seins gelangt; ein solcher Übergang von Potenz zu Akt ist bei Gott ausgeschlossen. Werden, Bewegung, Leiden von Gott aussagen heißt, Gott als Fülle des Seins, als reine Aktualität, als Überfluß an Leben und Liebe zu begreifen. Weil Gott die Allmacht der Liebe ist, kann er sich sozusagen die Ohnmacht der Liebe leisten; er kann ins

---

[140] S. Kierkegaard, Die Tagebücher 1834–1855, München 1949, 240f.

Leiden und Sterben eingehen, ohne darin unterzugehen. Nur so kann er durch seinen Tod unseren Tod erlösen. In diesem Sinn gilt das Wort Augustins: »Vom Tod getötet, tötete er den Tod«[141]. »Mortem nostram moriendo destruxit et vitam resurgendo reparavit« (Osterpräfation). So erweist sich Gott am Kreuz als der in der Liebe Freie und als Freiheit in der Liebe[142].

2. Wenn sich Gott als der in Freiheit Liebende und als der in der Liebe Freie erweist, muß er, wenn das Kreuz die eschatologische Selbstoffenbarung Gottes ist, in sich selbst Freiheit in der Liebe und Liebe in der Freiheit sein. Nur wenn Gott in sich Liebe ist, kann er sich selbst als solche eschatologisch-endgültig offenbaren. *Gott muß also von Ewigkeit sich selbst mitteilende Liebe sein.* Das wiederum bedeutet, daß Gott seine Identität nur in der Selbstunterscheidung zwischen Liebendem und Geliebtem, die beide in der Liebe eins sind, besitzt. Damit haben wir einen *Ansatz für das Verständnis der Trinität* gewonnen, der nicht von der Erkenntnis im Wort, sondern von der sich selbst mitteilenden Liebe ausgeht. Mit Hilfe dieses Ansatzes kann man dem Phänomen der Selbstentäußerung, die wesentlich zur Liebe gehört, mehr gerecht werden, als mit dem traditionellen Ansatz beim Wort. Da die Liebe freilich die Erkenntnis des Geliebten voraussetzt und einschließt, ist dieser Ausgangspunkt weit genug, um die tiefen Einsichten der Logoschristologie in sich aufzunehmen und fruchtbar zu machen. Dazu kommt, daß die heutige Sprachphilosophie nicht wie die Platons und Augustins vom inneren Wort, sondern vom äußeren, gesprochenen Wort ausgeht und dieses äußere Wort als Entäußerung des Menschen und als Zuwendung zum anderen Menschen versteht. Auch unter diesem Gesichtspunkt kann die Logoschristologie durch eine Kenosis-d. h. Entäußerungschristologie aufgegriffen und weiterführend vertieft werden.

Der Ansatz bei der Liebe hat durchaus *Anhalt in der Tradition.* Schon bei *Origenes* begegnen wir der Lehre, der Sohn sei aus dem Willen, d. h. aus der Liebe des Vaters hervorgegangen[143]. Vor allem *Augustinus* hat erkannt, daß sich vom Begriff der Liebe her die Trinität erschließt. »Siehe, da sind drei: der Liebende, das Geliebte und die Liebe. Was ist also die Liebe anderes als eine Art Leben, welches zwei miteinander vereint oder zu vereinen trachtet, den Liebenden und das Geliebte?«[144]

---

[141] Augustinus, In Iohannis Evangelium Tract. XII, 10f (CCL 36, 126f).
[142] K. Barth, Die Kirchliche Dogmatik II/1, §28: Gottes Sein als der Liebende in der Freiheit, 288ff.
[143] Origenes, De principiis I, 2, 5 (SC 252, 118–121); IV, 4, 1 (SC 268, 400–405).
[144] Augustinus, De Trinitate VIII, 10 (CCL 50, 290f); vgl. IV, 2.4 (CCL 50, 294f. 297–300).

Freilich hat Augustinus diese Einsicht nicht weiter verfolgt. Genauer gesagt: Augustinus setzt bei der Liebe an und führt dann erst das Moment der Erkenntnis ein mit dem Argument: »Der Geist kann sich selbst nicht lieben, wenn er sich nicht auch kennt.« »Also sind der Geist, seine Liebe und seine Erkenntnis eine Art Dreiheit«[145]. Damit ist innerhalb des Ansatzes bei der Liebe die Theologie des Wortes grundgelegt, die später meist isoliert weiterentwickelt worden ist. Eine Ausnahme bildet eigentlich nur der Ansatz des *Richard von Sankt Viktor* (12. Jahrh.), der ganz konsequent von der Liebe aus denkt[146]. Wir werden darauf noch ausführlich zurückkommen.

Die Liebe besagt eine Einheit, die den anderen nicht aufsaugt, sondern ihn eben in seiner Andersheit annimmt und bejaht und ihn so erst in seine wahre Freiheit einsetzt. Die Liebe, die dem anderen nicht etwas, sondern sich selbst schenkt, bedeutet in eben dieser Selbstmitteilung zugleich Selbstunterscheidung und Selbstbegrenzung. Der Liebende muß sich selbst zurücknehmen, weil es ihm nicht um sich selbst, sondern um den anderen geht. Noch mehr, der Liebende läßt sich vom anderen betreffen; er wird geradezu in seiner Liebe verletzlich. *So gehören Liebe und Leiden zusammen.* Das Leiden der Liebe ist jedoch nicht nur ein passives Betroffensein, sondern ein aktives Sich-betreffen-Lassen. Weil Gott also die Liebe ist, kann er leiden und eben darin seine Göttlichkeit offenbaren. So bedeutet die Selbstentäußerung des Kreuzes keine Entgöttlichung Gottes, sondern seine eschatologische Verherrlichung. *Die ewige innergöttliche Unterscheidung von Vater und Sohn ist die transzendental-theologische Bedingung der Möglichkeit der Selbstentäußerung Gottes in der Inkarnation und am Kreuz.* Das ist mehr als eine mehr oder weniger interessante Spekulation; besagt diese Aussage doch, daß bei Gott von Ewigkeit her Raum ist für den Menschen, Raum auch für wirkliches sym-pathein mit dem Leiden der Menschen. Der christliche, d. h. der von Jesus Christus her gedachte Gott ist damit kein apathischer Gott, sondern im wirklichen Sinn des Wortes ein sympathischer Gott, der mit dem Menschen leidet.

Der »sympathische« Gott, wie er in Jesus Christus offenbar wird, ist *die endgültige Antwort auf die Theodizeefrage,* an der der Theismus wie der Atheismus scheitern. Wenn Gott selbst leidet, ist das Leiden kein Einwand mehr gegen Gott. Wenn Gott leidet, so heißt dies freilich nicht, Gott sei die Vergöttlichung des Leidens. Gott vergöttlicht nicht das Leiden, er erlöst es. Denn das Leiden Gottes, das der Freiwilligkeit der Liebe entspringt, besiegt die Schicksalhaftigkeit des Leidens, das uns von außen fremd und unverstanden trifft. So hebt die Allmacht der

---

[145] Ebd. IX, 3.4 (CCL 50, 295–300).
[146] Richard von St. Viktor, De Trinitate (ed. J. Ribaillier), vgl. dazu u. 266f.

Liebe Gottes die Ohnmacht des Leidens auf. Das Leiden ist damit nicht abgeschafft, wohl aber ist es von innen her verwandelt – verwandelt auf Hoffnung hin. Kenosis und Leiden sind jetzt nicht mehr das letzte Wort, sondern die Erhöhung und die Verklärung. So weist die Kenosis-Christologie nochmals über sich hinaus auf eine österliche Erhöhungs– und Verklärungschristologie. Sie steht in engstem Zusammenhang mit der Pneumatologie. Denn die eschatologische Verwandlung und Verklärung der Welt ist nach der Schrift das Werk des Geistes Gottes. Weil er nach der theologischen Tradition die Versöhnung des Unterschieds zwischen Liebendem und Geliebtem, zwischen Vater und Sohn ist, ist er auch die Macht der eschatologischen Verklärung und Versöhnung der Welt.

III. DER HEILIGE GEIST – DER HERR UND LEBENSSPENDER

1. PROBLEM UND DRINGLICHKEIT EINER THEOLOGIE DES HEILIGEN GEISTES HEUTE

»Ich glaube an den Heiligen Geist, der Herr ist und lebendig macht«, so beginnt der dritte Artikel des christlichen Glaubensbekenntnisses. Erst mit dieser Aussage kommt das Bekenntnis zu seinem Ende und zu seiner Vollendung. Denn das Leben, das im Vater seinen Ursprung hat und das uns im Sohn geschenkt wird, wird uns durch den Heiligen Geist innerlich und persönlich zuteil durch den Dienst der Kirche. Was im Vater seinen Ursprung und im Sohn seine Mitte hat, findet im Heiligen Geist seine Vollendung. In dieser Aussage über den Heiligen Geist häufen sich nun freilich auch die *Verstehensschwierigkeiten*. Schon im durchschnittlichen kirchlichen und theologischen Bewußtsein spielt der Heilige Geist keine überragende Rolle. Der Heilige Geist ist die geheimnisvollste der drei göttlichen Personen. Während der Sohn in menschlicher Gestalt erschienen ist, und während wir uns vom Vater wenigstens ein Bild machen können, ist der Geist unanschaulich. Nicht umsonst nennt man ihn oft den unbekannten Gott. Vor allem der westlichen Tradition wird oft Geistvergessenheit vorgeworfen. In der Tat, an die Stelle der Trias Vater-Christus-Geist tritt oft die Trias Gott-Christus-Kirche[1]. Über die Hintergründe und Konsequenzen dieser Geistvergessenheit wird noch ausführlich zu sprechen sein.

Die eigentlichen Verstehensschwierigkeiten in Sachen Pneumatologie sind jedoch nicht primär in der kirchlichen und theologischen Tradition als vielmehr in der *geistigen Situation der Zeit* und ihrer Geistlosigkeit zu suchen. Der Verlust der Dimension und der Sache, die das abendländische Denken mit Geist umschrieben hat, ist vielleicht die tiefste Krise der Gegenwart[2]. Die Entdeckung der Welt des Geistes war ja die Großtat des griechischen Denkens, an der die christliche Theologie in kritischer wie schöpferischer Weise anknüpfen konnte. Geist war in der abendländischen Philosophie nicht nur eine, sondern die eigentliche Wirklichkeit. In der neuzeitlichen Philosophie wurde der Geist gar zum regierenden Fundamentalbegriff. Der Geist war hier das sinnstiftende, einende und tragende Ganze in der Mannigfaltigkeit der Erscheinungen. Der alle Wirklichkeit durchwaltende Geist ermöglichte es, im Fremden das Eigene zu erkennen und in ihm heimisch zu werden. Diese

[1] Vgl. Y. Congar, Je crois en l'esprit saint. Bd. 3, Paris 1980, 219 ff.
[2] L. Oeing-Hanhoff u. a., Art. Geist, in: HWPH III, 154–204.

Geistphilosophie brach im 19. Jahrhundert nach Goethes, Hegels und Schleiermachers Tod jäh zusammen. Die idealistische Deutung des Geistes ist seither weithin einer materialistischen und evolutionistischen Deutung gewichen. Die Wirklichkeit wird nun nicht mehr als Erscheinung des Geistes, sondern umgekehrt der Geist als Epiphänomen der Wirklichkeit verstanden, sei es, daß man ihn als Überbau über den ökonomisch-gesellschaftlichen Prozeß oder als Surrogat und Sublimation des als Bedürfniswesen verstandenen Menschen begreift. Schließlich forderte ein positivistisches, sogenanntes exaktes Wissenschaftsverständnis, den Begriff »Geist« wegen der Mannigfaltigkeit seiner Bedeutungen und der Unmöglichkeit, ihn exakt zu definieren, aufzugeben und über das zu schweigen, wovon man nicht exakt reden kann. Es liegt auf der Hand, daß ein solches materialistisches und positivistisches Denken in Nihilismus umschlagen mußte, also in eine Entwertung und Umwertung aller bisherigen Ideen, Werte und Ideale, die nun dem Verdacht verfielen, bloße Ideologien individueller oder kollektiver Interessen zu sein.

Das bisher Gesagte ist freilich nur die eine Hälfte unserer Situation. Denn das, was in der bisherigen europäischen Geschichte mit Geist gemeint war, ist heute *im Modus der Abwesenheit in geradezu erschreckender Weise neu präsent.* Die Erfahrung geistloser Zustände einer seelenlosen und fassadenhaften Wirklichkeit, wo jede Ordnung notwendigerweise nur noch als Zwang empfunden werden kann, in der sich das vereinsamte Subjekt undurchsichtigen Prozessen gegenübersieht, die Ängste und Beklemmungen erzeugen, in dieser Erfahrung ist die Suche nach dem, was Geist einmal meinte, in Gestalt vielfältiger Utopien von einer besseren, menschlicheren und versöhnten Welt wirksam. Zwei Utopien sind vor allem zu nennen: die Utopie der Evolution bzw. des Fortschritts und die Utopie der Revolution. Beiden ist gemeinsam, daß sie die dem Menschen entfremdete Wirklichkeit zu einer menschlichen Welt umgestalten wollen, in der etwas von dem wirklich ist, »das allen in die Kindheit scheint und worin noch niemand war: Heimat« (E. Bloch). Doch beide Utopien müssen heute als gescheitert angesehen werden. Das Scheitern der Fortschrittsutopie ist schon aufgrund der äußeren wirtschaftlichen Bedingungen und der in der technischen Entwicklung lauernden Gefahren allgemein evident. Inzwischen ist aber auch deutlich geworden, daß jede Revolution unter den Bedingungen des Unrechts und der Gewalt steht, die sie bekämpft, so daß das Unrecht und die Gewalt, die sie selbst anwendet, den Keim neuen Unrechts und neuer Gewalt in die angestrebte neue Ordnung hineinträgt. Es gibt denn auch keine Revolution, die später nicht verraten worden wäre, weil die zuvor Unterdrückten zu neuen Unterdrückern wurden. Die Flucht nach innen und die Flucht in die Ekstase, sei es die religiöse Ekstase, seien es deren Surrogate, ist offenkundig ebenfalls keine Lösung. Immerhin ist der Schrei nach dem Geist auch in diesen Fluchtformen unüberhörbar.

Die einzige echte Platzhalterin humaner Vollendung, des utopischen Ideals bruchloser, unentzweiter, glücklich gelingender Wirklichkeit ist die *Kunst*. Das Schöne ist ja nach der klassischen Philosophie das sinnliche Aufscheinen der Idee, die erscheinende Freiheit, für heutiges Denken: die Antizipation endgültiger Versöhnung[3]. Im Kunstwerk wird also, wenigstens nach dessen klassischem Verständnis, etwas von dem vorweggenommen, was der christliche Glaube als Werk des Heiligen Geistes erhofft: die Verklärung der Wirklichkeit. Freilich meint heutige Kunst, diese Aufgabe unter den Bedingungen der geistlosen Zustände der Gegenwart weithin nur noch in der Weise der Kritik, des Protests und der Negation erfüllen zu können. Wo vollends das geistig Übersinnliche aufgegeben wird und das Schöne vom Wahren und Guten getrennt wird, wie im Nihilismus[4], kann das Schöne nur noch als lebenssteigernder Rausch, als Jasagen zum Sinnlichen, als Wille zum Schein oder als reine Form verstanden werden. So bleibt die Frage, wie Verwandlung der Welt und des Menschen, wie wirkliche Versöhnung von Mensch und Welt möglich sind, heute auch in der Kunst weithin offen. Die Frage nach dem, was Geist einmal meinte, ist gestellt, ohne daß eine Antwort in Sicht wäre. Die christliche Botschaft vom Heiligen Geist will diese Frage aufgreifen und in überbietender Weise beantworten. Sie ist die *Antwort auf die Not der Zeit und die Krise unserer Epoche.*

2. Die christliche Botschaft von Gottes lebensspendendem Heiligen Geist

Der Geist Gottes in der Schöpfung

Die *Grundbedeutung*, die dem hebräischen wie dem griechischen Wort für Geist (ruach; πνεῦμα) zugrundeliegt, lautet: Wind, Atem, Hauch – und, da der Atem Zeichen des Lebens ist: Leben, Seele – schließlich in übertragener Bedeutung: Geist[5]. Der Geist bzw. die Geister spielen in

---

[3] Platon, Phaidon 251 d; Symp. 209 a–212; Augustinus, De vera religione XLI, 77 (CCL 32, 237f; G. W. F. Hegel, Vorlesungen über die Ästhetik. Bd. 1. (WW XII, ed. H. Glockner), 153 ff.

[4] F. Nietzsche (WW III, ed. K. Schlechta), 832.

[5] Literatur zur biblischen Pneumatologie: F. Büchsel, Der Geist Gottes im NT, Gütersloh 1926; E. Schweizer, Art. πνεῦμα, in: ThWNT VI, Stuttgart 1959, 330–453; Ch. Barrett, The Holy Spirit and the Gospel Tradition, London ²1966; I. Hermann, Kyrios und Pneuma. Studien zur Christologie der paulinischen Hauptbriefe (Studien zum Alten und Neuen Testament 2), München 1961; E. Schweizer, Neotestamentica, Zürich 1963, 153–179; K. H. Schelkle, Theologie des Neuen Testaments. Bd. 2. Düsseldorf 1973, 235–248; Y. Congar, aaO. Bd. 1. Paris 1979, 19ff.

vielen Mythen und Volksreligionen der alten Welt eine wichtige Rolle. Verbreitet ist vor allem die Vorstellung von der lebenspendenden und lebenerzeugenden Kraft des Geistes sowie von seinem mitreißenden, ekstatischen, inspiratorischen, im wahren Sinn des Wortes begeistern-den Wesen in Mantik und Poesie. Der Geist ist also eine dynamische und schöpferische Größe, die alles belebt, die aus dem Gewohnten und Feststehenden heraushebt und herausreißt, die Außerordentliches und Neues schafft.

Schon bei den Vorsokratikern ging der Begriff Geist in die *Philosophie* ein. Nach Anaximenes ist die Luft der Ursprung aller Dinge; sie hält alles zusammen und umfaßt die ganze Weltordnung[6]. Nach Aristoteles ist das Pneuma der beseelende Lebenshauch in allen Lebewesen[7]. Schließlich hat die Stoa das Pneuma zur Grundlage einer universalen spekulativen Theorie gemacht. Pneuma ist ihr die Kraft und das Leben, das alles Seiende im Ganzen wie im Einzelnen, auch Gott selbst, bestimmt[8]. Doch auch noch in dieser spekulativen Bedeutung blieb die ursprüngliche Grundbedeutung des Wortes Geist erhalten. Pneuma ist nämlich nie etwas rein Geistiges, es bleibt vielmehr an ein körperliches Substrat gebunden, ja ist selbst in sublimer Weise etwas Materielles. Es ist eine dem Organismus des Kosmos und allen seinen Teilen einwoh-nende, innerweltliche, unpersönlich-vitale Naturkraft. Pneuma bleibt deshalb im Griechentum ein Neutrum und wird nie Person.

Mit alledem ist der Zusammenhang wie der Unterschied zum *biblischen Verständnis des Geistes* gegeben. Auch in der Bibel ist der Geist das Lebensprinzip des Menschen, der Sitz seiner Empfindungen, geistigen Funktionen und seiner Willenshaltungen. Dabei ist der Geist kein dem Menschen immanentes Prinzip, er bezeichnet vielmehr das Leben als von Gott geschenktes und ermächtigtes Leben. »Verbirgst du dein Gesicht, sind sie verstört; nimmst du ihnen den Atem, so schwinden sie hin und kehren zurück zum Staub der Erde. Sendest du deinen Geist aus, so werden sie alle erschaffen, und du erneuerst das Antlitz der Erde« (Ps 104,29 f; vgl. Ijob 34,14 f). So ist Jahwes Geist die schöpferi-sche Lebenskraft in allen Dingen. Sein Geist braust am Anfang der Schöpfung über den Urfluten (Gen 1,2). »Durch das Wort des Herrn wurden die Himmel geschaffen, ihr ganzes Heer durch den Hauch seines Mundes« (Ps 33,6; vgl. Ijob 33,4). Der Geist Gottes gibt dem Menschen Kunstsinn und Scharfsinn, Einsicht und Weisheit.

Es besteht also eine gewisse Gemeinsamkeit zwischen der Bibel und der antiken Religiosität und Philosophie. Nach beiden existiert alles, was

---

[6] Anaximenes, Fragm. 2 (Die Fragmente der Vorsokratiker, hrsg. v. H. Diels u. W. Kranz. Bd. 1. Berlin ⁶1951, 95).

[7] Aristoteles, De motu animalium 10, 703 a.

[8] E. Schweizer, Art. πνεῦμα, in: ThWNT V, 352f.

ist, nur durch Teilhabe an der göttlichen Seinsfülle. Im Unterschied zu den Religionen ist *Jahwes Geist jedoch kein der Welt immanentes, unpersönliches Prinzip.* Im Gegenteil, sein Geist ist charakterisiert durch den Unterschied zur Schwachheit und Hinfälligkeit des Menschen, menschlicher Macht und Weisheit (Jes 31,3); er ist dem Menschen unergründlich und unerforschlich (Jes 40,13). Die biblische Vorstellung vom Geist Gottes ist also geprägt von der allgemein biblischen Vorstellung von der Transzendenz Gottes. Nur in diesem Sinn ist der Geist Gottes die schöpferische Lebensmacht Gottes, die alles schafft, erhält, lenkt und leitet. Er ist der *Spiritus creator,* der in der gesamten Schöpfungswirklichkeit am Werke ist. »Der Geist des Herrn erfüllt den Erdkreis, und er, der alles zusammenhält, kennt jeden Laut« (Weish 1,7; vgl. 7,22 – 8,1).

Die Lehre vom Heiligen Geist muß also innerhalb einer *universalen Perspektive* ansetzen. In ihr geht es um das Leben und um den Sinn des Lebens schlechthin, um das Woher und Wohin des Lebens, um die Kraft des Lebens. Es geht in der Pneumatologie nicht um ein esoterisches Sonderwissen, sondern um eine durch und durch exoterische Wirklichkeit. Die Pneumatologie ist darum nur möglich im Hinsehen und Hinhören auf die Spuren, Erwartungen und Vergeblichkeiten des Lebens, im Achten auf die *»Zeichen der Zeit«,* die überall dort sich finden, wo Leben aufbricht und entsteht, wo neues Leben gärt und brodelt, aber ebenso als Hoffnung dort, wo Leben gewaltsam zerstört, abgewürgt, geknebelt und getötet wird. *Wo immer wahres Leben ist, da ist Gottes Geist am Werk.* »Er ist die Schwerkraft der Liebe, der Zug nach oben, welcher der Schwerkraft nach unten widersteht und alles zur Vollendung in Gott führt«[9].

Der Heilige Geist in der Heilsgeschichte

Im kirchlichen Credo heißt es vom Heiligen Geist: »der gesprochen hat durch die Propheten«. Der Geist ist für das kirchliche Bekenntnis offensichtlich nicht nur Gottes Schöpfermacht, sondern auch Gottes Geschichtsmacht, durch die er sprechend und handelnd in die Geschichte eingreift, um durch ihn das eschatologische Ziel der Geschichte heraufzuführen: Gott alles in allem (1 Kor 15,28).

Im *Alten Testament* begegnet uns die *prophetische Inspiration* durch den Geist bereits bei Moses (Num 11,25) und Josua (Num 27,18), beim Seher Bileam (Num 24,2); wir finden sie sehr häufig bei den Richtern, bei Othniel, Gideon, Jephte und Samson (Ri 3,10; 6,34; 11,29; 13,25; 14,6.19 u. ö.) und beim letzten der Richter und ersten der Könige, bei

---

[9] Augustinus, Conf. XIII, 7, 8 (CCL 27, 245).

Saul (1 Sam 10,6; 19,24). Von David an kommt der Geist Gottes nicht mehr rein ereignishaft, unerwartet und plötzlich, im auffallenden ekstatischen und charismatischen Phänomen, sozusagen nach Art eines »happenings«; er bleibt nun vielmehr über David und ruht auf ihm (1 Sam 16,13; vgl. die Nathan-Weissagung 2 Sam 7). Die Geistinspiration der Schriftpropheten wird schließlich von Tritojesaja (Jes 61,1), von Ezechiel (2,2; 3,24) und Sacharja (7,12) bezeugt (vgl. 1 Petr 1,11; 2 Petr 1,21).

Das heilsgeschichtlich-eschatologische Ziel dieses Wirkens des Geistes kommt bei den großen Schriftpropheten, vor allem bei Jesajas und Ezechiel, zu Wort. Der kommende *Messias* (Jes 11,2) bzw. der Knecht Gottes (Jes 42,1) wird als der Geistträger verheißen. Der Geist Gottes wird die Wüste ins Paradies verwandeln und sie zum Ort von Recht und Gerechtigkeit machen (Jes 32,15 f). Er wird das erstorbene Volk zu neuem Leben erwecken (Ez 37,1–14) und ihm ein neues Herz schaffen (Ez 11,19; 18,31; 36,27; vgl. Ps 51,12). Schließlich wird für die Endzeit eine allgemeine Ausgießung des Geistes »über alles Fleisch« erwartet (Joel 3,1 f). In allen diesen Texten wird der Geist als die *Macht der neuen Schöpfung* begriffen. Durch ihn wird die sich unter Seufzen harrend ausstreckende Kreatur ihrem Ziel, dem Reich der Freiheit der Kinder Gottes, entgegengeführt (Röm 8,19 f). Das heißt nicht, daß der Geist erst in der Zukunft und nicht auch schon in der Gegenwart wirkt. »Mein Geist ist in eurer Mitte, fürchtet euch nicht!« (Hag 2,5). Aber das gegenwärtige Wirken des Geistes zielt auf die eschatologische Verwandlung und Vollendung. »Nicht durch Gewalt und Kraft, sondern durch meinen Geist soll es geschehen« (Sach 4,6). *Der Geist als die Geschichtsmacht Gottes bewirkt also die gewaltlose, weil bei der Verwandlung des menschlichen Herzens ansetzende Transformation und Transfiguration der Welt.*

Diesen Anbruch des Reichs der Freiheit verkündet das *Neue Testament* in *Jesus Christus*. Alle vier Evangelisten stellen an den Anfang ihres Evangeliums den Bericht von der *Taufe Jesu* durch Johannes und von der Herabkunft des Geistes auf Jesus (Mk 1,9–11 par.)[10]. Die Taufe Jesu gehört nach der überwiegenden Meinung der Exegeten zu den gesichertsten Daten des Lebens Jesu. Sie wird von den Evangelisten freilich nicht biographisch als Berufungsvision Jesu, sondern theologisch als Deutevision verstanden, in der das gesamte messianische Wirken Jesu von seiner Wurzel her zusammenfassend interpretiert wird. Nach Markus ist die Taufe Jesu der »Anfang des Evangeliums von Jesus Christus, dem Sohn Gottes« (Mk 1,1). Denn die apokalyptischen Motive – die Öffnung des

---

[10] Vgl. F. Lentzen-Deis, Die Taufe Jesu nach den Synoptikern. Literarkritische und gattungsgeschichtliche Untersuchungen (Frankfurter theol. Stud. 4), Frankfurt 1970.

Himmels, das Wiederertönen der Stimme Gottes und das Kommen des eschatologisch verheißenen Geistes – wollen dies eine sagen: Mit Jesus Christus hat die eschatologische Zeit des Heils begonnen; er ist der messianische Träger des Gottesgeistes, er ist der Knecht Gottes, der nicht schreit und nicht lärmt, der das geknickte Rohr nicht zerbricht und den glimmenden Docht nicht löscht und der wirklich das Recht bringt (Jes 42,2 f). Deshalb kann Jesus in seiner »Antrittspredigt« in Nazaret die Erfüllung von Jesaja 61,1 für sich in Anspruch nehmen: »Der Geist des Herrn ruht auf mir; denn der Herr hat mich gesalbt. Er hat mich gesandt, damit ich den Armen eine gute Nachricht bringe; damit ich den Gefangenen die Entlassung verkünde und den Blinden das Augenlicht; damit ich die Zerschlagenen in Freiheit setze und ein Gnadenjahr des Herrn ausrufe« (Lk 4,18 f).

Nach der Auffassung aller vier Evangelisten war in *vorösterlicher Zeit* ausschließlich Jesus selbst Träger des Geistes. In Jesu eigener Verkündigung und Tätigkeit spielen Aussagen von der Wirksamkeit des Geistes keine Rolle. Dies wird besonders deutlich in dem vielumstrittenen Wort von der Lästerung des Heiligen Geistes (Mt 12,31 f; Lk 12,10). Hier werden die Epoche der Vollmacht des auf Erden wirkenden Menschensohns und die Epoche des wirksam gewordenen Geistes gegenübergestellt. Ausdrücklich formuliert Joh 7,39: »Der Geist war noch nicht gegeben, weil Jesus noch nicht verherrlicht war.« Doch bereits Matthäus ist daran interessiert, rückblickend Geistaussagen mit dem Wirken Jesu zu verbinden. Nach der älteren Fassung eines Jesusworts in Lk 11,20 treibt Jesus mit dem »Finger Gottes« die Dämonen aus; Mt 12,28 heißt es dagegen: »Wenn ich mit dem Geist Gottes Dämonen austreibe...« Konsequent pneumatologisch wird das Wirken des irdischen Jesus dann bei Lukas interpretiert (4,14.18; 10,21). Entsprechend sehen die beiden Kindheitsgeschichten des Lukas und des Matthäus Jesus bereits vom Augenblick seiner Empfängnis an nicht nur als Geistträger, sondern als Geistgeschöpf (Lk 1,35; Mt 1,18.20).

Die ältere neutestamentliche Tradition verbindet das Wirken des Geistes mit der *Auferweckung und Erhöhung Christi*. Charakteristisch dafür ist das alte Traditionsstück in Röm 1,3 f, das von Christus bekennt: »Dem Geist der Heiligkeit nach eingesetzt als Sohn Gottes in Macht seit der Auferstehung von den Toten.« Schließlich sagt der Hebräerbrief, daß sich Christus am Kreuz in der Kraft des Geistes Gott als Opfer dargebracht hat (9,14).

Das Neue Testament selbst unternimmt keine Anstrengungen, diese verschiedenen Traditionsstränge zu harmonisieren. Ihr gemeinsamer Nenner ist freilich unübersehbar: *Im Ganzen des Auftretens und Wirkens, des Lebens, Sterbens und der Auferweckung Jesu Christi, in seiner Person und in seinem Werk führt der Geist die eschatologische*

Vollendung herauf. Deshalb macht die Perikope von der Taufe Jesu deutlich, daß bei Jesu Taufe urbildlich das geschehen ist, was sich abbildlich in der Taufe der Christen immer wieder neu ereignet: Der Täufling wird vom Gottesgeist ergriffen und in die eschatologische Gotteskindschaft hineingestellt.

Auch für die Beschreibung des nachösterlichen Wirkens des Geistes kennt das Neue Testament *verschiedene theologische Traditionen:* Nach der lukanischen *Apostelgeschichte* ist der Geist charakteristisch für die Zeit der Kirche zwischen der Himmelfahrt Christi und seiner Wiederkunft. Er wird der Kirche an Pfingsten geschenkt (2,1–13). In dieser Perikope sind Anklänge an das Sinai-Geschehen deutlich; es geht um das neue Gesetz und um den neuen Bund, der nicht nur Israel, sondern auch den Heidenvölkern gilt. Aus den bisherigen Heidenvölkern (ἔϑνη) wird nun das Volk Gottes (λαός) (15,14). Aber auch Anklänge an die babylonische Sprachverwirrung (Gen 11,1–9) schwingen in dem pfingstlichen Sprach- bzw. Hörwunder mit. Die getrennten und sich entfremdeten Völker können sich nun wieder verstehen im einen Geist Gottes. So geht die Joel-Verheißung, nach der Gott seinen Geist in der Endzeit über alles Fleisch ausgießen wird, in Erfüllung (2,16–21). Der Geist ist es denn auch, der die junge Kirche auf den Weg der Mission führt und sie dabei leitet. Er wirkt nach Lukas mehr sprunghaft; es gibt eine Art sukzessiver Wiederholung des Pfingstwunders in Jerusalem (2; 4,25–41), in Samaria (8,14–17), in Cäsarea (10,44–48; 11,15–17) und in Ephesus (19,1–6). Dabei erweist sich der Geist in auffälligen Wundertaten und außerordentlichen Charismen wie Glossolalie und Prophetie. Lukas kennt freilich auch die Verbindung von Taufe und Geistmitteilung (1,5; 2,38; 9,18; 10,47 u. ö.) wie von Geistbegabung und apostolischer Handauflegung (8,14–17). Vor allem kommt es Lukas bei aller Betonung der Freiheit des Geistes auf die Kontinuität der Wirksamkeit des Geistes an. Sosehr der Geist der Kirche immer wieder neue Missionsfelder und neue Aufgaben erschließt, handelt es sich doch um eine kontinuierliche Geschichte, die in Jerusalem beginnt und auf Rom hinzielt. Deshalb ist die Kollekte heidenchristlicher Gemeinden für die Armen in Jerusalem für Lukas als ein Zeichen des bleibenden Zusammenhalts mit der Jerusalemer Muttergemeinde zugleich eine Eingebung des Heiligen Geistes (11,27–30; vgl. 24,17; Gal 2,10; Röm 15,26–28; 1 Kor 16,1–4; 2 Kor 8,4.6–15). So kann Lukas in der idealtypischen Beschreibung der Jerusalemer Urgemeinde sagen, worin die Wirkung des Geistes in der Kirche besteht: in der Gemeinschaft (κοινωνία) im apostolischen Glauben, der gottesdienstlichen Feier und des Dienstes bis hin zur Gemeinschaft der irdischen Güter (2,42–47).

Nach den *paulinischen Schriften* spielt der Geist eine grundlegende Rolle für die christliche Existenz und für die Kirche. Die Christen sind nach Paulus geradezu dadurch definiert, daß sie den Geist Gottes haben und sich von ihm leiten lassen (Röm 8,9.14). »In-Christus-Sein« und »Im-Geist-Sein« sind für Paulus austauschbare Aussagen. Die Pneumatologie des Apostels Paulus unterscheidet sich freilich deutlich von der des Lukas. Zwar kennt auch Paulus außerordentliche Geistgaben; er nimmt selbst solche für sich in Anspruch. Entscheidend ist für Paulus jedoch, daß der Geist nicht äußerlich, sondern innerlich wirkt, nicht auffällig in außerordentlichen Phänomenen, sondern im alltäglichen christlichen Leben. Er ist nicht die Kraft des Außerordentlichen, sondern eher die Kraft, das Ordentliche in außerordentlicher Weise zu tun. Deshalb stellt Paulus in der Auseinandersetzung mit enthusiastischen Strömungen besonders in der korinthischen Gemeinde vor allem *zwei Kriterien für die »Unterscheidung der Geister«* heraus:

1. Das Bekenntnis zu Jesus Christus als dem Herrn: »Keiner kann sagen, Jesus ist der Herr!, wenn er nicht aus dem Heiligen Geist redet« (1 Kor 12,3). Der Geist ist für Paulus der Geist Christi (Röm 8,9; Phil 1,19), der Geist des Herrn (2 Kor 3,17) und der Geist des Sohnes (Gal 4,6). Die berühmte Formel »Der Herr aber ist der Geist« (2 Kor 3,17) will besagen, daß der Geist die wirksame Gegenwartsweise und die gegenwärtige Wirksamkeit des erhöhten Herrn in der Kirche und in der Welt ist.

2. Paulus bindet die Wirksamkeit des Geistes an die Auferbauung der Gemeinde und an den Dienst in der Kirche. Der Geist wird zum allgemeinen Nutzen gegeben; die verschiedenen Geistgaben sollen sich deshalb gegenseitig dienen (1 Kor 12,4–30). *Deshalb geht es nicht an, die angeblich charismatische Struktur der paulinischen Gemeinden gegen eine institutionelle Struktur der Kirche auszuspielen.* Ganz im Gegenteil, Paulus geht es ganz entschieden darum, daß Gott nicht ein Gott der Unordnung, sondern ein Gott des Friedens ist (1 Kor 14,33). Der Geist wirkt deshalb nicht im Gegeneinander, sondern im Miteinander und Füreinander der verschiedenen Geistgaben. Er ist fest mit der Taufe (1 Kor 12,13) und mit der Evangeliumsverkündigung (1 Thess 1,5 f; 1 Kor 2,4 f. 13 u. ö.) verbunden. Vor allem aber sind die Charismen nicht primär als äußere Aktivitäten in der Kirche zu verstehen, sondern als *unterschiedliche Ausprägungen der einen Gnade Gottes* (Röm 12,6; vgl. die Identifizierung von charis und charisma in Röm 5,15 f und die Identifizierung von charisma und ewigem Leben in Röm 6,23). Die so verstandenen unterschiedlichen Gnadengaben haben je unterschiedliche Aufgaben zur Folge. Die höchste dieser Geistgaben ist die Liebe (1 Kor 13,13). In ihr wird der Geist zur Norm und zur Kraft der christlichen Existenz.

Die christliche Existenz im Geist besteht für Paulus darin, sich nicht vom Fleisch, sondern vom Geist leiten zu lassen, nicht die Werke des Fleisches, sondern die des Geistes zu tun, nicht auf das Vergängliche, sondern auf das Unvergängliche zu setzen (Gal 5,17–25; 6,8; Röm 8,2–15). Positiv formuliert bedeutet Leben aus dem Geist: Offenheit für Gott und für den Nächsten. Die Offenheit für Gott äußert sich vor allem im Gebet »Abba, Vater!« (Röm 8,15.26 f; Gal 4,6). Durch den Geist stehen wir in der *Freiheit der Kinder Gottes,* die Zugang haben zu Gott und sich in jeder Situation bei ihm geborgen wissen dürfen. Gal 5,13–25 macht schließlich deutlich, daß im Geiste wandeln bedeutet, einander in der Liebe zu dienen. Die Liebe zu Gott und die Liebe zum Nächsten ist die wahre christliche Freiheit im Geist (Gal 5,13). Denn frei ist nicht, wer tut, was er will; wer so handelt, ist im höchsten Maße unfrei, weil an sich, seine Launen und an die sich wandelnden Situationen gebunden. Frei ist, wer von sich selbst frei ist, um für Gott und für die andern da sein zu können. Die Selbstlosigkeit der Liebe ist die wahre christliche Freiheit. In diesen Zusammenhang gehören die Früchte des Geistes: Liebe, Freude, Friede, Langmut, Freundlichkeit, Güte, Treue, Sanftmut und Selbstbeherrschung (Gal 5,22 f). In alledem führt der Geist das Reich der Freiheit der Kinder Gottes herauf (Röm 8,18–30). Die gegenwärtige Erfahrung des Geistes und seiner Freiheit ist freilich erst ein Angeld (Röm 8,23; 2 Kor 1,22; 5,5; Eph 1,14). So steht der Christ im Geist in der Spannung zwischen »schon« und »noch-nicht«. Aus dem Geist leben, heißt deshalb vor allem, aus der Kraft der Hoffnung das Leben bestehen und die endgültige Verwandlung der Welt und des eigenen Leibes erwarten.
Bei *Johannes*[11] findet der eschatologische Charakter des Geistes eine eigene Ausprägung. Gott selbst ist Geist und will eschatologisch im Geist und in der Wahrheit angebetet werden (Joh 4,24). Wer deshalb nicht aus Wasser und Geist wiedergeboren wird, kann das Reich Gottes nicht erlangen (Joh 3,6). Der Geist ruht – wie Johannes ausdrücklich betont – bleibend auf Jesus (Joh 1,32). Er ist der eschatologische Offenbarer, weil er den Geist unbegrenzt gibt (Joh 3,34; vgl. 7,39). Seine Worte sind Geist und Leben (Joh 6,63). Aber wie die Synoptiker, so weiß auch Johannes um den Unterschied zwischen dem irdischen Leben Jesu und der Zeit seiner Verherrlichung. Erst nach seiner Verherrlichung kann der Geist gegeben werden (Joh 7,39; 16,7). Bei seinem Tod gibt Jesus seinen Geist auf (Joh 19,30) und schenkt ihn der Kirche, die unter dem Kreuz durch Johannes und Maria repräsentiert

---

[11] H. Schlier, Zum Begriff des Geistes nach dem Johannesevangelium, in: Besinnung auf das Neue Testament. Exegetische Aufsätze und Vorträge II, Freiburg–Basel–Wien 1964, 264–271.

wird. Nach seiner Auferstehung teilt Jesus den Geist seinen Jüngern ausdrücklich mit: »Empfanget den Heiligen Geist!« (20,22).

Johannes bezeichnet den nach Auferstehung und Erhöhung gegenwärtigen Geist auch als den *Paraklet*, d. h. den Helfer und Beistand (nicht: Tröster). Er wird mit dem Geist der Wahrheit identifiziert (Joh 14,17; 15,26; 16,13) und als der andere Beistand (Joh 14,16) mit Jesus parallelisiert. So wie Jesus vom Vater gesandt ist und vom Vater herkommt, so geht der Geist vom Vater aus (Joh 15,26), er wird aber auch aufgrund des Gebetes Jesu (Joh 14,16) und im Namen Jesu (Joh 14,26) gegeben. Seine Aufgabe ist es, die Jünger alles zu lehren und sie an alles zu erinnern, was Jesus ihnen gesagt hat (Joh 14,26); er soll Zeugnis für Jesus ablegen (Joh 15,26) und in die ganze Wahrheit einführen, indem er nichts aus sich selbst heraus redet, sondern Jesus verherrlicht und sein Wort verkündet (Joh 16,13 f). Der Geist wirkt jedoch nicht nur im Wort der Jüngergemeinde, sondern auch in deren Sakramenten; er ist vor allem mit der Taufe (Joh 1,33; 3,5) und mit der Eucharistie (Joh 6,63; 1 Joh 5,6–8) verbunden. Dieses Wirken des Geistes kann nur in Konfrontation mit der Welt geschehen, die nicht glaubt und deshalb den Geist nicht empfangen kann (Joh 14,17). Gegenüber der Welt ist es die Aufgabe des Geistes, sie zu überführen und aufzudecken, was Sünde, Gerechtigkeit und Gericht ist (Joh 16,8). Die Gläubigen dagegen, die man am Geist, am Bekenntnis zu Jesus Christus und an der Liebe erkennt (1 Joh 4,6.13), sind bereits in der eschatologischen Vollendung. Sie haben es nicht mehr nötig, von irgend jemand belehrt zu werden (1 Joh 2,27), sie brauchen nicht mehr zu fragen, ihre Freude ist vollkommen (Joh 16,20–23). *So geschieht im Kommen des Geistes bereits das Wiederkommen Jesu; der Geist ist die Wirklichkeit eschatologischer Vollendung, die Weise, wie Gott, der Geist ist, in der Welt anwesend ist.*

Die Erfahrung der *frühen Kirche* gibt der erste Clemensbrief wieder: »So war allen ein tiefer und gesegneter Friede beschieden und ein unstillbares Verlangen, das Gute zu tun, und die Fülle des Heiligen Geistes ergoß sich über alle«[12]. Alle frühchristlichen Autoren berichten vor allem von den Geistgaben in den Gemeinden[13].

Die Auseinandersetzung mit den im Laufe der Kirchengeschichte immer wieder auftretenden Schwärmerbewegungen führte unwillkürlich zu einer Zurückdrängung des charismatischen Elements und zu einer gewissen Institutionalisierung des Geistes. Einen wichtigen Einschnitt bedeutet bereits der *Montanismus*

---

[12] 1 Clem 2,2, (Die apostolischen Väter, ed. J. A. Fischer, Darmstadt 1956, 26).
[13] 1 Clem 38,1 (ebd. 72); 1 Clem 46,6 (ebd. 82); Didache 11,8.12; 13 (SC 248, 184ff; 186ff; 190); Justin, Dialog mit Tryphon 39, 2–5; 82 u. ö. (Corpus Apol. II, ed. v. Otto, 296–299 u. ö.).

in der zweiten Hälfte des zweiten Jahrhunderts[14]. Er wollte gegenüber der drohenden Gefahr einer »Verbürgerlichung« der Kirche den ursprünglichen Enthusiasmus erneuern. Der Aufruf zur Umkehr im Blick auf das drohende Weltende, verbunden mit einem ethischen Rigorismus und ekstatischen Formen des Gemeindelebens, fand eine starke Resonanz. Tertullian stellte grundsätzlich die ecclesia spiritus der ecclesia numerus episcoporum gegenüber[15]. Anders Irenäus, er sieht den Geist Gottes in der Kirche, die in der Nachfolge der Apostel steht, wirksam. Sie ist das Gefäß, in das der Geist den Glauben »jugendfrisch hineingetan und jugendfrisch erhält«; »wo die Kirche, da ist auch der Geist Gottes; wo der Geist Gottes, dort ist die Kirche und alle Gnade«[16]. Nach der apostolischen Kirchenordnung des Hippolyt von Rom ist es der Geist, der die Bewahrung der Tradition vergewissert[17]; deshalb gilt: »Festinet autem et ad ecclesiam ubi floret spiritus«[18].

Aufgrund der antimontanistischen und der späteren antischwärmerischen Polemik ganz allgemein traten die auffälligen Charismen zurück. Die charismatische Dimension der Kirche lebte jedoch weiter in den Märtyrern, wie im Mönchtum, aus dem auch viele Bischöfe kamen, und später in den Heiligen[19]. Auch wenn es immer wieder zu heftigen Auseinandersetzungen zwischen einem freien enthusiastischen Charismatikertum, das oft mit einem rigoristischen Verständnis der Heiligkeit der Kirche verbunden war, und der institutionellen Großkirche kam, ließ sich doch die kirchliche Theologie niemals in einen grundsätzlichen Gegensatz zwischen Geist und Institution hineintreiben; sie verstand vielmehr die Kirche als Ort, ja Sakrament des Geistes, den Geist aber als Lebensprinzip, als Seele der Kirche[20]. Eine gewisse Verkirchlichung des Geistes ist in diesen Aussagen freilich unverkennbar.

Seit dem 12./13. Jahrhundert erhielt diese Auseinandersetzung um die Wirklichkeit und Wirksamkeit des Heiligen Geistes in der Geschichte eine neue Dimension. Der kalabrische Abt *Joachim von Fiore*[21] prophezeite ein neues Zeitalter der Kirche, ein Zeitalter des Geistes, das die Zeit des Vaters (Altes Testament) und die Zeit des Sohnes (die klerikale Kirche) in einer Zeit der Mönche, der Kontemplativen, der viri spirituales ablösen soll. Damit war aus der Hoffnung auf die eschatologische Verwandlung durch den Heiligen Geist die Erwartung einer geschichtlichen Erneuerung geworden. Durch diese Vergeschichtlichung wurde der Geist zu einem Prinzip des geschichtlichen Fortschritts. Wurden diese Erneuerung und dieser Fortschritt von den Fraticellen zunächst noch als Erneuerung der Kirche erwartet, so kam es schon bald zu einer

---

[14] Eusebius, Historiae Ecclesiasticae V, 3,4; 14–19 (GCS 9/1, 432f; 458–481).

[15] Tertullian, De pud. 21,17 (CCL 2, 1328).

[16] Irenäus, Adv. haer. III, 24,1 (SC 211, 471–475).

[17] Hippolyt, Trad. apostol., Prol., (The Treatise on the Apostolic Tradition of St. Hippolytus of Rome, ed. G. Dix, London 1937, 1f).

[18] Hippolyt, Trad. apostol. 31; 35, (ebd. 57f; 61f).

[19] Y. Congar, aaO. Bd. 1, 102ff.

[20] Augustinus, Sermo 267,4 (PL 38, 1231). Vgl. u. Anm. 111.

[21] Zu Joachim von Fiore vgl. E. Benz, Ecclesia spiritualis. Kirchenidee und Geschichtstheologie der franziskanischen Reformation, Stuttgart 1934; K. Löwith, Weltgeschichte und Heilsgeschehen. Die theologischen Voraussetzungen der Geschichtsphilosophie, Stuttgart ⁷1979, 136–147; Y. Congar, aaO. Bd. 1, 175ff; H. de Lubac, La postérité spirituelle de Joachim de Fiore, Paris–Namur 1979.

Säkularisierung der Ideen Joachims. Die neuzeitliche Idee des Fortschritts und die neuzeitlichen Utopien stehen in einem ursächlichen Zusammenhang damit. Wir finden die Ideen Joachims in verwandelter Gestalt wieder bei Lessing, Kant, Hegel, Schelling und Marx bis hin zu dem fürchterlichen Traum von einem Dritten Reich, der in unserem Jahrhundert zu einem schrecklichen Erwachen geführt hat. In vielen theologischen Strömungen und innerkirchlichen Erneuerungsbewegungen sind Ideen bzw. Ideensplitter Joachims nach wie vor wirksam.

Die kirchliche Theologie hat sich gegenüber den Ideen Joachims kritisch verhalten. Zwar konnte Bonaventura den Gedanken Joachims einiges Positives abgewinnen; Franz von Assisi war für ihn ein eschatologisches Zeichen[22]. Im Entscheidenden aber ist Bonaventura mit Thomas von Aquin einer Meinung: Es gibt keinen heilsgeschichtlichen Fortschritt über Jesus Christus hinaus; der Heilige Geist muß deshalb als Geist Jesu Christi verstanden werden. Thomas selbst urteilte über Joachim äußerst scharf; er lehnte jede theologische Deutung einzelner geschichtlicher Ereignisse entschieden ab[23]. Nach ihm besteht der neue Bund in der »gratia spiritus sancti, quae datur per fidem Christi«. Die lex nova bzw. die lex evangelica ist also primär eine lex indita und nur sekundär mit Äußerem verbunden; das Äußere dient nur der Vorbereitung und der Auswirkung. Gerade so ist das Gesetz des neuen Bundes ein Gesetz der Freiheit und nicht des Buchstabens, der tötet, nicht Gesetz, sondern Evangelium[24]. Jede Vergeschichtlichung des Wirkens des Geistes dagegen muß notwendig hinter das Evangelium in neue Gesetzlichkeit zurückfallen.

Die kirchliche Pneumatologie war also vor allem von der Intention geleitet, die Einheit der Heilsgeschichte zu wahren und den Heiligen Geist als Geist Jesu Christi zu verstehen, der an Person und Werke Jesu Christi gebunden ist und dem die Aufgabe zukommt, Person und Werke Jesu Christi in der Kirche und im einzelnen Christen zu vergegenwärtigen und so zur Verwirklichung zu bringen. Das Neue, das der Geist bringt, ist, daß er Jesus Christus in seiner eschatologischen Neuheit immer wieder neu vergegenwärtigt. Sein Werk ist die Erneuerung in der Neuheit Jesu Christi. Das bedeutet, daß wir bleibend an die Menschheit Jesu gebunden sind und die Spannung von Buchstabe und Geist nicht durch einen geschichtlichen Fortschritt aufgehoben werden kann. Vielmehr muß dieser Überschritt immer wieder neu getan werden, ohne daß die Spannung geschichtlich jemals aufgehoben werden könnte. Diese Anliegen der kirchlichen Tradition entsprechen ohne Zweifel dem Zeugnis der Schrift. Dennoch ergaben sich in der Tradition durch die Auseinandersetzung mit den verschiedenen Schwärmerbewegungen *Verengungen:* eine Verkirchlichung, besser: Veramtlichung des Geistes einerseits und eine Verinnerlichung andererseits. Die Freiheit und die

---

[22] Vgl. J. Ratzinger, Die Geschichtstheologie des heiligen Bonaventura, München 1959.
[23] Thomas v. A., Summa theol. I q.39 a.5; I/III q.106 a.4. Vgl. M. Seckler, Das Heil in der Geschichte. Geschichtstheologisches Denken bei Thomas von Aquin, München 1964.
[24] Thomas v. A., Summa theol. I/II q.106 und 108.

Universalität des Wirkens des Geistes kamen nicht mehr voll zur Geltung. Schließlich wurde die Rede vom Heiligen Geist weithin in die Trinitätslehre verbannt, wo sie zwar korrekt aufgehoben war, aber wenig fruchtbar werden konnte. Neben den Auseinandersetzungen mit den Schwärmern führte nämlich ausgerechnet auch die kirchliche Lehre vom Heiligen Geist als göttlicher Person zu einer gewissen Geistvergessenheit. Davon muß jetzt noch ausführlich die Rede sein.

Der Heilige Geist als Person

Nach dem Glaubensbekenntnis ist der Heilige Geist nicht nur eine unpersönliche Gabe, auch nicht nur Gott in seiner schöpferischen, lebensspendenden und heilswirksamen Präsenz in der Welt und in der Kirche, sondern er ist auch personaler Geber dieser Gaben, die dritte trinitarische Person. Im Neuen Testament findet sich das trinitarische Bekenntnis nur in den ersten Ansätzen; das gilt besonders vom personalen Verständnis des Heiligen Geistes. Immerhin gibt es deutliche Hinweise dafür, daß auch die Bibel den Geist nicht nur als unpersönliche Gabe, sondern als persönlichen Geber versteht.

Schon das *Alte Testament* kennt in der Weisheitsliteratur die Vorstellung von Hypostasen, die gegenüber Gott relativ eigenständig sind. Dazu gehört vor allem die Weisheit und das damit weithin identische Pneuma (Weish 1,6 f; 7,7.22.25). Im nachbiblischen Judentum kann vom Geist in personalen Kategorien gesagt werden, daß er spricht, schreit, mahnt, trauert, weint, sich freut, tröstet; ja, er wird als zu Gott redend dargestellt. Er tritt auf als Zeuge gegenüber den Menschen, oder er wird als Fürsprecher der Menschen dargestellt[25]. Das *Neue Testament* bedient sich einer ähnlichen Sprechweise. Es ist vom Seufzen des Geistes und vom Beten des Geistes in uns die Rede; der Geist tritt für uns ein bei Gott (Röm 8,26). Der Geist bezeugt sich unserem Geist (Röm 8,16). Er teilt Gaben zu, wie er will (1 Kor 12,11). Er spricht in der Schrift des Alten Bundes (Hebr 3,7; 1 Petr 1,11 f; 2 Petr 1,21) wie in der Kirche (1 Tim 4,1). Er lehrt die Gemeinde (Offb 2,7). Das alles sind personale oder zumindest personalisierende Aussagen. Im Johannesevangelium ist der Geist der Helfer und Beistand der Kirche (Joh 15,26). Er ist vor allem der »andere« Beistand neben Jesus (Joh 14,16) und muß deshalb nach Analogie zu Jesus Christus personal verstanden werden. Er wird vom Vater im Namen Jesu gesandt, tritt aber dem Vater auch wieder selbständig gegenüber (1 Joh 2,1); er ist nicht nur der wiederkehrende Christus, sondern gibt auch Zeugnis von Jesus (Joh 15,26). Interessan-

---

[25] H. L. Strack/P. Billerbeck, Kommentar zum Neuen Testament aus Talmud und Midrasch. Bd. 2. München 1924, 134–138.

terweise wird der Geist, obwohl er im Griechischen sächlich ist, in Joh 14,26 maskulinisch und somit personal als »dieser« (ἐκεῖνος) bezeichnet. In alldem kann man deutliche Hinweise einer relativen Eigenständigkeit und eines personalen Verständnisses des Geistes sehen. Entsprechend kennt das Neue Testament bereits trinitarische Formeln (Mt 28,19; 2 Kor 13,13 u. ö.), von denen noch ausführlich die Rede sein wird[26].

Wichtiger als einzelne Stellen ist der *Sachzusammenhang*. Die Frage ist ja, was sachlich zu solchen Aussagen über die relative Eigenständigkeit und das personale Verständnis des Geistes nötigt. Um diese Frage zu beantworten, gehen wir aus von der Funktion des Heiligen Geistes. Nach dem Neuen Testament ist es die Aufgabe des Geistes, Person und Werk Jesu Christi zu vergegenwärtigen, zu universalisieren und im einzelnen Menschen zu realisieren. Dies geschieht jedoch nicht mechanisch, sondern in der Freiheit des Geistes. Denn »wo der Geist des Herrn wirkt, da ist Freiheit« (2 Kor 3,17). Der Geist will zwar nicht im Verhältnis zu Jesus Christus Eigenes lehren, aber er lehrt doch prophetisch, indem er in die volle Wahrheit einführt und das Kommende kundtut (Joh 16,13). *Diese Freiheit des Geistes schließt aus, daß der Geist nur ein unpersönliches Prinzip, ein Medium oder eine Dimension ist; die Freiheit des Geistes setzt vielmehr die relative Eigenständigkeit des Geistes voraus.* Die explizierte Erkenntnis der personalen Eigenständigkeit des Geistes ist deshalb alles andere als ein spekulativer Luxus; es geht dabei um die Wirklichkeit des christlichen Heils: die christliche Freiheit, die in der Freiheit der Gabe und Gnade Gottes begründet ist. Die Entfaltung der vollen Lehre vom Heiligen Geist hat ihren »Sitz im Leben« also in einer Erfahrung, nämlich in der Erfahrung der unableitbaren Freiheit der Wirksamkeit des Geistes. Erst von diesem Sachgrund her konnte das Neue Testament Vorstellungen des nachbiblischen Judentums übernehmen, sie seiner eigenen »Sache« dienstbar machen und sie zugleich von seiner eigenen Erfahrung her weiterführen zum trinitarischen Bekenntnis.

Trotz dieser neutestamentlichen Ansätze verlief die explizite Klärung recht langsam[27]. Gregor von Nazianz zeigt in einer berühmten Rede den langsamen

---

[26] Vgl. dazu u. 297 ff.

[27] Zur Geschichte der Pneumatologie: H. B. Swete, The Holy Spirit in the Ancient Church, London 1912; Th. Ruesch, Die Entstehung der Lehre vom Heiligen Geist bei Ignatius von Antiochia, Theophilus von Antiochia und Irenäus von Lyon (Studien zur Dogmengeschichte und systematischen Theologie 2), Zürich 1952; G. Kretschmar, Studien zur frühchristlichen Trinitätstheologie (Beiträge zur historischen Theologie 21), Tübingen 1956; ders., Le développement de la doctrine du Saint-Esprit du Nouveau Testament à Nicée, in: Verbum caro 88 (1962), 5–55; ders., Der Heilige Geist in der Geschichte. Grundzüge frühchristlicher Pneumatologie, in: W. Kasper (Hrsg.), Gegen-

Fortschritt in der Offenbarung des Geheimnisses Gottes. Im Alten Testament wurde nach ihm das Geheimnis des Vaters offenbar, während der Sohn im dunkeln blieb; das Neue Testament offenbart den Sohn und insinuiert die Gottheit des Heiligen Geistes. Erst in der Gegenwart offenbart sich uns der Geist klarer[28]. In der Tat finden sich bei den frühchristlichen Autoren einige Unklarheiten bezüglich des Heiligen Geistes. Öfters wird er mit dem Sohn verwechselt[29]. Im Grunde war das Denken der Apologeten mehr binitarisch als trinitarisch. Die Klärung erfolgt jedoch schon relativ früh im Zusammenhang des Taufbekenntnisses. Wie schon Mt 28,19 so kennen auch die Didache[30] und Justin[31] das trinitarische Taufbekenntnis. Bei Irenäus von Lyon[32] und Tertullian[33] ist das Taufbekenntnis in seiner trinitarischen Form vollends klar. Die Glaubensregel des Irenäus[34] und des Tertullian[35] bezeugen denselben Glauben. Irenäus legt im Anschluß an das Taufbekenntnis bereits dar, daß es drei Hauptstücke des Glaubens gibt[36] und daß alle Häresien auf der Leugnung eines dieser Hauptstücke beruhen[37].

Die theologische Klärung scheint im Bereich des Judentums zunächst mit Hilfe apokalyptischer Bilder erfolgt zu sein[38]. Die ersten mehr spekulativen Versuche finden wir im lateinischen Westen bei Tertullian[39], im Osten bei Origenes[40], bei beiden freilich nicht ohne eine subordinatianische Tendenz. Die Frage des Subordinatianismus wurde freilich erst im vierten Jahrhundert akut, als der Origenist Arius, wie wir bereits andeuteten, die wahre Gottheit Jesu Christi bestritt. In der Schlußphase des arianischen Streits wurde dasselbe Problem bezüglich des Heiligen Geistes akut. Die Makedonianer bzw. die sogenannten Pneumatomachen (wörtlich: Geistbekämpfer) waren im Grunde Biblizisten, die

---

wart des Geistes. Aspekte der Pneumatologie (Quaest. disp. 85), Freiburg–Basel–Wien 1979, 92–130; H. Opitz, Ursprünge frühkatholischer Pneumatologie. Ein Beitrag zur Entstehung der Lehre vom Heiligen Geist in der römischen Gemeinde unter Zugrundelegung des 1. Clemens-Briefes und des »Hirten« des Hermas (Theologische Arbeiten 15), Berlin 1960; A. Orbe, La teologia del Espiritu Santo, in: Estudios Valentianos. Bd. 4. Rom 1960; W. D. Hauschild, Gottes Geist und der Mensch. Studien zur frühchristlichen Pneumatologie (Beiträge zur Evangelischen Theologie 63), München 1972; H. J. Jaschke, Der Heilige Geist im Bekenntnis der Kirche. Eine Studie zur Pneumatologie des Irenäus von Lyon im Ausgang vom altchristlichen Glaubensbekenntnis (Münsterische Beiträge zur Theologie 40), Münster 1976; Y. Congar, aaO. Bd. 1, 108ff.

[28] Gregor von Nazianz, Oratio 31,26 (SC 250, 326–329).
[29] Hirt des Hermas, 41; 58; 59 (SC 53, 188–191; 234–237; 236–241); Justin, Apologia I, 39 (Corpus Apol. I, ed. v. Otto, 110–113).
[30] Didache 7,1 (SC 248, 232).
[31] Justin, Apologia I, 61 (aaO., 162–169).
[32] Irenäus, Adv. haer. III, 17,1 (SC 211, 328–331); Epid. 3; 6f (SC 62, 32; 39f).
[33] Tertullian, De bapt. 13 (CCL 1, 288f).
[34] Irenäus, Adv. haer. I, 10,1 (SC 264, 154–159).
[35] Tertullian, De praeser. haer. 13 (CCL 1, 197f); ders., Adv. Praxean 2 (CCL 2, 1160f); ders., De virg. vel. 1 (CCL 2, 1209f).
[36] Irenäus, Epid. 6 (SC 62, 39f).
[37] Ebd. 99 (SC 62, 168f).
[38] Anklänge bei Irenäus, Epid. 10 (SC 62, 46–48); Origenes, De principiis, 1, 3, 4 (SC 252, 148–153).
[39] Tertullian, Adv. Praxean 2; 8 (CCL 2, 1160f; 1167f).
[40] Origenes, De principiis 1,3,1–8 (SC 252, 142–165).

es ablehnten, in ihren Glauben metaphysische Behauptungen aufzunehmen. Sie verstanden den Geist als dienenden Geist, als einen Dolmetscher Gottes oder als eine Art Engelwesen; er war für sie entweder ein Geschöpf oder ein Mittelwesen zwischen Gott und den Geschöpfen. Dagegen wandten sich vor allem die drei großen Kappadokier: Basilius d. Gr. (Über den Heiligen Geist), Gregor von Nazianz (5. Theologische Rede) und Gregor von Nyssa (Große Katechese, c. 2). Zur offenen Auseinandersetzung kam es, als Basilius 374 in der Liturgie statt der bisherigen Doxologie »Ehre sei dem Vater durch den Sohn im Heiligen Geist« eine ungewöhnliche Doxologie sprechen ließ: »Ehre sei dem Vater mit dem Sohn und dem Heiligen Geist«. Durch diese Doxologie wurde der Geist mit dem Vater und dem Sohn auf dieselbe Stufe gestellt. In der Schrift »Über den Heiligen Geist« verteidigte Basilius diese Formel u. a. durch den Hinweis auf das Taufbekenntnis. Auch Athanasius griff in die Auseinandersetzungen ein (vier Briefe an Serapion). Er argumentierte in ähnlicher Weise soteriologisch wie bei der Auseinandersetzung um die wahre Gottheit Jesu Christi: Wir können nur dann durch den Heiligen Geist an der göttlichen Natur teilhaben und vergöttlicht werden, wenn der Heilige Geist selbst Gott ist[41]. Für die Väter stand also kein rein spekulatives Problem zur Diskussion, sondern eine grundlegende Frage des Heils.

Das *Konzil von Konstantinopel* (381)[42] – historisch eine ostkirchliche Synode, die erst durch Rezeption, besonders durch das Konzil von Chalkedon (451), ein allgemeines Konzil wurde – befaßte sich mit diesem Streit. Es verfaßte eine Lehrschrift (Tomos), die uns jedoch verloren gegangen ist, deren Inhalt wir freilich durch den an Papst Damasus und die von ihm geleitete westliche Synode in Rom (382) gerichteten Brief der Synode von 382 kennen. In diesem Lehrschreiben ist von der einen Gottheit, Macht und Wesenheit (οὐσία) des Vaters, Sohnes und des Heiligen Geistes die Rede, denen gleiche Ehre, Würde und gleichewige Herrschaft zukommen und die in drei vollkommenen Hypostasen oder Personen sind[43]. Entsprechend werden die Pneumatomachen im Kanon 1 ebenso wie die Arianer und andere Häretiker anathematisiert[44]. Die westliche Synode von 382 unter Damasus lehrte in der Sache dasselbe[45]. Neben dem in fachtheologischer Terminologie

[41] Athanasius, Epist. ad Serap. I, 19–25 (PG 26, 573–590); vgl. Gregor von Nazianz, Oratio 31, 6 (SC 250, 285–287).
[42] Zu Konstantinopel vgl. A. M. Ritter, Das Konzil von Konstantinopel und sein Symbol. Studien zur Geschichte und Theologie des 2. Ökumenischen Konzils (Forschungen zur Kirchen- und Dogmengeschichte 15), Göttingen 1965; I. Ortiz de Urbina, Nizäa und Konstantinopel (Geschichte der ökumenischen Konzilien 1), Mainz 1964; W. D. Hauschild, Das trinitarische Dogma von 381 als Ergebnis verbindlicher Konsensusbildung. in: K. Lehmann–W. Pannenberg (Hrsg.), Glaubensbekenntnis und Kirchengemeinschaft (Dialog der Kirchen. Bd. 1). Freiburg i. Br.–Göttingen 1982, 13–48.
[43] Vgl. Conciliorum oecumenicorum Decreta (ed. J. Alberigo u. a.), 24.
[44] DS 151.
[45] DS 168–177; NR 258–265.

gehaltenen Tomos stellte das Konzil von Konstantinopel ein *Bekenntnis* auf, genauer: es machte sich das Bekenntnis zu eigen, das uns Epiphanius in seinem Ancoratus überliefert[46]. In diesem Bekenntnis wurde die im nicaenischen Glaubensbekenntnis bezeugte Lehre vom Heiligen Geist ergänzt: »Wir glauben... an den Heiligen Geist, den Herrn und Lebensspender, der aus dem Vater hervorgeht, der mit dem Vater und dem Sohn zugleich angebetet und verherrlicht wird, der gesprochen hat durch die Propheten«[47]. Diese Lehre des nicaeno-konstantinopolitanischen, des Großen Glaubensbekenntnisses der Kirche verbindet bis heute alle Kirchen des Ostens und des Westens.

Es ist auffallend, daß der Glaubensartikel über den Heiligen Geist nicht wie der über Jesus Christus den Begriff ὁμοούσιος gebraucht. Doch man hatte aus den Wirren, die auf Nikaia gefolgt waren, gelernt; deshalb wohl vermied man bezüglich des Heiligen Geistes diesen umstrittenen, mißverständlichen, in der Schrift nicht bezeugten Terminus. In der Sache aber war die Lehre von der *Gottheit des Heiligen Geistes* – wie auch der Tomos zeigt – völlig klar. Man bezeichnete den Geist als κύριος, gab ihm also den Titel, der in der Septuaginta als Übersetzung des hebräischen Gottesnamens adonai diente. Freilich wußte man, daß »der Herr« (ὁ κύριος) für Jesus Christus vorbehalten war, deshalb nannte man den Geist τὸ κύριος. Der Heilige Geist ist also derjenige, der zur Kategorie Herr gehört, der Gott ist. Die Formel »*Lebensspender*« brachte dasselbe unter dem Gesichtspunkt des Wirkens und der Funktion zum Ausdruck. Mit diesem Begriff sollte nämlich gesagt werden, daß der Geist nicht nur Gabe des Lebens, sondern Geber dieser Gabe, Urheber des geistlichen Lebens ist, was allein Sache Gottes ist. Mit dieser Formel wird zugleich der soteriologische und existentielle Charakter des Glaubensbekenntnisses vom Heiligen Geist deutlich. Die Väter argumentierten immer wieder: Wenn der Heilige Geist nicht wirklich Gott ist, dann sind wir durch ihn auch nicht wirklich vergöttlicht. Mit der weiteren Formel »der aus dem Vater hervorgeht« sollte im Anschluß an Joh 15,26 das *innertrinitarische Verhältnis von Vater und Geist* geklärt werden. Es sollte abgewehrt werden, daß der Geist ein Geschöpf des Vaters ist; es sollte aber auch gesagt werden, daß der Geist nicht wie der Sohn vom Vater gezeugt wird; er steht in einer eigenen Ursprungsrelation zum Vater. Die Relation zum Sohn wurde im Westen erst später durch den Zusatz des filioque bestimmt, freilich in einer Weise, die zu einem bis heute nicht behobenen Konflikt mit dem Osten führte[48]. Mit der Aussage »der mit dem Vater und dem Sohn zugleich

---

[46] Epiphanius, Ancoratus 119 (GCS 25, 147–149).
[47] DS 150; NR 250.
[48] Vgl. dazu u. 264 ff.

angebetet und verherrlicht wird« kommt das *doxologische Motiv* wieder zur Geltung, das bereits bei Basilius am Anfang des Streits eine entscheidende Rolle spielte. Es wird herausgestellt, daß dem Geist die gleiche Anbetung und Verherrlichung wie dem Vater und dem Sohn gebührt, ja, daß er mit dem Vater und dem Sohn zugleich angebetet wird. Damit ist gesagt, daß dem Geist dieselbe Würde zukommt wie dem Vater und dem Sohn. Schließlich ist mit der antignostischen Formel »der gesprochen hat durch die Propheten« noch von der *heilsgeschichtlichen Stellung des Heiligen Geistes* die Rede. Altes und Neues Testament sind durch den einen Geist verbunden; sie verhalten sich wie Verheißung und Erfüllung.

Das sog. nicaeno-konstantinopolitanische Bekenntnis wurde nach seiner Rezeption durch das Konzil von Chalkedon (451) zum Gemeingut aller christlichen Kirchen des Ostens und des Westens. Es stellt eine der stärksten ökumenischen Klammern dar und kann als Grundgestalt des christlichen Glaubens gelten. Dies gilt auch für die Lehre vom Heiligen Geist. Alle weiteren pneumatologischen Aussagen sind im Grunde nur interpretierende Weiterführungen dieses Bekenntnisses, nicht zuletzt der berühmte Zusatz im westlichen Bekenntnis, der sich im ostkirchlichen nicht findet, wonach der Heilige Geist vom Vater und vom Sohn (filioque) ausgeht. An dieser Stelle ließ das ursprüngliche Bekenntnis eine Frage offen. Es klärte die Gottheit des Heiligen Geistes als Voraussetzung seiner heilsgeschichtlichen Funktion; es klärte auch das Verhältnis des Geistes zum Vater, ließ aber das Verhältnis zum Sohn offen. Dies ist nicht nur eine spekulative Frage; in dieser Frage geht es vielmehr auch um die genaue Verhältnisbestimmung des Heiligen Geistes zum Heilswerk des Sohnes und – darin eingeschlossen – zur Kirche. In dieser Frage ließ das gemeinsame Bekenntnis verschiedene theologische Interpretationen offen, die später zu großen Konflikten führten und mit Anlaß zur Kirchenspaltung zwischen Ost und West wurden. Diesen unterschiedlichen Theologien des Heiligen Geistes müssen wir uns nunmehr zuwenden.

3. Theologie des Heiligen Geistes

Unterschiedliche Theologien in Ost und West

Eine Theologie des Heiligen Geistes steht vor besonderen Schwierigkeiten. Vom Geheimnis Gottes können wir als Menschen nur in menschlichen Bildern und Gleichnissen sprechen. Auch die Schrift beschreibt das Wirken des Heiligen Geistes in vielfältigen Bildern: Atem, Luft, Wind – Wasser des Lebens – Feuer bzw. Feuerzungen – Salbe und Salbung –

Siegel – Friede – Gabe – Liebe. Jedes dieser Bilder will das eine Wirken und Wesen des einen Geistes Gottes von einem anderen Aspekt her erfassen. Die unterschiedlichen Bilder können deshalb zu unterschiedlichen theologischen Verstehensansätzen führen.

Genau dies war bei den unterschiedlichen theologischen Entwürfen in Ost und West der Fall[49]. Sie haben auf dem Boden des gemeinsamen Glaubens, wie er in Schrift und Tradition bezeugt wird, zu unterschiedlichen Theologien des Heiligen Geistes geführt. Die Unterschiede betreffen sowohl die Bilder wie die Begrifflichkeit und schließlich die Gesamtkonzeption der Pneumatologie. Leider ist es nicht bei dieser legitimen, ja wünschenswerten Einheit in der Vielfalt von unterschiedlichen theologischen Spekulationen geblieben. Die unterschiedlichen Theologien haben sich auch im Glaubensbekenntnis der westlichen Kirche niedergeschlagen, nämlich in dem viel diskutierten Zusatz zum nicaeno-konstantinopolitanischen Bekenntnis: »der vom Vater und vom Sohn (filioque) ausgeht«. Dieses filioque fehlt im ursprünglichen Text und im Credo der orthodoxen Kirchen bis heute. Seine Einfügung ins lateinische Glaubensbekenntnis macht aus dem theologischen Unterschied einen dogmatischen Unterschied, der später als ein kirchentrennender Unterschied verstanden wurde und der einen bis heute nicht ausgeräumten Kontroverspunkt zwischen Ost und West darstellt. Verständlich und lösbar ist diese Kontroverse freilich allein auf dem Hintergrund von unterschiedlichen Theologien des Heiligen Geistes.

Die unterschiedlichen Auffassungen sind zunächst in *unterschiedlichen Bildern* begründet, die herangezogen werden, um zu einem tieferen Glaubensverständnis der Lehre vom Heiligen Geist zu kommen. Das in der *lateinischen Theologie* vorherrschende Modell geht aus von den beiden Seelenkräften des Erkennens und des Wollens. Den Vater, der sich im Sohn als seinem Wort erkennt und ausspricht, erfaßt in dieser Erkenntnis zugleich eine Bewegung des Willens, eine Bewegung der Liebe, sich mit diesem seinem Bild zu vereinigen; ebenso gibt sich der Sohn ganz in Liebe dem Vater hin. Dieses liebende Erfassen und Umfassen ist kein Zeugungsvorgang wie die erkennende Hervorbringung des Wortes, durch die etwas zugleich Wesensgleiches und doch Verschiedenes hervorgeht; vielmehr handelt es sich um eine Bewegung des Willens, die auf Vereinigung des Verschiedenen zielt. Da das Geliebte im Wollen des Liebenden als bewegende und antreibende Kraft existiert, kann das Geliebte als Geist im Sinn der innerlich antreibenden Kraft bezeichnet werden. Noch besser erklärt M. J. Scheeben, wie eine gegenseitige Liebe von Vater und Sohn als Geist bezeichnet werden kann: »Wenn wir die Innigkeit der Vereinigung zweier Personen ausdrücken wollen, so sagen wir, sie seien eines Geistes oder auch ein Geist«[50].

---

[49] Vgl. zum folgenden vor allem Y. Congar, Je crois en l'esprit saint. Bd. 3. Paris 1980.
[50] M. J. Scheeben, Die Mysterien des Christentums (ges. Schriften. Bd. 2. Freiburg i. Br. 1951), 83.

Diese *Deutung des Heiligen Geistes als gegenseitige und wechselseitige Liebe zwischen Vater und Sohn* gehört zum Grundbestand der lateinischen Pneumatologie, die vor allem bei Augustinus grundgelegt ist. »Der Heilige Geist ist gewissermaßen die unaussprechliche Gemeinschaft von Vater und Sohn«[51]. »Diese unaussprechliche Umarmung nun von Vater und Bild ist nicht ohne Genuß, ohne Liebe, ohne Freude. Diese Liebe, diese Freude, diese Seligkeit, dieses Glück, oder wie man diese Wirklichkeit in einer Gottes würdigen Weise ausdrücken mag«, wurde von Hilarius »kurz Gebrauch genannt. Er ist in der Dreieinigkeit der Heilige Geist, der nicht gezeugt ist, sondern die süße Seligkeit des Erzeugers und Erzeugten«[52]. So haben es im Anschluß an Augustinus vor allem Anselm von Canterbury[53] und Thomas von Aquin[54] verstanden. Die lateinische Theologie geht also von einem symmetrischen Vorstellungsmodell aus, nach dem sich die trinitarische Lebensbewegung im Heiligen Geist gleichsam wie in einer Kreisbewegung schließt. Sie konnte diese Vision jedoch nicht konsequent durchhalten. Denn auch Augustin wie die übrige westliche Tradition wollen an der alleinigen Ursprunghaftigkeit des Vaters festhalten. Deshalb betont Augustin trotz seiner dezidierten These, der Heilige Geist gehe vom Vater und vom Sohn aus[55], er gehe ursprunghaft (principaliter) vom Vater aus[56]. Thomas von Aquin nimmt diese Formel auf und bezeichnet den Vater als principium bzw. fons totius trinitatis[57]. Daraus folgt, daß der Sohn die Kraft zur Hervorbringung des Geistes vom Vater hat, so daß Thomas auch sagen kann, der Heilige Geist gehe vom Vater durch den Sohn aus. Nur bei Anselm von Canterbury hat dieser Gesichtspunkt keinen Platz. Leider hat er damit Schule gemacht!

Neben diesem Modell gibt es in der lateinischen Theologie noch ein *zweites Modell,* das von einer *Analyse der Liebe* ausgeht. Nach Augustin gehören zur Liebe drei: der Liebende, das Geliebte und die Liebe selbst[58]. Diesen Ansatz hat später vor allem Richard von St. Viktor ausgeführt; Alexander von Hales, Bonaventura und die Franziskanerschule haben ihn aufgegriffen[59]. Nach Richard von St. Viktor ist die vollkommene Liebe, die Gott selbst ist, ganz aus sich. Insofern existiert sie als Vater als dem rein Schenkenden (gratuitus). Als sich selbst ganz wegschenkende Gabe ist sie ebenso ganz vom andern empfangene und wieder weitergebende Gabe, als Sohn (debitus et gratuitus). Schließlich existiert sie im Heiligen Geist als rein empfangene Gabe (debitus); er ist der von Vater und Sohn gemeinsam Geliebte (condilictus). Er ist die Gabe schlechthin[60]. Dieses zweite Modell hat den Vorteil, daß es den Heiligen Geist nicht wie das erste als gegenseitige Liebe von Vater und Sohn versteht, sondern deutlicher und in sich kohärenter die Ursprunghaftigkeit des Vaters betont, der dem Sohn die

[51] Augustinus, De Trinitate V, 11 (CCL 50, 218 ff).
[52] Ebd. VI, 10 (CCL 50, 241 ff); vgl. IX, 4 f (CCL 50, 297–301).
[53] Anselm von Canterbury, Monologion cc. 49 ff.
[54] Thomas v. A., Summa theol. I q.27 a.3 f; q.36 a.1; Summa c. gent. IV c. 19.
[55] Augustinus, De Trinitate IV, 20 (CCL 50, 195–202); V, 11.14 (CCL 50, 218 ff; 222 f).
[56] Ebd. XV, 17.26 (CCL 50 A, 501–507; 524–529).
[57] Thomas v. A., I Sent. d.28 q. 1 a.1; III Sent. d.25 q.1 a.2.
[58] Augustinus, De Trinitate VIII, 10 (CCL 50, 290 f); IX, 2 (CCL 50, 294 f).
[59] Y. Congar, aaO., 147 f; 151 f; 153 f.
[60] Richard von St. Viktor, De Trinitate III c.22 ff; V c.7 ff (ed. Ribaillier, 136 ff; 202 ff; dt. Die Dreieinigkeit, Einsiedeln 1980, 84 ff; 155 ff).

Liebe schenkt, die dieser als vom Vater geschenkte Liebe zusammen mit dem Vater, der sie als ungeschenkte besitzt, dem Geist weitergibt.

Auch die *Griechen* kennen menschliche Bilder und Analogien zum Verständnis des Sohnes wie des Geistes Gottes. Im Unterschied zu den Lateinern gehen die Griechen jedoch nicht vom inneren Wort aus, sondern vom äußeren, vom gesprochenen Wort. Dieses äußere Wort ist bei uns Menschen mit dem Atem als einer Bewegung der Luft verbunden. »Durch sie wird, wenn wir ein Wort aussprechen, die Stimme erzeugt, durch die erst der Sinn des Wortes anderen zugänglich wird.« Analog gibt es auch bei Gott den Odem, den Geist, »der das Wort begleitet und seine Wirksamkeit offenbart«[61].

Lateiner und Griechen gehen also von verschiedenen Vorstellungsmodellen aus. Aus der unterschiedlichen bildhaften Vorstellung ergibt sich dann eine *unterschiedliche theologische Konzeption*. Während der Geist nach den Lateinern aus der gegenseitigen Liebe von Vater und Sohn hervorgeht, sprechen die Griechen nur von einem Ausgang des Geistes vom Vater. Das schließt nicht aus, daß der Geist auch nach den Griechen der Geist des Sohnes ist[62]. Denn er »geht vom Vater aus und ruht im Wort und offenbart es«[63]. In diesem Sinn geht der Geist »vom Vater aus, wird durch den Sohn mitgeteilt und von jeglichem Geschöpf empfangen. Er schafft durch sich selbst, macht alles zu Wesen, heiligt und hält zusammen«[64]. Der Vorteil dieser Konzeption ist, daß sie sowohl die Stellung des Vaters als alleinigen Ursprung in der Gottheit wahrt wie daß die Hinordnung des Geistes auf das Wirken in der Welt deutlicher ausgesprochen wird als in den lateinischen Konzeptionen, die in der Gefahr sind, daß sich nach ihnen das Leben Gottes im Heiligen Geist in sich schließt und sich nicht in die Welt und in die Geschichte hinein öffnet.

Den unterschiedlichen Analogien entsprechen *unterschiedliche Begriffe*. Gemeinsame Grundlage der Begriffsbildung ist Joh 15,26, wo vom Geist gesagt wird: »der vom Vater ausgeht« (ὁ παρὰ τοῦ πατρὸς ἐκπορεύεται). Gemeinsam ist allen Traditionen, daß sie das biblische παρά im nicaeno-konstantinopolitanischen Bekenntnis durch ein ἐκ ersetzen und statt der Präsensform ἐκπορεύεται das Partizip ἐκπορευόμενον setzen, um so nicht nur den zeitlichen, sondern den immer währenden ewigen Ausgang zum Ausdruck zu bringen[65]. Der Unterschied zwischen Griechen und Lateinern ist erst damit gegeben, daß die Vulgata ἐκπορεύεται mit procedit übersetzt. Processio hat aber in der lateinischen Theologie eine viel allgemeinere Bedeutung als ἐκπόρευσις in der griechischen. ἐκπορεύεσθαι heißt so viel wie ausgehen, ausfahren, ausströmen. In diesem Sinn ist der Begriff nur in bezug auf den Vater, den ersten, selbst ursprunglosen Ursprung anwendbar; die Mitwirkung des Sohnes beim Ausgang des Heiligen Geistes muß dagegen mit προϊέναι umschrieben werden. Das Lateinische kennt diese feine Differenzierung nicht. Nach der lateinischen Theologie ist processio ein Allgemeinbegriff, der auf alle innertrinitarischen

[61] Johannes von Damaskus, De fide orth. I, 7 (Die Schriften des Johannes von Damaskus, ed. B. Kotter II, Berlin–New York 1973, 16 f) in wörtlicher Übernahme von Gregor von Nyssa, Oratio catechetica magna 2 (PG 45, 17–18 c).

[62] Ebd. I, 8 (aaO., 18–31).

[63] Ebd. I, 7 (aaO., 16 f); Gregor von Nyssa, aaO., 2 (PG 45, 17–18 c).

[64] Johannes von Damaskus, aaO. I, 8 (aaO., 18–31).

[65] Y. Congar, aaO. III, 74 f; 79 Anm. 1.

Vorgänge angewandt werden kann, nicht nur auf den Ausgang des Geistes vom Vater, sondern auch auf die Zeugung des Sohnes wie auf die Hauchung des Geistes durch den Sohn. Damit hat die lateinische Theologie ein Problem, das die griechische so nicht hat. Denn auch sie muß den Unterschied zwischen der processio des Sohnes aus dem Vater und der processio des Geistes aus dem Vater festhalten. Würde nämlich der Geist in gleicher Weise aus dem Vater hervorgehen wie der Sohn, hätten wir es mit zwei Söhnen zu tun; dann wäre kein Unterschied mehr zwischen dem Sohn und dem Geist. Dieser Unterschied kann unter den Voraussetzungen der lateinischen Theologie nur so gewahrt werden, daß im Unterschied zur processio des Sohnes aus dem Vater an der processio des Geistes aus dem Vater auch der Sohn beteiligt ist. Er ist freilich nicht principaliter, d. h. ursprunghaft, sondern nur kraft des vom Vater empfangenen Seins beteiligt. Deshalb hat die lateinische Theologie immer daran festgehalten, daß Vater und Sohn für den Hervorgang des Heiligen Geistes ein einziges Prinzip bilden[66]. Ja, auch die lateinische Theologie kann mit Thomas von Aquin sogar sagen, der Geist gehe vom Vater durch den Sohn aus. Der Nachteil ist freilich, daß das filioque diese in der lateinischen Theologie vorhandene Differenzierung im Bekenntnis begrifflich nicht zum Ausdruck bringt.

Auch die griechische Theologie hat ihre Schwächen. Sie kann zwar die besondere Funktion des Vaters beim Ausgang des Geistes ausdrücken; sie schweigt sich aber in ihren dogmatischen Bekenntnisformeln ganz aus, wenn es um das Verhältnis des Geistes zum Sohn geht. Dieses Offenlassen der Relation von Sohn und Geist ist ebenfalls keine Lösung. Denn nach der Schrift geht der Heilige Geist heilsökonomisch zwar vom Vater aus (Joh 15,26), aber er wird auch vom Sohn vermittelt (Joh 14,16.26). Wenn nun aber Heilsökonomie und innertrinitarische Theologie nicht auseinanderfallen, sondern sich vielmehr entsprechen sollen, dann kann der Sohn, wenn er an der heilsgeschichtlichen Sendung des Geistes beteiligt ist, an dessen innertrinitarischem Hervorgang nicht unbeteiligt sein. Der Geist ist ja nach der Schrift der Geist des Sohnes (Gal 4,6) bzw. der Geist Jesu Christi (Röm 8,9; Phil 1,19). Nach Apk 22,1 geht das Wasser des Lebens »vom Thron Gottes und des Lammes aus« (ἐκπορευόμενον).

Diese biblischen Gegebenheiten sind wohl der Grund, weshalb die griechischen Väter der ersten Jahrhunderte frühen Formulierungen des filioque bzw. dessen Äquivalenten bei Ambrosius, Augustinus, Leo d. Gr. nie widersprochen haben. Ja noch mehr, es finden sich auch bei einzelnen griechischen Vätern, vor allem bei Athanasius, Cyrill von Alexandrien und selbst bei Basilius Formulierungen, die ähnlich wie das westliche filioque klingen[67]. Meist sprechen die griechischen Väter freilich von einem Hervorgang des Geistes vom Vater durch den Sohn[68], eine Formel, die wiederum auch den Lateinern nicht ganz fremd ist. Das gilt vor allem von Tertullian[69], der schon vor Augustin die lateinische Trinitätslehre grundgelegt hat. Eine interessante Formel, die das westliche und das östliche Anliegen miteinander verbindet, findet sich bei Epiphanius von Salamis; er spricht vom Geist, »der vom Vater ausgeht und vom Sohn empfängt«[70].

---

[66] DS 850.
[67] Y. Congar, aaO. Bd. 3, 52 f; 57; 60; 66 f.
[68] Y. Congar, ebd. 61; 72.
[69] Tertullian, Adv. Praxean 4 (CCL 2, 1162 f).
[70] Epiphanius, Ancoratus, 6 (GCS 25, 12 f).

Während Epiphanius die Vermittlung beider Traditionen von der lateinischen Theologie her versucht, geht Maximos Confessor im 7. Jahrhundert bei diesen Vermittlungsbemühungen von griechischen Voraussetzungen aus[71]; er ist noch in der späten und auslaufenden Zeit der Kirchenväter ein wichtiger Zeuge ökumenischer Einheit zwischen Ost und West.

Diese Hinweise sollen und können die Unterschiede zwischen den beiden Traditionen nicht verwischen; sie können aber zeigen, daß diese Unterschiede in den ersten Jahrhunderten niemals als Infragestellung des gemeinsamen Glaubens galten, daß es vielmehr auf der *Grundlage des gemeinsamen biblischen Zeugnisses und einer gemeinsamen Tradition* vielfältige Brücken hinüber und herüber gab. Der Sache nach wollten beide Theologien dasselbe sagen. Sie bezeugen einen und denselben Glauben in unterschiedlicher begrifflicher Gestalt. Es handelt sich also um *komplementäre Theologien,* die je in sich konsistent und kohärent sind, aber nicht aufeinander zurückgeführt werden können. Diese unterschiedliche Terminologie stellte in den ersten acht Jahrhunderten keinerlei Problem dar; sie war nie Anlaß zu Kontroversen, geschweige denn zum Abbruch der Kirchengemeinschaft.

Zum Problem wurde das filioque erst, als die Lateiner *aus der theologischen Formel eine dogmatische Bekenntnisformel* machten und dadurch den ursprünglich gemeinsamen Text des Symbolums einseitig veränderten. Dies geschah zunächst durch verschiedene Provinzialsynoden von Toledo im 5.–7. Jahrhundert[72]. Die Hintergründe dieser Entwicklung sind noch nicht vollständig aufgehellt. Vermutlich richteten sich diese Provinzialkonzilien mit dem filioque gegen Ausläufer des Arianismus, den sog. Priszillianismus. Die *Intention des filioque* war demnach, die Gleichwesentlichkeit des Sohns mit dem Vater festzuhalten und zu betonen, daß der Geist nicht nur der Geist des Vaters, sondern auch des Sohnes ist. Das sind Anliegen, die auch solche des Ostens sind. Damit wird deutlich, daß das filioque ursprünglich keineswegs gegen den Osten gerichtet war. Es stellt vielmehr eine westliche Eigenentwicklung aus einer Zeit dar, da die Kontakte mit dem Osten bereits sehr schwach waren, bis man sich schließlich nicht mehr verstand. Insofern ist das filioque die westliche Form der Rezeption des nicaeno-konstantinopolitanischen Glaubensbekenntnisses.
Der Streit über die lateinische Tradition und Rezeption brach erst aus, als sich Kaiser Karl d. Gr. auf der Synode von Frankfurt (794) gegen das Zweite Konzil von Nikaia (787) und dessen Bekenntnis des Hervorgangs des Heiligen Geistes »aus dem Vater durch den Sohn« wandte und demgegenüber das im Westen inzwischen rezipierte filioque proklamierte. Die Synode von Aachen (809) fügte das filioque offiziell ins Credo ein. Die politischen Hintergründe können hier beiseite bleiben, obwohl sie emotional das Klima bestimmten. Rom verhielt sich dieser Entwicklung gegenüber sehr zurückhaltend, ja abweisend. Papst Leo III. verteidigte Nikaia und damit die Tradition und wandte sich gegen die karolingi-

---

[71] Maximos Confessor, Opuscula theologica et polemica (PG 91, 136).
[72] DS 188 (?); 284; 470; 485; 490; 527; NR 269.

sche Synode. Er blieb auch dabei, als fränkische Mönche im Sabaskloster in Jerusalem das filioque ins Credo der Messe einfügten und darüber einen erheblichen Streit verursachten. Der Papst verteidigte zwar die Lehre des filioque, aber er verweigerte dessen Einfügung ins Credo. Anders Papst Benedikt VIII., als Kaiser Heinrich II. anläßlich seiner Kaiserkrönung im Jahr 1014 die *Einfügung des filioque ins Credo der Messe* forderte. Mit dem Zugeständnis des Papstes war auch für den Westen eine neue Bekenntnistradition begründet[73].

Das *IV. Laterankonzil* (1215) und vor allem das *II. Konzil von Lyon* (1274) definierten die westliche Lehre vom Ausgang des Heiligen Geistes vom Vater und vom Sohn[74]. Dabei wurde in Lyon das teilweise bis heute fortdauernde östliche Mißverständnis zurückgewiesen, als gebe es in der Trinität zwei Prinzipien; Vater und Sohn bilden nach der Lehre des Lyonenser Konzils vielmehr ein einziges Prinzip beim Hervorgang des Heiligen Geistes. In gewissem Sinn kann man sogar sagen, daß der Westen die Einheit der Trinität stärker betont als der Osten, will er doch eben mit dem filioque die Gleichwesentlichkeit, ja die Einwesentlichkeit des Geistes mit dem Vater und dem Sohn betonen und hinsichtlich der Verschiedenheit der Personen darlegen, daß sich die innertrinitarische Lebens- und Liebesbewegung zwischen Vater und Sohn im Heiligen Geist als dem Band der Einheit wieder schließt.

Für den *Osten* war die Einfügung des filioque ins Credo sowohl ein kanonisches wie ein dogmatisches Problem. Unter kanonischem Aspekt verwarf der Osten die Einfügung des filioque ins Credo als kanonisch illegitim. Er sah darin einen Verstoß gegen den Kanon 7 des Konzils von Ephesus (431), das die Aufstellung eines anderen Glaubensbekenntnisses (ἕτερα πίστις) verboten hatte[75]. Die Lateiner dagegen sahen im filioque keinen anderen Glauben, sondern die Explikation des einen und selben Glaubens von Nikaia und Konstantinopel. Die dogmatische Sachfrage nahm vom Osten her vor allem der Patriarch Photius im 9. Jahrhundert auf[76]. Er bekämpfte das lateinische filioque und stellte ihm die Formel ἐκ μόνου τοῦ πατρός entgegen. Diese Formel hat einen legitimen Sinn, wenn man die ἐκπόρευσις streng im griechischen Sinn versteht, also etwa im augustinischen Sinn des principaliter procedere. Dennoch stellt die Formel des Photius in ihrer polemischen Zuspitzung ebenfalls eine Neuerung dar. Mit diesem Monopatrismus waren die Texte der griechischen Tradition, die einen Hervorgang aus dem Vater durch den Sohn oder ähnliches behaupteten, beiseite geschoben und eine Verständigung mit dem Westen unmöglich gemacht. Die griechische Kirche hat Photius kanonisiert, ohne dadurch, wie Photius selbst es getan hat, die älteren Väter beiseite zu stellen. So ist die griechische Tradition weiter und reicher, als es nach den polemischen Zuspitzungen des Photius der Fall zu sein scheint.

---

[73] Y. Congar, aaO., 86ff.
[74] DS 805; 850; 853; NR 923. Zur heutigen Bewertung dieser Konzilien vgl. A. Ganoczy, Formale und inhaltliche Aspekte der mittelalterlichen Konzilien als Zeichen kirchlichen Ringens um ein universales Glaubensbekenntnis, in: K. Lehmann–W. Pannenberg (Hrsg.), Glaubensbekenntnis und Kirchengemeinschaft (Dialog der Kirchen. Bd 1), Freiburg i. Br. – Göttingen 1982, 49–79.
[75] Conciliorum oecumenicorum Decreta, (ed. J. Alberigo u. a.), 54.
[76] Y. Congar, aaO., 89ff.

Ein weiterer, wesentlich grundsätzlicherer Schritt in der theologischen Auseinandersetzung geschah im 14. Jahrhundert durch *Gregor von Palamas*[77]. Nach ihm gibt es keine reale Einwohnung des Heiligen Geistes in den Gläubigen; ausgegossen wird nicht das Wesen, sondern nur die ungeschaffene Wirkung, Ausstrahlung und Herrlichkeit (ἐνέργεια) Gottes, nur seine ungeschaffene Gabe, nicht der Geber selbst. Aus diesem Grund kann man nicht von der ökonomischen Trinität auf die immanente Trinität zurückschließen. Die Frage ist freilich, ob mit dieser radikalen theologia negativa die immanente Trinität nicht heilsgeschichtlich irrelevant und funktionslos wird. Die neopalamitische Theologie unseres Jahrhunderts (vor allem Vladimir Lossky)[78] hat die prinzipielle Verwerfung des filioque erneuert; ja sie sieht im lateinischen Filioquismus die Wurzel aller lateinischen Häresien bis hin zum Dogma vom Primat des Papstes. Nach Lossky bindet das filioque den Heiligen Geist einseitig an den Sohn; dieser Christomonismus wahrt nicht mehr die Freiheit des Geistes in der Kirche. Seit den »Thesen über das Filioque« des Petersburger Kirchenhistorikers V. Bolotov[79] hat sich freilich auch in den orthodoxen Kirchen teilweise eine mehr historische Beurteilung durchgesetzt, die das filioque zwar kanonisch als irregulär bezeichnet, es dogmatisch aber nicht als Irrlehre auffaßt.

Im *Westen* findet sich schon früh die Auffassung, daß die Nichtannahme des filioque häretisch sei. Die Stellungnahmen der großen Theologen des hohen Mittelalters sind in dieser Frage freilich wesentlich nuancierter, als man gewöhnlich annimmt[80]. So war die Einigung mit den Griechen auf dem *Konzil von Florenz* (1439–45) für den Westen gut begründet[81]. Das Konzil wußte um die griechische Unterscheidung, wonach der Sohn zwar causa des Hervorgangs des Geistes ist, aber nicht wie der Vater principium. Insofern anerkennt das Konzil die Formel »durch den Sohn«; es interpretiert diese Formel freilich im Sinn des westlichen filioque, von dem es sagt, es sei rechtmäßiger- und vernünftigerweise dem Symbolum hinzugefügt worden[82]. Aufgrund dieser westlichen Vereinnahmung ist es, von den politischen und emotionalen Gründen ganz abgesehen, verständlich, daß der Osten mit dieser Einigung nicht zufrieden war und sie nicht rezipierte. Für die heutige römisch-katholische Kirche ist die Entscheidung von Papst Benedikt XIV. aus dem Jahr 1742 und 1755 maßgebend, wonach den unierten Ostkirchen die Verwendung des unveränderten Symbols von 381 erlaubt ist. Es wird also die Komplementarität der Formeln anerkannt.

[77] Y. Congar, aaO., 94 ff; D. Wendenbourg, Geist oder Energie. Zur Frage der innergöttlichen Verankerung des christlichen Lebens in der byzantinischen Theologie, München 1980.
[78] V. Lossky, Die mystische Theologie der morgenländischen Kirche (Geist und Leben der Ostkirche 1), Graz–Wien–Köln 1961; ders., The Procession of the Holy Spirit in the orthodox Triadology, in: Eastern Church Quart. 7 (1948), 31–52. Ähnlich: S. Bulgakov, Le paraclet, Paris 1946. Anders: P. Evdokimov, L'Esprit Saint dans la tradition orthodoxe, Paris 1969.
[79] V. Bolotov, Thesen über das Filioque. Von unserem russischen Theologen, in: Revue Internationale de Théologie 6 (1898), 681–712.
[80] Vgl. Y. Congar, aaO., 143 ff; 229 ff.
[81] Zum Konzil von Florenz: J. Gill, Konstanz und Basel–Florenz (Geschichte der ökumenischen Konzilien. Bd. 9), Mainz 1967, 259 ff; Y. Congar, aaO., 242 ff.
[82] DS 850; vgl. 1300.

Die *Kirchen der Reformation* haben das Glaubensbekenntnis in seiner westlichen Form, also mit dem filioque-Zusatz übernommen. In unserem Jahrhundert hat vor allem K. Barth das filioque nochmals nachdrücklich verteidigt[83].
Erst die *gegenwärtige ökumenische Diskussion* hat auch diese Frage erneut in Bewegung gebracht[84]. Sie hat zu der Empfehlung geführt, der Westen solle den ursprünglichen Text wieder herstellen, das filioque wieder aus dem Credo streichen und damit die Voraussetzung für ein neues Gespräch über den Heiligen Geist schaffen. Dieser Vorschlag ließe sich jedoch nur dann verwirklichen, wenn der Osten gleichzeitig anerkennen würde, daß das filioque der gemeinten »Sache« nach nicht häretisch, sondern theologisch legitim ist. Es müßten also Ost und West ihre unterschiedlichen Traditionen gegenseitig als legitim anerkennen. Wenn dies geschehen würde, wäre freilich nicht mehr einzusehen, weshalb der Westen auf seine Bekenntnistradition verzichten sollte. Umgekehrt braucht der Westen seine Tradition dem Osten nicht aufzuzwingen. Eine solche Einheit in der Vielfalt ist nach unserer Überzeugung eine angemessenere ökumenische Zielvorstellung als eine monolithische Bekenntniseinheit. Um dieses Ziel zu erreichen, ist es freilich notwendig, daß das Gespräch zwischen Ost und West über die theologischen Motive, die hinter dem filioque bzw. dessen Nichtannahme stehen, noch wesentlich vertieft wird. Letztlich geht es dabei, wie die neopalamitische Kontroverse gezeigt hat, nicht um ein lebensfernes und abstraktes theologisches Problem, sondern um das Verhältnis von ökonomischer und immanenter Trinität, konkreter: um die Art und Weise des Wirkens des Heiligen Geistes in den Gläubigen und in der Kirche.

Aufgrund des Gesagten ergibt sich für das weitere ökumenische Gespräch über das filioque eine doppelte Aufgabe: *Einmal* die Erkenntnis, daß in Ost und West *auf der Basis des einen gemeinsamen Glaubens unterschiedliche Traditionen* vorliegen, die *beide legitim* sind und die sich deshalb *gegenseitig anerkennen und ergänzen* können, ohne daß sie ineinander aufgehoben werden könnten. Es handelt sich um komplementäre Theologien und Formeln. Das wesentliche Anliegen des filioque ist dabei ein doppeltes: die Wahrung der Gleichwesentlichkeit (ὁμοούσιος) des Vaters und des Sohnes wie die Betonung, daß der Heilige Geist nach der Schrift immer auch der Geist Jesu Christi, der Geist des Sohnes ist. Umgekehrt will der Osten stärker als der Westen die Monarchie des Vaters wahren und die Freiheit des Wirkens des Heiligen Geistes betonen. Diese Anliegen widersprechen sich nicht, auch wenn es bisher noch nicht gelungen ist, sie in einer einzigen Theologie des Heiligen Geistes »aufzuheben«. Deshalb haben *zum andern* Ost und West mit ihren Traditionen *je verschiedene Probleme*, die im Gespräch der Klärung bedürfen. Der Osten läßt das Verhältnis

[83] K. Barth, Die Kirchliche Dogmatik I/1, 500–511; Ebd. I/2, 273.
[84] Zur gegenwärtigen ökumenischen Diskussion: L. Vischer (Hrsg.), Geist Gottes – Geist Christi. Ökumenische Überlegungen zur Filioque-Kontroverse (Beih. Ökum. Rundschau. 39), Frankfurt a. M. 1981; R. Slenczka, Das Filioque in der ökumenischen Diskussion, in: K. Lehmann – W. Pannenberg (Hrsg.), Glaubensbekenntnis und Kirchengemeinschaft, aaO., 80–99; Y. Congar, aaO., 251 ff.

des Geistes zum Sohn in seinem Bekenntnis offen, der Westen kann es begrifflich nur schwer vom Verhältnis des Geistes zum Vater unterscheiden. Im Hintergrund steht letztlich die Frage nach dem Verhältnis von heilsökonomischem Wirken des Heiligen Geistes als Geist Jesu Christi und dessen innertrinitarischem Wesen. Der Dialog über die unterschiedlichen Formeln der Vergangenheit muß also zukunftsorientiert geführt werden, um die offenen Probleme beider Seiten einer Klärung entgegenzuführen.

Ob als Ergebnis dieses Dialogs eine neue gemeinsame, beide Traditionen aufnehmende und zugleich weiterführende Formel möglich ist, kann erst die Zukunft zeigen. Denkbar wäre etwa die Formel »qui ex patre per filium procedit«. Wichtiger als eine solche einheitliche Formel ist die *Einheit in der Sache.* Wir zweifeln nicht daran, daß sie bei aller Unterschiedlichkeit der Bilder, Begriffe und Akzente schon heute gegeben ist und daß die Verschiedenheit der Theologien in dieser Frage keinen kirchentrennenden Unterschied begründet. Doch wichtiger als eine neue gemeinsame Formel ist es, daß die Mißverständnisse der Vergangenheit Anlaß sind, im Hören auf die Anliegen der anderen Tradition die eigene Tradition zu klären und anzureichern, um so die schon bestehende Gemeinsamkeit in der Sache zu vertiefen und deutlicher bewußt zu machen. *Es geht nicht um einen nutzlosen Streit um Worte, sondern um ein vertieftes Verständnis unseres Heils, nämlich um die Frage, wie das Heil Jesu Christi auch durch den Heiligen Geist mitgeteilt wird.* Ist der Heilige Geist selbst die Heilsgabe, oder ist diese eine vom Geber unterschiedene ungeschaffene oder geschaffene Gabe? In welcher Weise werden wir in das Leben des dreifaltigen Gottes einbezogen? Das sind Fragen, über die es sich wahrlich zu diskutieren lohnt. Eine voreilige Streichung des filioque könnte leicht zu der Versuchung führen, diese Probleme auf sich beruhen zu lassen, statt sie einer Antwort entgegenzuführen.

Ansätze zu einer Theologie des Heiligen Geistes

Eine vertiefte Theologie des Heiligen Geistes[85] steht vor der Schwierigkeit, daß der Geist im Unterschied zum Vater und zum Sohn gleichsam

---

[85] Zur neueren Pneumatologie: H. Mühlen, Der Heilige Geist als Person. Beitrag zur Frage nach der dem Heiligen Geiste eigentümlichen Funktion in der Trinität, bei der Inkarnation und im Gnadenbund (Münsterische Beiträge zur Theologie 26), Münster 1963; ders., Una mystica persona. Die Kirche als das Mysterium der heilsgeschichtlichen Identität des Heiligen Geistes in Christus und den Christen: Eine Person in vielen Personen, München–Paderborn–Wien ³1968; ders., Die Erneuerung des christlichen Glaubens. Charisma – Geist – Befreiung, München 1974; H. U. v. Balthasar, Spiritus Creator. Skizzen zur Theologie III, Einsiedeln 1967; H. Berkhof, Theologie des Heiligen Geistes (Neukirchener Studienbücher 7), Neukirchen 1968; W. Dantine, Der Heilige Geist und der unheilige Geist. Über die Erneuerung der Urteilsfähigkeit, Stuttgart 1973;

ohne Antlitz ist. Er ist wie der Wind, der weht, wo er will; »du hörst sein Brausen, weißt aber nicht, woher er kommt und wohin er geht« (Joh 3,8). Schon Thomas von Aquin kannte die Sprachnot beim Reden über den Heiligen Geist[86]. Oft bezeichnet man den Heiligen Geist als den unbekannten Gott[87]. Urs v. Balthasar nennt ihn den Unbekannten jenseits des Wortes[88]. *Der Heilige Geist bringt in besonderer Weise das Geheimnis Gottes zum Ausdruck, dessen Tiefen niemand außer ihm kennt (1 Kor 2,11).* Bis zu einem gewissen Grad kann man die Unterschiede zwischen der lateinischen und der griechischen Auffassung vom Heiligen Geist, die sich in dem lateinischen Zusatz zum Glaubensbekenntnis, dem filioque, zuspitzen, letztlich darauf zurückführen, daß die Griechen die Unbegreiflichkeit Gottes und den Geheimnischarakter des Geistes besonders betonen, weshalb ihnen die lateinische Trinitätslehre mit ihren Analogien aus dem menschlichen Seelenleben einen zu rationalen, wenn nicht gar rationalistischen Eindruck macht. Die theologischen Schlußfolgerungen, die zum filioque führen, scheinen ihnen als ein unerträgliches Eindringen des rationalen Denkens in den Bereich des Geheimnisses Gottes. Freilich will auch die lateinische Theologie auf ihre Weise die Geheimnishaftigkeit und Unverfügbarkeit der Freiheit der Liebe und Gnade Gottes, die der Heilige Geist in Person ist, wahren.

Eine Theologie des Heiligen Geistes ist wegen der Geheimnishaftigkeit des Heiligen Geistes nur dadurch möglich, daß man von der Wortoffenbarung über den Heiligen Geist wie vom Wirken und von den Wirkungen des Geistes in der Heilsgeschichte ausgeht. Nicht irgendwelche – seien es neuplatonische oder seien es idealistische – Spekulationen

C. Heitmann, H. Mühlen (Hrsg.), Erfahrung und Theologie des Heiligen Geistes, Hamburg–München 1974; E. D. O'Connor, Spontaner Glaube. Ereignis und Erfahrung der charismatischen Erneuerung, Freiburg–Basel–Wien 1974; J. Moltmann, Kirche in der Kraft des Geistes. Ein Beitrag zur messianischen Ekklesiologie, München 1975; W. Kasper / G. Sauter, Kirche – Ort des Geistes (Kleine ökumenische Schriften Bd. 8), Freiburg–Basel–Wien 1976; K. Blaser, Vorstoß zur Pneumatologie (Theologische Studien 121), Zürich 1977; J. V. Taylor, Der Heilige Geist und sein Wirken in der Welt, Düsseldorf 1977; O. A. Dillschneider, Geist als Vollender des Glaubens, Gütersloh 1978; E. Schweizer, Heiliger Geist (Themen der Theologie, Erg.-Bd.), Stuttgart 1978; W. Strolz (Hrsg.), Vom Geist, den wir brauchen, Freiburg–Basel–Wien 1978; W. Kasper (Hrsg.), Gegenwart des Geistes. Aspekte der Pneumatologie (Quaest. disp. 85), Freiburg–Basel–Wien 1979; M. Thurian, Feuer für die Erde. Vom Wirken des Geistes in der Gemeinschaft der Christen, Freiburg–Basel–Wien 1979; Y. Congar, Je crois en l'esprit saint. 3 Bde., Paris 1979/1980; Ph. J. Rosato, The Spirit as Lord. The Pneumatology of Karl Barth, Edinburg 1981.

[86] Thomas v. A., Summa theol. I q.37 a.1.

[87] Y. Congar, aaO., 29.

[88] H. U. v. Balthasar, Der Unbekannte jenseits des Wortes, in: ders., Spiritus Creator. Skizzen zur Theologie III, Einsiedeln 1968, 95–105.

können also der *Ausgangspunkt* sein, sondern allein *die Erfahrung des Geistes in der Geschichte,* Erfahrungen, wie sie uns in der Schrift und in der sie auslegenden Tradition bezeugt und authentisch gedeutet werden. Grundlage einer Theologie des Heiligen Geistes sind darum nicht Analogien aus dem Leben des menschlichen Geistes. Solche Analogien sind vor allem der lateinischen Tradition seit Augustin vertraut; in ihnen wird der Sohn dem Erkennen durch das innere Wort, der Geist dem Willen und der liebenden Vereinigung zwischen Vater und Sohn zugeordnet. Solche Analogien können als nachträgliche Verstehenshilfen erhellend sein; Ausgangspunkt und Grundlage ist jedoch auch bei Augustinus das Glaubenszeugnis vom heilsgeschichtlichen Wirken des Geistes. Erst in der Scholastik, vor allem bei Anselm von Canterbury und – weniger genial, dafür aber spitzfindiger – in den epigonenhaften Schulstreitigkeiten des 13. und 14. Jahrhunderts haben solche spekulativen Ableitungen das Übergewicht bekommen, während noch Thomas von Aquin eindeutig vom Glauben der Kirche und von der Erfahrung des Geistes als Geschenk ausgeht.

Von den vielen Bildern, mit denen die Schrift das Wirken und die Wirkungen des Heiligen Geistes beschreibt (Atem, Luft, Wind – Wasser des Lebens – Feuer bzw. Feuerzungen – Salbe und Salbung – Siegel – Friede), ist theologiegeschichtlich die *Bezeichnung des Heiligen Geistes als Gabe und damit zusammenhängend als Liebe* am wirkmächtigsten geworden. Nach der Schrift ist der Geist die eschatologische Gabe Gottes und als solche die Vollendung der Werke Gottes. Der Geist gilt in der Schrift als die Gabe schlechthin (Apg 2,38; 8,20; 10,45; 11,17; Hebr 6,4; vgl. Joh 4,10). Die neutestamentlichen Geistaussagen sind entsprechend oft mit den Verben »geben« und »empfangen« verbunden. Durch die Gabe des Heiligen Geistes ist Gottes Liebe in unsere Herzen ausgegossen (Röm 5,5). So ist uns der Geist schon jetzt als Angeld der eschatologischen Vollendung gegeben (2 Kor 1,22; Eph 1,14). Unter Seufzen wirkt er schon jetzt auf die eschatologische Vollendung der Schöpfung im Reich der Freiheit der Kinder Gottes hin (Röm 8,18 ff). Dieser Sprachgebrauch findet sich wieder bei den Kirchenvätern. Im Anschluß an Hilarius[89] hat vor allem Augustinus seine Pneumatologie der Geist-Gabe entwickelt[90], die später von Petrus Lombardus[91] und Thomas von Aquin[92] aufgegriffen und weitergeführt wurde. Die griechischen Väter betonten darüber hinaus, daß der Geist als die eschatologische Gabe die Heiligung, Erfüllung, Vollendung und das Ziel aller

---

[89] Hilarius, De Trinitate II, 1 (CCL 62, 38).
[90] Augustinus, De Trinitate V, 11.14f (CCL 50, 218ff; 222ff); VI, 10f (CCL 50, 241–249); XV, 17–21 (CCL 50 A, 501–519).
[91] Petrus Lombardus, I Sent. d.18.
[92] Thomas v. A., Summa theol. I q.38.

Wirklichkeit ist; er wirkt die Vergöttlichung des Menschen und der Wirklichkeit, auf daß Gott sei alles in allem (1 Kor 15,28)[93].

Es ist die Aufgabe der Theologie, diese Gegebenheiten von Schrift und Tradition zu einer Theologie des Heiligen Geistes weiterzudenken. Dabei geht es nicht darum, aus den Gegebenheiten von Schrift und Tradition gleichsam wie aus Prämissen Schlußfolgerungen abzuleiten, die dann aus dem Bereich des verbindlichen Glaubens hinaus in den Bereich unverbindlicher privater Spekulation führen. Es geht vielmehr darum, tiefer in den inneren Geist und Sinn des Geglaubten einzudringen, um so zu einem Verstehen des Geglaubten selbst (intellectus fidei) zu kommen. Dies geschieht dadurch, daß wir den inneren Zusammenhang der verschiedenen Erfahrungen und Deutungen des Glaubens (nexus mysteriorum) und deren wechselseitige Entsprechung (analogia fidei) zu erkennen suchen, um so das eine Geheimnis zu verstehen, das sich in den verschiedenen Geheimnissen des Glaubens auslegt. Es gilt also, das Geheimnis nicht rationalistisch aufzulösen, sondern das Geheimnis als Geheimnis tiefer zu verstehen.

Dieses verstehende Eindringen in die Tiefen der Gottheit ist dem menschlichen Geist aus sich nicht möglich, sondern allein Sache des Geistes Gottes (1 Kor 2,11). Deshalb ist die Theologie selbst ein geistlicher Vorgang, ein Vollzug im Heiligen Geist. Könnten wir nämlich Gottes Geheimnis mit unseren endlichen Erkenntniskräften erfassen, würden wir Gottes Gottsein depotenzieren; indem wir ihn erkennen, würden wir ihn verkennen; indem wir ihn begreifen wollten, würden wir uns an ihm vergreifen. Soll Gott in unserem Erkennen Gott bleiben und nicht ein selbst zurechtgezimmerter, nach unseren Maßen entworfener Götze werden, dann muß sich uns Gott nicht nur »objektiv« offenbaren, sondern uns auch »subjektiv« das Vermögen schenken, ihn zu erkennen; dann muß er uns den Heiligen Geist als den *Geist des Glaubens* geben (2 Kor 4,13), der die Augen unseres Herzens erleuchtet (Eph 1,18). Er ist der Geist der Weisheit und der Einsicht (Jes 11,2). Erst durch den Heiligen Geist haben wir die Möglichkeit, Gott als Vater anzusprechen (Röm 8,15; Gal 4,6). Der Geist ermächtigt und befähigt uns also, Gottes sich in Jesus Christus selbst mitteilende Liebe als solche zu erkennen und uns ihrer zu erfreuen. Im Heiligen Geist als dem Gott in uns können wir den Gott über uns, den Vater, als denjenigen erkennen, der im Sohn der Gott unter uns ist. *Der Geist läßt uns Gottes Gnade als Gnade erkennen; durch ihn können wir Gottes Gabe als Gabe, seine Liebe als seine Liebe erfassen; er ist die subjektive Möglichkeit der Offenbarung*[94].

---

[93] Y. Congar, aaO., 59; 199f; 204f.
[94] K. Barth, Die Kirchliche Dogmatik I/2, 264ff.

Da der Geist Gottes eschatologisches Gabesein und Gottes eschatologische Liebe auf eschatologisch-endgültige Weise in uns und für uns offenbar macht, muß er auch in sich Gottes Gnädigkeit sein. Wäre er nämlich Gottes Liebe und Gabesein nicht »zuerst« in sich und wäre er dies nur für uns, könnte er Gottes Gottsein, das – wie gezeigt – in der Freiheit seiner sich selbst mitteilenden Liebe besteht, nicht für uns offenbar machen. Er würde dann nicht Gott, wie er ist, offenbar machen, sondern Gott wie und insofern er sich geschichtlich zeigt. *Damit der Heilige Geist die subjektive Möglichkeit der eschatologisch-endgültigen Offenbarung der Liebe und d. h. des Gottseins Gottes sein kann, muß er diese Freiheit in der Liebe sein, d. h. er muß die Liebe Gottes in Person sein. Er muß nicht nur Gottes Gabe, sondern auch der Geber dieser Gabe sein; er muß das, was Gott seinem Wesen nach ist, in einer eigenen personalen Weise verwirklichen.* Diese These ist kein eigenmächtiger Rückschluß vom heilsgeschichtlichen Wirken des Geistes auf sein personales göttliches Wesen. Ein solches Rückschlußverfahren müßte notwendig an der Geheimnishaftigkeit des Geistes kläglich scheitern. Wir könnten über das innere göttliche Wesen des Geistes kein Wort sagen, wäre es uns nicht vom Geist selbst geoffenbart und in der Schrift bezeugt. Das einzige, was uns möglich ist, besteht darin, daß wir vom Geist geleitet und erleuchtet den inneren Zusammenhang und die innere Entsprechung zwischen den Offenbarungsaussagen über das heilsgeschichtliche Wirken des Geistes und den Offenbarungsaussagen über sein göttliches Wesen erkennen.

Unsere Überlegungen werden bestätigt und vertieft durch die Ausführungen, die *Augustinus* dazu gemacht hat. Augustinus stellt sich die Frage: Wie kann man den Heiligen Geist als die Gabe und als die Liebe Gottes bezeichnen, da doch die Liebe und das Gabesein das Wesen Gottes ausmachen und insofern allen göttlichen Personen eigen sind? In seiner Antwort unterscheidet Augustinus zwischen dem Gebrauch des Wortes Liebe im wesenhaften Sinn und im personalen Sinn. Im wesenhaften Sinn ist die Liebe das Wesen Gottes und allen göttlichen Personen eigen, im personalen Sinn kommt sie dem Heiligen Geist in besonderer Weise zu[95]. Der Heilige Geist bringt also nach Augustinus das Geschenksein und die Liebe des Vaters und des Sohnes in personaler Weise zum Ausdruck; er ist in Person die gegenseitige Liebe des Vaters und des Sohnes[96]. Er geht im Unterschied zum Sohn nicht quommodo natus, sondern quommodo datus aus dem Vater hervor[97]. Damit bringt er zum Ausdruck, daß sich das Geschenk- und Liebesein Gottes nicht

---

[95] Augustinus, De Trinitate XV, 17 (CCL 50 A, 501–507).
[96] Ebd. V, 11 (CCL 50, 218 ff); In Johannis Evangelium Tract. 105, 3 (CCL 36, 604 f).
[97] Augustinus, De Trinitate V, 14 (CCL 50, 222 f).

erst durch das Geschenktwerden in der Geschichte verwirklicht, sondern von Ewigkeit her Wirklichkeit ist, daß also Gott von Ewigkeit her »schenkbar« (donabile) ist[98]. Der Geist ist also »in einer solchen Weise Gott«, »daß man ihn zugleich Gabe Gottes nennen kann«[99]. Hier liegt der tiefste Grund, weshalb der Heilige Geist als Gabe zugleich der personale Geber dieser Gabe ist.

So können wir zusammenfassend sagen: Der Heilige Geist offenbart und ist das Gabesein als Gabe, die Liebe als Liebe. *Der Geist bringt also das innerste Wesen Gottes, die sich selbst mitteilende Liebe, in der Weise zum Ausdruck, daß dieses Innerste zugleich das Äußerste ist, nämlich die Möglichkeit und die Wirklichkeit des Außer-sich-Seins Gottes. Der Geist ist gleichsam die Ekstasis Gottes; er ist Gott als reiner Überfluß, Gott als Überströmen von Liebe und Gnade*[100]. So kommt im Heiligen Geist einerseits die immanente Liebe Gottes zu ihrem Ziel. Indem sich Vater und Sohn im Heiligen Geist sozusagen als Liebe erfassen und verwirklichen, weist Gottes Liebe im Geist aber zugleich über sich selbst hinaus. Dieses liebende Über-sich-hinaus-Verströmen geschieht nicht auf dem Weg eines notwendigen Sich-Verströmens, sondern in der personalen Weise freiwilligen Teilhabenlassens und der freien, gnädigen Selbstmitteilung. Im Geist hat Gott sozusagen die Möglichkeit, eben dadurch er selbst zu sein, daß er sich entäußert. Im Heiligen Geist ist Gott von Ewigkeit her schenkbar. In diesem Sinn haben die Väter den Geist oft mit dem ausströmenden Duft einer Salbe verglichen[101] oder ihn als ausstrahlende Schönheit Gottes begriffen, deren Spur man in der geschöpflichen Schönheit, im Gabenreichtum und im Überfluß in der Schöpfung erkennen kann[102]. *So ist der Geist als die Vollendung in Gott auch die eschatologische Vollendung der Welt.*

Mit dieser Theologie des Heiligen Geistes vollziehen wir *Korrekturen sowohl an manchen Strömungen östlicher Theologie wie an der neuscholastisch orientierten westlichen Theologie.* Anders als die palamitische Theologie verstehen wir die Gnade nicht als ungeschaffene Energie, sondern als reale Selbstmitteilung Gottes in der und durch die Einwohnung der Hypostase des Heiligen Geistes. Durch die Einwohnung des uns geschenkten Heiligen Geistes werden wir der göttlichen Natur teilhaftig (2 Petr 1,4). Anders aber als bei der Selbstmitteilung des

---

[98] Ebd. V, 15 (CCL 50, 224).

[99] Augustinus, Enchiridion XII, 40 (CCL 46, 72).

[100] Vgl. H. U. v. Balthasar, Der Heilige Geist als Liebe, in: Spiritus Creator. Skizzen zur Theologie III, Einsiedeln 1967, 106–122; W. Kasper, Die Kirche als Sakrament des Geistes, in: W. Kasper/G. Sauter, Kirche – Ort des Geistes, aaO. 33 f; Y. Congar, aaO., 193 ff.

[101] Scheeben, Mysterien, 119 ff.

[102] Augustinus, De Trinitate VI, 10 (CCL 50, 241 ff).

Sohnes Gottes werden wir durch den Geist nicht Söhne Gottes aufgrund von Zeugung, d.h. dem Wesen nach, sondern Söhne und Töchter Gottes der Gabe und Gnade nach, d.h. Kinder Gottes durch Adoption (Röm 8,15.23; Gal 4,5). Indem wir so die neutestamentlichen Aussagen von der Einwohnung des Heiligen Geistes ernst nehmen und nicht nur von einer dem Heiligen Geist lediglich zugeschriebenen (appropriierten) Einwohnung Gottes, sondern von einer persönlichen (hypostatischen) Einwohnung des Geistes sprechen, grenzen wir uns auch ab vom neuscholastischen Verständnis der Gnade als einer von Gott verschiedenen, geschaffenen Wirklichkeit[103]. Gnade ist vielmehr primär ungeschaffene Gnade, Gottes Selbstmitteilung im Heiligen Geist. Damit ist die geschaffene Gnade nicht ausgeschlossen. Die ungeschaffene Gnade verwandelt ja den Menschen innerlich, sie hat also geschöpfliche Wirkungen, und sie bedarf der allein durch Gnade möglichen Annahme durch den Menschen. So bedarf die ungeschaffene Gnade, die Einwohnung des Heiligen Geistes, zu ihrer Vorbereitung der geschaffenen Gnade, wie sie diese auch als ihre Wirkung zur Folge hat. Die Selbstmitteilung Gottes im Heiligen Geist ist also nicht ohne die vielfältigen von Gott verschiedenen und deshalb geschaffenen Gaben des Heiligen Geistes zu denken.

Das alles macht deutlich: *Eine Theologie des Heiligen Geistes als Geber und Gabe in einem, also eine Theologie des Heiligen Geistes als Selbstgabe, ist der letzte Grund, sozusagen die transzendental-theologische Bedingung der Möglichkeit der Wirklichkeit und Verwirklichung des Heils, das uns durch Jesus Christus geschenkt ist.* Damit zeigt sich auch, daß die Theologie des Heiligen Geistes nicht aus dem Bereich des Glaubens herausführt, sondern tiefer in ihn einführt. Sie bewährt sich dadurch, daß von ihr her die Heilswirklichkeit tiefer verstehbar wird. Vor allem Thomas von Aquin hat in großartiger Weise gezeigt, in welcher Weise vom Verständnis des Heiligen Geistes als der göttlichen Liebe in Person ausgehend das Wirken und die Wirkungen des Heiligen Geistes verstanden werden können[104]:

Da der Geist die göttliche Liebe in Person ist, ist er *erstens* das *Prinzip der Schöpfung;* sie ist ja Ausfluß der Liebe Gottes und Teilhabe an Gottes Sein. Der Heilige Geist ist die innere Voraussetzung dieser Mittelbarkeit Gottes nach außen. Er ist aber auch das Prinzip der Bewegung und des Lebens in der Schöpfung. Wo immer Neues entsteht,

---

[103] Vgl. H. Schauf, Die Einwohnung des Heiligen Geistes. Die Lehre von der nicht appropriierten Einwohnung des Heiligen Geistes als Beitrag zur Theologiegeschichte des 19. Jahrhunderts unter besonderer Berücksichtigung der beiden Theologen Carl Passaglia und Clemens Schrader (Freiburger theol. Stud. 59), Freiburg i. Br. 1941.
[104] Thomas v. A., Summa c. gent. IV c.20–22.

wo immer Leben geweckt wird und die Wirklichkeit ekstatisch über sich hinausdrängt, in allem Suchen und Streben, Gären und Gebären und noch mehr in der Schönheit der Schöpfung zeigt sich etwas von der Wirksamkeit und Wirklichkeit des Geistes Gottes. Das II. Vatikanische Konzil hat diese universale Wirksamkeit des Geistes nicht nur in den Religionen der Menschheit, sondern auch in der menschlichen Kultur und im menschlichen Fortschritt gesehen[105]. Wir können auch sagen: Weil der Geist die innere Möglichkeitsbedingung der Schöpfung ist, ist diese immer schon mehr als reine Natur[106]. *Die Schöpfung ist durch den Heiligen Geist immer schon übernatürlich finalisiert und geprägt.*

Der Heilige Geist ist *zweitens* in besonderer Weise *Prinzip in der Ordnung der Gnade*. Er ist überall dort am Werk, wo Menschen die Freundschaft mit Gott suchen und finden. Das liebende Einswerden mit Gott ist uns ja erst durch den Heiligen Geist möglich[107]. *Durch den Geist sind wir in Gott und Gott in uns.* Durch ihn sind wir Freunde, Söhne und Töchter Gottes, die, weil von innen getrieben, Gott nicht als Knechte, sondern als Freie dienen und die durch diese Gottesfreundschaft mit Freude und Trost erfüllt werden. Die Gnade des Heiligen Geistes, die durch den Glauben an Jesus Christus gegeben wird, ist also, wie Thomas von Aquin gezeigt hat, *das Gesetz des Neuen Bundes*. Es ist ein ins Herz geschriebenes, ein inneres und von innen her bewegendes Gesetz, und deshalb ein *Gesetz der Freiheit*[108]. Die Freude an Gott ist die wahre Freiheit der Kinder Gottes. Sie erweist sich in vielfältigen Gnadengaben (1 Kor 12,4–11) und Früchten des Heiligen Geistes (Gal 5,22 f). Die höchste Gabe und Frucht des Geistes ist die Liebe (1 Kor 13), denn wirklich frei ist, wer nicht an sich gebunden ist, sondern wer sich selbst wegschenken kann im Dienst der Liebe (Gal 5,13). Am meisten bewährt sich die vom Geist geschenkte Freiheit in der sich verströmenden Liebe in der Situation der Verfolgung und des Leidens. Im Aushalten von Verfolgung und im geduldigen Ertragen des Leidens kommt die innere Unabhängigkeit gegenüber den von außen andrängenden Mächten und Gewalten zu ihrer höchsten Vollendung. Nicht umsonst wird der Geist

[105] Vatikanum II, Gaudium et spes, 26; 28; 38; 41; 44.
[106] K. Rahner, Über die Möglichkeit des Glaubens heute, in: ders., Schriften. Bd. 5. 11–32; ders., Das Christentum und die nichtchristlichen Religionen, in: ebd. 136–158; ders., Die anonymen Christen, in: Schriften. Bd. 6. 545–554; ders., Atheismus und implizites Christentum, in: Schriften. Bd. 8. 187–212; ders., Anonymes Christentum und Missionsauftrag der Kirche, in: Schriften. Bd. 9. 498–515; ders., Bemerkungen zum Problem des ›anonymen Christen‹, in: Schriften. Bd. 10. 531–546; ders., Anonymer und expliziter Glaube, in: Schriften. Bd. 12. 76–84; ders., Jesus Christus in den nichtchristlichen Religionen, in: ebd. 370–383; ders., Mission und »implizite Christlichkeit«, in: Sacram. mundi III, 547–551.
[107] Thomas v. A., Summa c. gent. IV c.21 f.
[108] Thomas v. A., Summa theol. I/II q.106 a.1 f; q.108 a.1 f.

sowohl in der Schrift (Joh 15 f) wie in der Tradition oft als Kraft (robur) zum Widerstand bezeichnet. Er ist zugleich der Geist der Wahrheit (Joh 15,26; 16,13), der die wahre Wirklichkeit gegen deren gewaltsame, lügenhafte Verdrehung und Unterdrückung ans Licht bringt und so den Glanz der Herrlichkeit Gottes in der Welt wieder aufstrahlen läßt. Am schönsten kommt diese heilende und verwandelnde Kraft des Geistes in den bekannten Heilig-Geist-Hymnen »Veni Creator Spiritus« (9. Jahrh.) und »Veni Sancte Spiritus« (12. Jahrh.) zum Ausdruck. Dort wird der Geist als der lebensschaffende Schöpfergeist beschrieben, der als der Heilige Geist zugleich das Herz mit gnadenhaftem Lebensodem der Liebe erfüllt, der die Macht des Bösen bannt und das, was befleckt ist, reinwäscht, war dürr ist, befruchtet, was kalt ist, erwärmt, was krank ist, heilt. So bricht in der Heiligung durch den Heiligen Geist die eschatologische Verwandlung und Vollendung des Menschen und der Welt an.

Das Gesagte hat *drittens Konsequenzen für das Verständnis der Kirche.* Wenn der Geist die eigentliche Vergegenwärtigung und Verwirklichung des durch Jesus Christus geschenkten Heils ist, dann hat alles Äußere in der Kirche, sowohl die Schrift wie die Sakramente, die Ämter und erst recht die Disziplin der Kirche nur die Aufgabe, auf den Empfang dieser Gabe des Geistes vorzubereiten, sie instrumental zu vermitteln und sie zur Wirkung zu bringen[109]. Das bedeutet für die Kirche, daß die Herrschaft Christi weiter und umfassender ist als die sichtbare Kirche. Überall dort, wo Liebe geschieht, ist der Geist Gottes am Werk und die Herrschaft Christi auch ohne institutionelle Formen und Formeln verwirklicht[110]. Andererseits ist damit ebenso gesagt, daß *der Heilige Geist das innere Lebensprinzip, die Seele der sichtbaren Kirche* ist[111]. Aus ihm muß sie leben und aus ihm sich immer wieder erneuern. Durch das stets gegenwärtige Wirken des Geistes bleibt die Kirche stets jung. Das Wirken des Geistes in der Kirche besteht ja darin, Jesus Christus in seiner Neuheit immer wieder neu zu vergegenwärtigen[112]. Gerade als der Geist Jesu Christi ist der Geist der Geist der Freiheit vom tötenden Buchstaben. Der Geist bewahrt die Kirche eben dadurch in der Treue

---

[109] Ebd.

[110] Thomas v. A., Summa theol. III q. 8 a. 3; vgl. M. Seckler, Das Haupt aller Menschen. Zur Auslegung eines Thomastextes, in: Virtus politica (FS A. Hufnagel), Stuttgart–Bad Cannstatt 1974, 107–125.

[111] Augustinus, Sermo 267, 4 (PL 38, 1231); vgl. Leo XIII, Rundschreiben »Divinum illud«, in: Heilslehre der Kirche. Dokumente von Pius IX. bis Pius XII. Deutsche Ausgabe des französischen Originals von P. Cattin u. H. Th. Conus besorgt v. A. Rohrbasser, Freiburg/Schweiz 1953, 12; Pius XII, Rundschreiben »Mystici corporis«, in: ebd. 496; Vatikanum II, Lumen gentium, 7.

[112] Irenäus, Adv. haer. III, 17, 1 (SC 211, 328–331).

zur Tradition, daß er sie prophetisch in alle Wahrheit einführt und ihr das Kommende kundtut (Joh 16,13). Er ist nicht eine Art ideologischer Absicherung des Status quo der Kirche, sondern der Geist ständiger Erneuerung. Er erschließt der Kirche vor allem immer wieder neue missionarische Möglichkeiten, und er weist ihr immer wieder neue Wege. Er drängt sie, auf sein Wirken in den »Zeichen der Zeit« zu achten, sie zu deuten und von ihnen her die christliche Botschaft tiefer zu verstehen.

Mit alledem läßt uns der Geist, der die Tiefen der Gottheit erforscht und kennt (1 Kor 2,11), Gott immer tiefer erkennen und immer mehr lieben. Deshalb ist er es auch, der uns in die Tiefen der Gottheit einführt, indem er uns erkennen läßt, wer Gott als Vater, Sohn und Geist ist; er erschließt uns das dreieinige Wesen Gottes und ermöglicht das trinitarische Bekenntnis, in dem das tiefste Geheimnis des Gottes Jesu Christi bleibend verbindlich zum Ausdruck kommt.

III. Das trinitarische Geheimnis Gottes

I. GRUNDLEGUNG DER TRINITÄTSLEHRE

1. Religionsgeschichtliche und philosophische Vorbereitung

Das Bekenntnis zum einen Gott in drei Personen gilt zu Recht als das Proprium und Specificum des christlichen Gottesglaubens[1]. Dabei ist das trinitarische Bekenntnis nicht eine differentia specifica, die zu einer wie immer gearteten allgemein-religiösen Gottesvorstellung als christliche Besonderheit oder gar Absonderlichkeit hinzukommt; es ist vielmehr die christliche Ausprägung des Sprechens von Gott, die zugleich den Anspruch erhebt, die eschatologisch-endgültige und universale Wahrheit über Gott zu sein, durch die alle andere Rede von Gott erst ihre volle Wahrheit erhält. Es ist die sachgemäße, ja sachnotwendige, verbindliche Auslegung der eschatologischen Offenbarung Gottes in Jesus Christus durch das Wirken des Heiligen Geistes. *So ist das trinitarische Bekenntnis die Zusammenfassung und die Summe des Ganzen des christlichen Heilsmysteriums*, mit dem das Ganze der christlichen Heilswirklichkeit steht und fällt. Nicht umsonst hat es seinen »Sitz im Leben« nicht in weltfremden Spekulationen von Mönchen und Theologen, sondern im Vorgang des Christwerdens, in der Taufe, die in allen Kirchen »im Namen des Vaters, des Sohnes und des

---

[1] Neuere Veröffentlichungen zur Trinitätslehre (die entsprechenden Lexikon-Artikel »Dreifaltigkeit« und »Trinität« werden nicht eigens aufgeführt, ebensowenig wie die bekannten Handbücher der Dogmatik): K. Rahner, Bemerkungen zum dogmatischen Traktat »De Trinitate«, in: Schriften. Bd. 4, 103–133; ders., Der dreifaltige Gott als transzendenter Urgrund der Heilsgeschichte, in: Mysal II, 317–397; B. Lonergan, De Deo trino, Rom ^{2}1964; J. Daniélou, La trinité et le mystère de l'existence, Paris ^{2}1968; H. Geißer, Der Beitrag der Trinitätslehre zur Problematik des Redens von Gott, in: ZThK 65 (1968), 231–255; L. Scheffczyk, Der eine und dreifaltige Gott, Mainz 1968; F. Bourassa, Questions de théologie trinitaire, Rom 1970; E. Fortman, The triune God, London 1972; M. Durrant, Theology and Intelligibility. An Examination of the Proposition that God is the Last End of Rational Creatures and the Doctrine that God is Three Persons in One Substance. »The Doctrine of the Holy Trinity«, London–Boston 1973; R. Panikkar, The Trinity and the Religious Experience of Man. Icon, Person, Mystery, New York–London 1973; H. Brunner, Dreifaltigkeit. Personale Zugänge zum Mysterium, Einsiedeln 1976; E. Jüngel, Gott als Geheimnis der Welt. Zur Begründung der Theologie des Gekreuzigten im Streit zwischen Theismus und Atheismus, Tübingen 1977; H. Wipfler, Grundfragen der Trinitätsspekulation. Die Analogiefrage in der Trinitätstheologie, Regensburg 1977; J. Moltmann, Trinität und Reich Gottes. Zur Gotteslehre, München 1980; W. Pannenberg, Die Subjektivität Gottes und die Trinitätslehre, in: Grundfragen systematischer Theologie. Gesammelte Aufsätze. Bd. 2. Göttingen 1980, 96–111.

Heiligen Geistes« geschieht. *So ist das Christwerden wie das Christsein unabdingbar mit dem trinitarischen Bekenntnis verbunden.*

Doch gerade an diesem Punkt, der ähnlich wie der Schlußstein eines gotischen Gewölbes das Ganze zusammenhält, türmen sich auch die *Schwierigkeiten für das Verstehen* in besonderer Weise auf. Dabei stehen die logischen wie die gewiß nicht einfachen bibeltheologischen, religions- und dogmengeschichtlichen Probleme bei weitem nicht an erster Stelle. Viel wichtiger ist das lebenspraktische Argument. Es ist eine Tatsache, daß viele Christen das trinitarische Bekenntnis zwar korrekt aufsagen, etwa wenn sie bei der Eucharistiefeier das Credo sprechen, daß sie damit aber für ihr christliches Leben herzlich wenig anfangen können. K. Rahners Feststellung, die meisten Christen seien faktisch Monotheisten, dürfte zutreffen[2]. Die verbreitete, gelegentlich auch in offizielle Dokumente sich einschleichende Rede vom persönlichen Gott, statt – wie das trinitarische Bekenntnis es verlangte – vom dreipersönlichen Gott belegt diese These voll und ganz. Wir müssen also, bevor wir die innertheologischen Probleme des Trinitätsbekenntnisses erörtern, uns zunächst um Verstehenszugänge bemühen, um so die theologische Problemdimension zu erreichen, innerhalb derer dieses Bekenntnis überhaupt erst relevant werden kann. Bei diesen Vorüberlegungen geht es noch nicht um eine Begründung des trinitarischen Glaubens, sondern lediglich um erste vorbereitende und hinführende Überlegungen, die die Frage erschließen sollen, auf die das Bekenntnis die Antwort zu sein beansprucht.

Selbstverständlich hat die kirchliche Trinitätslehre nie die ihr immer wieder unterschobene, aber völlig absurde Behauptung aufgestellt: 1 = 3. Das wäre nur dann der Fall, wenn behauptet würde: 1 Person = 3 Personen, oder: 1 göttliches Wesen = 3 göttliche Wesen, wenn also in Gott Einheit und Dreiheit unter ein- und derselben Rücksicht behauptet würden. Das würde in der Tat dem Widerspruchsprinzip widersprechen, nach dem ein- und dieselbe Wirklichkeit nicht unter ein- und derselben Rücksicht eins und drei zugleich sein kann. Nun wird aber im Trinitätsbekenntnis die Einheit des Wesens und die Dreiheit der Personen bzw. die Einheit des Wesens in der Dreiheit der Personen ausgesagt. Von eins und von drei ist also unter ganz verschiedener Rücksicht die Rede und eine innere Widersprüchlichkeit damit ausgeschlossen. Diese negative Feststellung kann durch eine positive ergänzt werden. Es geht im trinitarischen Bekenntnis nicht um ein existentiell relativ oberflächliches, arithmetisches und logisches Problem. *In den Zahlen eins und drei sowie in deren gegenseitigem Verhältnis artikulieren sich uralte Grund-*

---

[2] Vgl. K. Rahner, Der dreifaltige Gott als transzendenter Urgrund der Heilsgeschichte, in: Mysal II, 319.

probleme des Wirklichkeits- und Selbstverständnisses des Menschen. Es geht um den letzten Grund und Sinn aller Wirklichkeit. Daß *die Frage nach der Einheit ein Grundproblem des Menschen und der Menschheit* ist, läßt sich relativ leicht zeigen[3]. Die Einheit ist die Voraussetzung dafür, daß ein Seiendes mit sich identisch und damit identifizierbar ist. Alles, was ist, ist nur in der Weise der Einheit gegeben. Solche Einheit besagt Ungeteiltsein in sich und Unterschiedensein von anderem. *Einheit ist darum eine alles umfassende (transzendentale) Ur- und Grundbestimmung des Seins[4].* Einheit als transzendentale Bestimmung des Seins bedeutet also keine Zahl; Einheit ist vielmehr die Voraussetzung der Zählbarkeit und das Maß der Zahlen[5]. Die quantitative, zählbare Einheit ist nur die unterste, abgeleitete Form der Einheit, die höhere Formen der Einheit voraussetzt. Denn eine Vielzahl von Seienden läßt sich nur aufgrund der übergreifenden Einheit der Art und der Gattung denken. Die Rede von drei oder vier Menschen ist ja nur sinnvoll, wenn diese drei oder vier Menschen an dem einen Wesen des Menschen Anteil haben, also unter der Voraussetzung der artmäßigen Einheit und des darauf basierenden Allgemeinbegriffs Mensch. Die numerische Einheit setzt also die Einheit der Art (species) und der Gattung (genus) voraus. Die Frage ist nun, ob es auch jenseits der unterschiedlichen Gattungen der Wirklichkeit eine umgreifende Einheit aller Wirklichkeit gibt[6]. Erst an dieser Stelle wird die Frage nach der Einheit existentiell dringlich. Denn ohne eine solche alles umfassende Einheit in der Vielfalt der Wirklichkeitsbereiche wäre die Welt nur ein aufs Geradewohl umgeschütteter Kehrichthaufen ohne Ordnung und ohne Sinn[7]. *Die Frage nach der Einheit der Wirklichkeit in der Vielfalt*

---

[3] Zum Thema Einheit: E. Peterson, Εἷς θεός. Epigraphische, formgeschichtliche und religionsgeschichtliche Untersuchungen, Göttingen 1920; L. Oeing-Hanhoff, Ens et unum convertuntur. Stellung und Gehalt des Grundsatzes in der Philosophie des Hl. Thomas von Aquin (Beiträge zur Geschichte der Philosophie des Mittelalters 37, Heft 3), Münster 1953; M. Heidegger, Identität und Differenz, Pfullingen 1957; K. Rahner, Art. Einheit, in: LThK III, 749–750; H. Volk, Die Einheit als theologisches Problem, in: MThZ 12 (1961), 1–13; E. Coreth, Einheit und Differenz, in: Gott in Welt I (FS Karl Rahner), Freiburg–Basel–Wien 1964, 158–187; W. Kern, Einheit-in-Mannigfaltigkeit. Fragmentarische Überlegungen zur Metaphysik des Geistes, in: Gott in Welt I, 207–239; E. Stauffer, Art. εἷς, in: ThWNT II, 432–440; H. R. Schlette, Das Eine und das Andere. Studien zur Problematik des Negativen in der Metaphysik Plotins, München 1966; W. Heisenberg, Der Teil und das Ganze. Gespräche im Umkreis der Atomphysik, München 1969; C. F. von Weizsäcker, Die Einheit der Natur, München ²1971; Art. Das Eine, in: HWPh II, 361–367; M. Zahn, Art. Einheit, in: Handb. phil. Grundbegr. I, 320–337.
[4] Thomas v. A., De Ver. q.1, a.1; q.2 a.15; Summa theol. I q.11 a.1.
[5] Aristoteles, Met. IV, 6, 1016 b.
[6] Vgl. ebd.
[7] Heraklit, Fragm. 124 (Die Fragmente der Vorsokratiker, hrsg. v. H. Diels u. W. Kranz. Bd. 1. Berlin ⁶1951, 178).

der Wirklichkeitsbereiche ist also gleichbedeutend mit der Frage nach der Verstehbarkeit und nach dem Sinn der Wirklichkeit. Erst im Horizont dieser Frage kann der Sinn des monotheistischen Gottesglaubens voll verstanden werden.

Die Frage nach der Einheit in der Vielfalt der Wirklichkeit wird auf ihre Weise schon in den Mythen gestellt[8]. Die Göttervielheit im Polytheismus ist im Grunde Ausdruck der Vielschichtigkeit, Zerrissenheit und Nichtsynthetisierbarkeit der Wirklichkeit. Demgegenüber sind bereits die Göttergenealogien der Versuch, Ordnung und Einheit in diese Vielheit zu bringen. Die meisten Religionen sind denn auch nicht schlechterdings polytheistisch; sie kennen vielmehr einen höchsten Gott oder ein umgreifendes Göttliches, das in den vielen Göttern in unterschiedlicher Weise epiphan wird. So gibt es in Ägypten unter Echnaton schon um 1350 v. Chr. den aufgeklärten Versuch eines Monotheismus des Sonnengottes Aton. Erst recht sind der hinduistische Brahmanismus und der Buddhismus ausgesprochene Religionen der Alleinheit aller Wirklichkeit.

Das abendländische Denken war seit seinen Anfängen bei Heraklit und Parmenides mit dem Problem der Einheit befaßt. Schon im 6. Jahrhundert v. Chr. kommt Xenophanes als Ergebnis radikaler Religionskritik zu der Einsicht: »Ein einziger Gott, unter Göttern und Menschen am größten, weder an Gestalt den Sterblichen ähnlich, noch an Gedanken«[9]. Diese Einsichten wirken noch bei Aristoteles nach, der das 11. (das theologische) Buch seiner Metaphysik mit dem bekannten Zitat aus Homers Ilias schließt: »Niemals taugt's, wenn viele regieren, nur einer soll Herrscher sein«[10]. Diese monarchia, d. h. Ein-Herrscher- und Ein-Ursprungslehre war für Aristoteles ein politisches wie ein metaphysisches Programm; genauer: Die politische Ordnung war für ihn metaphysisch und theologisch begründet. Diese politische und metaphysische Theologie der Einheit wurde in der Stoa weiter ausgebildet. Nach der Stoa ist es die eine göttliche Weltvernunft, die alles zusammenhält und alles ordnet; sie spiegelt sich vor allem in der Vernunft des Menschen, dem es aufgetragen ist, gemäß der Ordnung der Natur zu leben[11]. Ihre höchste Vollendung fand die Philosophie der Einheit im Neuplatonismus. Schon Aristoteles hatte erkannt, daß das die Gattungen übergreifende, überkategoriale und transzendentale Eine nicht

[8] Zum religionsgeschichtlichen Monotheismusproblem: R. Panikkar, The Trinity and World Religions, Madras 1970; Dom Le Saux, Indische Weisheit-Christliche Mystik. Von der Vedanta zur Dreifaltigkeit, München 1968.

[9] Xenophanes, Fragm. 23 (Die Fragmente der Vorsokratiker, aaO., 135).

[10] Aristoteles, Met. XI, 10, 1076 a. Vgl. dazu: E. Peterson, Monotheismus als politisches Problem, in: Theologische Traktate, München 1951, 45–147.

[11] Vgl. H. Kleinknecht, Art. λόγος, in: ThWNT IV, 83 f.

mehr auf den Begriff gebracht werden kann, daß man vielmehr nur vom Einen her und auf es hin denken kann[12]. Plotin ging noch einen Schritt weiter. Da alles Seiende Einheit voraussetzt, muß das Eine jenseits des Seienden stehen; es ist das Überseiende und damit auch das Unsagbare, das nur einer Ekstase der Vernunft berührbar ist[13].

Ein sich selbst recht begreifendes Einheitsdenken führt also nicht zu einem geschlossenen System, in dem alles aus einem einzigen Prinzip ableitbar ist. Die Frage nach der Einheit führt vielmehr in dem Sinn zu einem offenen System, als sich das Prinzip dieser Einheit dem rein rationalen Begreifen entzieht. Im Sinn der aristotelisch-thomanischen Philosophie muß man sagen: Die transzendentale Seinsbestimmung Einheit verwirklicht sich in den verschiedenen Seinsbereichen nicht univok, sondern analog. Die Frage nach der Einheit aller Wirklichkeit, ohne die sinnvolles Reden, Denken, Handeln und nicht zuletzt sinnvolles Menschsein nicht möglich ist, führt letztlich in ein Geheimnis. So war die neuplatonische Philosophie der Einheit nicht eine abstrakte Spekulation, sondern die Grundlage einer ganzen Spiritualität und Mystik. Sie zielte darauf, daß die Seele sich immer mehr reinigt von dem Vielen und Vielfältigen, um zum Einen aufzusteigen und dieses in mystischer Ekstase zu berühren. Diese Mystik hat auch die christliche Tradition nachhaltig beeinflußt. In den Confessiones Augustins heißt es: »Sieh denn: Zerfahrenheit ist mein Leben. Und deine Machthand hat mich ergriffen, ...damit...ich mich zusammenraffe im Streben nur nach dem einen... Noch aber schwinden meine Jahre in Seufzen dahin und du nur bist mein Trost Herr, mein Vater, und du bist ewig; ich aber splittere in Zeit und Zeit und kenne ihre Ordnung nicht, und im aufgeregten Unbestand der Dinge werden meine Gedanken, wird das tiefste Leben meiner Seele hierhin, dorthin gezerrt, bis ich, in der Glut deiner Liebe zu lauterem Fluß geschmolzen, in dir ein ungeteilt Eines werde.«[14]

Nicht weniger als die Frage nach der Einheit ist die *Frage nach der Dreiheit eine Urfrage des Menschen und der Menschheit.* Dreierschemata (Triaden, Ternare) stellen sich immer dort ein, wo die Wirklichkeit sich gegen das dem menschlichen Geist angeborene Einheitsbedürfnis sperrt. Die Dreiheit repräsentiert also die Vielheit und Vielfalt der Wirklichkeit. Da die Drei aber Anfang, Mitte und Ende hat, ist sie keine beliebige Vielheit. *Die Drei ist die einfachste und zugleich die vollendetste Form der Vielfalt, die geordnete Vielheit und damit Einheit in der Vielheit.* Aristoteles bezeichnet sie darum als *die Zahl der Ganzheit*[15].

[12] Aristoteles, Nik. Eth. I, 4, 1096 b.
[13] Plotin, Enn. VI, 9, 4.
[14] Augustinus, Conf. XI, 29, 39 (CCL 27, 214f).
[15] Vgl. zum folgenden R. Mehrlein, Art. Drei, in: RAC IV, 269–310.

In den Mythen und in den Religionen begegnen uns immer wieder Dreiergruppen. Nach der griechischen Mythologie sind die Bereiche der Welt auf die drei Söhne des Kronos aufgeteilt: Zeus, Poseidon, Hades. Oft begegnen wir dreiköpfigen oder dreileibigen Göttergestalten. In den kultischen Riten, in Musik und Architektur sind Dreierrhythmen beliebt. Bekannt ist die dreifache Wiederholung der Eidesformel; auch sonst ist die sprachliche und literarische Trigemination bzw. Triplikation ein wichtiges Stilmittel. Schließlich begegnet uns die Dreiteilung als beliebtes denkerisches Einteilungsschema (etwa: Altertum, Mittelalter, Neuzeit). Besonders die neuplatonische Philosophie war voll von Ternaren. Plotin faßte die Welt in drei Begriffen: das Eine, der Geist, die Seele. Bei Jamblichos, Proklos, Dionysius Areopagita wird die Wirklichkeit insgesamt nach dem Gesetz der Dreigliedrigkeit begriffen[16]. Von besonderer Bedeutung waren in der Antike die Spekulationen über das Dreieck, das schon bei den Pythagoräern nicht nur als ein geometrisches und arithmetisches, sondern auch als ein kosmisches Prinzip galt[17]. Platon hat diese Spekulationen weitergeführt und die verschiedenen Arten von Dreiecksflächen als Grundbausteine der Welt erklärt[18]. Die christliche Verwendung des Dreieck-Symbols war freilich lange Zeit deshalb unmöglich, weil das Dreieck ursprünglich auch als ein Sexualsymbol galt; als solches war es Hinweis auf den Ur- und Muttergrund allen Seins. Erst seit dem 15. Jahrhundert gilt das Dreieck als Trinitätssymbol.

Solche Ternare und Triaden sind auch im Alten Testament und Neuen Testament reich bezeugt[19]. Dennoch läßt sich die christliche Trinitätslehre nicht aus solchen Symbolen und Spekulationen ableiten[20]. Denn nirgends begegnet uns die spezifisch christliche Vorstellung von einer Gottheit in drei Personen, also von der Wesenseinheit dreier göttlicher Personen. Im Unterschied zu den genannten außerchristlichen Vorstellungen und Spekulationen ist die Einheit in der Dreiheit im Christentum kein kosmologisches, Gott und Welt umfassendes, sondern ein streng theologisches, ja ein innergöttliches Problem. Deshalb wird die christliche Trinitätslehre in der Bibel nie mit Hilfe solcher kosmischer Spekula-

[16] Vgl. R. Roques, Art. Dionysius Areopagita, in: RAC III, 1090f.
[17] Vgl. A. Stuiber, Art. Dreieck, in: RAC IV, 310–313.
[18] R. Mehrlein, aaO. 298–309; G. Delling, Art. τρεῖς, in: ThWNT VIII, 215–225.
[19] R. Mehrlein, aaO. 280f.
[20] Zum biblischen Ein-Gott-Glauben vgl. E. Stauffer, Art. εἷς, in: ThWNT II, 432–440; Th. C. Vriezen, Theologie des Alten Testaments in Grundzügen, Neukirchen 1956, 147–152; A. Deissler, Die Grundbotschaft des Alten Testaments. Ein theologischer Durchblick, Freiburg–Basel–Wien ²1972, 25–31; K. H. Schelkle, Theologie des Neuen Testaments. Bd. 2. Düsseldorf 1973, 256–262; B. Lang (Hrsg.), Der einzige Gott. Die Geburt des biblischen Monotheismus, München 1981.

tionen begründet. Sie hat ihren Grund ausschließlich in der Geschichte Gottes mit den Menschen, in der geschichtlichen Selbstoffenbarung des Vaters durch Jesus Christus im Heiligen Geist. Dennoch ist es nicht ohne Belang, daß das Christentum, wenn es das Eine und Ganze seiner Botschaft und Wirklichkeit zusammenfaßt, *analog* zur Mythologie und Philosophie an der Einheit des letzten Urgrundes wie an dessen Dreiheit festhält. Das trinitarische Bekenntnis des Christentums steht damit auf seine ihm eigene Weise in Entsprechung zur Urfrage des Menschen und der Menschheit. Das Bekenntnis zum einen Gott in drei Personen will auf eine das Christentum unterscheidende und ihm allein eigene Weise auf die Urfrage der Menschheit antworten: *die Frage nach der Einheit in der Vielheit, einer Einheit, die das Viele nicht vereinnahmt, sondern zu einem Ganzen gestaltet, einer Einheit, die nicht Armut, sondern Fülle und Vollendung ist.* Das unterscheidend Christliche besteht letztlich darin, daß der letzte Grund der Einheit und der Ganzheit der Wirklichkeit nicht ein Schema, eine Struktur, eine triadische Gesetzmäßigkeit oder ein abstraktes Prinzip ist; der letzte Grund und Sinn aller Wirklichkeit ist für den christlichen Glauben vielmehr personal bestimmt: ein Gott in drei Personen.

2. Offenbarungstheologische Grundlegung

Die Einheit Gottes

Das christliche Glaubensbekenntnis beginnt mit dem Satz: »Credo in unum Deum«; »Ich glaube an den einen Gott«. Mit dieser Aussage faßt das Credo den Glauben des Alten und des Neuen Testaments gültig zusammen. Schon im Alten Testament lesen wir: »Höre Israel! Jahwe, unser Gott, Jahwe ist einzig. Darum sollst du den Herrn, deinen Gott, lieben mit ganzem Herzen, mit ganzer Seele und mit ganzer Kraft« (Dtn 6,4–5; Vgl. 2 Makk 7,37)[21]. Diese fundamentale Aussage ging später in das sogenannte Schemā ein, das jeder Jude täglich zweimal zu rezitieren hatte. Das Neue Testament greift den alttestamentlichen Glauben an die Einzigkeit Gottes auf (Mk 12,29.32) und bringt ihn in der Missionspredigt gegenüber dem heidnischen Polytheismus neu zur Geltung (Apg 14, 15; 17,23; 1 Kor 8,4; Röm 3,29f; Eph 4,6; 1 Tim 1,17; 2,5). In religionsgeschichtlicher Perspektive rechnet man deshalb das Christentum zusammen mit dem Judentum und dem Islam zu den monotheistischen Religionen.

[21] Vgl. u. 295.

Der biblische Ein-Gott-Glaube hat eine lange Geschichte, die für das theologische Verständnis nicht ohne Bedeutung ist. Am Anfang rechnet das Alte Testament noch relativ unbefangen mit der Existenz fremder Götter (vgl. Gen 35,2.4; Jos 24,2.14). Die Einzigkeit des biblischen Gottes erweist sich zunächst nur dadurch, daß Jahwe den anderen Göttern überlegen ist; er erhebt einen exklusiven Anspruch und erweist sich als ein eifersüchtiger Gott, der keine fremden Götter neben sich duldet (Ex 20,3 ff; 34,14; Dtn 5,7). Diese Intoleranz betrifft anfangs nur die Verehrung anderer Götter, weil sie mangelndes Vertrauen auf Jahwe ausdrückt. Wer andere Götter verehrt, der liebt Jahwe nicht aus ganzem Herzen, mit ganzer Seele und mit ganzer Kraft. Zunächst ging es also um einen Monotheismus der Praxis. Die Frage der Existenz oder Nichtexistenz anderer Götter wurde dabei noch nicht aufgeworfen; vermutlich wurde ihre Existenz sogar als gegeben hingenommen (vgl. Ri 11,24; 1 Sam 26,19; 2 Kön 3,27). Doch seit Elias führte die prophetische Bewegung einen entschlossenen Kampf gegen alle synkretistischen Abirrungen; nun ging es um Jahwe als den Gott schlechthin. Jetzt werden die Götzen als Nichtse (Jes 2,8.18; 10,10; 19,3; Jer 2,5.10.15; 16,19) und Nicht-Gott (Jer 2,11; 5,7) erklärt. Schließlich heißt es bei Deutero-Jesaja: »Es ist kein Gott außer mir« (Jes 45,21; vgl. 41,28 f; 43,10). Nun ist Jahwe der Gott aller Völker (vgl. Jes 7,18; 40,15 ff).

Aus dieser Geschichte folgt ein Doppeltes:

1. *Der Monotheismus ist für die Bibel keine Weltanschauungsfrage, sondern das Ergebnis religiöser Erfahrung und Ausdruck gläubiger Praxis.* Es geht um einen *Monotheismus der Praxis.* Der Glaube an den einen Gott ist deshalb primär nicht eine Frage des intellektuellen Fürwahrhaltens. Es geht in diesem Bekenntnis vielmehr um die *Grundentscheidung* für das eine Notwendige, für das, was allein genügt, weil es im Grunde alles ist. Deshalb kann es den Menschen auch ganz in Anspruch nehmen. Im Bekenntnis zum einen Gott geht es letztlich um die Grundentscheidung zwischen Glaube und Unglaube, um die Frage, wo allein und in allen Situationen unbedingter Verlaß ist. Es geht um die Bekehrung von den nichtigen Götzen zu dem einen wahren Gott (Apg 14,15). Dies ist keine vergangene und veraltete Frage. Götzen gibt es nämlich in vielfältigen Gestalten. Götze kann der Mammon (Mt 6,24) und der Bauch (Phil 3,19) sein, Götze kann die eigene Ehre (Joh 5,44) wie der Baal ausgelassenen Lebensgenusses und unbeherrschter Sinnlichkeit sein. Götze ist grundsätzlich jede Verabsolutierung weltlicher Größen. Dagegen gilt: Ihr könnt nicht zwei Herren dienen (Mt 6,24). Gott ist der einzige Gott; allein auf ihn kann man absolut bauen und trauen. Wer neben dem Glauben an den einen Gott noch Götzen dient, der glaubt und traut Gott nicht wirklich. Das Glaubensbekenntnis zum

einen Gott ist also eine Grundentscheidung, die zu ständiger Bekehrung verpflichtet. Es geht darin um das eine, an dem alles hängt und an dem sich der Weg zum Leben entscheidet (Mk 10,21; Lk 10,42).

2. *Es geht bei der Einheit Gottes um weit mehr als um eine quantitativ-numerische Einheit.* Die Aussage ist nicht primär: Es gibt nur einen Gott und nicht drei oder vier Götter. *Es geht um eine qualitative Einmaligkeit und Einzigartigkeit Gottes.* Gott ist nicht nur unus, sondern auch unicus; er ist sozusagen ein schlechthinniges Unikat. Denn Gott ist wesensmäßig so, daß es ihn nur einmal geben kann. Aus dem Wesen Gottes als der alles bestimmenden und alles umfassenden Wirklichkeit folgt seine Einmaligkeit mit innerer Notwendigkeit. »Wenn Gott nicht einer ist, so gibt es gar keinen«[22]. Unendlich und alles umfassend kann nur ein Gott sein; zwei Götter würden sich, auch wenn sie sich durchdringen, gegenseitig begrenzen. Umgekehrt gilt: Als der eine ist Gott zugleich der alleine Gott. So ist die Einzigkeit Gottes nicht irgendeine Eigenschaft Gottes, sie ist vielmehr mit dem Wesen Gottes selbst gegeben. Deshalb ist die Einheit und Einzigkeit des biblischen Gottes alles andere als Borniertheit. Gerade als der eine und einzige ist er vielmehr der Herr aller Völker und aller Geschichte. Er ist der Erste und Letzte (Jes 41,4; 43,10f; 44,6; 48,12; Offb 1,4.8.17), der Herrscher des Alls (Offb 4,8; 11,17; 15,3f; 19,6). Die Einheit Gottes ist zugleich seine alle Menschen verbindende Universalität.

Mit dieser Botschaft von dem einen Gott greifen das Alte Testament und das Neue Testament eine *Urfrage der Menschheit* auf: die Frage nach der Einheit in all der Vielheit und Zerrissenheit der Wirklichkeit. Der Polytheismus ist Ausdruck der Vielschichtigkeit, Zerrissenheit und Nichtsynthetisierbarkeit der Wirklichkeit. Doch damit konnten sich, wie gezeigt, denkende und nach Sinn fragende Menschen nie abfinden. So gibt es parallel zum Alten Testament monotheistische Tendenzen in den antiken Religionen und Philosophien.

An alledem konnte das frühe Christentum anknüpfen[23]. Die frühchristlichen Apologeten greifen den Begriff der monarchia Gottes immer wieder auf[24]. Offensichtlich war die Lehre von der monarchia Gottes ein fester Bestandteil im Lehrplan des christlichen Taufunterrichts[25]. Papst

[22] Tertullian, Adv. Marcionem I,3 (CCL 1, 443f).
[23] Vgl. W. Pannenberg, Die Aufnahme des philosophischen Gottesbegriffs als dogmatisches Problem der frühchristlichen Theologie, in: Grundfragen systematischer Theologie. Gesammelte Aufsätze, Göttingen ³1979, 296–346.
[24] Justin, Dialog mit Tryphon I,3 (Corpus Apol. II, ed. v. Otto, 10–17); Tatian, Or. adv. Graecos 14 (PG 6,836f); Theophilus von Antiochien, Ad Autolycum II, 4. 8. 28 (SC 20, 102f; 114–119; 166–169).
[25] Cyrill von Jerusalem, Katechesen VI, 36; IV, 6; VII, 1f; XVII,2 (PG 33, 601ff; 459ff; 605ff; 969ff).

Dionysius sagt in seinem Schreiben an seinen Namensvetter Bischof Dionysius von Alexandrien, die Monarchie Gottes gehört zum ehrwürdigsten Teil der kirchlichen Verkündigung[26]. Im kirchlichen Glaubensbekenntnis zum einen Gott, dem Schöpfer Himmels und der Erde, hat diese Überzeugung von Schrift und Tradition ihren verbindlichen Ausdruck gefunden[27].

Dieses monotheistische Bekenntnis verbindet das Christentum mit dem Judentum und mit dem Islam. Im konkreten Verständnis der Einheit Gottes als Einheit in der Dreiheit unterscheidet sich freilich das Christentum von beiden. Die von Judentum und Islam an die Adresse des Christentums gerichtete Frage lautet: Ist das Christentum mit seinem trinitarischen Bekenntnis dem Bekenntnis zum einen Gott nicht doch wieder untreu geworden?

Die Antwort auf diese Frage ergibt sich, wenn wir den spekulativen Überlegungen folgen, die die Kirchenväter schon sehr früh im Anschluß an die griechische Philosophie über das Wesen der Einheit Gottes angestellt haben. Wir finden solche Überlegungen schon bei Irenäus von Lyon, Tertullian, Origenes[28] und später u. a. bei Thomas von Aquin[29]. Dabei wird *zunächst* versucht, die *Einheit und Einzigkeit* Gottes aus dem Gottesbegriff selbst zu begründen. Denn die Absolutheit und Unendlichkeit Gottes läßt keinen zweiten Gott zu. Mehrere Götter würden sich gegenseitig begrenzen; Gott wäre dann nicht mehr Gott, sondern ein endliches Wesen. Die absolute Einheit schließt *zum zweiten* absolutes Ungeteiltsein und damit absolute *Einfachheit* ein. Einheit Gottes schließt damit materielles Sein, das als solches quantitativ und damit durch Vielheit bestimmt ist, aus. Die radikal zu Ende gedachte Einheit Gottes bedeutet, daß Gott *reiner Geist* ist, der in seiner absoluten Einfachheit allem Endlichen und erst recht allem Materiellen gegenüber als schlechterdings transzendent zu denken ist. Wird also der Gedanke der Einheit Gottes zu Ende gedacht, dann führt er notwendig zum Gedanken der *qualitativ unendlichen Differenz von Gott und Welt.* Diese Einsicht bedeutet *drittens,* daß die Einheit Gottes und die Einheit der geschöpflichen Wirklichkeit nicht wie in der antiken Philosophie länger vermischt werden dürfen. Gott kann, wenn er

---

[26] DS 112; NR 248.

[27] DS 2 ff; 125; 150; NR 155; 250. Von den späteren lehramtlichen Aussagen ist besonders von Bedeutung das IV. Laterankonzil (1215): »unus solus est verus Deus« (DS 800, NR 277) und das I. Vatikanische Konzil: »unum esse Deum verum et vivum« (DS 3001; NR 315).

[28] Irenäus, Adv. haer. I, 10, 1 (SC 264, 154–159); Adv. haer. II, 1, 1–5 (SC 294, 26–35); Tertullian, Adv. Marcionem II, 1 f (CCL 1, 475 f); Origenes, Contra Celsum I, 23 (SC 132–135).

[29] Vgl. Thomas v. A., Summa theol. I q.11 a.3.

transzendent gedacht wird, nicht mehr unmittelbar Prinzip der Einheit in der Vielheit der Welt sein. *Vom radikal gedachten Gedanken der Einheit Gottes her und von dem unmittelbar damit verbundenen Gedanken der Transzendenz Gottes her muß also das Problem von Einheit und Vielheit gegenüber dem antiken Denken neu beantwortet werden.*

Das Problem von Einheit und Vielheit stellt sich jetzt sowohl als Problem der Einheit der Welt wie als Problem der Einheit Gottes selbst. In bezug auf Gott stellt sich die Frage: Ist die radikal zu Ende gedachte Einheit Gottes überhaupt denkbar, ohne zugleich in Gott selbst eine Verschiedenheit zu denken, welche die Einheit und Einfachheit Gottes nicht aufhebt, sondern erst sinnvoll macht? Wäre Gott ohne solche Vielheit in der Einheit nicht ein höchst einsames Wesen, das als Gegenüber notwendig der Welt bedürfte und das eben damit sein Gottsein verlieren würde? Solche Überlegungen führen zu dem Ergebnis, daß die Behauptung der Einheit Gottes die *Frage* nach der Trinität in keiner Weise ausschließt, sondern sie vielmehr einschließt. Auf diesem Hintergrund wird verständlich, daß für die Kirchenväter *das Trinitätsbekenntnis zur konkreten Gestalt des christlichen Monotheismus* werden konnte[30]. In welcher Weise dies der Fall ist, muß nun ausführlich erörtert werden.

Die Lebendigkeit Gottes (Alttestamentliche Vorbereitung)

Es ist die unumstößliche Überzeugung des Alten Testaments, daß Jahwe einer und einzig ist (Dtn 6,4). Er ist ein eifersüchtiger Gott, der keine anderen Götter neben sich duldet (Ex 20,5; Dtn 5,7). Wo so gesprochen wird, scheint nicht nur faktisch, sondern auch grundsätzlich kein Platz für eine trinitarische Gottesoffenbarung zu sein. Sie scheint von vornherein ausgeschlossen. So wenigstens sehen es das Judentum und der Islam. Daran ist richtig, daß das Alte Testament keinerlei Aussagen über die trinitarische Struktur Gottes macht. Dennoch legt es für den späteren trinitarischen Glauben wichtige Grundlagen. Sie finden sich vor allem in den vielen für das Alte Testament grundlegenden Aussagen über Gott als einen lebendigen Gott (Ps 42,3; 84,3; Jer 10,10; 23,36; Dan 6,27 u. ö.). Für das Alte Testament ist *Gott in seiner Einheit und Einzigartigkeit zugleich die Fülle des Lebens*[31]. In dieser Feststellung liegt *das relative Recht der trinitarischen Exegese verschiedener alttestamentlicher Stellen bei den Kirchenvätern.*

---

[30] Vgl. u. 357 ff.
[31] Vgl. zum folgenden R. Schulte, Die Vorbereitung der Trinitätsoffenbarung, in: Mysal II, 49–84.

Die Kirchenväter wollten vor allem in der im Alten Testament mehrfach bezeugten pluralen Selbstanrede Gottes eine Andeutung einer mehrpersonalen Struktur Gottes sehen. So etwa in der Aussage: »Laßt uns Menschen machen als unser Abbild, uns ähnlich« (Gen 1,26; vgl. 3,22; 11,7; Jes 6,8). Die heutige Exegese kann dieser Interpretation nicht folgen. Die früher oft gegebene Erklärung, es handle sich um einen pluralis majestatis in Analogie zu der Tatsache, daß früher Könige und Päpste von sich in der Wir-Form gesprochen haben, ist ebenfalls unwahrscheinlich. Vermutlich haben wir es mit der Stilform des pluralis deliberationis, der Selbstberatung und des Selbstgesprächs zu tun[32]. Immerhin deuten solche Wir-Formeln darauf hin, daß das Alte Testament keinen starren Monotheismus, sondern einen lebendigen Gott, der die überreiche Fülle des Lebens und des Erbarmens ist, kennt.

Eine weitere wichtige Grundlage für die biblische Begründung des Bekenntnisses zum dreifaltigen Gott war für die Kirchenväter wie für die mittelalterlichen Theologen die Erscheinung Gottes in Gestalt von drei Männern bzw. Engeln bei Abraham unter den Eichen von Mamre (Gen 18). Diese Szene hatte eine überaus reiche, nicht nur theologische, sondern auch frömmigkeits- und kunstgeschichtliche Bedeutung. Wir finden sie auf vielen ikonographischen Darstellungen, besonders auf der berühmten Ikone von Rublev aus dem 15. Jahrhundert[33]. Doch ist auch diese Deutung für uns so nicht mehr nachvollziehbar. Gleichwohl zeigt auch diese Perikope ein geheimnisvolles Ineinander des einen Gottes, der spricht und handelt, und der Erscheinung von drei Gestalten.

Schließlich verwiesen die Kirchenväter auf die beiden Engel neben dem Thron Gottes bzw. auf das Drei-Mal-Heilig der Seraphine in Jes 6. Auch diese Deutung scheint uns heute unmöglich; aber auch sie ist von großer symbolischer Bedeutung. Sie zeigt auf ihre Weise, daß das trinitarische Bekenntnis in der Zeit der Kirchenväter seinen Ursprung nicht reinen Theorien und abstrakten Spekulationen verdankt, daß es seinen »Sitz im Leben« vielmehr in der Doxologie, in der liturgischen Verherrlichung Gottes hat[34].

Wichtiger als die bisher erwähnten Texte ist *die Gestalt des »Engel Jahwes« (malach Jahwe)* im Alten Testament. Er begleitet Israel auf der Wüstenwanderung (Ex 14,19), hilft Bedrängten (Gen 16,7; 1 Kön 19,5; 2 Kön 1,3) und schützt die Frommen (Ps 34,8). Er macht Gottes Kraft (Sach 12,8) und Wissen (2 Sam 14,20) kund. Ist der Engel Jahwes an diesen Stellen eine von Gott verschiedene Offenbarungsgestalt, so ist er bisweilen auch wieder mit Jahwe identisch (Gen 31,11.13; Ex 3,2.4f). Im Engel Gottes zeigt sich also das Bemühen, eine Brücke zu schlagen zwischen dem für Menschen unfaßbaren und verborgenen Wesen Gottes und seiner wirklichen und wesenhaften Präsenz in der Geschichte[35]. So präfiguriert der Engel Jahwes das ganze spätere Problem von Identität und Differenz zwischen Gott und seiner Offen-

---

[32] C. Westermann, Genesis. Bd. 1. Neukirchen-Vluyn 1974 (Biblischer Kommentar Altes Testament Bd. I/1), 199–201.
[33] P. Evdokimov, L'art de l'icône. Théologie de la beauté, Paris 1972.
[34] Vgl. u. 304 ff.
[35] W. Eichrodt, Theologie des Alten Testaments. Bd. II/III, Göttingen 1964, 7, 10 f.

barungsgestalt. Damit bringt er in höchst eindrücklicher Weise zum Ausdruck, daß der alttestamentliche Gott ein lebendiger Gott der Geschichte ist.

In den späteren Schriften des Alten Testaments schafft sich die Überzeugung, daß Gott überreiches Leben ist, Ausdruck in der Rede von verschiedenen Hypostasen. Von größter Bedeutung ist die Rede von der *Weisheit Gottes als einer Art von Gott unterschiedener Hypostase* (vgl. etwa Spr 8). Bemerkenswert sind auch die Personifizierungen des göttlichen Wortes (Ps 119,89; 147,15 ff; Weish 16,12) und des göttlichen Geistes (Hag 2,5; Neh 9,30; Jes 63,10; Weish 1,7). »Diese Personifikationen bezeugen den Reichtum des Lebens Jahwes und sind offenbarungsgeschichtlich erste tastende Vorgriffe auf die neubundliche Erschließung der mehrpersonalen Seinsfülle des einen Gotteswesens«[36]. Hier konnte das Neue Testament anknüpfen.

Hinter diesen vielfältigen Andeutungen steht eine gemeinsame Sachfrage. Das personale Gottesverständnis des Alten Testaments mußte von der Sache her notwendig zu der Frage führen, wer das Gott entsprechende Gegenüber ist. Ein Ich ohne Du läßt sich nicht denken. Entspricht aber Gott das Gegenüber des Menschen, der Menschheit, des Volkes? Hätte Gott sein Gegenüber nur im Menschen, dann wäre der Mensch für ihn ein notwendiger Partner. Der Mensch wäre dann nicht mehr der in unergründlich freier, gnädiger Liebe Geliebte, und Gottes Liebe zum Menschen wäre dann nicht mehr Gnade, sondern Gottes eigenes Bedürfnis, seine eigene Vollendung. Doch gerade dies würde dem Alten Testament zutiefst widersprechen. So stellt das Alte Testament eine Frage, auf die es selbst keine Antwort gibt. Das alttestamentliche Bild vom lebendigen Gott der Geschichte ist nicht fertig und abgeschlossen, sondern offen für die endgültige Offenbarung Gottes. Es ist nur der »Schatten des Kommenden« (Hebr 10,1).

Die trinitarische Grundstruktur der Offenbarung Gottes (Neutestamentliche Grundlegung)

Das Neue Testament [37] gibt uns eine eindeutige Antwort auf die im Alten Testament offene Frage nach dem Gegenüber Gottes: Jesus Christus, der Sohn Gottes, ist das ewige Du des Vaters; im Heiligen Geist werden wir in die Gemeinschaft der Liebe von Vater und Sohn

---

[36] A. Deissler, aaO. 31.
[37] Vgl. dazu: G. Delling, Art. τρεῖς, ThWNT VIII, 215–225; R. Mehrlein, Art. Drei, in: RAC IV, 300–310; F. J. Schierse, Die neutestamentliche Trinitätsoffenbarung, in: Mysal II, 85–131; G. Wainwright, The Trinity in the New Testament, London 1962; K. H. Schelkle, Theologie des Neuen Testaments. Bd. 2. Düsseldorf 1973, 310 ff.

hineingenommen. *So kann schon das Neue Testament die eschatolo-gisch-endgültige Selbstoffenbarung Gottes zusammenfassen in dem Satz: Gott ist Liebe (1 Joh 4,8.16).* Die schon im Neuen Testament bezeugten trinitarischen Bekenntnisse sind eine Explikation dieses das Offenbarungsgeschehen in Jesus Christus auslegenden Satzes.

Wenn diese im folgenden zu begründende These stimmt, dann genügt es nicht, wenn wir einzelne trinitarische Bekenntnisaussagen des Neuen Testaments zusammentragen. Wir müssen diese Offenbarungs*aussagen* vielmehr als die durch die Offenbarung selbst vollzogene Deutung des Offenbarungs*geschehens* verstehen, und wir müssen diese trinitarische Deutung ihrerseits als Explikation der neutestamentlichen Wesensbe-stimmung Gottes als Liebe begreifen. Wir werden also in drei Schritten vorangehen: 1. Aufweis der trinitarischen Struktur des Offenbarungs-geschehens, 2. Aufweis von dessen trinitarischer Explikation im Neuen Testament und 3. Aufweis des Zusammenhangs dieser Deutung mit der neutestamentlichen Wesensbestimmung Gottes. Nur wenn dieser Drei-schritt gelingt, kann ein naiver biblizistischer Fundamentalismus, der sich auf einzelne dicta probantia stützt, vermieden und deutlich werden, daß das trinitarische Bekenntnis weit davon entfernt ist, ein späterer, rein spekulativer Zusatz zum ursprünglichen Christusglauben zu sein, der mehr oder weniger entbehrlich und für die Identität des christlichen Glaubens unerheblich ist. Es kann vielmehr aufgewiesen werden, daß *das trinitarische Bekenntnis die Grundstruktur und der Grundriß des neutestamentlichen Zeugnisses ist, mit dem der Glaube an den Gott Jesu Christi steht und fällt.*

Der Grundvorgang des neutestamentlichen Offenbarungsgeschehens besteht darin, daß Jesus nicht nur durch Wort und Tat, sondern in seinem ganzen Leben und in seiner Person Gott als Vater offenbart. Dies geschieht dadurch, daß Jesus Gott in einer ganz einmaligen und unübertragbaren Weise als seinen Vater offenbart, während wir erst durch ihn zu Söhnen und Töchtern dieses Vaters werden[38]. In Jesu einmaligem und unübertragbarem Abba-Verhältnis wird also Gott in eschatologisch-endgültiger Weise als Vater offenbar. Im eschatologi-schen Charakter dieser Offenbarung wird indirekt mit offenbar, daß Gott von Ewigkeit her der Gott und Vater Jesu Christi ist, daß also Jesus als der Sohn Gottes ins ewige Wesen Gottes hineingehört. So sind *die Sohnesaussagen des Neuen Testaments legitime und notwendige Expli-kationen des Abba-Verhältnisses Jesu.* Im Abba-Verhältnis Jesu wird uns zugleich unsere Gotteskindschaft erschlossen und ermöglicht. Dies geschieht nach der Verkündigung Jesu durch den Glauben. Wer glaubt und d. h., wer mit Jesus und in seinem Namen ganz auf Gott setzt, dem

---

[38] Vgl. o. 181ff; 214f.

ist alles möglich (Mk 9,23); der nimmt an Gottes Allmacht teil, denn bei Gott ist alles möglich (Mk 10,27). Diese Teilnahme an der Macht (δύναμις) Gottes hat in den synoptischen Evangelien noch keinen festen Namen. Erst nach Ostern wird das Hineingenommenwerden des Gläubigen in die Relation Jesu zum Vater und das Anteilbekommen an der Macht des Vaters dem Wirken des Pneuma zugeschrieben. Nun wird gesagt, daß wir im Pneuma Söhne und Töchter Gottes des Vaters sind. *Diese pneumatologische Auslegung ist ebenso wie die christologische im Offenbarungsgeschehen selbst grundgelegt.*

Die *trinitarische Explikation* des Offenbarungsgeschehens findet sich in allen wichtigen neutestamentlichen Überlieferungen. Sie findet sich bereits in der *synoptischen Tradition*, und zwar bezeichnenderweise bereits am Anfang der synoptischen Evangelien, in den Berichten über die Taufe Jesu. Markus setzt die Taufe Jesu[39] programmatisch an den Anfang seines Evangeliums; sie ist geradezu das Summarium des ganzen Evangeliums (Mk 1,9–11; Vgl. Mt 3,13–17; Lk 3,21 f). Die Taufperikope ist eindeutig trinitarisch strukturiert: Die Stimme vom Himmel offenbart Jesus als den geliebten Sohn, während der Geist in Gestalt einer Taube herabschwebt (Mk 1,10 f par). Auf dem Höhepunkt seines Wirkens preist Jesus nach der lukanischen Fassung des Jubelrufs »vom Heiligen Geist erfüllt« den »Vater, Herr des Himmels und der Erde«, um den niemand weiß als »nur der Sohn und der, dem es der Sohn offenbaren will« (Lk 10,21 f; vgl. Mt 11,25–27). Auch die apostolische Predigt setzt nach der Darstellung der Apostelgeschichte trinitarisch ein: Gott hat Jesus auferweckt und erhöht; nachdem er vom Vater den verheißenen Heiligen Geist empfangen hatte, hat er ihn ausgegossen (Apg 2,32 f). Der Erzmärtyrer Stephanus schließlich blickt, erfüllt vom Heiligen Geist, zum Himmel empor, sieht die Herrlichkeit Gottes und Jesus zur Rechten Gottes stehen (Apg 7,55 f).

Das wichtigste trinitarische Zeugnis innerhalb der synoptischen Tradition, ja innerhalb des gesamten Neuen Testaments stellt ohne Zweifel der *Taufbefehl* in Mt 28,19 dar: »Darum geht zu allen Völkern und macht alle Menschen zu meinen Jüngern; tauft sie auf den Namen des Vaters und des Sohnes und des Heiligen Geistes«[40]. Auch wenn der Text noch keine trinitarische Reflexion im späteren Sinn, d. h. noch keine Reflexion über Einheit und Dreiheit in Gott enthält, so bietet er dafür doch eine klare Grundlage, denn er stellt Vater, Sohn und Geist völlig »gleichberechtigt« nebeneinander. Diese Aussage gilt heute ziemlich

---

[39] F. Lentzen-Deis, Die Taufe Jesu nach den Synoptikern. Literarkritische und gattungsgeschichtliche Untersuchungen (Frankfurter Theol. Stud. 4), Frankfurt 1970.

[40] A. Vögtle, Ekklesiologische Auftragsworte des Auferstandenen, in: Das Evangelium und die Evangelien. Beiträge zur Evangelienforschung, Düsseldorf 1971, 243–252; ders., Das christologische und ekklesiologische Anliegen von Mt 28,18–20, in: ebd. 253–272.

allgemein nicht als ein Jesuswort im historischen Sinn, sondern als Zusammenfassung der vom Geist Jesu Christi geleiteten und insofern von Jesus autorisierten Entwicklung und Praxis der frühen Kirche. Das bisher Gesagte zeigt denn auch, daß dieser Text keine Neuerung darstellt, sondern die trinitarische Grundstruktur der synoptischen Tradition, ja des gesamten Neuen Testaments zusammenfaßt. Diese Zusammenfassung macht zugleich deutlich, daß das trinitarische Bekenntnis nicht nur eine theoretische Reflexion und Spekulation darstellt. Es bringt zusammenfassend das Ganze des Heilsgeschehens, das uns in der Taufe zugeeignet wird, zum Ausdruck. *So ist die Taufe, d. h. der Vorgang, durch den das Christsein begründet wird, der »Sitz im Leben« für das trinitarische Bekenntnis.* Das trinitarische Bekenntnis drückt damit die Wirklichkeit aus, aus der die Kirche wie jeder einzelne Christ lebt und für die sie zu leben haben. Das trinitarische Bekenntnis ist deshalb *die* Kurzformel des christlichen Glaubens. Der Taufbefehl wurde darum mit Recht zur wichtigsten Grundlage der dogmen- und theologiegeschichtlichen Entwicklung der kirchlichen Trinitätslehre.

Die spätere Trinitätslehre stützt sich nicht nur auf die synoptische Tradition. Auch *die paulinischen Briefe* sind voll von trinitarischen Formeln. Andeutungsweise kann man die trinitarische Struktur schon in der alten Zwei-Stufen-Christologie von Röm 1,3 f finden: Jesus Christus ist vom Vater durch den Geist der Heiligkeit eingesetzt als Sohn Gottes in Macht. In Gal 4,4–6 findet sich dann ein ganzes Summarium der christlichen Heilsbotschaft: »Als aber die Zeit erfüllt war, sandte Gott seinen Sohn...damit wir die Sohnesschaft erlangen. Weil ihr aber Söhne seid, sandte Gott den Geist seines Sohnes in unser Herz, der Geist, der ruft: Abba, Vater« (vgl. Röm 8,3 f. 14–16). Doch nicht nur das einmalige Wirken Gottes in der Heilsgeschichte, auch sein fortdauerndes Wirken in der Kirche ist trinitarisch strukturiert. Bei der Darlegung der Einheit und Vielfalt der Charismen in der Kirche schreibt Paulus: »Es gibt verschiedene Gnadengaben, aber nur den einen Geist. Es gibt verschiedene Dienste, aber nur den einen Herrn. Es gibt verschiedene Kräfte, die wirken, aber nur den einen Gott: Er bewirkt alles in allen« (1 Kor 12,4–6). So überrascht es nicht, daß Paulus, wenn er das Ganze der Heilswirklichkeit in doxologischer Weise zusammenfaßt, wiederum trinitarisch formuliert. Am wichtigsten ist die liturgische Schlußformel des zweiten Korintherbriefes: »Die Gnade Jesu Christi, des Herrn, die Liebe Gottes und die Gemeinschaft des Heiligen Geistes sei mit euch allen« (2 Kor 13,13). Immer also, wenn Paulus die ganze Fülle des Heilsgeschehens und der Heilswirklichkeit ausdrücken will, greift er zu trinitarischen Formulierungen.

Die deuteropaulinischen Briefe greifen die trinitarische Struktur der paulinischen Briefe auf. Im Prolog des Epheserbriefes wird diese

Struktur in einer hymnischen Darlegung des Heilsplans Gottes entfaltet. Es ist die Rede vom Werk des Vaters, der alles vorausbestimmt hat (1,3–11), vom Werk des Sohnes, in dem die Fülle der Zeit heraufgeführt wurde (1,5–13), und vom Werk des Heiligen Geistes, der uns als Siegel und Angeld des eschatologischen Heils gegeben wurde (1,13f; vgl. 1 Petr 1,2; Hebr 9,14). Diese trinitarische Struktur wird auch auf die Kirche übertragen. In Eph 4,4–6 wird die Einheit der Kirche trinitarisch begründet: »Ein Leib und ein Geist...; ein Herr, ein Glaube, eine Taufe, ein Gott und Vater aller«. Die Kirche ist also »das von der Einheit des Vaters und des Sohnes und des Heiligen Geistes her geeinte Volk« (Cyprian).

In der *johanneischen Tradition* des Neuen Testaments finden wir schon Anfänge trinitarischer Reflexion. In der ersten Hälfte des Johannesevangeliums (Kap. 1–12) geht es im Grunde immer um das eine Thema: das Verhältnis des Sohnes zum Vater; in den johanneischen Abschiedsreden des zweiten Teils (Kap 14–17) dagegen geht es um die Sendung des anderen Parakleten (14,16), dessen Ausgang vom Vater (15,26), dessen Sendung durch Jesus Christus (16,7) und dessen Aufgabe, das Werk Christi erinnernd zu vergegenwärtigen (14,26; 15,26; 16,13f). In Joh 14,26 kommt die trinitarische Verklammerung beider Aussagen deutlich zur Sprache: »Der Beistand aber, der Heilige Geist, den der Vater in meinem Namen senden wird, der wird euch alles lehren und euch an alles erinnern, was ich euch gesagt habe« (vgl. 15,26). Den Höhepunkt bildet das sogenannte *hohepriesterliche Gebet* Jesu[41]:

Das *Leitmotiv* kommt gleich im ersten Vers zum Ausdruck: die Doxa von Vater und Sohn. In ihr ist das Heil, oder wie Johannes sagt, das Leben eingeschlossen. Dieses wiederum besteht darin, den einzigen wahren Gott und Jesus Christus, den er gesandt hat, zu erkennen (17,3). Erkennen meint bei Johannes mehr als einen intellektuellen Vorgang; wahres Erkennen schließt das Anerkennen des Herrseins und der Herrschaft Gottes, die Verherrlichung Gottes ein. Wer Gott als Gott erkennt, ihn anerkennt und verherrlicht, der ist im Licht; er hat den Sinn seines Lebens und das Licht, das in aller Wirklichkeit leuchtet (Joh 1,4) gefunden. *Doxologie ist also zugleich Soteriologie.*
Dieses Thema wird nun im einzelnen entfaltet. Die *Verherrlichung des Vaters durch den Sohn* geschieht dadurch, daß der Sohn das Werk des Vaters zu Ende führt (17,4), indem er seinen Namen den Menschen offenbart (17,6), sie zum Glauben führt (17,8) und sie heiligt in der Wahrheit (17,17.19). Parallel zur Verherrlichung durch die Heiligung in der Wahrheit steht die Mitteilung des Lebens. Der Vater hat dieses Leben in sich; er hat auch dem Sohn gegeben, das

---

[41] Unübertroffen ist nach wie vor der Kommentar von Augustinus, In Johannis Evangelium Tract. 104–111 (CCL 36, 601–633). Neuere Literatur: R. Schnackenburg, Das Johannesevangelium. Bd. 3. Freiburg–Basel–Wien 1965, 189–231 (Herders theologischer Kommentar zum NT, Bd. IV/3) (Lit.); E. Käsemann, Jesu letzter Wille nach Johannes 17, Tübingen ³1971.

Leben in sich zu haben (5,26) und es den Menschen zu schenken (17,2). Dieses Leben besteht darin, zu erkennen, daß Jesus Christus das Leben ist, weil er Leben vom Leben, Gott von Gott, Licht vom Licht ist (17,7). Leben besteht also in der Erkenntnis der Herrlichkeit, die Jesus beim Vater hat, noch bevor die Welt war (17,5). »Sie sollen meine Herrlichkeit sehen, die du mir gegeben hast, weil du mich schon geliebt hast vor Erschaffung der Welt« (17,24). Wer dies anerkennt, der nimmt teil an dieser ewigen Liebe (17,23.26), an der Herrlichkeit von Vater und Sohn (17,22). Die Erkenntnis und das Bekenntnis der ewigen Gottessohnschaft Jesu bedeuten Gemeinschaft mit ihm und durch ihn mit Gott (17,21–24).

Die Verherrlichung des Vaters durch den Sohn zielt also auf die *Teilnahme der Jünger an dieser Verherrlichung und am ewigen Leben.* So wird das Lobgebet Jesu im zweiten Teil zum Fürbittgebet, die Doxologie zur Epiklese. Es geht um das Bewahren der Wahrheit (17,11) und um das Verbleiben in der Einheit der Jünger untereinander, mit Jesus und durch Jesus mit Gott (17,21–24). Dieses Gebet Jesu für seine Jünger ist im Grunde eine *Bitte um die Sendung des anderen Parakleten,* des Geistes (14,16). Er ist ja der Geist der Wahrheit (14,17), der in alle Wahrheit einführen soll (16,13). Er tut dies, indem er Jesus verherrlicht (16,14) und Zeugnis von ihm ablegt. Er nimmt nicht aus dem Seinigen, sondern von dem, was Jesus ist und was wiederum vom Vater ist (16,14f; vgl. 14,26). Durch den Geist wird also die Einheit zwischen Vater und Sohn zur Einheit der Gläubigen untereinander. Durch den Geist sind die Gläubigen einbezogen in die Einheit, die Kennzeichen göttlichen Wesens ist (vgl. 10,38; 14,10f.20.23; 15,4f; 17,21–26).

Die Einheit zwischen Vater und Sohn wird also durch den Geist zum Ermöglichungs- und Lebensgrund der Einheit der Gläubigen, die ihrerseits zeichenhaft in die Welt hinein wirken soll (17,21). Die Offenbarung der ewigen Liebe wird zur Sammlung der zerstreuten Herde unter dem einen Hirten (10,16). Die Einheit, der Friede und das Leben der Welt geschehen demnach durch die Offenbarung der Herrlichkeit von Vater, Sohn und Heiligem Geist. *Die trinitarische Doxologie ist die Soteriologie der Welt.*

Im *ersten Johannesbrief* finden sich verschiedene trinitarische Gruppierungen (4,2; 5,6–8). Dazu gehört auch das sogenannte Comma Johanneum: »Drei sind, die Zeugnis ablegen im Himmel: der Vater, das Wort und der Heilige Geist, und diese drei sind eins« (1 Joh 5,7f). Freilich wird diese trinitarische Formel heute allgemein als ein späterer Zusatz angesehen[42]. Am wichtigsten ist die zusammenfassende Aussage: Gott ist Liebe (1 Joh 4,8.16). Damit ist zunächst gemeint, daß Gott sich im Offenbarungsgeschehen durch Jesus Christus als Liebe erwiesen hat. Doch dieses Offenbarungsgeschehen besteht ja eben darin, die ewige Gemeinschaft der Liebe, des Lebens und der gegenseitigen Verherrlichung zwischen Vater, Sohn und Geist offenbar zu machen, um die

[42] R. Schnackenburg, Die Johannesbriefe. Auslegung. Freiburg–Basel–Wien ²1963, 37–39 (Herders theologischer Kommentar zum Neuen Testament, Bd. XIII/3).

Jünger und durch sie die Menschheit einzubeziehen in diese Liebes- und Lebensgemeinschaft. *Die Offenbarungsaussage »Gott ist Liebe« ist also zugleich eine Seinsaussage und als solche eine Heilsaussage.* Nur weil Gott die Liebe ist, kann er sich uns als Liebe offenbaren und mitteilen. Die Einheit von Kirche und Welt, der Friede und die Versöhnung der Menschheit haben christlich ihren letzten Grund und ihre letzte Ermöglichung in der Anerkennung der Herrlichkeit Gottes in der Liebe von Vater, Sohn und Geist. In dieser Zusammenfassung der gesamten neutestamentlichen Botschaft ist bereits die Grundlage gelegt für die spätere spekulative Entfaltung, der es um nichts anderes geht, als das trinitarische Bekenntnis der Schrift aus seiner tiefsten Wurzel und aus dem Gesamtzusammenhang der ganzen Heilswirklichkeit zu begreifen.

So erweist sich die neutestamentliche Botschaft nicht nur in einzelnen ihrer Aussagen, sondern in ihrer Grundstruktur als trinitarisch. Mit dieser Feststellung widersprechen wir der These von O. Cullmann, die Grundstruktur des neutestamentlichen Glaubensbekenntnisses sei rein christologisch, so daß »die Entwicklung der christologischen Formeln zu dreiteiligen schließlich trotz allem die Auslegung des Wesens des Christentums verfälscht hat«[43]. Diese These ist schon deshalb unwahrscheinlich, weil die neutestamentliche Offenbarung die alttestamentliche voraussetzt und sie in überbietender Weise zur Erfüllung bringt. Deshalb kennt das Neue Testament nicht nur, wie O. Cullmann meint, den Weg von Jesus Christus zum Vater, vielmehr stützt sich der Glaube an Jesus Christus seinerseits auf das Zeugnis des Vaters (Mt 3,17; 17,5; Joh 5,37f). Man glaubt an Jesus, weil der Vater ihn von den Toten auferweckt und ihn zum Kyrios eingesetzt hat. Auf der anderen Seite schließt die Heilstat Jesu Christi die Sendung des Heiligen Geistes ein. Das Bekenntnis zu Jesus als dem Kyrios ist nur im Heiligen Geist möglich (1 Kor 12,5f) und seine Wirklichkeit wird uns nur im Geist zuteil. So ist das christologische Bekenntnis gar nicht anders denn als trinitarisches Bekenntnis möglich. *Mit dem trinitarischen Bekenntnis steht und fällt der Christusglaube und das Christsein.*

Das trinitarische Bekenntnis als Glaubensregel

Die frühe nachapostolische Kirche war sich der trinitarischen Struktur der christlichen Heilswirklichkeit voll bewußt[44]. Das wird durch die

---

[43] O. Cullmann, Die ersten christlichen Glaubensbekenntnisse (Theol. Stud. 15), Zollikon-Zürich 1949, 45.
[44] Zur Theologie- und Dogmengeschichte der Trinitätslehre (berücksichtigt werden nur umfassendere Darstellungen, nicht Einzeluntersuchungen): L. Scheffczyk, Lehramtliche Formulierung und Dogmengeschichte der Trinität, in: Mysal I, 146–217; Th. de Régnon, Etudes de théologie positive sur la sainte Trinité. 3 Bde, Paris 1892–98; J. Lebreton,

Schriften des Ignatius von Antiochien[45] wie durch den 1. Klemensbrief[46] klar bezeugt. Der Apologet Athenagoras schreibt gegen 175, die Christen seien allein durch das Verlangen geleitet zu erkennen, »welches die Einheit des Sohnes mit dem Vater, welches die Gemeinschaft des Vaters mit dem Sohne ist, was der Geist ist, was die Einigung solcher Größen und der Unterschied der Geeinigten ist, nämlich des Geistes, des Sohnes und des Vaters«[47]. Damit sind im Grunde schon alle Fragen der späteren Trinitätslehre vorweggenommen. So findet sich denn schon bei Theophilus von Antiochien und bei Tertullian der entscheidende Begriff trias bzw. trinitas[48]. Es wäre freilich völlig falsch, darin einen schon unmittelbar nach dem Neuen Testament einsetzenden Abfall durch ein rasches Eindringen hellenistischer Spekulation zu sehen. Nicht Lust an theoretischer Spekulation, sondern die gelebte Praxis der Kirche, vor allem die Taufe und die Eucharistie, waren der Ort, an dem das trinitarische Bekenntnis lebendig war.

Der wichtigste Sitz im Leben des trinitarischen Bekenntnisses war die Taufe. Sowohl die Didache[49] wie Justin[50] bezeugen das trinitarische Taufbekenntnis. Daraus hat sich offensichtlich bereits im letzten Drittel des 2. Jahrhunderts die Grundstruktur des späteren Symbols herausgebildet[51]. Irenäus, der das trinitarische Taufbekenntnis ebenfalls kennt[52],

Histoire du dogme de la Trinité. 2 Bde, Paris 1927–28; G. L. Prestige, God in Patristic Thought, London ²1952; M. Werner, Die Entstehung des christlichen Dogmas-problemgeschichtlich dargestellt, Bern-Tübingen ²1953; G. Kretschmar, Studien zur frühchristlichen Trinitätstheologie (Beitr. Hist. Theol. Bd. 21), Tübingen 1956; C. Andresen, Zur Entstehung und Geschichte des trinitarischen Personbegriffs, in: Zeitschr. Neutest. Wiss. 52 (1961), 1–39; I. Ortiz de Urbina, Nizäa und Konstantinopel (Geschichte der ökum. Konzilien, Bd. 1) Mainz 1964; A. Adam, Lehrbuch der Dogmengeschichte. Bd. 1, Gütersloh 1965; B. Lohse, Epochen der Dogmengeschichte, Stuttgart–Berlin ²1969; B. de Margerie, La trinité chrétienne dans l'histoire (Théol. hist. 31), Paris 1975; A. Grillmeier, Jesus der Christus im Glauben der Kirche. Bd. 1. Freiburg–Basel–Wien 1979.
[45] Ignatius von Antiochien, Ad Ephesios 9,1; 18,2 (Patres Apostolici II, ed. Funk-Diekamp, 244 f; 254–257); ders., Ad Magnesianos 13,1 (ebd. 289); vgl. ders., Martyrium Polykarps (ebd. 420).
[46] 1 Clem. 42; 46,6; 58,2 (Die apostolischen Väter, ed. J. A. Fischer, Darmstadt 1956, 76 ff; 82; 98).
[47] Athenagoras, Bittschrift für die Christen, 12 (TU Bd. 4/2, 13 f).
[48] Theophilus von Ant., Ad Autolycum II,15 (SC 20, 138–141); Tertullian, Adv. Praxean II,4; VIII,7 (CCL 2, 1161; 1168).
[49] Didache 7,1 (SC 248, 170 f).
[50] Justin, Apol. I, 61, 13 (Corpus Apol. I, ed. v. Otto, 166 f).
[51] Zur Geschichte des Glaubensbekenntnisses: neben den klassischen Werken von F. Kattenbusch, H. Lietzmann, A. v. Harnack, J. de Ghellinck vor allem J. N. D. Kelly, Altchristliche Glaubensbekenntnisse. Geschichte und Theologie, Göttingen 1972; K. H. Neufeld, The Earliest Christian Confessions, Leiden 1963. Eine erste Einführung in die Geschichte der Forschung gibt J. Quasten, Art. Symbolforschung, in: LThK IX, 1210–12.
[52] Irenäus, Epid. 3; 7 (SC 62, 31–33; 41 f).

nennt bereits die drei Hauptstücke des Glaubens: Gott der Vater, der Schöpfer des Alls – das Wort Gottes, der Sohn Gottes, der Gemeinschaft und Frieden mit Gott brachte – der Heilige Geist, der die Menschen für Gott neu schafft[53]. Bei Hippolyt von Rom begegnet uns dann das spätere dreigliedrige Symbol in Form von drei Tauffragen[54]. Tertullian weiß ganz im Geist des Paulus, daß auf das trinitarische Bekenntnis die Kirche gegründet ist: »quoniam ubi tres, id est pater et filius et spiritus sanctus, ibi ecclesia quae trium corpus est«[55]. Cyprian wird ein Jahrhundert später das gleiche sagen[56], und das II. Vatikanische Konzil ist ihm in seiner trinitarischen Definition der Kirche gefolgt: Kirche als »das von der Einheit des Vaters und des Sohnes und des Heiligen Geistes her geeinte Volk«[57]. Schließlich wissen Hilarius von Poitiers[58] und Augustinus[59], daß im Taufbefehl das Geheimnis der Trinität vollständig ausgedrückt ist.

Neben der Taufe ist vor allem die Eucharistie der »Sitz im Leben« des trinitarischen Bekenntnisses. Dies gilt besonders vom Osten, wo das Taufbekenntnis nicht dieselbe Rolle spielte wie im Westen. Während das Eucharistiegebet in der Didache den Heiligen Geist noch nicht ausdrücklich erwähnt[60], ist das von Justin überlieferte bereits trinitarisch strukturiert[61]. Dasselbe gilt vom Eucharistiegebet in der Apostolischen Tradition des Hippolyt. Dort heißt es: »Wir danken dir, Gott, durch deinen Sohn Jesus Christus, den du uns am Ende der Tage gesandt hast als Heiland und Befreier... Und dein Sohn wurde offenbart vom Heiligen Geist...« Das Eucharistiegebet endet mit einer Doxologie an den Vater im Heiligen Geist »durch deinen Sohn Jesus Christus«[62]. Dieselbe trinitarische Struktur läßt sich in den Epiklesen, Orationsschlüssen und Doxologien feststellen. Sie richten sich an den Vater, durch dessen Sohn Jesus Christus im Heiligen Geist[63]. Später, als die Arianer aus dieser Gebetsform die Subordination des Sohnes und die Pneumatomachen die des Heiligen Geistes ableiten wollten, kamen die parataktischen Formeln auf: »Ehre sei dem Vater und dem Sohn und

---

[53] Ebd. 6 (SC 62, 39f).
[54] DS 10.
[55] Tertullian, De bapt. VI (CCL 1, 282).
[56] Cyprian, De dominica oratione 23 (CSEL 3/1, 284f).
[57] Vatikanum II, Lumen gentium 4.
[58] Hilarius, De Trinitate II,1 (CCL 62, 38).
[59] Augustinus, De Trinitate XV, 26, 46 (CCL 50 A, 525–527).
[60] Didache 9 (SC 248, 174–179).
[61] Justin, Apol. I, 65.67 (aaO. 178.184).
[62] Hippolyt, Trad. apostol., 4–13 (The Treatise on the Apostolic Tradition of St. Hippolytus of Rome, ed. G. Dix, London 1937, 7–9).
[63] Vgl. Justin, Apol. I, 67 (aaO. 184–189); Origenes, De oratione 33 (GCS 2, 401f); vgl. C. Vagaggini, Theologie der Liturgie, Einsiedeln–Zürich–Köln 1959, 149ff.

dem Heiligen Geist«[64]. Die Schrift des Basilius »Über den Heiligen Geist« ist ganz und gar getragen von der Reflexion über die liturgische Doxologie und die Bedeutung der darin gebrauchten Präpositionen »durch«, »in«, »aus«, »mit«. Die frühe Trinitätslehre versteht sich also nicht als Luxus privater Spekulation, sondern als reflektierte Liturgie und Doxologie.

Auf dieser Grundlage des gelebten und gebeteten Glaubens bildete sich bei Irenäus und Tertullian die *Glaubens- bzw. Wahrheitsregel* (κανὼν τῆς πίστεως bzw. ἀληθείας; regula fidei bzw. veritatis) aus. Sie ist nicht identisch mit dem Taufsymbol, stellt vielmehr das antignostisch interpretierte Symbol dar. Sie ist auch nicht eine Regel für den Glauben, sondern die Regel, die der in der Kirche verkündete Glaube ist. Sie meint die Richtschnur, wie sie im Glauben der Kirche bzw. in der Wahrheit des Glaubens gegeben ist, die Maßstäblichkeit der in der kirchlichen Verkündigung bezeugten Wahrheit. Deshalb geht es bei der Glaubensregel auch nicht wie in den Symbolen und Dogmen um einzelne Formeln, sondern um eine knappe normative Zusammenfassung des ganzen von den Aposteln empfangenen Glaubens der Kirche. Um so wichtiger ist es, daß diese Zusammenfassungen durchweg trinitarischen Charakter hatten[65]. Sie bildeten nicht nur für die genannten frühen christlichen Denker, sondern auch noch später für so »spekulative« Theologen wie Origenes[66] und Augustinus[67] die Grundlage ihrer Trinitätslehre. Das bedeutet: Die altkirchlichen Theologen wollten in der Trinitätslehre nicht ihre privaten Reflexionen und Spekulationen, sondern den gemeinsamen, für alle verbindlichen öffentlichen Glauben der Kirche darlegen, ihn gegen Bestreitungen und Mißdeutungen verteidigen und ihn nicht zuletzt für ein tieferes Verständnis im Glauben und für

[64] Vgl. J. A. Jungmann, Die Stellung Christi im liturgischen Gebet, Münster ²1962; ders., Missarum Solemnia. Eine genetische Erklärung der römischen Messe. Bd. 2. Wien 1948, 329 f.

[65] Zum ursprünglichen Sinn von regula fidei: B. Haeggelund, Die Bedeutung der regula fidei als Grundlage theologischer Aussagen, in: Studia Theologica 12 (1958), 1–44; J. Quasten, Art. regula fidei, in: LThK VIII, 1102 f.

[66] Origenes, De principiis, praef. 2 (SC 252, 78 f). Nachdem Origenes über Jesus Christus als die Wahrheit gesprochen hat, beklagt er, daß die Christen, die sich zu Christus bekennen, ihrerseits über viele Wahrheiten uneins sind. Deshalb gilt es, »eine klare Linie und deutliche Richtschnur festzulegen«. Trotz aller Abweichungen bleibt »die kirchliche Verkündigung erhalten, die in der Ordnung der Nachfolge von den Aposteln her überliefert ist und bis heute in den Kirchen fortdauert; und so darf man denn nur das als Wahrheit glauben, was in nichts von der kirchlichen und apostolischen Wahrheit abweicht«. Vgl. De principiis IV, 2,2 (SC 268, 300–305).

[67] Vgl. Augustinus, De Trinitate I, 1 f (CCL 50, 27 ff), wo Augustin darlegt, daß für ihn der Glaube der Hl. Schrift der Ausgangspunkt ist, den er in Übereinstimmung mit allen erreichbaren katholischen Erklärern des Alten und Neuen Testaments darlegen will, um zu schließen: »Das ist auch mein Glaube, weil es der katholische Glaube ist« (I,4).

ein Wachstum in der Liebe erschließen. *Die altkirchliche Trinitätslehre ist damit »die« Glaubensregel und als solche die maßgebende Auslegung der christlichen Wahrheit. Sie ist die in der Kirche maßgebliche Auslegung der Schrift. Sie ist die Summe des christlichen Glaubens.*

3. Theologie- und dogmengeschichtliche Entwicklung

Trinitätslehre im Unterschied zum trinitarischen Bekenntnis liegt erst dort vor, wo Vater, Sohn und Geist nicht nur in ihrer einen, gleichen und gemeinsamen gottheitlichen Würde bekannt, sondern wo Reflexionen über das Verhältnis von Ein-Gott-Glaube und Dreiheit der Personen sowie über das Verhältnis von Vater, Sohn und Geist untereinander angestellt werden. Während das Bekenntnis in assertorischer Weise sagt, was in den Offenbarungsurkunden narrativ bezeugt wird, redet die Trinitätslehre in spekulativer Weise. Sie bringt die einzelnen Aussagen des Bekenntnisses in ein Spiegel(speculum) – Verhältnis; indem diese sich ineinander spiegeln, wird deutlich, daß sie in einer wechselseitigen Entsprechung und in einem inneren Zusammenhang (nexus mysteriorum) stehen und ein Strukturgefüge und eine Strukturanzheit (hierarchia veritatum) bilden. Die Trinitätslehre sucht also die trinitarischen Aussagen von Schrift und Tradition miteinander zu vermitteln, ihre immanente Stimmigkeit und Logik aufzuzeigen und sie so für den Glauben als plausibel zu erweisen.

Die ersten tastenden Versuche einer theologischen Reflexion über das trinitarische Bekenntnis der Kirche finden sich im *Judenchristentum*. Wir wissen darüber freilich nur sehr fragmentarisch Bescheid, weil die entsprechenden Traditionen später nicht weitergeführt, ja bewußt verdrängt worden sind[68]. Grundlegend für die Trinitätslehre des Judenchristentums waren offenbar apokalyptische und rabbinische Vorstellungen von zwei Engelsgestalten, die als Zeugen oder Parakleten zur Rechten und zur Linken des Thrones Gottes stehen. Anknüpfungspunkte für diese Vorstellungen waren die Erzählung von den drei Männern bzw. Engeln, die Abraham besuchen (Gen 18), und vor allem die Vision der Seraphim in Jes 6, 1–3[69]. Doch schon bald wurde deutlich, daß diese Engeltrinitätslehre die göttliche Würde Jesu und des Geistes nicht ausdrücken konnte, sondern vielmehr zu einer subordinatischen Konzeption führte, wie sie im häretisch gewordenen Judenchristentum, im Ebionitismus, dann tatsächlich

---

[68] Vgl. dazu vor allem: J. Daniélou, Théologie du judéo – christianisme, Tournai 1958; G. Kretschmar, Studien zur frühchristlichen Trinitätstheologie, Tübingen 1956 (Beitr. Hist. Theol. Bd. 21); J. Barbel, Christus Angelos, in: Liturgie und Mönchtum 21 (1957), 71–90; A. Adam, Lehrbuch der Dogmengeschichte. Bd. 1. Gütersloh 1965, 127 ff.

[69] Einzelne Spuren: Tertullian, De carne Christi 14 (CCL 2,899 f); Novatian, De Trinitate XVIII, 102 (CCL 4,44); Origenes, De principiis I, 3, 4 (SC 252, 148–153); Eusebius, Praeparatio Evangelii VII, 14 f (SC 215, 234–237).

auch vorgenommen wurde[70]. Die im frühen *hellenistischen Christentum* entstandene Logosspekulation kann deshalb als Versuch einer Entapokalyptisierung der Trinitätsvorstellung verstanden werden[71]. Freilich gelang es auch den Apologeten, die diesen Weg zuerst beschritten, noch nicht, der Gefahr des Subordinatianismus zu entgehen. Der Logos wurde weithin als zweiter Gott (δεύτερος θεός) und der Geist gar als Diener (ὑπερέτης) des Logos verstanden. Auf die judaisierende Verkürzung folgte zunächst also die hellenisierende Reduktion, in der Vater, Sohn und Geist in eine Art hierarchisch absteigendes Schema gebracht wurden[72].

Die eigentliche theologische Klärung der Trinitätslehre[73] erfolgte im hellenistischen Bereich *in zwei Phasen:* in der Auseinandersetzung mit der Gnosis im 3. Jahrhundert und in der Auseinandersetzung mit der hellenistischen Philosophie, die die Ansätze der Apologeten radikalisierte und im 4. Jahrhundert durch Arius in die Kirche eindrang. Diese Einteilung ist selbstverständlich einigermaßen schematisch, weil zwischen beiden Auseinandersetzungen vielfältige Übergänge bestehen, wie vor allem an der Gestalt eines der größten Theologen der alten Kirche, an Origenes, deutlich wird.

Die *erste Phase* der Entwicklung der Trinitätslehre geschah in der Auseinandersetzung mit der Gnosis. Die *Gnosis*[74], ein Sammelbegriff für eine vielschichtige und vielgesichtige Mentalität, deren Herkunft und Wesen noch immer nicht voll aufgeklärt sind, entsprang dem Zerfall des antiken Kosmosdenkens. Der spätantike Mensch erlebte die Welt nicht mehr als Kosmos, sondern erfuhr sich als in der Welt und von der Welt entfremdet. Das Göttliche wurde dadurch zum ganz Anderen, zu einem unbegreiflichen und unaussprechlichen Absoluten[75]. Das daraus sich ergebende Problem der Vermittlung zwischen Gott und Welt lösten die Gnostiker mit dem für sie grundlegenden Begriff der Emanation (ἀπόρροια; προβολή). Es handelt sich um ein stufenweise absteigendes und sich verringerndes Ausfließen aus dem ersten Ursprung aufgrund einer inneren Notwendigkeit[76]. Mit Hilfe solcher Spekulationen meinten die Gnostiker ein höheres Wissen von Christentum erlangen zu können. Der gnostische Dualismus von Gott und Welt war jedoch für den christlichen Schöpfungsglauben ebenso inakzeptabel wie dessen Überbrückung durch allerlei Zwischenwesen, durch die der Unterschied zwischen Gott und Welt dann doch wieder verwischt wurde. So standen für das junge Christentum in der Auseinandersetzung mit der Gnosis die Grundlagen und das Wesen des Christlichen auf dem Spiel: sowohl das Gottesbild wie das rechte Weltverständnis. Es ging in dieser Auseinandersetzung um Sein oder Nichtsein des christlichen Glaubens.

---

[70] Vgl. o. 223.
[71] Hier liegt das Korn Wahrheit der ansonsten monomanen These von M. Werner, Die Entstehung des christlichen Dogmas – problemgeschichtlich dargestellt, Bern-Tübingen ²1953, wonach das christliche Dogma aus einer Eschatologisierung der biblischen Botschaft entspringt.
[72] Vgl. o. 224ff.
[73] Literatur zur Geschichte der Trinitätslehre vgl. o. Anm. 44.
[74] Zur Gnosis vgl. o. 224f.
[75] Vgl. Irenäus, Adv. haer. I,1 (SC 264, 28–35); Hippolyt, Ref. VI, 29 (GCS 26, 155–157).
[76] Vgl. die Begriffsbestimmung von emanatio bzw. missio bei Irenäus, Adv. haer. II, 13, 6 (SC 294, 118–121); dazu J. Ratzinger, Art. Emanation, in: RAC IV, 1219–1228.

Die maßgebene Gestalt in diesem Kampf war *Irenäus von Lyon*. Für Irenäus ist die »wahre Gnosis« die Lehre der Apostel und das alte Lehrgebäude der Kirche für die ganze Welt«[77]. Deshalb stellt er der Gnosis die Glaubensregel, den in der Kirche bezeugten apostolischen Glauben vom einen Gott, dem allmächtigen Vater, Schöpfer des Himmels und der Erde, vom einen Jesus Christus, Gottes Sohn, und vom einen Heiligen Geist entgegen[78]. Über die Emanation weiß nach Irenäus niemand Bescheid; man kann das Unaussprechliche nicht doch aussprechen wollen und – wie er sarkastisch bemerkt – davon reden, als ob man bei der Geburt des Sohnes als Hebamme dabeigewesen wäre[79]. Bei dieser Bescheidung ist Irenäus freilich nicht stehengeblieben. Schon Irenäus hat die geistige Auseinandersetzung begonnen, indem er die innere Widersprüchlichkeit der gnostischen Emanationenlehre aufwies: Das vom Ursprung Ausgegangene kann diesem nicht schlechterdings fremd sein. Wenn schon beim Menschen der Verstand im Menschen bleibt, dann erst recht bei Gott, der ganz Verstand ist[80]. Damit deutet sich ein Verständnis von Emanation an, das keine Seinsverminderung und Abstufung meint, sondern eine Ursprungsbeziehung auf derselben Ebene beinhaltet. Der Angelpunkt dieser Korrektur besteht darin, daß Irenäus dem materialistischen Verständnis des Göttlichen durch die Gnostiker ein Verständnis Gottes als reiner Geist entgegenstellt. Die gnostische Emanationenlehre setzt ja irgendeine Art der Teilbarkeit des Göttlichen und damit ein quantitativ-materielles Verständnis des Göttlichen voraus. Wenn demgegenüber Irenäus Gott als reinen Geist versteht, wahrt er die Einheit und die Einfachheit Gottes, die jede Teilung ausschließt.

Daß Irenäus die Grundlagen für eine Emanation auf ein und derselben Seinsstufe, also für die spätere Trinitätslehre legt, hängt mit seiner heilsgeschichtlichen Denkweise zusammen. Die Einheit Gottes begründet nämlich bei Irenäus gegen alle dualistische Zertrennung von Schöpfung und Erlösung die Einheit des göttlichen Heilsplans, vor allem die Einheit von Schöpfung und Erlösung, die in der Einheit von Menschheit und Gottheit in Jesus Christus zusammengefaßt und »behauptet« wird (Anakephalaiosis)[81]. Die grundlegende These des Irenäus lautet: Es ist ein und derselbe Gott, der in Schöpfungs- und Erlösungsordnung handelt[82]. Damit verteidigt Irenäus nicht nur die Würde der Schöpfung gegen deren gnostische Verleumdung, sondern auch den Sinn der Erlösung: »Dazu nämlich ist das Wort Gottes Mensch geworden und der Sohn Gottes zum Menschensohne, damit der Mensch das Wort in sich aufnehme und, an Kindesstatt angenommen, zum Sohn Gottes werde«[83]. Der soteriologische Sinn der Menschwerdung verlangt seinerseits wieder die Ewigkeit des Sohnes und des

[77] Irenäus, Adv. haer. IV, 33, 8 (SC 100/2, 818–821).
[78] Ebd. I, 10 (SC 264, 154–167).
[79] Ebd. II, 28, 6 (SC 294, 282–285).
[80] Ebd. II, 13, 4; 28, 5 (SC 294, 116–119; 280–283).
[81] Zur Anakephalaiosis- bzw. Rekapitulationstheorie: H. Schlier, Art. Κεφαλή, in: ThWNT III, 673–682; W. Staerk, Art. Anakephalaiosis, in: RAC I, 411–414; R. Haubst, Art. Anakephalaiosis, in: LThK I, 466 f; E. Scharl, Recapitulatio mundi. Der Rekapitulationsbegriff des hl. Irenäus, Freiburg i. Br. 1941.
[82] Irenäus, Adv. haer. II, 28, 1 (SC 294, 268–271); IV, 9, 1; 20, 4 (SC 100/2, 476–481; 634–637) u. ö.
[83] Ebd. III, 19, 2; vgl. 20,2 (SC 211, 374–379; 388–393); IV, 20,4 (SC 100/2, 634–637); V, 16, 2 (SC 153, 216 f).

Geistes[84]. Sie sind gleichsam die beiden Hände Gottes für die Ausführung seines Heilsplanes[85]. Die Einheit Gottes begründet also die Einheit der Heilsordnung, die Heilsordnung wiederum setzt die Wesensgleichheit des Sohnes mit dem Vater voraus. Ökonomische und immanente Trinität bilden in dieser genialen Sicht des Irenäus eine Einheit.

Die großartige Schau des Irenäus mußte in der Folge begrifflich in verschiedenster Hinsicht noch präzisiert werden. Es waren vor allem zwei Theologen am Anfang des 3. Jahrhunderts, die sich dieser Aufgabe widmeten: Tertullian begründete für den Westen, Origenes für den Osten eine spezifisch christliche Trinitätslehre. Daß solche Pioniertaten nicht ganz ohne Unsicherheiten im Ausdruck und Zweideutigkeiten in der Sache vonstatten gehen, ist klar. Dennoch war ein Anfang gemacht, auf dem die folgenden Generationen weiterbauen konnten.

Tertullian wußte sich als Mann der Kirche, für den ebenso wie für Irenäus die regula fidei, der von Anfang an in der Kirche überlieferte Glaube, Grundlage und Maßstab seines Denkens war[86]. Damit war der entscheidende Unterschied zur Gnosis klar. Von der gesicherten Grundlage des kirchlichen Bekenntnisses aus konnte er den Emanationsgedanken in kritischer Weise durchaus aufgreifen, indem er jede Absonderung des Hervorgegangenen von seinem Ursprung ausschloß[87] und die Emanationsidee mit der ihr zunächst völlig fremden Idee der unitas substantiae verband[88]. Die Konsequenz dieses Gedankengangs war, daß die Trinität nicht mehr die kosmologische Funktion haben konnte, die sie bei den Gnostikern hatte, und daß so der Weg frei wurde für eine immanente Trinitätslehre, die wie bei Irenäus soteriologisch motiviert war. Denn nur wenn Gott selbst Mensch wird, kann die Menschheit Christi das sacramentum humanae salutis sein[89]. Die Trinitätslehre des Tertullian wahrte dabei sowohl die monarchia des Vaters, von dem alles ausgeht, wie die oiconomia[90], d. h. die konkrete Ordnung dieser monarchia, aufgrund derer der Vater den Sohn teilhaben läßt an seiner Herrschaft und sie durch ihn ausübt[91]. So kann Tertullian die Einheit in Gott wahren und doch den Unterschied herausstellen. Anders die Modalisten, von denen sich Tertullian vor allem mit Praxeas auseinandersetzt. Sie sehen im Sohn und im Geist nur verschiedene Erscheinungsweisen des Vaters und vergessen, daß der Vater nur Vater ist in Beziehung zum Sohn und umgekehrt[92]. So gilt von der unitas in trinitatem, daß die Drei non statu sed gradu, nec substantia sed forma, non potestate sed specie verschieden sind[93]. Es handelt sich – antignostisch – nicht um eine Trennung,

---

[84] Ebd. III, 8, 3 (SC 211, 94–97); IV, 6, 7; 20, 3; 38, 3 (SC 100/2, 450–455; 632 f; 952–957).

[85] Ebd. IV, 20, 1 (SC 100/2, 624–627).

[86] Tertullian, De praescr. 13; 36; 37 (CCL 1, 197 f; 216 f; 217 f); ders., Adv. Marcionem IV, 5 (CCL 1, 550–552); ders., Adv. Praxean II, 1 f (CCL 2, 1160 f) u. ö.

[87] Ders., Adv. Praxean VIII; IX (CCL 2, 1167–1169).

[88] Ders., Apol. XXI, 11 (CCL 1, 124).

[89] Ders., Adv. Marcionem II, 27, 7 (CCL 1, 507).

[90] Ders., Adv. Praxean VIII, 7 (CCL 2, 1168).

[91] Ebd. III, 2 f (CCL 2, 1161 f).

[92] Ebd. X, 3 (CCL 2, 1169).

[93] Ebd. II, 4 (CCL 2, 1161); vgl. De pud. XXI (CCL 2, 1326–1328).

wohl aber – antimodalistisch – um eine Unterscheidung von Personen, nicht von Substanzen[94]. Tertullian formuliert unübertreffbar genau: tres unum sunt non unus[95]. Damit hat Tertullian – trotz noch vorhandener subordinatianisch klingender Ausdrücke[96] – eine neue theologische Sprache geschaffen und mit ihr die spezifisch christliche Trinitätslehre grundgelegt.

Die Klärungen Tertullians hatten maßgebenden Einfluß vor allem auf die westliche Trinitätslehre, die damit relativ früh in ihren Grundzügen feststand. Der Einfluß ist vor allem im *Streit der beiden Dionyse* greifbar. In einem Schreiben des römischen Bischofs Dionysius aus dem Jahr 262 an seinen Namensvetter, den Bischof Dionysius von Alexandrien[97], wendet sich Dionysius von Rom sowohl gegen den (unterstellten) Tritheismus seines Amtskollegen in Alexandrien wie gegen den Modalismus des Sabellius. Weder darf die göttliche Einheit in drei völlig getrennte Gottheiten aufgelöst (Tritheismus), noch dürfen Vater und Sohn gleichgesetzt werden (Modalismus). Fragt man freilich, wie beides zusammenzudenken ist, so findet man bei Dionysius noch keine Antwort. Interessant ist immerhin, daß er wie Tertullian die monarchia nicht in der einen göttlichen Substanz gegeben sieht, sondern im Vater, dem der Sohn geeint ist und in dem der Geist bleibt und innewohnt. Nicht der Geist, wie später bei Augustinus, sondern der Vater ist hier das Band der Einheit in der Trinität[98]. Bei Hilarius wird uns ein Jahrhundert später im lateinischen Westen nochmals eine ähnliche Konzeption begegnen[99]. Damit ist im lateinischen Westen eine Trinitätskonzeption grundgelegt, die dem Anliegen des Ostens, die Monarchie des Vaters zu wahren, sehr entspricht. Dennoch kommt es schon hier zum Konflikt zwischen Ost und West. Denn Dionysius von Alexandrien ist Origenesschüler und insofern Repräsentant des östlichen Denkens. Worin besteht der Unterschied?

Die maßgebende Gestalt des Ostens war *Origenes.* Nicht anders als Irenäus und Tertullian verstand er sich primär nicht als Philosoph, sondern als Schrifttheologe, für den Jesus Christus die Wahrheit ist; näherhin verstand er sich als kirchlicher Theologe, für den die ecclesiastica praedicatio die Richtschnur darstellt, nach der auch die Schrift auszulegen ist[100]. Damit waren die Grenzen zur Gnosis, aber auch zur rein philosophischen Spekulation, zum Platonismus, klar gezogen. Trotzdem läßt sich Origenes tiefer als Irenäus und Tertullian auf gnostische und philosophische Spekulationen ein, um in Auseinandersetzung mit ihnen erstmals eine christliche Gesamtsicht der Wirklichkeit zu entwerfen. Der Grundunterschied zur Gnosis besteht für Origenes in Übereinstimmung mit der platonischen Philosophie in dem rein geistigen Verständnis Gottes[101]. Deshalb muß Origenes den Begriff der Emanation, der eine Teilbarkeit des Göttlichen behauptet, wegen seines materialistischen Gehalts verwerfen[102]. Origenes muß

---

[94] Ders., Adv. Praxean XII,6 (CCL 2, 1173).

[95] Ebd. XXV, 1 (CCL 2, 1195).

[96] Vgl. o. 225.

[97] DS 112–115; NR 248f.

[98] Vgl. o. 265ff.

[99] Hilarius, De Trinitate II, 6ff (CCL 62, 42ff).

[100] Origenes, De principiis praef. 2 (SC 252, 70f); IV, 2, 2 (SC 268, 300–305).

[101] Ebd. I, 1, 1.6 (SC 252, 90; 98–105).

[102] Ebd. I, 2, 6; 4,1 (SC 252, 120–125; 166–169); ders., Contra Celsum VI, 34. 35 (SC 147, 260–265).

also nach einem anderen Weg suchen, um alle Wirklichkeit von Gott, der – durchaus platonisch – als Einheit (μονάς) und Einsheit (ἑνάς)[103] jenseits von Geist und Wesenheit steht[104], abzuleiten.

Formal beschreitet Origenes denselben Weg wie die Gnosis: Die Mannigfaltigkeit der Wirklichkeit leitet sich durch einen gradweisen Abfall von jener transzendenten Einheit ab, zu der sie am Ende wieder zurückkehrt[105]. Ob und inwiefern Origenes dabei verschiedene sukzessive Weltzyklen angenommen hat[106], kann hier auf sich beruhen bleiben. Wichtiger ist, wie er das gnostische Schema formal übernimmt, material aber entschieden korrigiert: Einerseits versteht er die Wirklichkeit als Gottes freie Schöpfung[107], die unter der göttlichen Providenz verbleibt; andererseits führt er die gesamte Entwicklung auf die freie Entscheidung des Willens zurück und macht damit die Freiheit zum vehiculum des Weltprozesses[108]; schließlich unterstellt er am Ende alles dem göttlichen Gericht[109]. Damit erhält das gesamte System des Origenes einen voluntaristischen, wir würden heute sagen: einen geschichtlichen Charakter, der dem Naturalismus der gnostischen Emanationsvorstellung zutiefst entgegengesetzt ist[110].

Diese Gesamtsicht der Wirklichkeit, wo alles von Gott ausgeht und zu ihm zurückkehrt, hat bei Origenes ihrerseits trinitarische Voraussetzungen. Denn Ausgang wie Rückkehr geschehen durch Jesus Christus im Heiligen Geist. Zunächst schafft und leitet Gott die Welt durch seinen Sohn[111]. Er geht ewig von Gott aus, aber nicht »materialistisch« durch Zeugung wie in der Gnosis, sondern geistig als Hervorgang durch den Willen, näherhin durch die Liebe[112]. Wichtig ist für Origenes wie schon für Tertullian auch der Vergleich mit dem Verhältnis zwischen dem Licht und dessen Abglanz[113]. Trotz mancher subordinationistisch klingender Formeln will Origenes dabei die Gleichwesentlichkeit des Sohnes mit dem Vater festhalten[114]. Da der Sohn aus der Freiheit in der Liebe stammt und als solcher Skizze und Vorbild der Welt ist[115], regiert Gott durch ihn die Welt nicht durch Gewalt und Zwang; die Welt ist vielmehr von vornherein auf Freiheit hin angelegt[116]. Für uns ist der Logos das Bild Gottes[117] und der Weg zur Erkenntnis des Vaters[118]. Den Sohn können wir freilich nur durch den Heiligen Geist erfassen[119]. Wie Gott durch Christus im Geist wirkt,

---

[103] Ders., De principiis I, 1, 6 (SC 252, 98–105).

[104] Ebd. I, 6, 2; II, 1, 1 (SC 252, 196–201; 234–237).

[105] Ebd. II, 3, 1 (SC 252, 248–251).

[106] Ebd. II, 9, 1; 9, 5f (SC 252, 352–355; 360ff).

[107] Ebd. II, 9, 2; 9, 5f (SC 252, 354–357; 360ff).

[108] Ebd. I, 6, 1 (SC 252, 194–197).

[109] Ebd. II, 10, 1.4ff.

[110] H. Jonas, Gnosis und spätantiker Geist. Bd. 2/1. Göttingen 1954, 207–210; J. Ratzinger, aaO. 1223.

[111] Origenes, De principiis I, 2, 10 (SC 252, 132–139).

[112] Ebd. I, 2, 6; 2,9 (SC 252, 120–125; 128–131); IV, 4, 1 (SC 268, 400–405).

[113] Ebd. I, 2, 7 (SC 252, 124f).

[114] Ebd. I, 2, 6 (SC 252, 120–125); Vgl. o. 225f.

[115] Ebd. I, 2, 2 (SC 252, 112–115).

[116] Ebd. I, 2, 10 (SC 252, 132–139); Vgl. Irenäus, Adv. haer. V, 1, 1 (SC 153, 16–21).

[117] Origenes, De principiis I, 2, 6 (SC 252, 120–125).

[118] Ebd. I, 2, 8 (SC 252, 126–129).

[119] Ebd. I, 3, 4.5.8 (SC 252, 148–153; 152–155; 162–165).

so kehren wir im Geist durch Christus zum Vater zurück. So besteht auch für Origenes, trotz mancher zweideutiger Aussagen, ein soteriologisches Interesse, daß Vater, Sohn und Geist seinsmäßig einander nicht untergeordnet sind. Wer wiedergeboren wird zum Heil, bedarf des Vaters, des Sohnes und des Heiligen Geistes und kann das Heil nicht empfangen, wenn die Trinität nicht vollständig ist[120]. Diese soteriologische Sicht und die durch sie begründete Spiritualität und Mystik ist bei Origenes über Irenäus hinaus die Grundlage einer Gesamtsicht der Wirklichkeit. Das macht die Vielschichtigkeit und Vielgesichtigkeit dieser genialen Synthese aus.

Origenes war damals und ist bis heute ein Zeichen des Widerspruchs. Bereits Epiphanius, Hieronymus und Theophilus brachten schwere Anklagen gegen ihn vor. Hundert Jahre später wurden einige als origenistisch geltende Thesen durch Kaiser Justinian verurteilt[121]. Bis heute ist das Verhältnis zwischen Origenes und dem verurteilten Origenismus (bes. Evagrius Ponticus) schwierig zu bestimmen und in der Forschung umstritten[122]. Sicher scheint, daß die »linksorigenistische« Tendenz über Lukian von Antiochien zur Irrlehre des *Arius* führte, durch die die Kirche, nachdem sie die Auseinandersetzungen mit der Gnosis und die Christenverfolgungen eben überstanden hatte, in neue schwere Konflikte geriet. Erst in diesen Wirren und durch die darin schließlich erzielten Klärungen hindurch konnten die genialen Einsichten des Origenes für die Kirche fruchtbar werden.

Zusammenfassend können wir feststellen: Trotz aller noch vorhandener Mängel und Unklarheiten hatte die Kirche durch das Werk eines Irenäus, Tertullian und Origenes in der Auseinandersetzung mit den Spekulationen der Gnosis eine eigene Trinitätslehre entwickelt, für die ökonomische und immanente Trinität unlösbar zusammengehörten. Die sowohl bei Tertullian wie bei Origenes feststellbaren subordinatianischen Tendenzen rührten im Grunde von einer zu engen Verbindung und von einer mangelnden Unterscheidung beider Betrachtungsweisen her. Die klare Unterscheidung zwischen Zeit und Ewigkeit, Gott und Welt war damit sowohl von der inneren Logik der Entwicklung wie von den äußeren Herausforderungen her die Aufgabe der nächsten Phase der Entwicklung.

Die *zweite Phase* der Entwicklung ist vor allem durch den Namen des *Arius* und die Richtung des *Arianismus* charakterisiert. Unter dem Einfluß der Philosophie des mittleren Platonismus radikalisierte Arius die subordinatianischen Tendenzen der bisherigen Tradition. Er stellte ein System auf, in dem Gott und die Welt radikal unterschieden waren und deshalb durch den als Zwischenwesen verstandenen Logos miteinander vermittelt werden mußten[123]. Damit nahm Arius den zunächst behaupteten radikalen Unterschied zwischen Gott und Welt im nachhinein doch wieder nicht ernst; er übersah, daß es zwischen Schöpfer und Geschöpf kein Mittleres, sondern nur ein Entweder-Oder geben kann. Wie in der Auseinandersetzung mit der Gnosis stand auch in der Auseinandersetzung

---

[120] Ebd. I, 3, 5 (SC 252, 152–155); Vgl. ders., In Joan. II, 10, 77 (SC 120, 256f).
[121] DS 403–411.
[122] Vgl. H. Crouzel, Die Origenesforschung im zwanzigsten Jahrhundert, in: Bilanz der Theologie im 20. Jahrhundert. Hrsg. v. H. Vorgrimler / R. van der Gucht. Bd. 3. Freiburg–Basel–Wien 1970, 515–521.
[123] Vgl. o. 226.

mit Arius keine Einzel- und schon gar nicht eine Randfrage auf dem Spiel, sondern das Ganze der christlichen Sicht von Gott und Welt. Es stand, wie insbesondere *Athanasius* deutlich machte[124], das Verständnis des Heils selbst auf dem Spiel. Aus der christlichen Heilslehre drohte nämlich bei Arius eine kosmologische Spekulation, die Weltweisheit einer Philosophie zu werden.

Das Ergebnis der Auseinandersetzung mit Arius, in die zugleich das Ergebnis der Auseinandersetzung mit der Gnosis einging, und der weiteren Entwicklung war die Definition des *Konzils von Nikaia (325)* über die Gleichwesentlichkeit (ὁμοούσιος) des Sohnes mit dem Vater[125] und die Definition des *Konzils von Konstantinopel (381)* über die gleiche Würde des Heiligen Geistes zusammen mit dem Vater und dem Sohn[126]. Das *Bekenntnis von Nikaia* gipfelt in der Aussage, der Sohn sei eines Wesens mit dem Vater. Der Begriff ὁμοούσιος erwies sich jedoch schon bald als »der neuralgische Punkt des Glaubensbekenntnisses von Nikaia, der Pfeil in der Flanke des Arianismus und das Zeichen des Widerspruchs, worüber noch länger als ein halbes Jahrhundert diskutiert werden sollte«[127]. Der Begriff enthielt verschiedene Tücken: Er war nicht biblischen, sondern gnostischen Ursprungs; er war außerdem auf einer Synode von Antiochien im Jahr 269 gegen Paul von Samosata in einem anderen, nicht ganz geklärten Sinn verurteilt worden; er war schließlich auch inhaltlich nicht ganz eindeutig. Seine Aussageintention war, zu sagen: Der Sohn ist nicht geschaffen, sondern gezeugt; er gehört nicht auf die Seite der Geschöpfe, sondern auf die Seite Gottes. Die Frage war jedoch: Meint ὁμοούσιος: gleichen Wesens mit dem Vater, oder: eines Wesens mit dem Vater? Die erstere Deutung könnte tritheistisch, die zweite modalistisch mißverstanden werden. Die Antwort auf diese Frage ergibt sich eher aus dem Zusammenhang als aus dem Begriff selbst. Das Bekenntnis von Nikaia geht ja aus vom Bekenntnis zum einen Gott, dem Vater, der wesensmäßig nur einer und einzig sein kann. Aus dem Wesen und der Hypostase des Vaters (beide Begriffe werden in Nikaia noch identisch gebraucht) ist der Sohn, der ebenso göttlich ist wie der Vater. Daraus folgt, daß der Sohn das wesensmäßig einzige und unteilbare göttliche Wesen, das dem Vater eigen ist, ebenfalls besitzt. Die Wesenseinheit und nicht nur Wesensgleichheit zwischen Vater und Sohn ergibt sich also erst aufgrund einer Schlußfolgerung aus dem Gesamtduktus des Bekenntnisses[128].

[124] Vgl. o. 228 f.
[125] Vgl. o. 226 ff.
[126] I. Ortiz de Urbina, Nizäa und Konstantinopel (Geschichte der ökumenischen Konzilien, Bd. 1), Mainz 1964, 94.
[127] Irenäus, Adv. haer. I, 11, 3 (SC 264, 172–175); Hippolyt, Ref. VI, 38 (GCS 26, 168–170); Epiphanius, Panarion 32, 5 (GCS 25, 444 f).
[128] I. Ortiz de Urbina, aaO. 99.

Diese Deutung des ὁμοούσιος bedeutet für die dem Nicaenum zugrundeliegende und implizit in ihm enthaltene Trinitätslehre:

1. Das Konzil geht nicht monotheistisch von dem einen Wesen Gottes aus, um erst dann trinitarisch von Vater, Sohn und Heiligem Geist als den drei Weisen zu sprechen, in denen dieses eine Wesen konkret existiert. Das Bekenntnis geht vielmehr vom Vater aus und versteht ihn als »Gipfel der Einheit«, in dem Sohn und Heiliger Geist sich zusammenfassen. Wir haben also eine genetische Auffassung der Gottheit vor uns, die aus dem Vater entspringt und sich im Sohn und im Heiligen Geist verströmt[129].

2. Dem Konzil fehlen offensichtlich die begrifflichen Möglichkeiten, um die Einheit des Wesens und die Unterscheidung der Personen adäquat auszudrücken. An dieser Stelle drängt Nikaia über sich hinaus. Die klaren Unterscheidungen des Tertullian konnten sich dabei erst nach langen und schwierigen Klärungsprozessen durchsetzen.

Die Klärung dieser Frage geschah in dem halben Jahrhundert zwischen Nikaia (325) und Konstantinopel (381). Die Semiarianer wollten den Unterschied zwischen Vater und Sohn, der ihnen durch das ὁμοούσιος modalistisch verwischt schien, dadurch retten, daß sie nur einen einzigen Buchstaben hinzufügten und von ὁμοίουσιος sprachen (d. i. dem Vater ähnlich, ihm gleichend, aber nicht gleich). Dieser Kompromiß war unhaltbar, weil er dem tiefen Anliegen des ὁμοούσιος nicht gerecht wurde. Eine Lösung bahnte sich an, als Athanasius, der große Vorkämpfer der nikänischen Richtung, auf der Synode von Alexandrien im Jahr 362 eine gewisse Annäherung vollzog und die Unterscheidung zwischen drei Hypostasen und einem Wesen zuließ. Jetzt wurden also zwei Begriffe unterschieden, die in Nikaia noch identisch gebraucht wurden[130].

Die genauere begriffliche Klärung dieser Unterscheidung war das Werk der drei Kappadozier (Basilius von Caesarea, Gregor von Nazianz, Gregor von Nyssa). Im Sinn der stoischen Philosophie ist für Basilius das Wesen (οὐσία) das unbestimmte Allgemeine. So kann etwa der Wesensbegriff Mensch mehreren Menschen gemeinsam zukommen. Die Hypostasen (ὑποστάσεις) dagegen sind dessen konkrete, individuelle Verwirklichung. Sie kommen durch einen Komplex von Idiomata, d. h. individualisierenden Eigentümlichkeiten, zustande. Diese Idiomata werden freilich nicht als Akzidentien, sondern als Konstitutiva des Konkret-Seienden verstanden[131]. Zur Eigentümlichkeit des Vaters gehört es, daß er sein Dasein keiner anderen Ursache verdankt, zur Eigentümlichkeit des Sohnes, daß er vom Vater gezeugt ist, zur Eigentümlichkeit des Heiligen Geistes, daß er nach dem Sohn und mit ihm erkannt wird und daß er seine Substanz aus dem Vater hat[132].

---

[129] Ebd. 86.
[130] Athanasius, Tomus ad Antiochenos 5 (PG 26, 800f).
[131] Basilius, Ep. 38 (PG 32, 325–340); Ep. 236, 6 (PG 32, 883–886).
[132] Ders., Ep. 38,4 (PG 32, 329–334); Ep. 236,6 (PG 32, 883–886).

Im Westen tat man sich mit dieser Unterscheidung schwer. Denn ὑπόστασις wurde im Lateinischen oft mit substantia übersetzt[133]. So konnte es scheinen, als sollten mit den drei Hypostasen drei göttliche Substanzen behauptet werden, was auf den Tritheismus einer Drei-Götter-Lehre hinauslaufen würde. Umgekehrt war die Unterscheidung des Tertullian zwischen natura und persona für den Osten schwierig, da persona mit πρόσωπον übersetzt wurde, was soviel wie Maske, d. h. eine bloße Erscheinungsweise, meinte und somit an Modalismus erinnerte. Deshalb mahnte Basilius, man müsse bekennen, daß die Person (πρόσωπον) als Hypostase existiert[134]. Nachdem dies allgemein anerkannt war, waren sich trotz unterschiedlicher Begrifflichkeit in der Sache alle großen Kirchenprovinzen einig: Caesarea (Basilius), Alexandrien (Athanasius), Gallien (Hilarius), Italien, besonders Rom (Damasus). Damit waren nach einer der turbulentesten Epochen der Kirchengeschichte die Voraussetzungen für eine Lösung gegeben.

Die Entscheidung fiel durch das *Konzil von Konstantinopel (381)* und dessen Rezeption durch die römische Synode unter Papst Damasus (382). Konstantinopel brachte in seinem Lehr-Tomos die Unterscheidung zwischen dem einen Wesen (οὐσία; substantia) und den drei vollkommenen Hypostasen (ὑποστάσεις; subsistentiae) zum Ausdruck[135]. Deshalb mußte die nikänische Formel, der Sohn sei aus dem Wesen (οὐσία) des Vaters, nunmehr fallengelassen werden[136]. Die römische Synode dagegen sprach, wie schon Papst Damasus in seinem Lehrschreiben von 374[137], von der einen substantia und den drei personae[138]. Dieser Unterschied ist nicht nur terminologischer Art. Während das Bekenntnis von Nikaia und Konstantinopel vom Vater ausgeht und dann den Sohn wie den Geist als eines Wesens mit dem Vater bekennt, hat der Westen anstelle dieser dynamischen Konzeption eine mehr statische Sichtweise, die von der einen Substanz ausgeht und von ihr sagt, daß sie in drei Personen subsistiert. Diese Unterschiede wurden damals jedoch nicht als kirchentrennend angesehen. Die beiden Formeln drücken die mögliche Vielfalt und den möglichen Reichtum der Theologien auf der Grundlage des einen gemeinsamen Glaubens aus. Die Synthese der beiden unterschiedlichen Sprech- und Sichtweisen gelang erst auf dem *fünften allgemeinen Konzil*, dem zweiten Konzil von *Konstantinopel (553)* in ein und derselben Formel. Inzwischen war der dem Osten ursprünglich so schwierige Begriff Person durch

---

[133] Hieronymus, Ep. 15,4 (PG 22, 357f); Augustinus, De Trinitate VII,4 (CCL 50, 255–260).

[134] Basilius, Ep. 210, 5 (PG 32, 773–778); Vgl. Ep. 214, 4 (PG 32, 789f); Ep. 236, 6 (PG 32, 883–886).

[135] Conciliorum oecumenicorum Decreta (ed. J. Alberigo u. a.), 24.

[136] DS 150; NR 250.

[137] DS 144.

[138] DS 133; 168; 173; 176; NR 258; 263; 265.

Boethius und Leontios von Byzanz geklärt worden [139]. So konnte das Konzil die Begriffe Hypostase und Person als synonym gebrauchen und formulieren: »Wenn jemand nicht bekennt, Vater, Sohn und Heiliger Geist seien einer Natur (φύσις; natura) oder Substanz (οὐσία; substantia), einer Kraft und Macht als eine gleichwesentliche (ὁμοούσιος; consubstantialis) Trinität, eine Gottheit in drei Hypostasen (ὑποστάσεις; subsistentiae) oder Personen (πρόσωπα; personae) anzubeten, der sei im Banne.«[140] Das Konzil fügte dieser statischen, extrem abstrakten, theologisch-technischen Definition eine mehr dynamische, heilsgeschichtliche Aussage hinzu: »Denn es ist ein Gott und Vater, aus dem alles ist, und ein Herr Jesus Christus, durch den alles ist, und ein Heiliger Geist, in dem alles ist.«[141]

Der Vergleich der beiden Formeln zeigt den langen und mühsamen Weg, den die lehrmäßige Entwicklung von der Bibel bis zu der »ausgewachsenen« dogmatischen Bekenntnisformel gegangen ist. In diesen erregten Auseinandersetzungen ging es nicht nur um unnütze haarspalterische Begriffsklauberei. Es ging um die größtmögliche Treue und höchstmögliche Genauigkeit in der Interpretation des biblischen Befundes. Er war so neu und einmalig, daß er alle hergebrachten Begriffe des Denkens revolutionierte. Es genügte also keineswegs, die Begrifflichkeit der griechischen Philosophie auf das überlieferte Bekenntnis anzuwenden. Solche Versuche endeten alle in der Häresie. Es ging vielmehr darum, in der Auseinandersetzung mit den Gegebenheiten von Schrift und Tradition *ein einseitiges Wesensdenken in der griechischen Philosophie durch ein der Schrift entsprechendes personales Denken aufzubrechen* und so eine neue Denkform grundzulegen. Theologisch gesehen konnte auf diese Weise die spezifisch christliche Gestalt des Monotheismus im Unterschied zum Judentum wie zum Heidentum herausgestellt werden. Insofern kommt den langwierigen und schwierigen Auseinandersetzungen mit der Gnosis und mit den Irrlehren zur Rechten und zur Linken bleibende fundamentale Bedeutung für die Kirche und ihre Identität zu. Kein Wunder, daß diese Formeln in der Folgezeit immer aufs neue wiederholt wurden[142]. Das bekannteste Beispiel dafür ist das Symbolum Quicumque, das auch als (pseudo-)athanasisches Symbolum bezeichnet wird[143]. Dabei wurde freilich auch der Preis deutlich, der für solche begriffliche Klarheit zu zahlen war. Es bestand nämlich zunehmend die *Gefahr, daß sich die abstrakten begrifflichen Formeln verselbständigten* und ihren interpretierenden Bezug auf die Geschichte Gottes durch Christus im Heiligen

[139] Vgl. W. Kasper, Jesus der Christus, 284 ff.
[140] DS 421, NR 180.
[141] Ebd.
[142] DS 71; 73; 441; 451; 470; 485; 490; 501; 525–532; 542; 546; 566; 568–570; 680 u. ö.
[143] DS 75; NR 915.

Geist verloren. Der lebendige Geschichtsglaube der Schrift und der Tradition drohte so in abstrakten Formeln zu erstarren, die zwar sachlich korrekt sind, die aber, wenn sie von der Heilsgeschichte isoliert werden, für den existentiellen Glauben unverständlich und funktionslos werden.

Das Bekenntnis von Nikaia-Konstantinopel war also einerseits das Ergebnis einer langen und erregten Diskussion; als solches blieb es bis heute die gemeinsame Grundlage aller Kirchen in Ost und West. Es war andererseits auch der Ausgangspunkt weiterer theologischer Reflexion. Dabei kam es im Gefolge von Nikaia-Konstantinopel zu einem schwerwiegenden Perspektivenwechsel. *Die immanente Trinität verselbständigte sich gegenüber der ökonomischen und wurde heilsökonomisch mehr und mehr funktionslos.* Tertullian und Origenes gingen noch von der Gottheit des Vaters aus und ordneten dem Vater den Sohn und den Geist im Interesse der Heilsökonomie gleich[144]. Origenes unterschied sogar innerhalb dieser einen Ökonomie unterschiedliche Wirkungsbereiche von Vater, Sohn und Geist[145]. Diese Sicht lehnte Basilius ausdrücklich ab[146]. Jetzt folgerte man, daß aufgrund des einen Wesens nach außen alle drei göttlichen Personen gemeinsam handeln. Diese These war den östlichen und den westlichen Vätern gemeinsam[147]. Die östlichen Väter betonten freilich deutlicher, daß das gemeinsame Handeln nach außen die innere trinitarische Struktur ausdrückt, daß also der Vater durch den Sohn im Heiligen Geist wirkt[148]. Am deutlichsten wird der Umschwung in den liturgischen Doxologien, die sich damit erneut als »Sitz im Leben« des trinitarischen Bekenntnisses erwiesen. Die ursprüngliche liturgische Doxologie geschieht im Heiligen Geist durch den Sohn zur Verherrlichung des Vaters[149]. Doch schon bei Basilius, aufgegriffen in Konstantinopel, wird der Geist zusammen mit dem Vater und dem Sohn verherrlicht. Neben die heilsökonomische Doxologie tritt nun die Doxologie des einen Wesens Gottes[150]: »Ehre sei dem Vater und dem Sohn und dem Heiligen Geist«.

[144] Tertullian, Adv. Praxean 3,2f (CCL 2, 1161f); Origenes, De principiis I,2,10 (SC 252, 132–139).
[145] Origenes, De principiis I, 3, 5 (SC 252, 152–155).
[146] Basilius, De spiritu sancto 16 (SC 17, 173–183).
[147] Augustinus, De Trinitate I, 4, 7; V, 14, 15 (CCL 50, 34–36; 222f); ders., Sermo 213, 6, 6 (PL 33, 968); Basilius, ebd.
[148] Basilius, ebd.: »Wenn wir Gaben empfangen, begegnen wir zunächst dem, der sie verteilt, dann erkennen wir den, der sie gesandt hat, schließlich richten wir unsere Überlegung auf den Quellgrund der Güter... Denn der einzige Urgrund des Seienden verwirklicht durch den Sohn und vollendet im Heiligen Geist«.
[149] Vgl. o. 305f.
[150] Vgl. D. Wendenbourg, Geist oder Energie. Zur Frage der innergöttlichen Verankerung des christlichen Lebens in der byzantinischen Theologie, München 1980, 206f.

Diese Entwicklung vollzog sich im Osten und im Westen gleichermaßen, wenngleich unter verschiedenen Vorzeichen. Beide Male ging es darum, die letzten Reste des Arianismus auszutreiben. Im *Osten* begegnete dieser vor allem in Gestalt des Eunomianismus, der das arianische Denken auf ein formales dialektisches, fast rationalistisches System brachte[151]. Um ihm zu begegnen, mußten die griechischen Väter die Geheimnishaftigkeit Gottes und der ewigen Hervorgänge in Gott betonen[152]. Das führte dazu, daß sie nicht mehr von der Ordnung der Ökonomie ausgingen, um von dort aus auf die innergöttliche Ordnung zurückzugehen. Trinitarische Theologie und Ökonomie fielen nunmehr auseinander. An die Stelle des in Jesus Christus konkret gewordenen Antlitzes des Vaters trat eine radikal negative Theologie neuplatonischer Färbung, die mehr die Unbegreiflichkeit Gottes betonte als die Wahrheit, daß sich der Unbegreifliche in Jesus Christus auf unbegreifliche Weise begreiflich gemacht hat[153]. Gottes trinitarisches Wesen an sich galt als unerkennbar, erkennbar sind nur seine Ausstrahlungen, die Energien[154]. Ansätze in dieser Richtung bei den kappadokischen Vätern wurden im 14. Jahrhundert vor allem von Gregor von Palamas entfaltet. Dir Trinität war damit ökonomisch funktionslos geworden[155].

Selbstverständlich stand auch für den *Westen* die Unbegreiflichkeit der Trinität außer Frage[156]. Doch spielten vor allem bei Augustin Analogien zwischen dem gottebenbildlichen menschlichen Geist und der Trinität eine entscheidende Rolle. Die Auseinandersetzung mit dem Arianismus führte hier dazu, daß man so sehr vom ὁμοούσιος ausging, daß das eine Wesen Gottes zur Grundlage der gesamten Trinitätslehre wurde. Immer wieder finden sich bei Augustin Wendungen wie: Die Trinität ist der eine, wahre Gott[157], oder: Gott ist die Trinität[158]. Die Unterscheidung der drei Personen geschah innerhalb des einen Wesens und blieb für Augustin letztlich ein Problem[159]. Diese augustinische Tendenz wurde durch Anselm von Canterbury noch verstärkt[160]. Der End-

---

[151] Vgl. J. Liébaert, Art. Eunomios, in: LThK III, 1182 f.

[152] Basilius, De spiritu sancto 18 (SC 17, 191–198); Gregor von Nyssa, Oratio 31, 8 (PG 36, 141); Johannes von Damaskus, De fide orth. 8 (Die Schriften des Johannes von Damaskus, ed. B. Kotter II, Berlin–New York 1973, 18–31).

[153] Vgl. E. Mühlenberg, Die Unendlichkeit Gottes bei Gregor von Nyssa, Göttingen 1966.

[154] Vgl. D. Wendenbourg, aaO. 24 ff.

[155] So die Grundthese von D. Wendenbourg, anders J. Meyendorff, St. Grégoire Palamas et la mystique orthodoxe, Paris 1959.

[156] So schon Irenäus, Adv. haer. II, 28, 6, 9 (SC 294, 282–285; 290–293); Hilarius, De Trinitate II,9 (CCL 62, 46 f); Augustinus, De Trinitate V, 1.9; VII,4 (CCL 50,206 f; 217; 255–260).

[157] Augustinus, De Trinitate I, 2.6 (CCL 50, 31 f; 37–44) u. ö.

[158] Ebd. VII,6 (CCL 50, 261–267); XV, 4 (CCL 50 A, 467 f).

[159] Ebd. VII,4 (CCL 50, 255–260).

[160] Die Trinitätslehre, wie Anselm sie im Monologion cc. 38–65 entwickelt, geht ganz von einem geistigen Wesen Gottes aus, das sich in den Wesensvollzügen des Erkennens und Wollens äußert. Er will, wie er im Prolog ausführt, daß »nichts mit dem Ansehen der Schrift glaubhaft gemacht würde«, sondern daß alle Aussagen »die Notwendigkeit der Vernunftüberlegung in Kürze zwingend mache« und »die Klarheit der Wahrheit offen aufzeige«.

punkt dieser Entwicklung im lateinischen Westen war die Formel des IV. Laterankonzils, wonach die drei göttlichen Personen in ihrem Wirken nach außen ein einziges Wirkprinzip sind[161]. Dies galt nicht nur für die Schöpfung, sondern auch für die Heilsgeschichte. Thomas von Aquin vertrat gar die These, daß an sich jede göttliche Person hätte Mensch werden können[162]. Ohne Zweifel gab es schon im frühen Mittelalter und erst recht bei Thomas selbst auch gegenläufige Tendenzen zu einer heilsökonomischen Trinität, über die noch zu sprechen sein wird[163]. Doch im spätmittelalterlichen Nominalismus wurden Gottes Sein in sich und Gottes Handeln in der Heilsgeschichte völlig getrennt, und die in der Heilsgeschichte offenbare potentia ordinata drohte zur Willkürfreiheit Gottes[164], die nicht mehr von der innergöttlichen trinitarischen Struktur geprägt war, zu werden.

Die *Reformatoren* haben das trinitarische Bekenntnis übernommen[165], aber fruchtbar ist es bei ihnen ebensowenig geworden wie in der Scholastik. Mit Abschwächungen ist das trinitarische Bekenntnis auch eingegangen in die Basisformel des Weltrats der Kirchen[166]. In der Praxis scheint dieses Bekenntnis heute jedoch vielen Kirchen, auch vielen katholischen Gemeinden und Christen, nicht mehr zu sein als eine altehrwürdige Reliquie. Denn allzulange haben die Kirchen das An-sich-Sein des trinitarischen Gottes betont und verteidigt, ohne zu sagen, was dies für uns bedeutet. Die immanente Trinitätslehre, die ursprünglich die heilsökonomische begründen und absichern sollte, hat sich in der Praxis verselbständigt. Kein Wunder, daß man sich in der Aufklärung fragte, ob man damit etwas Praktisches machen kann. Da die Antwort nein lautete, hat man die Trinitätslehre, wenn nicht entschlossen über Bord geworfen[167], so doch nur noch pflichtschuldig anhangsweise kommemoriert. Charakteristisch für den letzteren Weg ist die Glaubenslehre von F. Schleiermacher mit der These, »daß unser Glaube an Christus und unsere Lebensgemeinschaft mit ihm dieselbe sein

---

[161] DS 800; vgl. DS 1331; NR 918; 286.

[162] Thomas v. A., Summa theol. III q.3 a.5.

[163] Vgl. u. 363.

[164] Diese Unterscheidung ist seit Augustinus vorbereitet. Man wird dem vorsichtigen Urteil von J. Auer zustimmen müssen: »Gott erscheint nicht so sehr als der alles ordnende Schöpfer, vielmehr als der absolute Herr, und es wird noch zahlreicher Spezialuntersuchungen bedürfen, um feststellen zu können, ob damit ein irrationaler Willkürgott oder vielmehr der biblische »Herr der Geschichte« zum Ausdruck gebracht ist« (Art. Nominalismus, in: LThK VII, 1022).

[165] CA 1; Schmalkaldische Artikel, in: BSLK 414 f.

[166] Die Basisformel des Ökumenischen Rates der Kirchen lautet: »Der Ökumenische Rat der Kirchen ist eine Gemeinschaft von Kirchen, die den Herrn Jesus Christus gemäß der Heiligen Schrift als Gott und Heiland bekennen und darum gemeinsam zu erfüllen trachten, wozu sie berufen sind, zur Ehre Gottes, des Vaters, des Sohnes und des Heiligen Geistes«. Vgl. dazu W. Theurer, Die trinitarische Basis des Ökumenischen Rates der Kirchen, Bergen-Enkheim 1967.

[167] Charakteristisch das Urteil Kants: »Aus der Dreieinigkeitslehre, nach dem Buchstaben genommen, läßt sich schlechterdings nichts fürs Praktische machen« (Der Streit der Fakultäten A 50, in: WW VI, ed. W. Weischedel, 303).

würde, wenn wir auch von dieser transzendenten Tatsache keine Kunde hätten, oder wenn es sich mit derselben anders verhielte«[168]. In der Tat, faktisch sind heute viele, wenn nicht die meisten Christen reine Monotheisten.

Diese Situation, in der die Grundstruktur des christlichen Glaubens dem lebendigen und gelebten Glauben zu entschwinden droht, stellt eine gewaltige *Herausforderung an die Theologie* dar. Sie wird das trinitarische Bekenntnis nur dann wieder stärker im gelebten Glauben verankern können, wenn es ihr gelingt, die Heilsbedeutung dieses Bekenntnisses wieder deutlicher bewußt zu machen. Das aber bedeutet, daß wieder stärker auf die Zusammenhänge zwischen der heilsökonomischen und der immanenten Trinität zu achten ist. Es gilt, die soteriologischen Motive, die schon bei Irenäus und Tertullian, vor allem aber bei Athanasius zur Ausbildung der Lehre von der Homoousie führten, wieder hervorzukehren, um dadurch die Trinität in ihrer Bedeutung für den Menschen und sein Heil zur Geltung zu bringen. Es gilt darüber hinaus, die genialen Intuitionen eines Origenes in einer durch Nikaia und Konstantinopel geklärten und gereinigten Form wiederum zur Geltung zu bringen und in Auseinandersetzung mit den neognostischen Strömungen von heute vom trinitarischen Bekenntnis her eine spezifisch christliche Gesamtsicht der Wirklichkeit zu entwerfen. Es gilt also, am nicaeno-konstantinopolitanischen Bekenntnis zum An-sich-Sein der immanenten Trinität festzuhalten und gleichzeitig zu sagen, was dies heilsökonomisch für uns zu bedeuten hat. Damit stehen wir vor der Grundaufgabe einer Trinitätslehre von heute.

[168] F. Schleiermacher, Der christliche Glaube (ed. M. Redeker). Bd. 2. § 170, Berlin 1960, 461.

II. ENTFALTUNG DER TRINITÄTSLEHRE

1. DER AUSGANGSPUNKT

Die Trinität als Geheimnis des Glaubens

Die Geschichte des neuzeitlichen Denkens ist nicht nur eine Geschichte der Destruktion des trinitarischen Bekenntnisses; sie ist auch eine Geschichte vielfältiger Versuche von deren Rekonstruktion[1]. Das Verdienst, die Idee der Trinität lebendig erhalten zu haben, gebührt freilich weniger der Theologie als der Philosophie. Während die Theologen die Trinitätslehre entweder zwar scholastisch korrekt, aber wenig schöpferisch, weitertradierten oder aber, wie in der Aufklärungstheologie, sie mit viel exegetischer und historischer Gelehrsamkeit verabschiedeten, versuchten Denker wie Spinoza, Lessing, Fichte, Schelling[2] und Hegel das, was die Theologen in der einen oder anderen Weise als einen toten Gegenstand behandelten, neu zu verlebendigen. Sie taten dies aber auf eine Weise, die der Theologie und den Kirchen mit Recht als höchst bedenklich, ja als schlechterdings inakzeptabel erschien. Ideen der Gnosis und des Neuplatonismus, die alle Kirchen als überwunden glaubten, wurden durch die Vermittlung von Eckehart und Böhme in neuer Form wieder lebendig. Die Kirche konnte, wenn sie die Identität und Kontinuität ihrer Tradition und das, was ihr darin an Einsichten zugefallen war, nicht aufgeben wollte, nur negativ reagieren. Schade nur, daß ihr kein Origenes, Basilius oder Augustinus zur Verfügung stand, der diese notwendige Auseinandersetzung in einer schöpferischen Weise führte und aus der Kraft des Gegners selbst Kraft zu einem tieferen Verständnis des Eigenen schöpfte, um so zu einer neuen Synthese und damit zu einer Innovation der Tradition zu gelangen.

Den wichtigsten und folgenschwersten Neuansatz versuchte *Hegel*. In seiner Religionsphilosophie (auf die wir uns hier beschränken) geht Hegel aus von der modernen Entfremdung und Entzweiung zwischen der Religion und dem

---

[1] Nach wie vor unentbehrlich F. Chr. Baur, Die christliche Lehre von der Dreieinigkeit und Menschwerdung Gottes in ihrer geschichtlichen Entwicklung. Bd. 3. Tübingen 1843; D. F. Strauß, Die christliche Glaubenslehre in ihrer geschichtlichen Entwicklung und im Kampfe mit der modernen Wissenschaft. Bd. 2. Tübingen 1841 (= Darmstadt 1973); die neuere Lit. vgl. o. 303 Anm. 44.

[2] Vgl. W. Kasper, Das Absolute in der Geschichte. Philosophie und Theologie der Geschichte in der Spätphilosophie Schellings, Mainz 1965, bes. 266–284.

Leben, zwischen dem Werktag und dem Sonntag[3]. Durch diese Entzweiung wird der Werktag zur Welt des Endlichen, das ohne wahre Tiefe ist, die Religion aber wird allen konkreten Gehalts entleert; sie wird kalt und tot, langweilig und lästig. »Die Religion schrumpft damit in das einfache Gefühl, in das inhaltlose Erheben des Geistes zu einem Ewigen usf. zusammen«[4]. Aus diesem Grund ist die Theologie auf ein Minimum von Dogmen reduziert worden. »Ihr Inhalt ist äußerst dünn geworden, wenngleich viel Gerede, Gelehrsamkeit, Raisonnement vorkommt«[5]. Aber Exegese und Historie dienen nur dazu, die Grundlehren des Christentums beiseitezusetzen. Das Symbolum, die regula fidei, gilt nicht mehr als etwas Verbindliches[6]. »Das Resultat ist, daß man nur im allgemeinen weiß, daß Gott sei, nur ein höchstes Wesen als leer und tot in sich, nicht faßbar als konkreter Inhalt, als Geist... Soll er uns aber als Geist kein leeres Wort sein, so muß er als dreieiniger Gott gefaßt werden«[7]. In dieser Hinsicht ist nach Hegel in der Philosophie viel mehr Dogmatik enthalten als in der Dogmatik selbst[8]. Hegel will also den lebendigen, und d. h. für ihn den dreieinigen Gott zurückgewinnen. Doch er will dies auf seine Weise. Er will die kindliche Vorstellung von Vater, Sohn und Geist auf den Begriff bringen und begreifen; er will Gott als Geist verstehen, zu dessen Wesen es gehört, daß er sich zum Gegenstande seiner selbst macht, um dann diesen Unterschied in der Liebe wieder aufzuheben[9]. Hegel will also den abstrakten Begriff von Gott als einem höchsten Wesen aufheben in ein Denken Gottes als Geist, der sich selbst objektiv wird im Sohn und der zu sich selbst findet in der Liebe[10]. Er knüpft dabei ausdrücklich an gnostische und neuplatonische Gedankengänge an[11]. Im Grunde ist die Dreieinigkeit Gottes für ihn die Auslegung dessen, daß Gott die Liebe ist. Denn »Liebe ist ein Unterscheiden zweier, die doch füreinander schlechthin nicht unterschieden sind«[12]. Das aber bedeutet, daß die Dreieinig-keit Gottes zwar für die Vorstellung und für das abstrakte Denken, nicht aber für das spekulative Denken ein Geheimnis ist. »Ein Geheimnis im gewöhnlichen Sinn ist die Natur Gottes nicht, in der christlichen Religion am wenigsten. In ihr hat sich Gott zu erkennen gegeben, was er ist; da ist er offenbar«[13]. Diese Herabstufung der Religion auf die Ebene der Vorstellung und deren spekulative Aufhebung im absoluten Begriff war es, die in erster Linie und vor allem den Widerspruch der Theologen und der Kirchen gefunden hat. Sie sahen darin das Geheimnis und die Verborgenheit Gottes nicht mehr gewahrt[14].

---

[3] Hegel, Vorlesungen über die Philosophie der Religion I (ed. G. Lasson), 11. Vgl. J. Splett, Die Trinitätslehre G. W. F. Hegels, Freiburg–München 1965; L. Oeing-Hanhoff, Hegels Trinitätslehre, in: Theol. Phil. 52 (1977), 378–407.
[4] Ebd. 21.
[5] Ebd. 36.
[6] Ebd. 39 f; vgl. 46 f.
[7] Ebd. 41.
[8] Ebd. 40.
[9] Ebd. 41 f. u. ö.
[10] Ebd. III, 57; 69; 74 u. ö.
[11] Ebd. 62 f; 82 f.
[12] Ebd. 75.
[13] Ebd. 77.
[14] DS 3001; 3041; NR 315; 55; vgl. die Verurteilung von A. Günther DS 2828–31 und von A. Rosmini DS 3225.

Dennoch wäre es verkehrt, Hegels Trinitätsspekulation einfachhin als eine neue Form der Gnosis abzutun. In gewissem Sinn ist sie nämlich den gnostischen Systemen genau entgegengesetzt. Während die gnostischen Systeme in einem Abstiegsschema denken, ist Hegels Denken eher einem Aufstiegs- und Fortschrittsschema zuzuordnen. Am Anfang steht das Abstrakte und Allgemeine, der Vater, der sich erst im Anderen seiner selbst, im Sohn, bestimmt und im Dritten, im Geist, zur konkreten Idee wird. Freilich bringt dieser Prozeß nichts Neues hervor. »Das Dritte ist das Erste«; »das Hervorgebrachte ist schon von Anfang an«. »Der Prozeß ist so nichts als ein Spiel der Selbsterhaltung, der Vergewisserung seiner selbst«[15]. Doch es gilt, daß die Wahrheit nur das Ganze, und daß dieses erst am Ende ist[16]. In gewissem Sinn hat Hegel damit die in der theologischen Tradition weithin vergessene eschatologische Dimension der Trinität wieder entdeckt, wonach Gott erst am Ende, wenn der Sohn dem Vater das Reich übergibt, »alles in allem« sein wird (1 Kor 15,28). Doch trotz dieses Anstoßes denkt Hegel insgesamt gegenläufig zur traditionellen Auffassung. Denn nach biblischer und traditioneller Auffassung steht am Anfang nicht die Leere, sondern die Fülle des Seins, der Vater, als Ursprung und Quelle. Man mag deshalb darüber streiten, ob das Vatikanum I Hegel richtig verstanden hat; in der Sache hat es einen wichtigen Punkt getroffen, wenn es die Behauptung verurteilt, »Gott sei das Allgemeine oder Unbestimmte, das durch Bestimmung seiner selbst die Gesamtheit aller Dinge, in Arten, Gattungen und Einzelwesen gesondert, begründet«[17].

In diesem Anathematismus ist gleichzeitig ein dritter Problemkomplex der Auseinandersetzung mit Hegel angedeutet, das Grundproblem: Hegels Verhältnisbestimmung von Gott und Welt. Zwar identifiziert er den Hervorgang des Sohnes nicht einfachhin mit der Schöpfung; auch versteht er den Welt- und Geschichtsprozeß nicht einfach als theogonischen Prozeß der Selbstwerdung und Selbstfindung Gottes. Er hält die Ebenen durchaus auseinander. Doch wie? Für Hegel ist der Sohn die abstrakte Bestimmung des Andersseins, die Welt dessen konkrete Realisation, so daß »an sich« beide dasselbe sind[18]. Für Hegel gilt: »Ohne Welt ist Gott nicht Gott«[19]. »Gott ist Schöpfer der Welt; es gehört zu seinem Sein, zu seinem Wesen, Schöpfer zu sein«[20]. Deshalb ist für Hegel auch der Unterschied zwischen ökonomischer und immanenter Trinität letztlich nur ein abstrakter; konkret und an sich betrachtet fallen beide in eins. »Geist ist die göttliche Geschichte, der Prozeß des Sichunterscheidens, Dirimierens und des In-sich-Zurücknehmens«. Dieser Prozeß geschieht in drei Formen: im Element des Gedankens, außer der Welt – im Element der Vorstellung, in der Welt und ihrer Geschichte – der dritte Ort ist die Gemeinde[21], in deren und für deren Bewußtsein Jesus Christus die Erscheinung Gottes ist, in der also die ewige Bewegung, die Gott selbst ist, zum Bewußtsein kommt[22] und in der so

[15] Hegel, aaO. III, 72f.
[16] Ebd. 64f; vgl. ders., Phänomenologie des Geistes (ed. Hoffmeister), 21.
[17] DS 3024.
[18] Hegel, Vorlesungen über die Philosophie der Religion III, 85f.
[19] Ebd. I, 148.
[20] Ebd. III, 74.
[21] Ebd. 65f.
[22] Ebd. 173f.

Gott als Geist gegenwärtig ist[23]. »Dieser Geist als existierend und sich realisierend ist die Gemeinde«[24]. Gott und Welt, Heilsgeschichte, Weltgeschichte und Kirchengeschichte – das alles ist hier in einer dialektischen Weise ineinander »aufgehoben«, doch so, daß der entscheidende Punkt des christlichen Glaubens verlorenzugehen droht: Gott als in sich und für sich existierende Freiheit, die sich in der Freiheit der Liebe selbst mitteilt. Dies aber setzt die reale und nicht nur abstrakte Unterscheidung von immanenter und ökonomischer Trinität voraus. In diesem Punkt, auf den alles ankommt, bleibt Hegels Denken zutiefst ambivalent und unaufhebbar doppeldeutig.

Bei der Zweideutigkeit von Hegels Denken ist es nicht verwunderlich, daß sein System in unterschiedlichster Weise rezipiert wurde. Einerseits in kirchlich-orthodoxer Absicht, etwa bei Ph. K. Marheineke, andererseits mit ausgesprochen religionskritischem Interesse bei L. Feuerbach und K. Marx. Für *Feuerbach* ist das Geheimnis der Theologie die Anthropologie, das Geheimnis der Trinität aber das Geheimnis des gemeinschaftlichen, gesellschaftlichen Lebens – das Geheimnis der Notwendigkeit des Du für das Ich – die Wahrheit, daß »kein Wesen, es sei und es heiße nun Mensch oder Gott oder Geist oder Ich, für sich selbst allein ein wahres, ein vollkommenes, ein absolutes Wesen, daß die Wahrheit und Vollkommenheit nur ist die Verbindung, die Einheit von wesensgleichen Wesen«[25]. Die Trinität ist also eine Projektion und eine Art Chiffre der menschlichen Intersubjektivität und Liebe. Die menschliche Seele, die ursprünglich Bilder und Analogien der Trinität zur Verfügung stellte, wird nun zum Urbild und zur Sache selbst. Das läuft für Feuerbach darauf hinaus, den Glauben durch die Liebe zu ersetzen. Denn es ist der Glaube, der Gott vereinzelt und ihn zu einem besonderen Wesen macht, er trennt damit auch Gläubige von Ungläubigen und ist das Gegenteil der Liebe, die verallgemeinert; sie macht Gott zu einem allgemeinen Wesen und kehrt den Satz, daß Gott die Liebe ist, um zu dem Satz, daß die Liebe Gott ist[26]. Feuerbach ist freilich weit entfernt von der Naivität mancher heutiger Theologen, die meinen, dem Christentum eine neue Zukunftschance eröffnen zu können, indem sie den dogmatisch bestimmten Glauben in die Praxis der Liebe aufheben. Feuerbach weiß, daß er mit seiner Aufhebung des Glaubens in die Liebe das Christentum entscheidend trifft. »Nur der kirchlichen Dogmatik verdankt das Christentum seinen Fortbestand«[27]. Nicht bedacht hat er freilich, daß die Wahrung der Göttlichkeit Gottes auch der Schutz der Menschlichkeit des Menschen ist. Denn die Wahrung der in der Liebe verbleibenden Differenz zwischen den Liebenden wahrt die unbedingte Würde und den unbedingten Wert der einzelnen Person innerhalb der Gattung der Menschheit, in die hinein Feuerbach und noch entschlossener Marx den Menschen aufheben wollen[28]. Die Transzendenz Gottes erweist sich als Zeichen und Schutz der menschlichen Person[29].

[23] Ebd. 180 u. ö.

[24] Ebd. 198.

[25] L. Feuerbach, Grundsätze der Philosophie der Zukunft, in: Kleine Schriften, hrsg. v. K. Löwith, Frankfurt a. M. 1966, 218; ders., Das Wesen des Christentums (ed. W. Schuffenhauer). Bd. 1. Berlin 1956, 124 ff; Bd. 2, 355 ff.

[26] Ders., Das Wesen des Christentums. Bd. 2, 376–408.

[27] Ebd. 382.

[28] Vgl. E. Jüngel, Gott als Geheimnis der Welt. Zur Begründung der Theologie des Gekreuzigten im Streit zwischen Theismus und Atheismus, Tübingen 1977, 457 ff.

[29] Vatikanum II, Gaudium et spes, 76.

So vieles die Theologie auch von der neuzeitlichen Philosophie, besonders von Hegel, zu lernen hat, am entscheidenden Punkt ist doch entschlossen zu widersprechen: Die Trinität läßt sich weder aus dem Begriff des absoluten Geistes noch aus dem der Liebe als denknotwendig erweisen. *Die Trinität ist ein mysterium stricte dictum*[30]. Hier gilt: »Niemand kennt den Sohn, nur der Vater, und niemand kennt den Vater, nur der Sohn und wem es der Sohn offenbaren will« (Mt 11,27; vgl. Joh 1,18). Niemand kennt Gott, nur der Geist Gottes (1 Kor 2,11). Die These von der Trinität als mysterium stricte dictum wendet sich vor allem *gegen den Rationalismus,* der die Lehre von der Trinität aus der Vernunft ableiten will, sei es, daß er sie religionsgeschichtlich aus sog. außerbiblischen Parallelen oder spekulativ aus dem Wesen des Göttlichen bzw. des menschlichen Selbstbewußtseins ableitet. Sie wendet sich ebenso *gegen den sog. Semirationalismus,* der zugesteht, daß man die Glaubensgeheimnisse vor ihrer Offenbarung nicht ableiten kann, dann aber behauptet, man könne sie als geoffenbarte nachträglich einsehen[31]. Zwar kennt auch die theologische Tradition rationale Argumente für den trinitarischen Glauben. Doch die Analogien aus dem Leben des menschlichen Geistes, die vor allem Augustinus in die Diskussion gebracht hat, dienen nur zur Illustration, aber niemals zur Demonstration der trinitarischen Wahrheit[32]. Zwar haben einige mittelalterliche Scholastiker (besonders Richard von St. Viktor und Anselm von Canterbury) versucht, rationes necessariae für den Trinitätsglauben aufzuweisen[33]. Die Frage ist freilich, ob ihre notwendigen Vernunftargumente faktisch nicht doch lediglich Konvenienzargumente waren und ob sie faktisch nicht doch den Glauben vorausgesetzt und aus dem Glauben heraus gedacht haben. Die klare Unterscheidung von Glauben und Wissen haben erst Albertus Magnus und Thomas von Aquin vollzogen; die Trennung beider gibt es erst in der Neuzeit. So wird man bei diesen Theologen zwar von einem übertriebenen intellektuellen Optimismus, aber kaum von einem Rationalismus im neuzeitlichen Sinn sprechen können.

Die *positive Begründung für die grundsätzliche Unbegreiflichkeit der Trinität* auch nach ihrer Offenbarung liegt darin, daß uns der dreifaltige Gott auch in der Heilsökonomie nur im Medium der Geschichte, im Medium menschlicher Worte und Taten, also unter endlichen Gestalten

---

[30] Vgl. M. J. Scheeben, Die Mysterien des Christentums (Ges. Schriften. Bd. 2.) Freiburg i. Br. 1951, 21–41.

[31] Vgl. P. Wenzel, Art. Semirationalismus, in: LThK IX, 625 f.

[32] Vgl. u. 332 f.

[33] Vgl. W. Simonis, Trinität und Vernunft. Untersuchungen zur Möglichkeit einer rationalen Trinitätslehre bei Anselm, Abaelard, den Vatikanern, A. Günther und J. Froschammer (Frankfurter Theol. Stud. 12), Frankfurt a. M. 1972.

offenbar ist. Auch hier gilt, daß wir Gott wie in einem Spiegel, aber nicht von Angesicht zu Angesicht sehen (1 Kor 13,12). Oder mit Thomas von Aquin gesprochen: Auch in der Heilsökonomie erkennen wir Gott nur indirekt aus seinen Wirkungen. Diese sind in der Heilsgeschichte zwar deutlicher und eindeutiger als in der Schöpfung; aber sie lassen uns nur erkennen, daß Gott ist und daß er dreifaltig ist, sie lassen aber nicht sein Wesen (quid est) von innen verstehen. Wir werden also mit Gott wie mit einem Unbekannten (quasi ignoto) verbunden[34]. Heute würden wir eher sagen: Wir erkennen den dreifaltigen Gott nur aus seinen Worten und Taten in der Geschichte; diese sind Realsymbole seiner sich uns in Freiheit selbstmitteilenden Liebe. Gottes Freiheit in der Liebe als gnädige Selbstmitteilung würde aber aufgehoben, ließe sie sich als denknotwendig erweisen. Die heilsgeschichtliche Offenbarung klärt uns also nicht auf über das Geheimnis Gottes, sie führt uns tiefer in dieses Geheimnis ein; durch sie wird uns das Geheimnis Gottes als Geheimnis offenbar.

Es sind vor allem *drei Punkte,* die unserem Verstand unbegreiflich und undurchdringlich bleiben: 1. die absolute Einheit Gottes bei der realen Unterscheidung der Personen; 2. die absolute Gleichheit der Personen bei der Abhängigkeit der zweiten von der ersten und der dritten von der ersten und zweiten; 3. das ewige Sein Gottes als Vater, Sohn und Geist trotz des Werdens derselben durch die Tätigkeiten der Zeugung und der Hauchung. Aber begreifen wir denn auch nur die absolute Einfachheit der Natur Gottes bei der Mehrheit und Verschiedenheit seiner Eigenschaften, seine absolute Unveränderlichkeit und Ewigkeit bei der Mannigfaltigkeit seiner Tätigkeiten und seines Eingehens in die Geschichte? Gott ist unerkennbar in seinem ganzen Wesen, nicht allein in seinen inneren persönlichen Verhältnissen. Weder das Daß des dreifaltigen Gottes noch sein Was, sein inneres Wesen, noch sein Wie sind unserer endlichen Erkenntnis zugänglich[35].

Bisher haben wir die These vom *Geheimnischarakter der Trinität im Sinn der Schultheologie* verstanden: Geheimnis als eine Wahrheit, die die Möglichkeiten des menschlichen Verstandes grundsätzlich überschreitet, die nur durch göttliche Mitteilung garantiert ist und die wir auch nach ihrer Mitteilung nicht positiv einsehen können[36]. In dieser schultheologischen Sicht wird das Geheimnis *erstens* als Eigentümlichkeit eines Satzes verstanden. Vom Geheimnis ist im Plural die Rede; es gibt viele Glaubensgeheimnisse ohne ausdrückliche Reflexion darauf, ob diese vielen Geheimnisse Aspekte des einen Geheimnisses sind. *Zweitens:* Das Geheimnis wird von der ratio her verstanden, ohne zu fragen, ob dieser Bezug nicht zu eng und zu vordergründig ist, ob man nicht vom Ganzen

[34] Thomas v. A., Summa theol. I q.13 a.12 ad 1.
[35] Vgl. J. E. Kuhn, Katholische Dogmatik. Bd. 2. Tübingen 1857, 502 f.
[36] Vgl. dazu o. 162 ff.

der menschlichen Person und vom Geheimnis ihres Daseins ausgehen muß. *Drittens:* Die Offenbarung des Geheimnisses wird als Mitteilung von wahren Sätzen verstanden, Offenbarung als übernatürliche Information und Instruktion, nicht aber als personale Kommunikation begriffen. *Viertens:* Das Geheimnis wird rein negativ bestimmt als das Nichtwißbare und als das Unbegreifliche. Damit hängt zusammen, daß das Geheimnis *fünftens* als etwas nur Vorläufiges begriffen wird, das in der seligen Schau (visio beata) »von Angesicht zu Angesicht« einmal aufgehoben sein wird. Daß das Geheimnis wesentlich mit der Selbsttranszendenz des menschlichen Geistes wie mit der Göttlichkeit Gottes gegeben und insofern etwas Positives ist, bleibt hier außer Betracht.

Mit diesem schultheologischen Begriff kann man das Geheimnis zwar von einem Rätsel und von einem Problem abgrenzen, die beide wenigstens grundsätzlich sukzessiv auflösbar sind, während das Geheimnis grundsätzlich unaufhebbar ist. Dennoch ist dieser Begriff von Geheimnis noch nicht deutlich genug abgegrenzt von dem alltäglichen Gebrauch dieses Wortes und den unerfreulichen Assoziationen, die damit verbunden sind. Vokabeln wie Geheimdiplomatie, Geheimpolizei, militärische Geheimnisse, Geheimnistuerei erinnern an einen leidigen Mangel an Offenheit bzw. an die leidigen Notwendigkeiten, von Schlössern und Riegeln Gebrauch zu machen. In der religiösen Verwendung wird das Wort Geheimnis erst recht verdächtig. Es scheint der Flucht aus der Helle des Denkens in das Halbdunkel der Gefühle Vorschub zu leisten, geistige Müdigkeit oder gar intellektuelle Unredlichkeit religiös zu rechtfertigen. Unter diesen Voraussetzungen wird es verständlich, daß der Angriff der Aufklärung gegen das Christentum sich vor allem in der Feindschaft gegen den Begriff Geheimnis ausdrückt. Die Schrift des englischen Deisten John Toland »Christianity not mysterious« (1696) ist dafür bezeichnend. Der Begriff Geheimnis kann in der Tat »zum Schlupfwinkel von Tendenzen werden«, »die das christliche Reden von Gott verfälschen und die Unterscheidung zwischen Glauben und Aberglauben verwischen«[37].

Ein *positiver und umfassender Begriff des Geheimnisses* läßt sich von zwei Ausgangspunkten her erarbeiten. Zunächst läßt sich *philosophisch und anthropologisch* zeigen, daß der Mensch aufgrund der Selbsttranszendenz seines Geistes das Wesen des unaufhebbaren Geheimnisses ist. Dabei ist das Geheimnis nicht etwas neben seinen anderen, rational durchschaubaren Daseinsvollzügen, sondern das umgreifende Eine und Ganze, alles andere erst Ermöglichende, Umgreifende und Durchstimmende seines Daseins[38]. Dieses vieldeutige Geheimnis des Menschen bestimmt die Offenbarung als Bild und Gleichnis des Geheimnisses Gottes und seiner Freiheit. *Theologisch* gibt es also nicht viele und vielerlei Geheimnisse, sondern das eine Geheimnis, das Gott und sein Heilswille durch Jesus Christus und im Heiligen Geist ist. Das Ganze der christlichen Heilsökonomie ist also ein einziges Geheimnis, das sich in dem einen Satz zusammenfassen läßt: Gott ist durch Jesus Christus im

[37] G. Ebeling, Profanität und Geheimnis, in: Wort und Glaube. Bd. 2. Tübingen 1969, 196f; vgl. G. Hasenhüttl, Kritische Dogmatik, Graz 1979, 26, 36.
[38] Vgl. o. 164f.

Heiligen Geist das Heil des Menschen[39]. Dieses dreieine Geheimnis läßt sich in drei Geheimnissen entfalten: das dreieine Wesen Gottes, die Menschwerdung Gottes in Jesus Christus, das Heil des Menschen im Heiligen Geist, das sich eschatologisch in der Schau von Angesicht zu Angesicht vollendet. In diesen drei Mysterien geht es in je unterschiedlicher Weise um das eine Mysterium der sich selbstmitteilenden Liebe Gottes: in sich selbst – in Jesus Christus – an alle Erlösten[40]. *Das Mysterium des dreifaltigen Gottes in Gott selbst ist dabei sowohl die Voraussetzung, der innere Grund, wie der tiefste Gehalt des Geheimnisses der Menschwerdung und der Begnadung. Die Trinität ist das Geheimnis in allen Geheimnissen, das Geheimnis des christlichen Glaubens schlechthin.*

Wird das Geheimnis in dieser positiven Weise verstanden und die Entsprechung zwischen dem Geheimnis, das der Mensch ist, und dem Geheimnis Gottes gesehen, dann kann *das Geheimnis nicht etwas schlechterdings Irrationales oder gar Widervernünftiges* sein. Nicht nur die eindimensionale rationalistische Einebnung von Glauben und Wissen, auch die dualistische und antithetische Verhältnisbestimmung beider durch den Irrationalismus und Fideismus ist dann ausgeschlossen. Die letztere beruft sich immer wieder auf das bekannte Wort des Tertullian, das sich bei ihm freilich nur sinngemäß findet: credo quia absurdum est[41]. Im Mittelalter finden wir diese kritische Einstellung zur Vernunft etwa bei Petrus Damiani und bei Bernhard von Clairvaux, dann im spätmittelalterlichen Nominalismus, im Supernaturalismus der Reformatoren, in der Auseinandersetzung zwischen P. Bayle und Leibniz, bei Kierkegaard und in der frühen dialektischen Theologie. Demgegenüber ist zu sagen: »Eine Vernunft, welche sich außer aller inneren Verbindung mit der Offenbarung und durch eine absolute Kluft von ihr getrennt, ihr entgegengesetzt weiß, (...) ist dem Interesse des Glaubens notwendig ebenso gefährlich als eine Vernunft, die sich der Offenbarung ebenbürtig an die Seite stellt... Behaupten, man könne nicht beides zugleich, die Offenbarungswahrheit gläubig festhalten und seiner Vernunfterkenntnis vertrauen, läuft zuletzt auf dasselbe hinaus wie die Behauptung, man brauche nicht beides zugleich, die spekulative Vernunft erkenne ganz denselben Inhalt, den der Gläubige auf bloß äußere Autorität annehme. Der menschliche Geist, wenn er einmal denkender Geist geworden ist, hört hiernach notwendig auf, ein gläubiger zu sein; werden aber kann er dieses nur, wenn er aufhört, jenes zu sein. Dies gilt auf beiden Standpunkten; so nahe berühren sich die

[39] Vgl. o. 165.
[40] Vgl. o. 303.
[41] Tertullian, De carne Christi V, 4 (CCL 2, 881); vgl. Apol. 46, 18 (CCL 1, 162).

Extreme«[42]. »Das Licht der göttlichen Wahrheit bedarf dieser künstlichen Verdunkelung nicht, um seinen Glanz zu entfalten«[43]. Die Offenbarung ist »übervernünftig, nicht un- und widervernünftig. Sie ist eine Bereicherung der Vernunft, keine Schmähung oder Beschränkung derselben«[44].

Die Entsprechung zwischen dem Geheimnis des Menschen und dem Geheimnis Gottes bedeutet einmal, daß man vernünftigerweise aufzeigen kann, daß das trinitarische Geheimnis nichts in sich Widersprüchliches und Unsinniges darstellt. Es läuft nicht auf die absurde Behauptung eins gleich drei oder ähnliche Ungereimtheiten hinaus[45]. Darüber hinaus kann man *auf dreifache Weise zu einem tieferen Verständnis des Glaubensgeheimnisses der Trinität* gelangen: 1. durch den Aufweis von Analogien aus dem natürlichen Bereich. Diesen Weg hat in der Trinitätslehre vor allem Augustinus beschritten. 2. durch Aufweis des nexus mysteriorum bzw. der hierarchia veritatum[46], die darin besteht, daß alle Glaubenswahrheiten ein Strukturganzes bilden, so daß durch deren innere Stimmigkeit und Kohärenz die einzelnen Glaubenswahrheiten glaubwürdig und verständlich werden. Dieser Zusammenhang der Heilswahrheiten bedeutet für die Trinitätslehre den Aufweis der Zusammengehörigkeit von ökonomischer und immanenter Trinität und darüber hinaus den Aufweis, daß das trinitarische Bekenntnis die Grundstruktur aller übrigen Glaubenswahrheiten und deren übergreifenden Zusammenhang darstellt. 3. durch den Aufweis des Zusammenhangs des trinitarischen Glaubens mit dem Sinnziel des Menschen, der ewigen Gemeinschaft mit Gott, die durch Christus im Heiligen Geist geschenkt wird[47]. Faßt man diese drei Aspekte zusammen, so ergibt sich: *Das Geheimnis der Trinität kann als Geheimnis verstanden werden, wenn sich aufzeigen läßt, daß es sich bewährt als Deutung des Geheimnisses der Wirklichkeit, der Schöpfungs- wie der Erlösungsordnung.*

Bilder und Gleichnisse für das trinitarische Geheimnis

Das I. Vatikanische Konzil stellte fest, daß der menschlichen Vernunft mit Hilfe der Gnade einigermaßen eine Einsicht in die Geheimnisse

[42] J. E. Kuhn, aaO., 513.
[43] Ebd. 514.
[44] Ebd. 520.
[45] Vgl. o. 286.
[46] Vatikanum II, Unitatis Redintegratio, 11; vgl. dazu U. Valeske, Hierarchia veritatum. Theologiegeschichtliche Hintergründe und mögliche Konsequenzen eines Hinweises im Ökumenismusdekret des II. Vatikanischen Konzils zum zwischenkirchlichen Gespräch, München 1963.
[47] DS 3016; NR 39.

Gottes möglich ist »aus der Entsprechung (Analogie) zu dem, was sie auf natürliche Weise erkennt«[48]. Die Trinitätslehre hat sich diesen Grundsatz schon sehr früh zu eigen gemacht und nach Bildern, Vergleichen, Analogien aus dem natürlichen Bereich gesucht, um dem Geheimnis der Trinität näher zu kommen. Schon im 2. Jahrhundert begegnet uns der klassische Vergleich mit dem Feuer, das dadurch nicht gemindert wird, daß ein anderes Feuer an ihm entzündet wird[49]. Der ebenfalls schon alte Vergleich zwischen der Lichtquelle, dem Licht und dem Abglanz des Lichtes[50] spielt später vor allem bei Athanasius eine große Rolle[51]. Dieses Bild ist sogar in das kirchliche Glaubensbekenntnis eingegangen: »Licht vom Licht, wahrer Gott vom wahren Gott«[52]. Tertullian führt eine Reihe weiterer Vergleiche an: Wurzel und Frucht, Quelle und Fluß, Sonne und Sonnenstrahl[53].

Am ausführlichsten hat *Augustinus* Spuren (vestigia) der Trinität in der Schöpfung aufgezeigt. Das ganze elfte Buch von »De Trinitate« ist diesem Thema gewidmet. Neben den bereits genannten Bildern[54] stellt Augustinus im Anschluß an Weish 11,20 heraus, daß Gott alles »nach Maß, Zahl und Gewicht« geordnet hat. Darin sieht er ein Abbild der Dreieinigkeit Gottes[55]. Das eigentliche Bild Gottes ist ihm aber der Mensch (Gen 1,28)[56], näherhin die Seele des Menschen[57]. An dieser Lehre von der Gottebenbildlichkeit des Menschen setzt die psychologische Trinitätsspekulation Augustins an, die das ganze weitere Nachdenken über das Geheimnis der Trinität in der lateinischen Theologie bestimmt hat. Auch hier kann Augustinus bereits auf ältere Ansätze zurückgreifen, vor allem auf Vergleiche mit dem inneren Wort oder mit dem Willen, Analogien, wie sie seit den Apologeten und Origenes üblich waren[58]. Aus dem Bereich der lateinischen Theologie konnte

---

[48] Ebd.

[49] Justin, Dialog mit Tryphon 61,2 (Corpus Apol. II, ed. v. Otto, 212); Tatian, Or. ad Graecos 5 (PG 6, 813 c–818 b); Hippolyt, Adv. Noet. 11 (PG 10, 817 c–820 a); Tertullian, Apol. 21 (CCL 1, 122–128).

[50] Tatian, ebd.; Athenagoras, Bittschrift für die Christen 24 (TU Bd. 4.2, 31 ff); Justin, Dialog mit Tryphon 128 (aaO., 458–469); Hippolyt, Adv. Noet. 10 (PG 10, 817 a–818 c); Tertullian, Adv. Praxean 8 (CCL 2, 1167 f).

[51] Athanasius, Expos. fidei 4 (PG 25, 205 c–208 a); De decretis nicaenae synodi 25 (PG 25, 459 c–462 c); De synodis 52 (PG 26, 785 c–788 b); Adv. Arianos III, 4 (PG 26, 327 c–330 b).

[52] DS 125; 150; NR 155; 250.

[53] Tertullian, Adv. Praxean 8 (CCL 2, 1167 f).

[54] Vgl. M. Schmaus, Die psychologische Trinitätslehre des hl. Augustinus, Münster ²1967, 190 ff; 201 ff.

[55] Augustinus, De Trinitate XI, 11 (CCL 50, 355).

[56] Schmaus, aaO., 195 ff.

[57] Schmaus, aaO., 220 f.

[58] Vgl. o. 224 f.

Augustin vor allem auf Vorarbeiten von Tertullian, Hilarius und Ambrosius aufbauen[59]. Letztlich geht Augustin jedoch völlig selbständig vor; die psychologische Trinitätslehre ist seine eigene geniale Leistung[60]. Mit großem spekulativem Tiefsinn spürt Augustinus im menschlichen Geist immer wieder neue Ternare auf: mens – notitia – amor, memoria – intelligentia – voluntas u. a. Wir werden darauf im einzelnen noch zu sprechen kommen.

Die Frage ist freilich: Was leisten diese Analogien wirklich? Zweifellos verstehen sie sich nicht als Beweis im strengen Sinn; sie sind *keine Demonstration, sondern eher eine das Trinitätsbekenntnis voraussetzende nachträgliche Illustration.* Sie stellen den Versuch dar, in der Sprache der Welt vom Geheimnis der Trinität zu sprechen. Dabei bewegen sie sich freilich in einem hermeneutischen Zirkel. Sie interpretieren nicht nur die Trinität von der Welt, besonders vom Menschen her, sie interpretieren umgekehrt auch Welt und Mensch im Licht des Trinitätsgeheimnisses; sie postulieren also von der Trinitätslehre her ein bestimmtes Modell des menschlichen Erkennens und Liebens. Diese wechselseitige Erhellung hat ihren Grund in der Entsprechung (Analogie) von Gott und Welt, Erlösung- und Schöpfungsordnung.

So ist es verständlich, daß Karl Barth aufgrund seiner andersartigen Konzeption der Analogie[61] zu einer scharfen *Kritik der Lehre von den vestigia trinitatis* kommt. Er befürchtet, daß dies zweideutige Unternehmen zu einer eigenmächtigen Begründung der Trinitätslehre aus dem menschlichen Welt- und Selbstverständnis und damit zum Abfall von der Offenbarung führt. Deshalb sieht er in diesem Versuch geradezu etwas Frivoles, das von der eigentlichen Aufgabe ablenkt, die Offenbarung nicht zu illustrieren, sondern sie zu interpretieren, d. h. aus ihrer eigenen Wurzel heraus verständlich zu machen[62]. Diese radikale Kritik kann sich die katholische Theologie, die an der Analogie von Gott und Welt festhält, nicht zu eigen machen. Die Gefährlichkeit ist in der Theologie kein Argument, eine als notwendig erkannte Sache zu unterlassen, sondern vielmehr ein Aufruf, sie gut, genau und gewissenhaft zu machen.

Richtig ist an der Kritik Barths freilich der Hinweis, daß das theologische Verstehen primär nicht von außen, von weltlichen Analogien her,

---

[59] Vgl. Schmaus, aaO., 26 ff.

[60] Ebd. 195; 230. Neuere Interpretationen: C. Boyer, L'image de la Trinité: synthese de la pensée augustienne, in: Gregorianum 27 (1946), 173–199; 333–352; M. Sciacca, Trinité et unité de l'esprit, in: Augustinus Magister. Bd. 1. Paris 1954, 521–533; U. Duchrow, Sprachverständnis und biblisches Hören bei Augustin (Hermeneut. Unters. Theol. 5), Tübingen 1965; A. Schindler, Wort und Analogie in Augustins Trinitätslehre (Hermeneut. Unters. Theol. 4), Tübingen 1965.

[61] Vgl. o. 83; 129.

[62] K. Barth, Die Kirchliche Dogmatik I/1, 352–367.

kommen kann, sondern aus dem Glauben selbst kommen muß, näherhin aus dem nexus mysteriorum, der inneren Einheit der verschiedenen
Glaubensaussagen entspringt[63]. *Das eigentliche vestigium trinitatis ist
darum nicht der Mensch, sondern der Gott-Mensch Jesus Christus.*
Wirklich von innen her verständlich wird die Trinitätslehre allein von
der Heilsökonomie her. Es führt uns zu dem heute vorherrschenden
Ansatz der Trinitätslehre, zu der Einheit von immanenter und ökonomischer Trinität.

Die Einheit von immanenter und ökonomischer Trinität

Da die Trinität das Glaubensgeheimnis schlechthin ist, kann der Ansatz
der Trinitätslehre nur im Glauben selbst liegen. Wir können also weder
von der neuzeitlichen Philosophie noch von irgendwelchen Analogien
aus dem geschöpflichen Bereich ausgehen; beide können nur eine
nachträgliche Hilfsfunktion für ein tieferes Verständnis sein. Der
eigentliche Verstehensansatz muß in der Heilsökonomie selbst liegen.
In diesem Sinn hat K. Rahner das *Grundaxiom* aufgestellt: »Die
ökonomische Trinität ist die immanente und umgekehrt«[64]. Ähnlich
hatte schon zuvor K. Barth formuliert: »Die Wirklichkeit Gottes in
seiner Offenbarung ist nicht einzuklammern mit einem ›nur‹, als ob
irgendwo hinter seiner Offenbarung eine andere Wirklichkeit Gottes
stünde, sondern eben die uns in der Offenbarung begegnende Wirklichkeit Gottes ist seine Wirklichkeit in allen Tiefen der Ewigkeit«[65]. Selbst
ein wichtiger Vertreter der neupalamitischen Theologie innerhalb der
Orthodoxie, J. Meyendorff, kommt zu ähnlichen Thesen. Er sagt, daß
Gottes Sein für uns zu seinem Sein in sich gehört[66]. Was K. Rahner als
Grundaxiom formuliert, entspricht heute also einem breiten Konsens in
der Theologie der verschiedensten Kirchen. Zugleich nimmt dieses
Axiom in kritisch gereinigter Form auch den Ertrag der Auseinandersetzung mit Hegel und Schleiermacher auf. Schon Schleiermacher stellte
fest, daß wir »keine Formel für das Sein Gottes an sich, unterschieden
von dem Sein Gottes in der Welt«, haben[67]. Diese These bleibt auch
dann richtig, wenn Schleiermacher selbst daraus falsche Konsequenzen
gezogen hat. Weniger mißverständlich als Schleiermacher hat bereits der

[63] DS 3016; NR 39.
[64] K. Rahner, Bemerkungen zum dogmatischen Traktat »De Trinitate«, in: Schriften.
Bd. 4. 115; ders., Der dreifaltige Gott als transzendenter Urgrund der Heilsgeschichte, in:
Mysal II, 328.
[65] K. Barth, Die Kirchliche Dogmatik I/1, 503.
[66] J. Meyendorff, Introduction à l'étude de Grégoire Palamas, Paris 1959, 298.
[67] F. Schleiermacher, Der christliche Glaube (ed. M. Redeker). Bd. 2. §172, Berlin 1960,
470.

Vertreter der Tübinger Schule F. A. Staudenmaier in Auseinandersetzung mit Hegel Rahners Grundaxiom vorweggenommen mit seiner These von der »Nichtigkeit des Unterschiedes zwischen Dreieinigkeit des Wesens und Dreieinigkeit der Offenbarung«[68].

Im Anschluß an Karl Rahner kann man zur *Begründung dieses Grundaxioms* drei Argumente anführen:

1. Das Heil des Menschen ist und kann nichts anderes sein als Gott selbst und nicht nur eine von Gott verschiedene geschaffene Gabe (gratia creata). Das Handeln Gottes durch Jesus Christus im Heiligen Geist ist deshalb nur dann Gottes Heilshandeln, wenn wir es dabei mit Gott selbst zu tun bekommen, wenn dort Gott selbst als der, der er an sich ist, für uns da ist. Die ökonomische Trinität würde also jeden Sinn verlieren, wenn sie nicht zugleich die immanente Trinität wäre. Der eschatologische Charakter der Christusoffenbarung macht es außerdem notwendig, daß Gott sich in Jesus Christus in unüberbietbarer Weise ganz und rückhaltlos mitteilt. Es kann also gerade im Christusgeschehen nicht irgendein dunkler Rand und Rest eines Deus absconditus »hinter« dem Deus revelatus bleiben. Der Deus revelatus ist vielmehr der Deus absconditus; das unaufhebbare Geheimnis Gottes ist das Geheimnis unseres Heils. Deshalb beginnt das sog. athanasianische Glaubensbekenntnis, das von allen Bekenntnissen die umfassendste Trinitätslehre enthält, mit dem Satz: »quicumque vult salvus esse, ante omnia opus est, ut teneat...« (wer gerettet werden will, der muß vor allem das folgende für wahr halten)[69].

2. Es existiert zumindest ein Fall, wo diese Identität von ökonomischer und immanenter Trinität definierte Glaubenslehre ist: die Inkarnation des Logos, die hypostatische Union. Unabhängig von der unbewiesenen und falschen Schulmeinung, daß an sich jede der drei göttlichen Personen hätte Mensch werden können, gilt, daß in Jesus Christus nicht Gott im allgemeinen, sondern die zweite göttliche Person, der Logos, Mensch geworden ist, und zwar so, daß er nicht nur im Menschen Jesus wohnt, sondern daß er das Subjekt (die Hypostase) ist, in der die Menschheit Jesu subsistiert, so daß die Menschheit Jesu nicht nur eine äußere Livrée, sondern Realsymbol des Logos ist[70]. In dem Menschen Jesus Christus spricht und handelt also Gottes Sohn selbst. Im Fall der Inkarnation lassen sich darum die zeitliche Sendung des Logos in die Welt und sein ewiger Ausgang vom Vater nicht adäquat unterscheiden; hier bilden immanente und ökonomische Trinität eine Einheit.

[68] F. A. Staudenmaier, Die christliche Dogmatik. Bd. 2. Freiburg i. Br. 1844, 475.
[69] DS 75; NR 915.
[70] Vgl. W. Kasper, Jesus der Christus, 284 ff.

3. Das Heil, das uns der Sohn Gottes gebracht hat, besteht darin, daß wir im Heiligen Geist Söhne und Töchter Gottes werden, d. h. darin, daß die Selbstmitteilung des Vaters, die dem ewigen Sohn Gottes von Natur zukommt, uns im Heiligen Geist aufgrund von Gnade geschenkt wird. Nun hat zwar die scholastische Theologie, von wenigen Ausnahmen abgesehen, bestritten, daß man, wie es die Schrift nahelegt, von einer persönlichen Einwohnung des Heiligen Geistes in den Christen sprechen kann; nach den meisten Scholastikern handelt es sich um eine Einwohnung, die Gott allgemein und somit allen drei Personen zukommt, die dem Heiligen Geist also nur zugeschrieben (appropriiert) wird. Doch gegen diese These gibt es nicht nur gute biblische, sondern auch spekulative Einwände[71]. Deshalb können wir hier davon ausgehen: Gnade ist freie Selbstmitteilung Gottes im Heiligen Geist; der Heilige Geist ist gerade nach der Tradition der augustinischen Trinitätslehre die eschatologische Gabe selbst, in der sich Gott selbst mitteilt. Deshalb können wir auch sagen, daß in der die Heilsökonomie zum Abschluß bringenden Ausgießung des Geistes wiederum ökonomische und immanente Trinität eine Einheit bilden.

Das in dieser dreifachen Weise begründete Axiom hatte bei K. Rahner ursprünglich den Sinn, die Funktionslosigkeit der Lehre von der immanenten Trinität zu überwinden und diese wieder mit der Geschichte des Heils zu verbinden, um sie auf diese Weise erst wieder für den Glauben verständlich zu machen. In diesem Sinn ist das Axiom richtig, legitim, ja notwendig.

Die Gleichsetzung von immanenter und ökonomischer Trinität, wie sie in diesem Axiom geschieht, ist freilich vieldeutig und mancherlei Mißdeutungen fähig. Ein Mißverständnis wäre es sicher, wenn durch diese Gleichsetzung die heilsgeschichtliche Trinität ihrer geschichtlichen Eigenwirklichkeit beraubt und nur noch als zeitliche Erscheinung der ewigen immanenten Trinität verstanden würde, wenn etwa nicht mehr ernst gemacht würde mit der Wahrheit, daß die zweite göttliche Person durch die Menschwerdung in einer neuen Weise in der Geschichte existiert, wenn also die ewige Zeugung aus dem Vater und die zeitliche Sendung in die Welt bei allem inneren Zusammenhang nicht mehr unterschieden würden. Naheliegender ist gegenwärtig freilich eher das entgegengesetzte Mißverständnis, als solle durch diese Gleichsetzung die immanente Trinität in die ökonomische aufgelöst werden, so als ob sich die ewige Trinität erst in der Geschichte und durch die

[71] Vgl. H. Schauf, Die Einwohnung des Heiligen Geistes. Die Lehre von der nicht-appropriierten Einwohnung des Heiligen Geistes als Beitrag zur Theologiegeschichte des neunzehnten Jahrhunderts unter besonderer Berücksichtigung der beiden Theologen Carl Passaglia und Clemens Schrader (Freiburger theol. Stud. 59), Freiburg i. Br. 1941.

Geschichte konstituieren würde. Die Unterschiede zwischen den drei Personen wären dann von Ewigkeit her höchstens modal, real würden sie erst in der Geschichte[72]. Schließlich und vollends stellt es ein Mißverständnis des Axioms dar, wenn man es zum Vorwand nimmt, um die Lehre von der immanenten Trinität mehr oder weniger beiseite zu schieben und sich mehr oder weniger auf die heilsgeschichtliche Trinität zu beschränken[73]. Dadurch wird aber auch die heilsgeschichtliche Trinität allen Sinns und aller Bedeutung beraubt. Denn Sinn und Bedeutung hat sie nur, wenn Gott in der Heilsgeschichte als der da ist, der er von Ewigkeit ist, genauer: wenn Gott als Vater, Sohn und Geist nicht nur für uns in der Heilsgeschichte erscheint, sondern wenn er von Ewigkeit Vater, Sohn und Geist ist.

Soll also das Axiom von der Identität von immanenter und ökonomischer Trinität nicht statt zur Begründung zur Auflösung der immanenten Trinität führen, dann darf man diese Identität nicht im Sinn der tautologischen Formel A = A verstehen. Das »ist« in diesem Axiom darf nicht im Sinn einer Identität, sondern muß vielmehr im Sinn eines unableitbaren, freien, gnädigen, geschichtlichen Daseins der immanenten Trinität in der ökonomischen verstanden werden. Wir können Rahners Grundaxiom also in der folgenden Weise modifizieren: *In der heilsgeschichtlichen Selbstmitteilung ist die innertrinitarische Selbstmitteilung in einer neuen Weise in der Welt präsent:* unter geschichtlichen Worten, Zeichen und Taten, letztlich in der Gestalt des Menschen Jesus von Nazaret. Es gilt also sowohl den gegenüber der immanenten Trinität gnädig-freien wie den kenotischen Charakter der ökonomischen Trinität zu wahren und damit dem immanenten Geheimnis Gottes in (nicht: hinter!) seiner Selbstoffenbarung gerecht zu werden[74].

Den gnädig-freien und den kenotischen Charakter der ökonomischen Trinität herausstellen heißt zugleich den apophatischen Charakter, d. h. den allem Sprechen und Denken entzogenen Charakter, der immanenten Trinität betonen. Sie ist und bleibt in (nicht: hinter!) der ökonomischen Trinität ein mysterium stricte dictum. Das bedeutet, daß man die immanente Trinität nicht durch eine Art Extrapolation aus der ökonomischen ableiten kann. Dies war jedenfalls nicht der Weg, den die frühe Kirche bei der bekenntnis- und dogmengeschichtlichen Entfaltung der Trinitätslehre gegangen ist. Ihr Ausgangspunkt war vielmehr, wie gezeigt, das Taufbekenntnis, das sich vom Taufbefehl des auferstande-

[72] So P. Schoonenberg, Trinität – der vollendete Bund. Thesen zur Lehre vom dreipersönlichen Gott, in: Orientierung 37 (1973), 115–117.
[73] So tendenziell H. Küng, Existiert Gott? Antwort auf die Gottesfrage der Neuzeit, München – Zürich 1978, 764 ff.
[74] Vgl. Y. Congar, Je crois en l'esprit saint. Bd. 3. Paris 1980, 37 ff. Vgl. H. U. von Balthasar, Theodramatik. Bd. 3. Einsiedeln 1980, 297 ff.

nen Herrn herleitet[75]. Die Erkenntnis des trinitarischen Geheimnisses verdankte sich also der Wortoffenbarung und nicht einer Schlußfolgerung. Diese Wortoffenbarung ist ihrerseits die Deutung des Heilsgeschehens in der Taufe, durch die das Heilsgeschehen durch Jesus Christus im Geist vergegenwärtigt wird.

So kommen wir zu dem *Ergebnis:* Wie alle Offenbarung, so geschieht auch die Offenbarung des trinitarischen Geheimnisses Gottes weder allein im Wort noch allein durch die heilsgeschichtlichen Taten, sondern durch Wort und Tat, die beide aufeinander bezogen sind. Das trinitarische Taufbekenntnis und die eucharistische Doxologie wollen die in Taufe und Eucharistie vergegenwärtigte trinitarische Heilswirklichkeit, wonach Gott durch Christus im Geist unser Heil ist, interpretieren, wie umgekehrt diese Heilswirklichkeit die Offenbarung als lebendiges und geschichtsmächtiges Wort verifiziert.[76] *Die offenbarungsgeschichtlich zu verstehende Einheit von immanenter und ökonomischer Trinität ist darum kein Axiom, aus dem man die immanente Trinität deduzieren oder mit dessen Hilfe man sie gar auf die heilsgeschichtliche Trinität reduzieren kann; dieses Axiom setzt die Kenntnis der immanenten Trinität voraus und will sie sachgemäß interpretieren und konkretisieren.*

2. Grundbegriffe der Trinitätslehre

Die klassischen Grundbegriffe

Die Trinitätslehre, wie sie sich in den Handbüchern der Dogmatik findet, setzt mit der immanenten Trinitätslehre ein, näherhin mit den ewigen Hervorgängen des Sohnes aus dem Vater und des Heiligen Geistes aus Vater und Sohn; erst am Schluß behandelt sie die heilsgeschichtliche Sendung des Sohnes und des Geistes in die Welt. Die Handbuch-Dogmatik hält sich also an die Seinsordnung, in der die ewigen Hervorgänge den Sendungen vorausgehen und sie begründen. Hält man sich dagegen an die Erkenntnisordnung, dann muß man von den heilsgeschichtlichen Sendungen und ihrer worthaften Offenbarung ausgehen, um in ihnen die ewigen Hervorgänge als deren Grund und Voraussetzung zu erkennen. Wir halten uns im folgenden an diesen zweiten Weg, weil er unserer menschlichen Erkenntnis, die immer von

[75] Dies hat D. Wendenbourg, Geist oder Energie. Zur Frage der innergöttlichen Verankerung des christlichen Lebens in der byzantinischen Theologie, München 1980, 172–232 für Athanasius und die kappadokischen Theologen überzeugend nachgewiesen.
[76] Vatikanum II, Dei Verbum, 2.

der Erfahrung ausgeht, angemessener erscheint, und weil er uns auch vom biblischen Zeugnis her der sachgemäßere zu sein scheint[77].

Der Ausgangspunkt und die Grundkategorie einer heilsgeschichtlich begründeten Trinitätslehre muß der Begriff sein, der in der traditionellen Trinitätslehre erst am Schluß vorkommt: der Begriff der *Sendung*. Die Schrift bezeugt uns die Sendung des Sohnes durch den Vater (Gal 4,4; Joh 3,17; 5,23; 6,57; 17,18) und die Sendung des Geistes durch den Vater (Gal 4,6; Joh 14,16.26) und durch den Sohn (Lk 24,49; Joh 15,26; 16,7). Während die Sendung des Sohnes durch die Inkarnation in sichtbarer Gestalt geschieht, ist die Sendung des Geistes in der Einwohnung des Geistes in der Herzen der Gerechtfertigten (1 Kor 3,16; 6,19; Röm 5,5; 8,11) unsichtbar, aber nicht schlechterdings unerfahrbar. Auch die lehramtlichen Dokumente kennen den Begriff der Sendung[78]. Der Begriff der Sendung umschließt zwei Momente[79], die wir entsprechend unserem heilsgeschichtlichen Ansatz gegenüber der traditionellen Theologie in umgekehrter Reihenfolge aufführen: 1. Die Sendung hat zum *Ziel* das Gegenwärtigsein des Sohnes oder des Geistes in der Welt und in der Geschichte. Dabei handelt es sich gegenüber der Allgegenwart Gottes aufgrund seiner Natur um eine neue, freie und personale Weise der Gegenwart. 2. Die Sendung hat zur Voraussetzung und zum *Ursprung* die ewige Abhängigkeit des Sohnes vom Vater und des Geistes vom Vater und vom Sohn. Der Sohn ist also von Ewigkeit vom Vater her, der Geist vom Vater und vom Sohn her. Die Sendung in der Zeit setzt also den ewigen Hervorgang voraus; sie fügt ihm jedoch eine neue, geschichtliche Art der Gegenwart in der geschaffenen Welt hinzu[80]; man kann sie deshalb als Nachbildung und Ausbreitung, ja als Fortsetzung des ewigen Hervorgangs bezeichnen[81].

Damit führt der Begriff der Sendung zum Begriff der innergöttlichen *Hervorgänge* (processio) des Sohnes aus dem Vater, des Geistes vom

---

[77] Wir versuchen im folgenden einen knappen Abriß der klassischen Trinitätslehre, wobei wir uns vornehmlich an die Begrifflichkeit des Thomas von Aquin halten. Dabei geht es nicht um eine vollständige Darstellung aller teilweise sehr differenzierten Unterscheidungen, sondern mehr um den inneren Zusammenhang und Sinn dieser Lehre. Die letzte, fast bis zum Extrem differenzierte Darlegung der scholastischen Unterscheidungen findet sich bei B. Lonergan, De Deo trino II. Pars systematica, Rom 1964. Darauf sei nachdrücklich verwiesen, auch wenn man nicht den Eindruck hat, daß man auf dem Weg von Distinktionen sehr viel weiter kommt in einer tieferen Einsicht in das Mysterium. Diese Distinktionen scheinen mir in der Sache nicht über die monumentale Einfachheit in der Summa des Aquinaten hinauszuführen.

[78] Vgl. DS 527; NR 269.

[79] Thomas v. A., Summa theol. I q.43 a.1.

[80] Ebd. q.43 a.2 ad 3.

[81] So M. J. Scheeben, Die Mysterien des Christentums, 132.

Vater und vom Sohn bzw. ursprunghaft (principaliter) vom Vater und in einer vom Vater geschenkten Weise auch vom Sohn[82]. Die Schrift deutet diese Hervorgänge lediglich an. Denn wenn die Schrift vom Ausgegangensein des Sohnes vom Vater (Vulg.: ex Deo processi) (Joh 8,42) und vom Ausgehen des Geistes vom Vater (Vulg.: qui a Patre procedit) (Joh 15,26) spricht, meint sie unmittelbar den zeitlichen Ausgang, also die Sendung. Nur mittelbar ist damit auch der ewige Ausgang mitgesagt, gleichsam als transzendental-theologisch notwendige Bedingung der Möglichkeit des zeitlichen Hervorgangs. Der ewige Hervorgang meint ein ewiges Ursprungsverhältnis. Um den Begriff des Hervorgangs genauer zu klären, ist zu unterscheiden zwischen einem Hervorgang nach außen, bei dem das bzw. der Hervorgehende aus seinem Ursprung heraustritt und über ihn hinausgeht (processio ad extra bzw. processio transiens) und einem Hervorgang, in dem das bzw. der Hervorgehende innerhalb seines Ursprungs verbleibt (processio ad intra bzw. processio immanens)[83]. Auf die erstere Art gehen die Geschöpfe aus Gott hervor; auf die zweite Art der Sohn aus dem Vater, der Geist aus dem Vater und dem Sohn. Denn aufgrund der Einheit, Einfachheit und Unteilbarkeit des göttlichen Wesens kann es sich nur um eine processio immanens handeln. Aus demselben Grund darf man die immanenten Hervorgänge in Gott nicht als räumliche oder zeithafte Bewegungen verstehen, sie sind vielmehr die »Begründung der Lebens- und Existenzordnung in Gott«. Sie sind die immanenten Lebensvorgänge und Lebensbewegungen in Gott. In ihnen geschieht nicht etwa eine stufenweise Entfaltung Gottes aus den Abgründen und dem Dunkeln seines geheimnisvollen Wesens zum Licht klarer Selbsterkenntnis. Es gibt in Gott kein zeitliches Nacheinander, sondern nur die eine ewige Tatwirklichkeit (actus purus) von unermeßlicher Kraft, unerschöpflicher Lebensfülle und doch tiefer Innerlichkeit und Ruhe[84].

Im Anschluß an die Schrift hat die Tradition die beiden Hervorgänge in Gott noch etwas genauer zu umschreiben versucht[85]. Der Hervorgang des Sohnes wird als Zeugung, der des Geistes im Anschluß an Joh 15,26 im engeren Sinn als Hervorgang beschrieben. Mit Rücksicht auf den ursprünglichen Sinn des Wortes Geist, nämlich: Wind, Atem, Hauch, spricht man in der traditionellen Theologie beim Hervorgang des Geistes auch von einer Hauchung (spiratio). Während der Begriff der Zeugung unmittelbar verständlich ist, kommt in der Charakterisierung des Hervorgangs des Geistes eine gewisse Verlegenheit zum Ausdruck. Diese Begriffsarmut ist in der östlichen Theologie nur scheinbar behoben. Weil die östliche Theologie keinen Allgemeinbegriff von innertrinita-

---

[82] DS 150; 525–527; 803; 1330; NR 250; 266–269; 281.
[83] Thomas v. A., Summa theol. I q.27 a.1.
[84] Vgl. M. Schmaus, Katholische Dogmatik I, München ⁶1960, 462f.
[85] Vgl. o. 230ff; 265ff.

rischen »Hervorgängen« kennt, kann sie den Begriff Hervorgang dem Geist reservieren[86]. Aber auch in der östlichen Theologie sucht man vergebens nach einer näheren Erläuterung dieses Begriffs. Der einzige Versuch dazu liegt m. W. bei Albertus Magnus[87] vor, auf den M. J. Scheeben verweist[88]. Danach meint processio ein ekstatisches Über-sich-hinaus-Gehen und Sich-Überschreiten, ein Außer-sich-Sein, wie es der Liebe eigen ist. So wie man den inneren Hervorgang des Sohnes, seine Zeugung, mit dem Hervorgang des inneren Wortes im Akt des Erkennens vergleicht, so den Hervorgang des Geistes, seine Hauchung, mit dem Außer-sich-Sein der Liebe. So ist der Sohn das Wort und die Weisheit des Vaters, der Geist die Liebe und das Band der Liebe zwischen Vater und Sohn[89].

Die innergöttlichen Hervorgänge begründen ihrerseits *innergöttliche Relationen*. Unter Relation versteht man das Bezogensein auf ein anderes[90]. Zum Begriff der Relation gehört demnach das Subjekt (terminus a quo), das Ziel (terminus ad quem) und das Fundament der Relation. Zwischen dem Subjekt und dem Terminus der Relation besteht ein relativer Gegensatz. Aus den beiden Hervorgängen ergeben sich vier solche Relationen:

– die Beziehung des Vaters zum Sohn: aktive Zeugung (generare) oder Vaterschaft;
– die Beziehung des Sohnes zum Vater: passive Zeugung (generari) oder Sohnschaft;
– die Beziehung des Vaters und des Sohnes zum Heiligen Geist: aktive Hauchung (spirare);
– die Beziehung des Heiligen Geistes zum Vater und zum Sohn: die passive Hauchung (spirari).

Drei dieser Beziehungen sind real voneinander verschieden: die Vater-schaft, die Sohnschaft und die passive Hauchung. Die aktive Hauchung dagegen ist mit der Vaterschaft und Sohnschaft identisch und kommt dem Vater und dem Sohn gemeinsam zu. Die passive Hauchung dagegen ist von beiden real unterschieden. Das bedeutet, daß es aufgrund der beiden Hervorgänge in Gott drei real voneinander verschiedene relative Gegensätze gibt. Sie sind Urbild und Urgrund des dialogalen und relationalen Zueinanders und Miteinanders von Vater, Sohn und Geist in der Heilsgeschichte.

Es war die geniale Einsicht der Väter des 4. und 5. Jahrhunderts, grundgelegt schon bei Athanasius[91], entfaltet im Osten vor allem durch

[86] Vgl. o. 267f.
[87] Albertus Magnus, Summa tr. 7, q.31, c.4.
[88] M. J. Scheeben, aaO., 88f.
[89] Vgl. H. U. von Balthasar, Der Heilige Geist als Liebe, in: Spiritus Creator. Skizzen zur Theologie III, Einsiedeln 1967, 106–122.
[90] Thomas v. A., Summa theol. I q.28 a.1.3.
[91] Athanasius, De synodis 16 (PG 26, 707–712).

Gregor von Nazianz[92], im Westen noch deutlicher durch Augustinus[93], daß Vaterschaft, Sohnschaft und Gehauchtwerden Beziehungswirklichkeiten sind, so daß die Unterschiede in Gott nicht die eine göttliche Substanz bzw. das eine göttliche Wesen, sondern innergöttliche Relationen betreffen. Diese Einsicht wurde später auch vom kirchlichen Lehramt aufgegriffen[94]. Sie führte zu dem trinitarischen Grundgesetz: »In Deo omnia sunt unum, ubi non obviat relationis oppositio«[95].

Die Aussage, daß die Unterschiede in Gott Relationen darstellen, ist deshalb von grundlegender Bedeutung, weil damit ein einseitig substantielles Denken aufgebrochen wird. Nicht die in sich ruhende Substanz, das Bei-sich-selbst-Sein ist das Letzte, sondern das Sein-von-einem-anderen und das Sein-für-ein-anderes. In der geschöpflichen Welt setzt die Relationalität die Substanzialität voraus. Die Relationalität ist lediglich für die volle Verwirklichung eines Seienden wesentlich, aber sie schöpft nicht dessen ganze Wirklichkeit aus. Ein Mensch ist und bleibt Mensch, auch wenn er sich egoistisch dem Bezogensein auf andere hin verschließt; ja er darf gar nicht ausschließlich als Beziehungswesen betrachtet werden, das nur insofern Sinn und Wert hat, als es für andere und für das Ganze da ist; der Mensch hat Wert und Würde in sich selbst. Bei Gott dagegen sind solche Unterscheidungen zwischen Wesen und Beziehung aufgrund der Einfachheit und Vollkommenheit seines Wesens unmöglich. Bei ihm sind Wesen und Relation real identisch; Gott ist Beziehung und er existiert nur in innergöttlichen Beziehungen; er ist ganz Liebe, die sich hingibt und verschenkt. Diese mit dem Wesen Gottes identische Beziehungswirklichkeit setzt reale, unter sich relativ unterschiedene Beziehungswirklichkeiten voraus. Insofern besteht zwischen dem einen Wesen Gottes und den Beziehungen kein rein gedachter Unterschied (distinctio rationis), sondern ein Unterschied, der ein

---

[92] Gregor von Nazianz, Oratio 29, 16 (SC 250, 210–213): »Vater ist weder ein Name der Wesenheit noch der Tätigkeit, sondern ein Name der Beziehung (σχέσις), der anzeigt, wie sich der Vater zum Sohn und der Sohn zum Vater verhält.« Vgl. Oratio 31, 14. 16 (SC 250, 302–305; 306–309); Johannes von Damaskus, De fide orth. 8 (Die Schriften des Johannes von Damaskus, ed. B. Kotter II, Berlin–New York 1973, 18–31).

[93] Augustinus, De Trinitate V, 5 (CCL 50, 210f): »Wenn daher Vater und Sohn verschieden sind, so liegt doch keine Verschiedenheit im Wesensbestande (substantia) vor. Denn die Bestimmungen Vater und Sohn betreffen nicht den Wesensbestand, sondern eine Beziehung. Die Beziehung ist aber kein Dazukommendes (accidens), weil sie nicht wandelbar ist.« Vgl. VIII, 6 (CCL 50, 261–267); VIII prooem. (CCL 50, 268f).

[94] DS 528ff; 1330; NR 266ff; 281.

[95] Dieses Prinzip wurde schon von Gregor von Nazianz (Oratio 34 = PG 257a–262d; Oratio 20 = SC 270, 37–85, bes. 70–73; Oratio 31 = SC 250, 276–343, bes. 282ff; Oratio 41 = PG 36, 427a–452c, bes. 441c) und Augustinus (De civitate Dei XI, 10 = CCL 48, 330ff) erkannt, maßgebend von Anselm von Canterbury formuliert (De processione spiritus sancti 1) und vom Konzil von Florenz bestätigt (DS 1330; NR 281).

fudamentum in re hat (distinctio virtualis), nämlich darin, daß die Beziehung auf ein Ziel ausgerichtet ist, das vom Wesen real verschieden ist[96]. Die in den Relationen begründeten Unterscheidungen bringen also nochmals den ekstatischen Charakter der Liebe Gottes zum Ausdruck.

Die drei einander entgegengesetzten Relationen in Gott: die Vaterschaft, die Sohnschaft und die passive Hauchung sind der abstrakte Ausdruck für die *drei göttlichen Personen*. Unter Person (Hypostase)[97] im altkirchlichen und scholastischen Sinn versteht man nämlich den letzten Träger allen Seins und allen Tuns (principium quod). Die Natur dagegen ist dasjenige, wodurch die Person bzw. Hypostase ist und tätig ist (principium quo). Zur Person bzw. Hypostase gehört, daß sie eine nicht mehr weiter zurückführbare und eine nicht an andere mitteilbare Wirklichkeit ist; insofern ist sie eine von jedem anderen unterschiedene Einheit: dieser da, jener dort. Die klassische Definition der Person lautet deshalb: persona est naturae rationalis individua substantia[98]. Die Schwäche dieser sich bei Boethius findenden Definition ist, daß sie Personalität als Individualität zu verstehen scheint. Individualität ist aber eine Was-Bestimmung und noch keine Wer-Bestimmung; sie ist eine naturhafte Prägung der Person, nicht diese selbst. Sachlich meint Boethius mit Individualität jedoch die Inkommunikabilität, eine Unmittelbarkeit, die in einer letzten Unteilbarkeit und Einheit begründet ist[99]. Diesen Aspekt brachte vor allem Richard von St. Viktor in seiner Definition der Person zum Ausdruck: »naturae rationalis incommunicabilis existentia«[100]. Im Grunde meint Thomas von Aquin das-

[96] Thomas v. A., Summa theol. I q.28 a.2.

[97] Zur Geschichte des Personbegriffs: E. Lohse, Art. πρόσωπον in: ThWNT VI, 769–781; S. Schlossmann, Persona und ΠΡΟΣΩΠΟΝ im Recht und im christlichen Dogma (1906), Darmstadt 1968; H. Rheinfelder, Das Wort »Persona«, Halle 1928; M. Nédoncelle, Prosopon et persona dans l'antiquité classique, in: RevSR 22 (1948), 277–299; Zusammenfassend A. Halder – A. Grillmeier – H. Erharter, Art. Person, in: LThK VIII, 287–292 (Lit.); C. Andresen, Zur Entstehung und Geschichte des trinitarischen Personbegriffs, in: ZNW 52 (1961), 1–39; J. Ratzinger, Zum Personverständnis in der Theologie, in: Dogma und Verkündigung, München ³1977, 205–223; H. Köster, Art. ὑπόστασις, in: ThWNT VIII, 571–588; und vor allem die Studie von H. Dörrie, Ὑπόστασις. Wort und Bedeutungsgeschichte, Göttingen 1955; Th. de Régnon, Etudes de théologie positive sur la sainte Trinité. Bd. 1. Paris 1892, 129 ff, 139 ff, 152 ff, 167 ff, 216 ff. B. Studer, Der Person-Begriff in der frühen kirchenamtlichen Trinitätslehre, in: Theol. Phil. 57 (1982), 161–177.

[98] Boethius, Liber de persona et duabus naturis 3 (PL 64, 1343 c–1345 b); dazu Thomas v. A., Summa theol. I q.29 a.1.

[99] Vgl. Thomas v. A., Summa theol. I q.29 a.1 ad 2; 3 ad 4.

[100] Richard von St. Viktor, De Trinitate IV, 22–24 (ed. J. Ribaillier, 187–190). Dieser Personbegriff wurde vor allem von Duns Scotus aufgegriffen und vertieft. Vgl. J. Duns Scotus, Ordinatio, lib. I, dist. 23, q.1; dazu H. Mühlen, Sein und Person nach Johannes Duns Scotus. Beiträge zur Metaphysik der Person, Werl 1954.

selbe, wenn er den Begriff substantia, der ja mit dem der natura verwandt ist, durch subsistentia ersetzt: das, was als Träger der Natur bzw. der Substanz zugrundeliegt[101]. Diese begriffliche Präzisierung ist nicht zuletzt für die Trinitätslehre von Bedeutung. Denn die Rede von drei substantiae kann leicht tritheistisch verstanden werden. Spricht man dagegen von drei subsistentiae, dann meint man, daß die numerisch eine göttliche Natur bzw. Substanz von drei Trägern »besessen« wird, daß sie in drei relativ verschiedenen Subsistenzweisen da ist.

Worin besteht nun die letzte, nicht mehr mitteilbare Einheit und damit der Grund der Unterscheidung in Gott? Nach dem bisher Gesagten in den Relationen. Deshalb lautet die Definition der göttlichen Personen, die Thomas gibt: *Die göttlichen Personen sind subsistente Relationen*[102]. Der Sache nach wurde diese Lehre auch von den Reformatoren übernommen; sie wird heute etwa von K. Barth vertreten[103].

Im einzelnen kann diese Bestimmung der göttlichen Personen als subsistente Relationen in doppelter Weise verstanden werden: Es kann die Relation die Subsistenz begründen. So ist es bei Anselm von Canterbury[104]. In dieser Sicht hat die abstrakte, von der Natur ausgehende Betrachtungsweise den Primat vor der konkret heilsgeschichtlichen. Dann ist freilich der Schritt zum Modalismus nicht sehr weit, weil in dieser Sicht die Personen lediglich Subsistenzweisen der einen Natur zu sein scheinen. Es können aber auch die Personen die Relationen fundieren. Das ist nicht in dem Sinn gemeint, daß die Personen zeitlich früher wären als die Relationen; das ist deshalb unmöglich, weil die Personen mit den Relationen identisch sind. Gemeint ist vielmehr, daß die Personen den Relationen logisch vorausgehen. Das ist die Deutung, die Thomas von Aquin gibt[105]. Damit kommt er der Sache nach dem östlichen Verständnis nahe, das nicht von einem Wesen, sondern von den Hypostasen ausgeht und das damit der konkret-heilsgeschichtlichen Sprech- und Denkweise der Bibel näher steht.

Die Personen sind durch sie auszeichnende *Proprietäten*, Eigentümlichkeiten (ἰδιώματα ὑποστατικά; proprietates personales) unterschieden[106]. Sachlich identisch mit den Proprietäten sind die *Notionen* (γνωρίσματα), die Erkennungs- und Unterscheidungsmerkmale der göttlichen Personen. Solche persönlichen, d.h. die Personen unterscheidenden Proprietäten sind: Vaterschaft, Sohnschaft, passive Hauchung. Der Unterschied zwischen östlicher und lateinischer Trinitäts-

---

[101] Thomas v. A., Summa theol. I q.29 a.2.
[102] Ebd. 29,4: »Persona igitur divina significat relationem ut subsistentem.«
[103] K. Barth, Die Kirchliche Dogmatik I/1, 384f.
[104] Anselm von Canterbury, Monologion 43; vgl. A. Malet, Personne et amour dans la théologie trinitaire de Saint Thomas d'Aquin (Bibl. thom. 32), Paris 1956, 55 ff.
[105] Thomas v. A., De pot. q.10 a.3; vgl. I Sent. d.23 q.1 a.3; vgl. A. Malet, aaO., 71 ff; M. J. Le Guillou, Das Mysterium des Vaters. Apostolischer Glaube und moderne Gnosis, Einsiedeln 1974, 110f.
[106] Johannes von Damaskus, De fide orth. 8 (aaO. 18–31); Thomas v. A., Summa theol. I q.40 a.1–4; q.41 a.1–6.

lehre zeigt sich in der Frage, welche Rolle die Ursprungslosigkeit (innascibilitas; ἀγεννησία) als Proprietät des Vaters spielt[107]. Weil der Osten vom Vater als ursprungslosen Ursprung und als Quelle der Trinität ausgeht, sieht er in der Ursprungslosigkeit die entscheidende Proprietät des Vaters. Für den Hauptstrang der lateinischen Tradition des Westens dagegen handelt es sich bei der Ursprungslosigkeit zwar um eine Proprietät der Person des Vaters, aber nicht um eine personbildende Proprietät. Das hängt damit zusammen, daß man im Westen die Personen gewöhnlich durch die Relationen konstituiert und unterschieden sieht. Die Ursprungslosigkeit meint aber unmittelbar die Negation einer relationalen Abhängigkeit, deshalb kann sie keine personbildende Proprietät sein. Für den Osten dagegen ist sie Ausgangspunkt der gesamten Trinitätslehre. Sachlich kommt darin zum Ausdruck, daß Gott in seiner Liebe reiner Ursprung ist, der von niemand und von nichts empfängt, daß er reines Geben und reines Schenken ist.

Von den Proprietäten zu unterscheiden sind die *Appropriationen*, die Zueignung von Eigenschaften oder Tätigkeiten, die allen drei Personen aufgrund ihres gemeinsamen Wesens gemeinsam zukommen, die aber einer einzelnen Person zugesprochen werden, weil sie in einer gewissen Verwandtschaft mit den jeweiligen Proprietäten stehen[108]. Beispielsweise kann die Macht dem Vater, die Weisheit dem Sohn, die Liebe dem Geist appropriiert werden. Solche Appropriationen haben den Zweck, die Proprietäten und Personunterschiede in Gott zu veranschaulichen.

An dieser Stelle erhebt sich ein schwerwiegender logischer Einwand. Die Frage ist nämlich, wie die absolute Einheit und Einfachheit Gottes überhaupt Zahlen und ein Zählen zuläßt. Zahlen haben ja nur im quantitativen Bereich einen Sinn; im Bereich des reinen Geistes, also auch im Bereich Gottes, kann nicht gezählt werden. Gott ist, sagt Basilius, »ganz und gar jenseits der Zahl«[109]. Weil Gott nicht durch Quantität bestimmt ist, ist Gott – so Augustinus – nicht dreiteilig; man kann die drei Personen nicht zusammenzählen; Gott ist nicht größer als jede einzelne Person[110]. In diesem Sinn muß man mit dem 11. Konzil von Toledo (675) von der Trinität sagen: nec recedit a numero, nec capitur numero[111]. Die Frage ist also, ob und inwiefern die Redeweise von den drei Personen logisch überhaupt sinnvoll ist.

Schon aus der Begründung der Frage ergibt sich, daß im Bereich des Geistes und vor allem im Bereich Gottes Zahlen höchstens in einem analogen Sinn anwendbar sind. Sie sind sinnvoll nur, wenn wir auf den Grund und die Bedeutung der Möglichkeit von Zählen und Zahlen reflektieren: die Einheit als eine transzendentale Seinsbestimmung, die zum Sein nichts hinzufügt außer der Negation seines Geteiltseins. Diese Einheit kommt allem Seienden zu, freilich je nach dem

[107] Vgl. Th. de Régnon, Etudes. Bd. 3/1. aaO., 185 ff.
[108] Thomas v. A., De ver. q.7 a.3; Summa theol. I q.39 a.7.
[109] Basilius, De spiritu sancto 18 (SC 17, 191–198).
[110] Augustinus, De Trinitate VI, 7f (CCL 50, 237f); vgl. DS 367.
[111] DS 530; NR 272.

Grad seines Seins in unterschiedlicher Weise. In höchster Weise kommt solche Einheit der Person zu; sie ist ein Individuum im Sinn einer letzten Ungeteiltheit und deshalb Nichtmitteilbarkeit. Die Rede von drei Personen in Gott bedeutet also sachlich: Der Vater, der Sohn, der Geist sind je eine solche ungeteilte und unteilbare letzte Einheit[112].

Aus dem nur analogen Gebrauch der Zahl drei folgt, daß der Begriff Person auf die drei Personen nicht wie ein Allgemeinbegriff angewandt wird[113]. Was Person hier jeweils bedeutet, läßt sich nicht von einem vorausgesetzten allgemeinen Personbegriff ableiten. Es gilt vielmehr, einem Wort des Hilarius folgend, den Sinn der Sache nicht von der Aussage her zu bestimmen, sondern umgekehrt von der Sache her die Aussage zu verstehen[114]. Dies ist auch sachlich einsichtig zu machen. Denn in Gott ist nicht nur die Einheit je größer als im endlichen Bereich, sondern auch die Unterschiedenheit. Anders formuliert: Nicht obwohl Gott absolute ungeteilte Einheit ist, sondern weil er dies ist, kann, ja muß er unendliche Verschiedenheit sein, gerade deshalb läßt er personale Unterschiede zu, die die Subsistenzweise, in welcher die eine göttliche Natur existiert, jeweils in unendlicher Verschiedenheit realisiert.

Alle bisherigen trinitarischen Begriffe führen zu einem letzten, alles zusammenfassenden Grundbegriff: das Ineinandersein und die gegenseitige Durchdringung der göttlichen Personen, die *trinitarische Perichorese*[115]. Sie hat ein biblisches Fundament in Joh 10,30: »Ich und der Vater sind eins« (vgl. 14,9ff; 17,21). Dieses Ineinandersein und diese gegenseitige Durchdringung sind in der Tradition schon sehr früh bezeugt[116]. Klassisch ist die Formel bei Hilarius über das Verhältnis von Vater und Sohn: »ein anderer von einem anderen und beides eins; nicht beide einer, sondern ein anderer im anderen, weil nicht etwas anderes in beiden«[117]; »Gott in Gott, weil er Gott aus Gott ist«[118]. Bei Augustinus heißt es: Die Dreiheit »wird durch keine Vermischung vermengt, wenngleich jedes einzelne in seinem eigenen Selbst ist und in bezug auf die anderen ganz in jedem anderen, das seinerseits wieder ein Ganzes darstellt, sei es, daß jedes einzelne in je zweien ist oder je zwei in jedem einzelnen sind, und so ist alles in allem«[119]. Im Anschluß an Fulgentius

---

[112] Thomas v. A., Summa theol. I q.30 a.3.
[113] Augustinus, De Trinitate VII, 4.6 (CCL 50, 255–260, 261–267); Thomas v. A., Summa theol. I q.30 a.4.
[114] Hilarius, De Trinitate 4 (CCL 62, 101–149).
[115] Th. de Régnon, Etudes. Bd. 1. aaO., 409ff; A. Deneffe, Perichoresis, circumincessio, circuminsessio. Eine terminologische Untersuchung, in: ZkTh 47 (1923), 497–532; L. Prestige, Περιχωρέω and περιχώρηοις in the Fathers, in: Jour. Theol. Stud. 29 (1928), 242–252.
[116] Athenagoras, Bittschrift für die Christen 10 (TU Bd. 4.2, 10f); Irenäus von Lyon, Adv. haer. III, 6, 2 (SC 211, 68–71); Dionysius von Rom: DS 115; Athanasius, De decretis nicaenae synodis 26 (PG 26, 461–466).
[117] Hilarius, De Trinitate III, 4 (CCL 62, 75f).
[118] Ebd. IV, 40 (CCL 62, 144f); vgl. VII, 31–32 (CCL 62, 297–300).
[119] Augustinus, De Trinitate IX, 5 (CCL 50, 300f); vgl. VI, 10 (CCL 50, 241ff).

von Ruspe[120] umschreibt das Konzil von Florenz dieses Ineinandersein: »Wegen dieser Einheit ist der Vater ganz im Sohn, ganz im Heiligen Geist; ist der Sohn ganz im Vater, ganz im Heiligen Geist; ist der Heilige Geist ganz im Vater, ganz im Sohn«[121].

Der Begriff Perichorese findet sich erstmals bei Gregor von Nazianz, dort freilich für das Verhältnis der beiden Naturen in Christus[122]; für das Verhältnis der trinitarischen Personen taucht der Begriff erstmals bei Johannes von Damaskus auf[123]. Der griechische Begriff περιχώρησις wurde im Lateinischen zuerst mit circumsessio übersetzt (so bei Bonaventura), vom 13. Jahrhundert an findet sich auch das Wort circuminsessio (so bei Thomas v. A.). Meinte das erste mehr ein dynamisches gegenseitiges Durchdringen, so das zweite ein statisches ruhendes Ineinandersein. In dieser unterschiedlichen Übersetzung drücken sich nochmals Unterschiede zwischen der griechischen und der lateinischen, aber auch zwischen verschiedenen Richtungen der lateinischen Trinitätslehre aus. Die Griechen gehen von den Hypostasen aus und verstehen die Perichorese als aktives gegenseitiges Durchdringen; die Perichorese ist gleichsam das Band, das die Person eint. Die lateinischen Theologen dagegen gehen meist von der Einheit des Wesens aus und verstehen die Perichorese mehr als Ineinandersein aufgrund des einen Wesens. Hier ist die Perichorese nicht so sehr die Bewegung als die Ruhe in Gott. Thomas von Aquin versucht auch hier eine Synthese; er begründet die Perichorese sowohl in der einen Wesenheit wie in den Relationen und Ursprungsverhältnissen[124].

Die Lehre von der Perichorese ist pastoral wie spekulativ von größter Bedeutung. Pastoral, weil sie jeden Tritheismus wie jeden Modalismus abwehrt. Die drei Personen sind – um einen christologischen Terminus aufzugreifen – »unvermischt und ungetrennt«[125]. Spekulativ betrachtet, ergibt sich aus der perichoretischen Einheit in der Trinität ein Modell der Einheit zwischen Jesus Christus und den Menschen (Joh 14,20; 17,23), den Menschen untereinander (Joh 17,21), wie zwischen Gott und den Menschen. Wir können das Axiom aufstellen, daß in der Einheit, wie sie durch Jesus Christus begründet wird, Einheit und Eigenständigkeit nicht im umgekehrten, sondern im gleichen Sinn wachsen. Je größere Einheit bedeutet je größere Eigenständigkeit, wie umgekehrt wahre Eigenständigkeit nur durch und in Einheit in der Liebe zu verwirklichen ist. Die durch Jesus Christus begründete Einheit mit Gott saugt also den Menschen nicht auf und löscht ihn nicht aus; sie bedeutet bleibende Unterscheidung und begründet so wahre Eigenstän-

---

[120] Fulgentius von Ruspe, De fide ad Petrum seu de regula fidei 1,4 (CCL 91 A, 713f).
[121] DS 1331; NR 285.
[122] Gregor von Nazianz, Ep. 101, 6 (SC 208, 38).
[123] Johannes von Damaskus, De fide orth. 8 (aaO., 18–31); III, 5 (aaO., 118f).
[124] Thomas v. A., Summa theol. I q.42 a.5.
[125] Vgl. DS 302; in Anwendung auf die Trinität findet sich dieses Prinzip bei Fulgentius von Ruspe, Epist. 14, 9 (CCL 91, 395f).

digkeit und Freiheit[126]. Die Mystik der Einheit zwischen Gott und Mensch wie der Menschen und Christen untereinander ist im Christentum eine Mystik der Begegnung, der Freundschaft und der Gemeinschaft mit Gott, die in und durch menschliche Begegnung, Freundschaft und Gemeinschaft geschieht und die wiederum in menschliche Freundschaft und Gemeinschaft ausstrahlt und sich in ihnen auswirkt. So wird auch an dieser Stelle deutlich, daß das trinitarische Geheimnis der tiefste Grund und der letzte Sinn des Geheimnisses der menschlichen Person und ihrer Vollendung in der Liebe ist.

Die Rede von drei Personen

Nachdem im 4. Jahrhundert die Grundlagen der kirchlichen Trinitätslehre und ihrer Begrifflichkeit gelegt waren, blieben diese, von einigen Auseinandersetzungen im 12. Jahrhundert abgesehen, über ein Jahrtausend unumstrittener Besitz aller christlichen Kirchen nicht nur in Ost und West, sondern auch zwischen den Kirchen der Reformation und der katholischen Kirche. Erst in der Neuzeit kam es zu antitrinitarischen Strömungen: Die Socinianer und Arminianer im 17. Jahrhundert machten den Anfang, der Rationalismus des 18. Jahrhunderts bildete den Höhepunkt, der sowohl in der Theologie der Aufklärung wie in der liberalen Theologie seine deutlichen Spuren hinterließ. Die Einwände waren vielfältiger Art. Sehen wir einmal von den historischen (exegetischen, religions- und dogmengeschichtlichen) Argumenten ab und schauen wir auf die Sachargumentation selbst, so steht ein Einwand im Vordergrund: die neuzeitliche Subjektivität und der von ihr hervorgebrachte neuzeitliche Personbegriff. *In der Neuzeit wird Person nicht mehr ontologisch verstanden, sondern als selbstbewußtes, freies Aktzentrum und als individuelle Persönlichkeit.* Dieses neuzeitliche Ideal vertrug sich sehr wohl mit dem Gedanken eines persönlichen Gottes. Aber der Gedanke von drei Personen in einer Natur war mit Hilfe dieses Personbegriffs unvollziehbar, nicht nur logisch, sondern auch psychologisch. Denn das neuzeitliche selbstbewußte Subjekt konnte im andern nur den Konkurrenten erkennen. Die Vermittlung von Einheit und Dreiheit wurde damit zum unlösbaren Problem. Doch bald erwies sich auch der Gedanke eines einpersönlichen Gottes – keine christliche, sondern eine aufklärerische Idee, im Grunde die Häresie des christlichen Theismus – als unhaltbares nachchristliches Relikt. Die moderne Religionskritik, besonders L. Feuerbach, hatte damit ein relativ leichtes Spiel, wenn sie diese Idee als eine Projektion des menschlichen Selbstbewußtseins meinte aufweisen zu können und wenn K. Marx darin eine Ideologie des bürgerlichen Subjekts sah.

---

[126] Vgl. DS 302; NR 178.

Die Möglichkeit oder Unmöglichkeit der Rezeption des neuzeitlichen Personbegriffs in der Trinitätslehre ist eine bis heute umstrittene Frage, in der es offensichtlich um weit mehr geht als um ein innertheologisches Glasperlenspiel, um mehr auch als um eine pastorale Strategie semantischer Anpassung an die gewandelte Situation. Es geht in dieser Frage um die rechte Erfassung des Zentrums und der Grundstruktur der christlichen Botschaft im Kontext des neuzeitlichen Denkens. Es geht um die christliche Antwort auf die durch den Theismus heraufgeführte Situation des Atheismus. Es geht vor allem darum, wie sich der Mensch als das Bild Gottes vom trinitarischen Gott her in Anknüpfung und Widerspruch zum Geist der Neuzeit in der rechten Weise verstehen kann.

Ohne Zweifel handelt es sich beim Personbegriff um einen altehrwürdigen Begriff. Er findet sich zwar nicht in der Schrift; doch dies gilt für viele dogmatisch wichtige Begriffe und ist allein noch kein hinreichender Grund, den Begriff Person aus dem dogmatischen Verkehr zu ziehen. Nicht biblisch heißt noch lange nicht unbiblisch oder gar antibiblisch. Die entscheidende Frage ist nicht, ob der Begriff als solcher in der Schrift vorkommt, sondern ob er eine sachgemäße Auslegung des biblischen Zeugnisses darstellt. Als solche sachgemäße Auslegung wird der Personbegriff zweifelsohne von der Tradition angesehen, und als solcher ist er seit dem 2. allgemeinen Konzil, dem Konzil von Konstantinopel (381), in den amtlichen Sprachgebrauch der Kirche eingegangen[127]. Die Rede vom einen Gott in drei Personen hat also die Autorität der Tradition für sich[128]. Zwar ist die Tradition als solche noch kein entscheidendes Argument. Sie wird es aber dann, wenn sie eine ursprüngliche Offenbarungsaussage sachgemäß interpretiert und präzisiert. Eine solche Interpretation der Schrift kann nach katholischem Verständnis durch die Kirche eindeutig zum Glaubenssatz erhoben werden. Wenn die Kirche dies tut und sich dabei endgültig festlegt, dann ist eine solche Aussage Dogma und nicht mehr bloß eine prinzipiell stets revidierbare Theologie. Das schließt nicht aus, daß die in einem bestimmten Wort gemeinte Sache durch andere Worte nicht besser, unmißverständlicher und tiefer ausgesagt werden kann[129].

---

[127] DS 421; NR 180.
[128] DS 485; 495; 501; 528ff; 542; 546; 569; 805; 1330 u. ö.; NR 193; 270ff; 281ff u. ö.
[129] K. Rahner unterscheidet zwischen einer logischen Erklärung und einer ontischen Erklärung. Während die erstere den in Frage stehenden Satz oder Sachverhalt nur erklärt, d. h. deutlicher und unmißverständlicher umschreibt, nennt die zweite einen anderen als den zu erklärenden Sachverhalt (etwa: dessen Ursache, konkrete Umstände und dgl.), um diesen verständlich zu machen. Der Personbegriff ist nach Rahner lediglich eine logische Erklärung einer ursprünglichen Offenbarungsaussage. Vgl. K. Rahner, Der dreifaltige Gott als transzendenter Urgrund der Heilsgeschichte, in: Mysal II, 351.

Um das letztere Problem geht es in unserem Zusammenhang. Denn dieselbe Tradition, die den Begriff Person überliefert, weiß auch um die *Problematik des Personbegriffs.* Schon Hieronymus war der Meinung, bei der Rede von drei Hypostasen sei Gift unter dem Honig verborgen[130]. Selbst Augustinus war sich der Verlegenheit bewußt. Er weiß um die Sprachnot und Begriffsarmut und fragt: Was sind diese drei? Seine Antwort: »Drei Personen, nicht um damit den wahren Sachverhalt auszudrücken, sondern um nicht schweigen zu müssen«[131]. Anselm von Canterbury spricht gar von den drei Ich-weiß-nicht-Was (tres nescio quid)[132]. Auch Thomas von Aquin ist sich bewußt, daß die Einführung des sich in der Schrift nicht findenden Personbegriffs der Notwendigkeit entsprang, mit den Häretikern zu disputieren[133]. Calvin schließlich – durchaus auf dem Boden der altkirchlichen Trinitätslehre – sprach spöttisch von den drei Männlein in der Trinität[134].

Das Problem spitzte sich in der Neuzeit dadurch nochmals zu, daß der Personbegriff sich gegenüber dem altkirchlichen und mittelalterlichen veränderte. Seit Locke sieht man Person durch Selbstbewußtsein charakterisiert: als ein denkendes vernünftiges Wesen mit Verstand und Überlegung, das sich als sich selbst und dasselbe denkende Wesen zu verschiedenen Zeiten und verschiedenen Orten fassen kann, indem dies nur durch das Selbstbewußtsein geschieht, was vom Denken nicht zu trennen und ihm wesentlich ist[135]. Die ontologische Bestimmung war damit in eine psychologische verwandelt. Kant fügte eine moralische hinzu: »Person ist dasjenige Subjekt, dessen Handlungen einer Zurechnung fähig sind«[136]. Der altkirchliche und mittelalterliche Personbegriff, den die Trinitätslehre voraussetzt, war damit miß-, ja unverständlich geworden. Denn das eine göttliche Wesen schließt selbstredend drei Bewußtseine aus. Da die Kirche nicht Herr der Begriffsgeschichte ist, da sie aber in eine konkrete, ihr vorgegebene sprachliche Situation hineinsprechen und sich in ihr verständlich machen muß, stellt sich die Frage, ob sie die sachliche Identität ihres Bekenntnisses in dieser Situation nicht durch Variabilität im sprachlichen Ausdruck am besten wahren könne, ob sie also in der Trinitätslehre nicht auf den un- und mißverständlich

---

[130] Hieronymus, Ep. 15,4 (PG 22, 357f).
[131] Augustinus, De Trinitate V, 9 (CCL 50, 217); vgl. VII, 2 (CCL 50, 249f).
[132] Anselm von Canterbury, Monologion 79.
[133] Thomas v. A., Summa theol. I q.29 a.3.
[134] Zit. K. Barth, Die Kirchliche Dogmatik I/1, 377.
[135] J. Locke, Essay on Human Understanding II, ch. 27, §9 (The Works of John Locke, London 1823. Vol. 2 = Aalen 1963, 55).
[136] I. Kant, Grundlegung zur Metaphysik der Sitten AB 22 (WW IV, ed. W. Weischedel, 329).

gewordenen Personbegriff verzichten und ihn durch einen besseren Begriff ersetzen soll.

Zwei Vorschläge wurden gemacht. Sie kommen je von einem namhaften evangelischen und von einem namhaften katholischen Theologen. Evangelischerseits schlägt K. Barth aus den genannten Gründen vor, »mindestens vorzugsweise nicht ›Person‹, sondern ›Seinsweise‹« zu sagen, »in der Meinung, mit diesem Begriff dasselbe, was mit ›Person‹ gesagt werden sollte, nicht absolut, aber relativ besser, einfacher und deutlicher zu sagen«[137]. K. Rahner ist mit Recht der Meinung, dieser Vorschlag trage die Gefahr eines modalistischen Mißverständnisses in sich. Deshalb zieht er es vor, stattdessen lieber von »drei distinkten Subsistenzweisen« zu sprechen[138]. Damit will er – ähnlich wie Barth – die Verwendung des Personbegriffs nicht abschaffen; er will seine eigene Terminologie nur mitverwandt sehen, um deutlich zu machen, daß der Personbegriff in der Trinitätslehre nicht einfach klar und selbstverständlich ist. Außerdem grenzt Rahner seinen Vorschlag eindeutig vom Modalismus ab. Er kann sich für seinen Vorschlag außerdem auf ähnliche Formeln bei Bonaventura und Thomas von Aquin berufen[139]. So wird man seinen Vorschlag zumindest als einen innerhalb einer katholischen Dogmatik möglichen und zulässigen Diskussionsbeitrag werten müssen.

Der Vorschlag von K. Rahner kann *innertheologisch* sicher den Dienst leisten, den Rahner ihm zuspricht. Ob er dagegen *kerygmatisch* sinnvoll ist – und darauf kommt es Rahner ja in erster Linie an –, stellt eine andere Frage dar. Man wird sagen müssen: Wenn schon der Personbegriff mißverständlich ist, dann ist der Begriff »distinkte Subsistenzweise« gar unverständlich. Noch mehr als der Begriff Person gehört er in den Bereich einer theologischen Geheimsprache. Während »Person«, unabhängig von ihrem philosophischen Gebrauch und ihrer »technischen«

---

[137] K. Barth, Die Kirchliche Dogmatik I/1, 379. Vgl. dazu J. Brinktrine, Die Lehre von Gott. Bd. 2. Paderborn 1954; C. Welch, The Trinity in Contemporary Theology, London 1954, 190 ff; H. Volk, Die Christologie bei Karl Barth und Emil Brunner, in: Das Konzil von Chalkedon. Geschichte und Gegenwart. Bd. 3, hrsg. v. A. Grillmeier/H. Bacht, Würzburg 1954, 613–673, bes. 625 ff, 634 f; B. Lonergan, aaO. II, 193–196; E. Jüngel, Gottes Sein ist im Werden, Tübingen 1965, 37 ff; B. de Margerie, La Trinité chrétienne dans l'histoire, Paris 1975, 289 ff.

[138] K. Rahner, aaO., 389 ff; dazu E. Gutwenger, Zur Trinitätslehre von Mysterium Salutis II, in: ZKTh 90 (1968), 325–328; B. de Margerie, aaO., 293 ff; H. J. Lauter, Die doppelte Aporetik der Trinitätslehre und ihre Überschreitung, in: Wissenschaft und Weisheit 36 (1973), 60 ff; F. X. Bantle, Person und Personbegriff in der Trinitätslehre Karl Rahners, in: MThZ 30 (1979), 11–24; J. Moltmann, Trinität und Reich Gottes. Zur Gotteslehre, München 1980, 161 ff.

[139] Bonaventura, De Trinitate III, 2 und ad 13; Thomas v. A., I Sent. d.23 q.1 a.3; De pot. q.2 a.5 ad 4; q.9 a.4; q.9 a.5 ad 23; Summa theol. I q.30 a.4 ad 2; Comp. theol. I, c.46.

Definition, jedem Menschen primärsprachlich irgendwie verständlich ist, stellt »distinkte Subsistenzweise« einen ausschließlich metasprachlichen Begriff dar, der als solcher für die Verkündigung von vornherein ungeeignet ist. Im übrigen geht es im Trinitätsbekenntnis nie nur um logische Klarheit, sondern um den doxologischen Gebrauch. Eine distinkte Subsistenzweise kann man aber nicht anrufen, anbeten und verherrlichen. Schließlich kann auch der Begriff »distinkte Subsistenzweise« für den in der scholastischen Theologie Ungeübten leicht modalistisch mißverstanden werden. Und ist heute der Modalismus bzw. ein schwächlicher Theismus nicht die weit größere Gefahr als der Tritheismus, den Barth und Rahner beschwören? So bleibt im Grunde, will man nicht neue Mißverständnisse heraufbeschwören und will man das trinitarische Bekenntnis dem »gewöhnlichen« Christen nicht vollends zu einem Buch mit sieben Siegeln machen, nichts anderes, als sich an den überlieferten Sprachgebrauch der Kirche zu halten und ihn dem Gläubigen zu interpretieren. K. Rahners Überlegungen können dafür in der Sache hilfreich sein, terminologisch dagegen ist sein Vorschlag nicht befriedigend.

Mit dem bisher Gesagten ist die *Lösung des Problems* freilich bestenfalls vorbereitet. Die kritische Rezeption des neuzeitlichen Personbegriffs ist nämlich mehr ein Sachproblem als ein Sprachproblem. Unter dieser Rücksicht haben Barth und Rahner den modernen Personbegriff nur scheinbar als unbrauchbar zurückgewiesen, in Wirklichkeit haben sie ihn in hohem Maße rezipiert. Gerade weil sie Gott nicht mehr antik-mittelalterlich als absolute Substanz, sondern als absolutes Subjekt denken, ist für sie kein Platz für drei Subjekte, sondern nur für drei Seinsweisen bzw. distinkte Subsistenzweisen. Besser gesagt: Weil Barth und Rahner den neuzeitlichen Subjekt- bzw. Personbegriff übernehmen, kommen sie zu ihren mehr oder weniger negativen Folgerungen bezüglich der drei Personen[140]. Diese Folgerung ist nun aber weder von der traditionellen Trinitätslehre her zwingend noch vom modernen Personbegriff her notwendig.

Von der traditionellen Trinitätslehre her ist klar, daß aus der Einheit des Seins in Gott die Einheit des Bewußtseins folgt. Es können also in Gott

---

[140] Dies hat für Barth schon H. U. von Balthasar, Karl Barth. Darstellung und Deutung seiner Theologie, Köln ⁴1976, nachgewiesen. Neuerdings im Blick auf die Trinitätslehre: W. Pannenberg, Die Subjektivität Gottes und die Trinitätslehre, in: Grundfragen systematischer Theologie. Gesammelte Aufsätze. Bd. 2, Göttingen 1980, 96–111. Für Barth und Rahner zusammen (freilich ohne hinreichend zwischen beiden zu unterscheiden): J. Moltmann, aaO., 154–166. Moltmann stellt freilich dem vergröbernden Tritheismusverdacht Barths und Rahners den gleichfalls vergröbernden Modalismus-Verdacht entgegen, was mit seiner eigenen Konzeption einer offenen Einheit in der Trinität zusammenhängt. Vgl. dazu u. 360 Anm. 183.

keine drei Bewußtseine angenommen werden. Doch von dieser auf dem Boden der kirchlichen Trinitätslehre im Grunde selbstverständlichen Voraussetzung folgert Rahner zu schnell: Also keine drei Bewußtseins- und Aktzentren. Mit dieser Zurückweisung des modernen Personbegriffs bleibt Rahner ganz der Neuscholastik verhaftet[141]. B. Lonergan, sonst ebenfalls in dieser Tradition, ist dieser Frage im Rahmen der traditionellen Terminologie genauer nachgegangen und konnte aufweisen, daß die ursprüngliche Scholastik auch in dieser Frage wesentlich offener ist als die apologetisch verengte Neuscholastik[142]. Im Sinn der traditionellen Sprechweise muß man nämlich sagen, daß das eine göttliche Bewußtsein in dreifacher Weise subsistiert. Das bedeutet, daß ein dreifaches principium quod, ein dreifacher Träger des einen Bewußtseins anzunehmen ist, wobei die drei Träger nicht einfach unbewußt sein können, sondern vermittelst des einen Bewußtseins (principium quo) ihrer selbst bewußt sind. Das ergibt sich einmal daraus, daß die göttlichen Personen mit dem einen Sein und Bewußtsein realidentisch sind, und zum andern daraus, daß sie aus geistigen Akten des Erkennens und der Liebe hervorgehen, so daß eine geistige Relation zwischen ihnen besteht, die wesensgemäß nicht unbewußt sein kann. So bleibt nichts anderes, als zu sagen: Wir haben es in der Trinität mit drei Subjekten zu tun, die sich gegenseitig bewußt sind kraft eines und desselben Bewußtseins, das von den drei Subjekten in jeweils unterschiedlicher Weise »besessen« wird[143].

Ausgehend vom neuzeitlichen Personbegriff ist vor allem H. Mühlen einen wesentlichen Schritt in der Anwendung personalistischer Kategorien auf die Trinitätslehre gegangen[144]. Was Rahner beschreibt, ist nämlich gar nicht das ganze neuzeitliche Personverständnis, sondern vielmehr ein extremer Individualismus, wo jeder ein sich selbst besitzendes, über sich selbst verfügendes und von anderen sich abgrenzendes Aktzentrum ist. Doch dieser Standpunkt ist schon bei Fichte und

---

[141] Nicht umsonst beruft sich K. Barth, Die Kirchliche Dogmatik I/1, 377 dafür auf die neuthomistische Dogmatik von F. Diekamp. Vgl. F. Diekamp / K. Jüssen, Katholische Dogmatik nach den Grundsätzen des heiligen Thomas. Bd. 1. Münster [12/13]1958, 268f. So auch J. Kleutgen, Die Theologie der Vorzeit. Bd. 1. Münster 1867, 329. Dazu L. Oeing-Hanhoff, Hegels Trinitätslehre, in: Theol. Phil. 52 (1977), 399f.

[142] B. Lonergan, aaO., 186–193; Vgl. Thomas v. A., Summa theol. I q.34 a.1 ad 3.

[143] Ebd. 193.

[144] H. Mühlen, Der Heilige Geist als Person. Beitrag zur Frage nach der dem Heiligen Geiste eigentümlichen Funktion in der Trinität, bei der Inkarnation und im Gnadenbund (Münsterische Beiträge zur Theologie. 26), Münster 1963; vgl. außerdem: M. Nédoncelle, La réciprocité des consciences. Essai sur la nature de la personne, Paris 1942; B. de Margerie, aaO., 295ff; A. Brunner, Dreifaltigkeit. Personale Zugänge zum Mysterium, Einsiedeln 1976.

Hegel[145] überwunden. Vollends hat der moderne Personalismus seit L. Feuerbach, M. Buber, F. Ebner, F. Rosenzweig u.a. aufgezeigt, daß Person nur in Relation existiert, daß es *Personalität konkret nur in Inter-Personalität, Subjektivität nur in Inter-Subjektivität* gibt. Die menschliche Person existiert nur in den Relationen von Ich-Du-Wir[146]. Gerade im Horizont dieses modernen Personenverständnisses ist ein einsamer unpersönlicher Gott gar nicht zu denken. So bietet gerade der moderne Personbegriff einen Anknüpfungspunkt für die Trinitätslehre. Selbstverständlich können personalistische Kategorien *nur in analoger Weise* auf die Trinität angewendet werden. Dabei entspricht jeder Ähnlichkeit eine je größere Unähnlichkeit. Da in Gott nicht nur die Einheit, sondern auch die Unterschiedenheit und damit das Gegenüber je größer ist als im interpersonalen Verhältnis von Menschen, sind die göttlichen Personen jedoch nicht weniger dialogisch, sondern unendlich mehr dialogisch als menschliche Personen. Die göttlichen Personen stehen nicht nur im Dialog, sie sind Dialog. Der Vater ist reine Selbstaussprache und Anrede zum Sohn hin als seinem Wort; der Sohn ist reines Hören und Gehorchen gegenüber dem Vater und damit reiner Vollzug seiner Sendung; der Heilige Geist ist reines Empfangen, reine Gabe. Diese personalen Bezüge sind wechselseitig, aber sie sind nicht austauschbar[147]. Der Vater allein ist der Sprechende, der Sohn ist der im Gehorsam Entsprechende; der Vater ist durch den Sohn und mit dem Sohn zusammen der Schenkende, der Heilige Geist ist der rein Empfangende. Der Sohn wird in seiner Antwort also nicht nochmals als sprechend, der Geist nicht nochmals als schenkend gedacht. Daraus folgt nicht, daß es kein gegenseitiges Du gibt. Das im Gehorsam Entsprechen und das Sich-Verdanken ist auch ein Du-Sagen, freilich ein Du-Sagen, das die Einmaligkeit der eigenen wie anderen Person ernst nimmt. Das heißt: *In Gott und zwischen den göttlichen Personen ist nicht trotz, sondern wegen ihrer unendlich größeren Einheit zugleich*

---

[145] Vgl. J. G. Fichte, Grundlage des Naturrechts nach Prinzipien der Wissenschaftslehre, §§ 3 f (WW II, ed. F. Medicus), 34–60; Die Bestimmung des Menschen, 3. Buch (WW III), 344–415; Die Anweisung zum seligen Leben, 10. Vorlesung (WW V), 250–263; Hegel, Grundlinien der Philosophie des Rechts, §§ 35 f, 48, 57, 71 (ed. J. Hoffmeister), 51 f, 60, 65 ff, 78 f u. ö., wo aufgezeigt wird, daß die konkrete Person Anerkennung einschließt.
[146] Vgl. B. Langenmeyer, Der dialogische Personalismus in der evangelischen und katholischen Theologie der Gegenwart, Paderborn 1963; M. Theunissen, Der Andere. Studien zur Sozialontologie der Gegenwart, Berlin 1965; B. Casper, Das dialogische Denken. Eine Untersuchung der religionsphilosophischen Bedeutung Franz Rosenzweigs, Ferdinand Ebners und Martin Bubers, Freiburg–Basel–Wien 1967; H. H. Schrey, Dialogisches Denken, Darmstadt 1970; J. Heinrichs, Sinn und Intersubjektivität, in: Theol. Phil. 45 (1970), 161 ff.
[147] Beides wird bei Rahner (aaO. 366 Anm. 29) im Anschluß an Lonergan (aaO., 196) verwechselt.

unendlich mehr Interrelationalität und Interpersonalität als im zwischenpersonalen Verhältnis von Menschen. Diese Einsichten wurden vor allem durch J. Ratzinger rezipiert. Nach ihm drückt der Personbegriff »von seinem Ursprung her die Idee des Dialogs aus und Gott als des dialogischen Wesens. Er meint Gott als das Wesen, das im Worte lebt und im Wort als Ich und Du und Wir besteht«[148]. Ratzinger erkennt, welche Revolution in dieser Sicht der Person als Relation liegt[149]. *Weder antike Substanz noch neuzeitliches Subjekt sind das Letzte, sondern die Relation als Urkategorie des Wirklichen.* Die Aussage: Personen sind Relationen, ist zwar zunächst nur eine Aussage über Gottes Dreieinigkeit, aus ihr folgt aber doch auch Entscheidendes über den Menschen als Bild und Gleichnis Gottes. Der Mensch ist weder autarkes In-sich-Sein (Substanz) noch autonomes, individuelles Für-sich-Sein (Subjekt), sondern Sein von Gott her und auf ihn hin, von anderen Menschen her und auf sie hin; er lebt menschlich nur in den Relationen von Ich-Du-Wir. Die Liebe erweist sich als Sinn seines Seins.

3. Systematisches Verständnis der Trinitätslehre

Einheit in der Dreiheit

Die Gottesfrage war von allem Anfang an verknüpft mit der Frage nach der Einheit aller Wirklichkeit[150]. Das gilt von den Religionen ebenso wie von der Philosophie. Die Frage nach der Einheit ist keine rein akademische Frage; es ist letztlich die Heilsfrage schlechthin. Nur wo Einheit ist, da ist Sinn und Ordnung; Zerrissenheit, Entfremdung, Chaos dagegen sind Phänomene des Unheils. Philosophisch betrachtet ist Einheit die Voraussetzung von Wahrheit, Gutsein und Schönheit; denn alle diese transzendentalen Bestimmungen des Seins bedeuten auf je verschiedene Weise eine Ordnung und Zuordnung, die Einheit im Sinn der Identität mit sich selbst voraussetzt und Einheit im Sinn der Ganzheit und der Integrität begründet. Damit ist freilich auch schon ein zweites gesagt: Einheit ist zumindest im endlichen Bereich gar nicht denkbar ohne Vielheit. Nach B. Pascal gilt: »Die Vielheit, die sich nicht zur Einheit zusammenschließt, ist Verwirrung; die Einheit, die nicht von der

---

[148] J. Ratzinger, Zum Personverständnis in der Theologie, aaO., 206.
[149] Ebd. 206 ff; 215 ff; ders., Einführung in das Christentum, München 1968, 142 ff; W. Kasper, Jesus der Christus, 284 ff; 290 ff.
[150] Vgl. o. 287 ff; 293.

Vielheit abhängig ist, ist Tyrannis.«[151]Die Frage nach der Einheit ist deshalb die Frage, wie die Vielheit und Vielfalt so zur Einheit vermittelt werden können, daß das Eine das Viele weder totalitär aufsaugt noch die Einheit wie im Neuplatonismus jenseits aller Vielheit angesetzt und radikal von der Welt getrennt wird. Wie ist also eine Lösung jenseits von Pantheismus und Dualismus möglich?

Daß Gott einer und einzig sei, gehört zur *Grundbotschaft des Alten Testaments, die das Neue Testament voll bestätigt*[152]. Mit dieser Botschaft nimmt die Bibel auf ihre Weise eine Urfrage der Menschheit auf. Der eine Gott ist nämlich biblisch der Grund für die Einheit der Heilsgeschichte in Schöpfungs- und Erlösungsordnung, im Alten und im Neuen Bund. Sie zielt auf den eschatologischen schalom, das Heilsein und Ganzsein des Menschen in der einen Menschheit in der einen Welt, wo Gott»alles in allem« ist (1 Kor 15,28). Der Glaube an den einen Gott, der durch den einen Herrn Jesus Christus das Heil wirkt und es im einen Geist in vielen Geistgaben vermittelt, ist darum das Heil des Menschen, in dem er seine Identität und Integrität findet, weil er in die Einheit von Vater, Sohn und Geist hineingenommen wird. Nach Joh 17,21 ist die Einheit zwischen Vater und Sohn der Grund der Einheit seiner Jünger, die auf die Einheit der Welt ausgerichtet ist[153]. Das bedeutet: Die christliche Trinitätslehre ist die christliche Form des Monotheismus, die sich daran bewähren muß und will, daß sie die christliche Antwort ist auf die Heilsfrage der Welt.

Theologie- und dogmengeschichtlich wurde dieses Problem unter dem Stichwort *Monarchianismus* ausgetragen, in dem sich gleichermaßen das urphilosophische Anliegen ausdrückt, alles auf ein einziges höchstes Prinzip zurückzuführen, wie die prophetische Botschaft von Jahwe als dem alleinzigen Gott. Die Monarchie Gottes war deshalb ein wesentliches Stück urchristlicher Katechese[154]. Um so auffallender ist es, daß der ursprünglich so grundlegende und ehrwürdige Begriff der Monarchie in seiner Anwendung auf Gott bald zurücktrat. Das hängt damit zusammen, daß schon früh Irrlehren auftraten, die sich um das Schlagwort sammelten: »monarchiam tenemus« – »wir halten an der Monarchie fest«[155]. Tertullian nennt sie die Monarchianer[156]. Sie traten im 2./3. Jahrhundert in einer zweifachen Form auf[157]: Die subordinatianischen Monarchianer (in einfacher Form: Theodot der Gerber und Theodot der

[151] B. Pascal, Über die Religion, Fr. 871 (ed. Wasmuth, 410 f).
[152] Vgl. o. 291 ff.
[153] Vgl. o. 301 f.
[154] Vgl. o. 293 f.
[155] Tertullian, Adv. Praxean 3 (CCL 2, 1161 f).
[156] Ebd. 10 (CCL 2, 1169 f).
[157] Vgl. C. Huber, Art. Monarchianismus, in: LThK VII, 533 f.

Tischler, in ausgeprägter Form: Paul von Samosata) suchten die Monarchie Gottes dadurch festzuhalten, daß sie den Sohn und den Geist dem einen Gott unterordneten. Die modalistischen Monarchianer (zunächst: Noet und Praxeas, entfaltet: Sabellius) verfolgten dasselbe Ziel, indem sie Vater, Sohn und Geist als drei Weisen (modi) bzw. drei Gesichter oder Masken (πρόσωπον, später = Person) der einen Gottheit verstanden. Beide Richtungen kamen in Konflikt mit der neutestamentlichen Rede von dem einen Gott, dem einen Sohn Gottes und dem einen Heiligen Geist.

Noch mehr! Schon Aristoteles erkannte, daß dem Monotheismus ein ganz bestimmtes politisches und metaphysisches Programm zugrundeliegt[158]. Dies zeigte sich auch bei den Auseinandersetzungen um den christlichen Monotheismus. Der voll ausgebildete subordinatianische Monarchianismus, der Arianismus, ging ja von einer radikalen Trennung zwischen Gott und der Welt aus und mußte beide deshalb durch den Logos als Mittelwesen verbinden. Für den modalistischen Monarchianismus dagegen fielen wie in der Stoa Gott und Welt pantheistisch zusammen, so daß sich das Göttliche in der Geschichte der Welt unter immer wieder neuen Gesichtern zeigte[159]. Beide Konzeptionen verwikkelten sich in Widersprüche zu dem monarchianischen Anliegen. Läuft das erstere auf Polytheismus hinaus, wo das eine Göttliche sich in und durch vielerlei untergeordnete göttliche Wesen in der Welt äußert, so das zweite letztlich auf Atheismus[160]. Denn wenn alles Gott ist, ist nichts Gott; Gott fügt dann zum Bestand der Wirklichkeit nichts hinzu; der Pantheismus ist also eine vornehmere Form des Atheismus. Dies zeigt, daß beide Irrlehren, der subordinatianische und der modalistische Monarchianismus, nicht nur von historischem Interesse sind, sondern bleibende Aktualität besitzen. Sie repräsentieren zwei Möglichkeiten bzw. zwei Unmöglichkeiten des Denkens über das Verhältnis von Gott und Welt, die die Theologie immer wieder neu begleiten und gegen die sie das christliche Gottesverständnis und das daraus folgende christliche Gott-Welt-Verhältnis immer wieder neu herausstellen muß[161].

Basilius hat den grundsätzlichen Charakter dieser Auseinandersetzung klar erkannt. Er sah im subordinatianischen Monarchianismus einen

---

[158] Aristoteles, Met. XI, 10, 1076 a. Dazu: E. Peterson, Der Monotheismus als politisches Problem, in: Theologische Traktate, München 1951, 45–147.
[159] Athanasius, Adv. Arianos IV, 13–15 (PG 26, 483–490) führt deshalb den Sabellianismus auf die Stoa zurück.
[160] Gregor von Nazianz, Oratio 27, 1 (SC 250, 70–73).
[161] Das hat vor allem J. A. Möhler, Athanasius der Große und die Kirche seiner Zeit besonders im Kampf mit dem Arianismus, Mainz 1827, 304 ff unter Hinweis auf F. Schleiermacher aufgezeigt. Vgl. J. Moltmann, Trinität und Reich Gottes, München 1980, 144 f.

Rückfall ins polytheistische Heidentum[162], im modalistischen Monarchianismus einen »Judaismus im Gewande des Christentums«[163]. Zwischen beiden sah er sich in einen Zweifrontenkrieg verwickelt[164]. Bei der Wahrung und Verteidigung der biblischen Dreiheit in der Einheit Gottes sowohl gegen den heidnischen Polytheismus wie gegen den jüdischen Monotheismus ging es also um das Proprium und Specificum des christlichen Monotheismus.

Die christliche Antwort auf den häretischen Monarchianismus und die Herausarbeitung eines christlichen Monotheismus waren keine leichte Sache und brauchten Zeit. Eine erste, noch vorläufige und ungenügende Antwort findet sich bei Tertullian und in anderer Weise bei Origenes. Tertullian griff auf das politische Verständnis von Monarchie zurück, das es keineswegs ausschloß, daß der Monarch seinen Sohn an der Herrschaft beteiligt bzw. seine Herrschaft durch seinen Sohn ausübt[165]. Dieses Konzept hat den Vorteil, daß es eine heilsgeschichtliche Sicht der Trinität ermöglicht. Doch der darin implizierte Subordinatianismus läuft indirekt auf den heidnischen Polytheismus hinaus, in dem uns das eine unsichtbare göttliche Wesen in vielfältigen untergeordneten Vermittlungsformen begegnet. Weiterführend konnte nur eine Besinnung auf die metaphysischen Implikationen der Einheit Gottes sein. Diesen Weg beschritten schon Irenäus, Tertullian und Origenes, wenn sie in Auseinandersetzung mit der Gnosis die Einheit Gottes im Sinn seiner Einfachheit und Geistigkeit herausstellten[166]. Eine abgestufte Teilhabe am Gottsein Gottes war damit ausgeschlossen. Athanasius machte diesen Gedanken von der Einfachheit und Unteilbarkeit Gottes zu einem Angelpunkt der Argumentation gegen Arius[167]. Gerade weil Gott unteilbar einer ist, kann der Sohn und der Geist nicht eine Art Teil-Gottheit und schon gar nicht eine zweite und dritte Gottheit sein. Damit war der Subordinatianismus der Arianer vom Wesen Gottes her ausgeschlossen. Auf der gleichen Linie argumentierten die drei großen kappadokischen Väter: allen voran Basilius, sein Freund Gregor von Nazianz und sein Bruder Gregor von Nyssa. Basilius unterscheidet zwischen dem Einen der Zahl nach, dem numerisch Einen, und dem Einen der Natur bzw. dem Wesen nach, dem wesensmäßig Einen. Das erstere setzt Quantität voraus und kommt für Gott nicht in Frage[168]; das

---

[162] Basilius, Ep. 226,4 (PG 32, 849 f).

[163] Basilius, Ep. 210, 3 (PG 32, 771 f).

[164] Basilius, ebd. 4 (PG 32, 771 ff).

[165] Tertullian, Adv. Praxean III, 2 f (CCL 2, 1161 f).

[166] Vgl. o. 309 ff. Dabei ist zu beachten, daß Tertullian unter stoischem Einfluß noch an einer Art Körperlichkeit Gottes festhielt. Vgl. De carne Christi 11 (CCL 2, 894 f); Adv. Praxean 7 (CCL 2, 1165 ff).

[167] Athanasius, De decretis nicaenae synodi 11; 22 (PG 25, 433 ff; 453 ff).

[168] Basilius, De spiritu sancto 18 (SC 17, 191–198).

zweite bedeutet die Einfachheit des rein Geistigen, aufgrund dessen Gott ganz und gar jenseits der Zahl und nicht der Zahl, sondern der Natur nach einer ist[169]. Damit war vom Wesen Gottes und seiner Einheit her nicht nur eine Dreiheit auf unterschiedlichen Ebenen (Subordinatianismus), sondern auch eine Dreiheit auf einer Ebene (Tritheismus) ausgeschlossen.

Die Frage, wie innerhalb dieser wesensmäßigen Einheit noch eine Dreiheit denkbar ist, wird bei Gregor von Nazianz thematisch. Er spielt auf Plotin an, wonach das Viele nicht ohne das Eine, das Eine aber auch nicht ohne das Viele gedacht werden kann. Plotin nimmt deshalb an, daß das Eine in das Viele überfließt. Dieses notwendige Überfließen weist Gregor mit Nachdruck zurück, weil es sich mit dem Begriff der Gottheit nicht verträgt[170]. Der innere Grund dieser Zurückweisung ist klar: Wenn Gott notwendig zur Welt hin überfließt, wenn Gott also die Welt braucht, um der eine Gott sein zu können, dann ist er gar nicht wirklich Gott. Die Transzendenz und die Freiheit Gottes ist nur dann gewahrt, wenn Gott der Welt nicht notwendig bedarf zu seiner eigenen Vermittlung. Soll also sowohl die *Einheit* Gottes wie Einheit *Gottes* gedacht werden, dann muß die Vermittlung von Einheit und Vielheit in Gott selbst erfolgen. Wir können noch genauer sagen: Soll die Einheit Gottes gedacht werden, dann kann sie einerseits nur im Hinblick auf Vielheit und andererseits nur im qualitativen Unterschied zur Vielheit und d. h. nur absolut transzendent gedacht werden. Beides leistet das Bekenntnis zur immanenten Dreiheit in der Einheit Gottes. Später hat Johannes von Damaskus diesen Gedanken klar zu Ende gedacht: Wenn wir von unten zu Gott aufblicken, dann begegnet uns ein einziges Wesen; wenn wir aber sagen, worin dieses eine Wesen besteht, was es in sich ist, so müssen wir von der Dreiheit der Personen sprechen[171]. In diesem Sinn wahrt das christliche Bekenntnis die Monarchie Gottes; sie konkretisiert und präzisiert sie aber in ihrem inneren Wesen. *Insofern ist das trinitarische Bekenntnis konkreter Monotheismus*[172]. »Das Bekenntnis zur Dreieinigkeit Gottes besagt also nicht nur keine Bedrohung, sondern vielmehr geradezu die Begründung des christlichen Gedankens der Einheit Gottes.«[173] In ihm geht es um die Selbstvermittlung Gottes[174]. Es besagt, daß der eine Gott kein einsamer Gott ist[175].

[169] Basilius, Ep. 8, 2 (PG 32, 247ff).

[170] Gregor von Nazianz, Oratio 29, 16 (SC 250, 210–213); Oratio 31, 9 (SC 250, 290–293).

[171] Johannes von Damaskus, De fide orth. 8 (aaO. 18–31).

[172] So J. E. Kuhn, aaO., 498ff, 545ff; ähnlich F. A. Staudenmaier, Die christliche Dogmatik. Bd. 2. Freiburg i. Br. 1844, 470ff.

[173] K. Barth, Die Kirchliche Dogmatik I/1, 368.

[174] Diesen Gedanken hat J. E. Kuhn, aaO., 558ff vor allem in Auseinandersetzung mit Hegel entwickelt. Vgl. W. Pannenberg, Die Subjektivität Gottes und die Trinitätslehre,

Das *kirchliche Glaubensbekenntnis* griff diese Klärungen auf. Es ist in der Frage der Einheit Gottes bemerkenswert eindeutig. Es bekennt sich seit Nikaia und Konstantinopel I und II nicht nur zu dem einen Wesen und der einen Substanz Gottes[176]; es verwirft auch nicht nur den Tritheismus[177], sondern auch ein kollektives und gleichnishaftes Verständnis der Einheit nach Art einer Gemeinschaft von Personen, wie es von Joachim von Fiore vertreten wurde[178]. Die lehramtliche Sprache ist hier überaus präzise und differenziert. Das 11. Provinzialkonzil von Toledo (675) bemerkt zu dem Begriff trinitas: non triplex sed trinitas[179]. Der Römische Katechismus bemerkt ausdrücklich, wir würden nicht auf die Namen, sondern auf den Namen des Vaters, des Sohnes und des Heiligen Geistes getauft[180]. Schließlich hält Papst Pius VI. in der Bulle »Auctorem fidei« (1794) fest, man könne zwar von Gott »in tribus personis distinctis« sprechen, aber nicht »in tribus personis distinctus«[181].

Die *Neuzeit* hat diesen konkreten Monotheismus des Christentums weithin zugunsten des abstrakten Theismus des einen persönlichen Gottes, der als vollkommenes Du dem Menschen gegenübersteht oder auch als imperialer Herrscher und Richter über dem Menschen steht, aufgegeben[182]. Im Grunde handelt es sich bei dieser Konzeption um die vulgäre Form eines halbaufgeklärten Christentums bzw. um dessen religiöse Restbestände in einer säkularisierten Gesellschaft. Theologisch müßte man genau genommen von der Häresie des Theismus sprechen. Dieser Theismus des einpersönlichen Gottes ist in mehrfacher Hinsicht unhaltbar. Einmal: Wenn man sich Gott als jenseitiges Gegenüber des Menschen vorstellt, denkt man ihn trotz aller personalen Kategorien letztlich objektivierend als ein Seiendes über den anderen Seienden. Damit wird Gott als eine endliche Größe gedacht, die in Konflikt gerät mit der endlichen Wirklichkeit und deren modernem Verständnis.

in: Grundfragen systematischer Theologie. Gesammelte Aufsätze. Bd. 2. Göttingen 1980, 96–111.
[175] Hilarius, De Trinitate VII, 3 (CCL 62, 261 f); De synodis 37; 69 (PL 10, 455 f; 526); Petrus Chrysologus, Sermo 60 (PL 162, 1008 f).
[176] DS 125; 150; NR 155; 250.
[177] Vgl. die Verurteilung von Roscelin durch die Synode von Soissons (1092) und des Gilbert von Poitiers durch die Synode von Reims (1148) (DS 745), wobei heute freilich feststeht, daß die Professio fidei gegen Gilbert nicht zu den ursprünglichen Synodenakten gehört.
[178] DS 803.
[179] DS 528; NR 270
[180] Catechismus Romanus II, 2, 10.
[181] DS 2697.
[182] Dieser Theismus wurde philosophisch in Auseinandersetzung mit Hegel von den Spätidealisten Weiße, Fichte, Sengler u. a. vertreten.

Entweder muß man dann Gott auf Kosten des Menschen und der Welt, oder aber die Welt auf Kosten Gottes denken, Gott also deistisch limitieren und schließlich atheistisch eliminieren. Dieser Umschlag des Theismus in den A-theismus ergibt sich auch unter einem zweiten Gesichtspunkt. Der Theismus mußte nämlich fast zwangsläufig dem religionskritischen Verdacht verfallen, es handle sich um eine Projektion des menschlichen Ich, um ein hypostasiertes Idol und damit letztlich um Idolatrie.

Die berechtigte Kritik an diesem schwächlichen Theismus darf freilich nicht zu einer zweideutigen und schillernden Konzeption eines christlichen A-theismus führen[183]. Auch darf die Suche nach einer Position jenseits von Theismus und Atheismus nicht zur Ablehnung des Monotheismus ausgeweitet werden. Der trinitarische Gott, der nicht zugleich der monotheistische Gott wäre, müßte zwangsläufig eine Art Tritheismus zur Folge haben[184]. Gegenüber dem Atheismus gilt es vielmehr, das Trinitätsbekenntnis als die christliche Form des Monotheismus zur Geltung zu bringen und es neu als Bedingung eines konsequenten Monotheismus verständlich zu machen. Gegen alle falsch gestellten Fragen muß man deutlich machen, daß es in der Trinitätslehre nicht darum geht, entweder die Offenbarung der Dreiheit oder die vernünftige wie die geoffenbarte Einheit zu leugnen. *Die Kirche will nicht trotz der Trinitätslehre auch noch an der Einheit Gottes festhalten. Sie will vielmehr gerade in der Trinitätslehre am christlichen Monotheismus festhalten. Ja, sie hält die Trinitätslehre für die einzig mögliche und konsequente Form des Monotheismus*[185] *und für die einzig haltbare Antwort auf den modernen Atheismus.*

Die bisherigen Überlegungen zur Dreiheit in der Einheit sind noch sehr formal und abstrakt. Sie scheinen weit entfernt von der konkreten Sprechweise der Bibel von Gott dem Vater, der durch Jesus Christus im Heiligen Geist seine Liebe offenbart und sich uns mitteilt. In Wirklichkeit wollen sie jedoch diese gnädige Freiheit Gottes in seiner sich selbst mitteilenden Liebe aussagen und sicherstellen. Sie wollen gegen alle Emanationssysteme, seien sie gnostischer oder neuplatonischer Art, festhalten, daß es keinen notwendigen Überfluß des göttlichen Einen zum welthaften Vielen gibt, daß Gott vielmehr in sich selbst Einheit und

---

[183] Vgl. J. Moltmann, Der gekreuzigte Gott. Das Kreuz Christi als Grund und Kritik christlicher Theologie, München 1973, 236 ff. Dazu kritisch W. Pannenberg, Die Subjektivität Gottes, in: aaO., 110, Anm. 34. Die tritheistische Gefahr ist noch deutlicher in dem, was Moltmann als soziale oder offene Trinität vertritt. Vgl. Trinität und Reich Gottes, aaO., 35, 110 ff, 166 ff.

[184] Zu tritheistischen Tendenzen in der Theologiegeschichte vgl. M. Schmaus, Art. Tritheismus, in: LThK X, 365 f.

[185] K. Barth, Die Kirchliche Dogmatik I/1, aaO., 370 f.

Vielheit vermittelt, daß er in sich selbst Überfluß der Liebe ist, und nur weil er in sich Liebe ist, kann der Überfluß seiner Liebe zur Welt hin als nicht notwendig und damit als frei und gnädig begriffen werden. Nur weil Gott in sich Liebe ist, kann er Liebe für uns sein. Die abstrakten und formalen Überlegungen wollen also besagen: Gott ist Liebe. *Die Liebe ist das zwischen Einheit und Vielheit Vermittelnde; sie ist die einende Einheit in der Dreiheit.*

Dies ist die gemeinsame Überzeugung in der östlichen und in der lateinisch-westlichen Tradition. *Auf dieser gemeinsamen Basis haben sich in Ost und West freilich unterschiedliche theologische Systeme entwickelt*[186]. Etwas schematisierend lassen sie sich etwa folgendermaßen charakterisieren: Die *Griechen* gehen in der Trinitätstheologie von den drei Hypostasen bzw. Personen aus; genauer: Sie gehen vom Vater als dem Ursprung und der Quelle in der Gottheit aus. Ihr Anliegen ist die Monarchie des Vaters, der als der eine Ursprung die Einheit in der Dreiheit gewährleistet. Nach dem griechischen Verständnis ist der eine Gott der Vater, der seine göttliche Natur dem Sohn schenkt, so daß der Sohn die eine und selbe göttliche Natur besitzt wie der Vater. Gleiches gilt vom Heiligen Geist, der vom Vater ausgeht und vom Vater (durch den Sohn) die eine göttliche Natur empfängt. Das griechische Konzept geht also von den Personen aus und schreitet von einer Person zur anderen fort. Die Einheit wird vom Vater als Ursprung und Quelle der Gottheit und als Prinzip ihrer Einheit gewährleistet; die eine Natur kommt dabei nur mittelbar in den Blick. Anders bei den *Lateinern.* Ihre Konzeption ist weitgehend vom Genius Augustins bestimmt. Sie gehen unmittelbar von der einen göttlichen Natur bzw. dem einen göttlichen Wesen und der einen göttlichen Substanz aus. Die drei Personen kommen nur mittelbar in den Blick als drei personale, d. h. distinkte Subsistenzweisen des einen Wesens. Dabei geht das eine göttliche Wesen den drei Personen nicht voraus, was Sabellianismus wäre, es existiert vielmehr nur in dieser dreifachen personalen Subsistenzweise. Dennoch ist das eine göttliche Wesen der Konstruktionspunkt, um die Dreipersönlichkeit Gottes zu verstehen. Denn zur geistigen Natur gehören als deren Wesensvollzüge Erkennen und Wollen. In seiner Selbsterkenntnis zeugt nun Gott sein ewiges Wort; insofern ist er Vater und Sohn. Aus der gegenseitigen Liebe von Vater und Sohn geht der Heilige Geist aus beiden als dritte Person hervor. In diesem Konzept wird die Einheit in der Dreiheit psychologisch verständlich gemacht; man spricht deshalb bei Augustinus von einer psychologischen Trinitätslehre. Man kann den Unterschied auch auf die Formel bringen: *Die Griechen sagen: ein Gott in drei Personen, die Lateiner: drei Personen in Gott.*

Der Unterschied zwischen beiden Konzeptionen läßt sich auch bildhaft verständlich machen. Als Bild für die griechische Konzeption eignet sich die Linie: Der Vater zeugt den Sohn, und durch den Sohn geht der Geist aus ihm hervor. Im Hervorgang des Geistes kommt der trinitarische Lebensprozeß zu seiner Vollendung, im Geist drängt er zugleich über sich hinaus. Als Bild für die

---

[186] Die Herausarbeitung dieser beiden Modelle ist das Verdienst von Th. de Régnon, Etudes de théologie positive sur la sainte Trinité. 3 Bde. Paris 1892–98, bes. Bd. 1, 335–340; 428–435.

lateinische Konzeption eignet sich eher das Dreieck bzw. der Kreis: Der Vater zeugt den Sohn; im Geist als der gegenseitigen Liebe zwischen Vater und Sohn schließt sich das trinitarische Leben. Die griechische Konzeption ist daher eher offen hin zur Welt, während das lateinische Konzept eher in sich geschlossen ist. Dieser Unterschied kommt auch in der künstlerischen Darstellung der Trinität zum Ausdruck. Die klassische künstlerische Darstellung der Trinität in der orthodoxen Kirche sind die drei Männer bzw. die drei Engel bei Abraham (Gen 18), also drei Gestalten, die aber auf der berühmten Ikone von Rublev in unnachahmlich schöner Weise als in sich schwingende Einheit komponiert sind. Die wichtigste kirchliche Darstellung der Trinität in der westlichen Kirche ist der sog. Gnadenstuhl, wo die drei Personen innerhalb einer Gesamtgestalt erscheinen: Der Vater sitzt auf dem Thron, hält das Kreuz mit dem Sohn und zwischen beiden schwebt der Geist in Gestalt einer Taube.

Beide Konzeptionen haben ihre Größe, aber auch ihre *Gefahren*. Es ist offenkundig, daß die griechische Sicht konkreter und mehr biblisch und heilsgeschichtlich gedacht ist. Doch kann sie die innere Einheit der drei Personen mehr formal behaupten als von innen her verständlich machen. Die lateinische Konzeption ist demgegenüber reflektierter und spekulativer, aber auch abstrakter. Sie steht in der Gefahr, die Unterschiede zwischen den drei Personen nicht mehr recht zur Geltung bringen zu können bis hin zu der Gefahr, daß die drei Personen zu bloßen Modi, d. i. Seinsweisen der einen göttlichen Natur verflüchtigt werden. Diese Gefahr besteht vor allem in der Gestalt, die Anselm von Canterbury der lateinischen Trinitätslehre gegeben hat. Entsprechend ist die westliche Konzeption oft schwereren Angriffen von seiten orthodoxer Theologen ausgesetzt, die bis zum Vorwurf einer radikalen Reformation des trinitarischen Dogmas reichen[187]. Auch bei Katholiken ist gegenwärtig eine latente Option für die östliche Konzeption feststellbar. Der Streit spitzt sich vor allem in der Diskussion um das *filioque* zu[188]. Die Griechen werfen der lateinischen Formel vor, sie hebe, weil sie zwei Ausgänge in Gott annehme, die Monarchie des Vaters auf und löse die Einheit in Gott auf; sie identifiziere außerdem den Geist mit dem dem Vater und dem Sohn gemeinsamen Wesen und könne deshalb die hypostatische Eigenständigkeit des Geistes nicht wahren. Die Lateiner können diese Vorwürfe als Mißverständnisse ihres Konzepts zurückweisen. Denn auch sie sagen, der Sohn habe die »Kraft« zur Hauchung des Heiligen Geistes vom Vater; der Heilige Geist geht also principaliter vom Vater aus, so daß dessen Monarchie auch innerhalb der lateinischen Konzeption gewahrt ist. Vollends geht der Geist auch nach lateinischer Konzeption nicht aus dem einen göttlichen Wesen, sondern von den beiden Personen (duo spirantes) aus, die als Personen ein Prinzip sind für den Hervorgang des Geistes[189].

Wichtiger als solche im Grunde unfruchtbaren, weil auf gegenseitiger Unkenntnis oder auf Mißverständnissen beruhenden Kontroversen ist die Erkenntnis, *daß die Gegenüberstellung der beiden Konzeptionen zwar etwas Richtiges trifft, aber in dieser allgemeinen Schematik dem wesentlich differenzierteren histori-*

---

[187] Vgl. etwa V. Lossky, Die mystische Theologie der morgenländischen Kirche, Graz–Wien–Köln 1961, 68, 73 ff; S. Bulgakov, Le Paraclet, Paris 1946, 118.
[188] Vgl. o. 265 ff.
[189] DS 850.

schen Befund nicht gerecht wird[190]. So haben wir im *Osten* neben der Konzeption der Kappadokier auch die der Alexandriner, besonders des Athanasius, die mehr der lateinischen entspricht. Selbst Johannes von Damaskus, der die Vätertradition in einer für die Orthodoxie maßgeblichen Weise zusammengefaßt hat, geht von dem einen Gott aus und leitet erst dann zur Darstellung der drei Hypostasen über[191]. Auch sonst finden sich bei den griechischen Vätern oft recht essentialistisch klingende Formeln wie: Gott von Gott, Licht vom Licht, Wesen vom Wesen, Weisheit von der Weisheit u.ä.[192]. Umgekehrt kennt auch der lateinische *Westen* neben der von Augustin begründeten und durch Anselm von Canterbury in extremer Weise verstärkten[193] essentialistischen Tradition, die heute durch K. Barth und K. Rahner[194] repräsentiert wird, auch eine mehr »personalistische« Tradition. Sie wird im Altertum von Hilarius von Poitiers vertreten, im Mittelalter durch Wilhelm von St. Thierry[195], dem Freund des Bernhard von Clairvaux und dem Gegner des modalistischen Abaelard. Am wichtigsten ist Richard von St. Viktor, der die bedeutsamste Trinitätslehre zwischen Augustinus und Thomas von Aquin geschrieben hat. Ihm folgen Alexander von Hales und Bonaventura[196]. Sie alle machen sich in ihrer Weise das Anliegen zu eigen, das die Griechen mit der Monarchie des Vaters umschreiben, das aber auch Augustinus auf seine Weise wahrt, weil er – wie später Bonaventura und Thomas von Aquin – lehrt, daß der Geist principaliter vom Vater ausgeht. Eine ausgesprochen heilsgeschichtlich orientierte Trinitätslehre findet sich im Mittelalter dann bei Rupert von Deutz, Gerloh von Reichelberg, Anselm von Havelberg u.a.[197].

Thomas von Aquin versuchte in dieser wie in vielen anderen Fragen eine ausgewogene Synthese zwischen den verschiedenen Konzeptionen; er kam zu einem Konzept, das von dem des Johannes von Damaskus, den Thomas gut kannte und den er hoch schätzte, gar nicht so weit entfernt ist[198]. Damit wird gerade an Thomas von Aquin deutlich, daß man die Unterschiede zwischen Ost und West nicht übertreiben darf. Sie bestehen, aber sie reichen nicht bis zum Himmel, und die Wände, die man oft künstlich aufgerichtet hat, sind durchsichtig und durchlässig nach beiden Richtungen. Die westliche Tradition ist, wie vor allem Thomas von Aquin zeigt, in der Lage, alle Anliegen des Ostens aufzugreifen und auf einem höheren Reflexionsniveau »aufzuheben«.

Der Mangel des Hauptstrangs der westlichen Tradition besteht darin, daß er die Vermittlung der Dreiheit in der Einheit als Erkennen und

[190] Dies herausgestellt zu haben, ist das Verdienst von A. Malet, Personne et amour dans la théologie trinitaire de Saint Thomas d'Aquin (Bibl. thom. 32), Paris 1956.

[191] Johannes von Damaskus, De fide orth. 8 (aaO. 18–31).

[192] Vgl. A. Malet, aaO., 14 f.

[193] Vgl. ebd. 55 ff.

[194] Vgl. u. 366 ff.

[195] Vgl. M.-J. Le Guillou, Das Mysterium des Vaters. Apostolischer Glaube und moderne Gnosis, Einsiedeln 1974, 104 ff.

[196] Vgl. A. Malet, aaO., 37 ff.

[197] Vgl. L. Scheffczyk, Die heilsgeschichtliche Trinitätslehre des Rupert von Deutz und ihre dogmatische Bedeutung, in: Kirche und Überlieferung (FS J. R. Geiselmann), hrsg. v. J. Betz u. H. Fries, Freiburg–Basel–Wien 1960, 90–118.

[198] Vgl. A. Malet, aaO., 71 ff.

Wollen und damit als Wesensvollzüge Gottes deutet. Das bringt die Gefahr mit sich, daß die Personen als ideelle Momente am Selbstvollzug des absoluten Geistes mißverstanden werden können. Dieser Tendenz, die letztlich in den Modalismus führt, kann man nur entgehen, wenn man bedenkt, daß der Geist, zumal der absolute Geist, konkret nur als Person subsistiert und daß gerade an diesem personalen Verständnis Gottes für den Menschen alles hängt. Denn als Person kann der Mensch sein Heil nur in der absoluten Person Gottes finden. Das personale Wesen Gottes, nach dem der Mensch sucht, ist aber nach der Schrift und nach der frühen christlichen Tradition der Vater. *So muß die Trinitätslehre vom Vater ausgehen und ihn als Ursprung, Quelle und inneren Einheitsgrund der Trinität verstehen.* Wir müssen ausgehen vom Vater als dem grundlosen Grund einer sich selbst verströmenden Liebe, die Sohn und Geist freisetzt und zugleich in der einen Liebe mit sich eint. Gottes souveräne Freiheit in der Liebe als Ausgangs- und Einheitspunkt der Trinität nehmen heißt also, anders als die vorherrschende lateinische Tradition, nicht vom Wesen Gottes, sondern vom Vater, der das in der Liebe bestehende Wesen Gottes ursprünglich besitzt, auszugehen. Liebe läßt sich ja nicht anders denn als personal und als interpersonal denken[199]. So existiert die Person gar nicht anders als in Selbstmitteilung an andere und in Anerkennung durch andere Personen. Deshalb kann die Einheit und Einzigkeit Gottes, gerade wenn Gott von vornherein personal gedacht wird, unmöglich als Einsamkeit verstanden werden. Hier liegt der tiefste Grund, weshalb sich das theistische Verständnis von einem einpersönlichen Gott nicht durchhalten läßt. Dieses kommt notwendig in die Verlegenheit, nach einem Gegenüber für Gott zu suchen, es dann in der Welt und im Menschen zu finden und damit, indem Gott und Welt in eine notwendige Beziehung gebracht werden, die Transzendenz Gottes, seine Freiheit in der Liebe nicht mehr wahren zu können. Will man die biblische Botschaft von Gott als absoluter Person und vollkommener Freiheit in der Liebe auch im Denken konsequent durchhalten, dann wird das trinitarische Bekenntnis der Bibel für das gläubige Denken plausibel.

Gegen diese These kann man nur scheinbar einwenden, sie verstoße gegen den Geheimnischarakter der Trinität. Der für den menschlichen Verstand nicht einsehbare Unterschied zwischen der Liebe zwischen Menschen und der Liebe Gottes besteht nämlich darin, daß der Mensch

---

[199] So mit Recht J. E. Kuhn, aaO., 553; 572. Freilich hat Kuhn eher den lateinisch-westlichen Ansatz nochmals zu übersteigen versucht und das griechische Verständnis als zu wenig spekulativ abgetan. Dabei steht er noch im Bann des Idealismus, so sehr er sich material-dogmatisch mit Entschiedenheit von Hegel und Günther abgesetzt hat. In diesem Punkt ist für uns heute deutlicher ein nachidealistisch-personaler Ausgangspunkt notwendig.

Liebe hat, während Gott die Liebe ist. Weil der Mensch die Liebe hat und diese nicht sein ganzes Wesen ausmacht, ist er in der Liebe mit anderen Personen verbunden, ohne mit ihnen eines Wesens zu sein; bei Menschen begründet die Liebe eine enge und tiefe Personengemeinschaft, aber keine Wesensidentität. Gott dagegen ist die Liebe, und dieses sein Wesen ist absolut einfach und einzig; deshalb besitzen die drei Personen ein einziges Wesen; ihre Einheit ist Wesenseinheit und nicht nur Personengemeinschaft. Diese Dreiheit in der Einheit des einen Wesens ist das unergründliche Mysterium der Trinität, das wir nie rational begreifen können, sondern lediglich in Ansätzen dem gläubigen Verstehen zugänglich machen können.

Dreiheit in der Einheit

Da die Dreiheit der göttlichen Personen in der Einheit des einen göttlichen Wesens für den menschlichen Verstand ein unergründliches Geheimnis darstellt, kann der Ausgangspunkt für ein systematisches Verständnis der Dreiheit der göttlichen Personen nur die Offenbarung sein. Um dieses Geheimnis der Dreiheit in der Einheit als Geheimnis zu verstehen, gehen wir also nicht vom einen göttlichen Wesen und seinen immanenten Wesensvollzügen (Erkennen und Wollen) aus, sondern von der Offenbarung des Vaters durch den Sohn im Heiligen Geist. Von diesem einen Geheimnis der christlichen Heilswirklichkeit her versuchen wir das Geheimnis der drei göttlichen Personen zu verstehen. In dieser Richtung liegen gegenwärtig vor allem *zwei Entwürfe* vor, die beide auf ihre Weise versuchen, durch die immanente Trinität die heilsgeschichtliche Trinität aus ihrer eigenen Wurzel (K. Barth)[200] und aus einem systematischen Begriff heraus (K. Rahner)[201] zu verstehen.

[200] Zum folgenden K. Barth, Die Kirchliche Dogmatik I/1, 320–352: »Die Wurzel der Trinitätslehre«. Auf Barths Entwicklung kann hier nicht eingegangen werden. Wichtig die Vorform von KD I/1, in: Die christliche Dogmatik im Entwurf. Bd. 1. Die Lehre vom Worte Gottes. Prolegomena zur christlichen Dogmatik, München 1927, 126–140.
[201] Zum folgenden K. Rahner, Der dreifaltige Gott als transzendenter Urgrund der Heilsgeschichte, in: Mysal II, 369–384. Außerdem: ders., Anmerkungen zum dogmatischen Traktat »De Trinitate«, in: Schriften. Bd. 4. 103–133; ders., Grundkurs des Glaubens. Einführung in den Begriff des Christentums, Freiburg–Basel–Wien 1976, 139–142; ders., Art. Trinität, in: Sacram. mundi IV, 1005–1021; ders., Art. Trinitätstheologie, in: ebd. 1022–1031; ders., Art. Dreifaltigkeit, in: Kleines Theologisches Wörterbuch, hrsg. v. K. Rahner u. H. Vorgrimler, Freiburg–Basel–Wien ¹²1980, 89–92; ders., Art. Dreifaltigkeitsmystik, in: LThK III, 563–564; vgl. dazu: G. Lafont, Peut-on connaître Dieu en Jésus Christ? (Cogitatio fidei 44), Paris 1969, 172–228; B. van der Heijden, Karl Rahner. Darlegung seiner Grundposition, Einsiedeln 1973, 424–442; K. Fischer, Der Mensch als Geheimnis. Die Anthropologie Karl Rahners (Ökumenische Forschungen II.5), Freiburg–Basel–Wien 1974, 337–365; H. U. v. Balthasar, Theodramatik. Bd. 3. Einsiedeln 1980, 298f.

Dies geschieht bei K. Barth und K. Rahner auf recht unterschiedliche und für ihr jeweiliges theologisches Denken charakteristische Weise. Beiden ist aber gemeinsam, daß sie nicht mehr von der Formel una substantia-tres personae ausgehen und Gott nicht als Substanz, sondern als Subjekt, sei es als Subjekt seiner Selbstoffenbarung (K. Barth), sei es als Subjekt seiner Selbstmitteilung (K. Rahner) denken.

K. *Barth* geht vom Offenbarungsbegriff aus, weil er nach seiner Überzeugung das Problem der Trinitätslehre in sich enthält[202]. Die Wurzel der Trinitätslehre ist für ihn der Satz: Gott offenbart sich als Herr[203]. Nach diesem Satz ist Gott in unzerstörter Einheit derselbe und doch in unzerstörter Verschiedenheit dreimal anders derselbe als Offenbarer, Offenbarung und Offenbarsein[204]. In der *Offenbarung* geht es um Selbstenthüllung des seinem Wesen nach dem Menschen unenthüllbaren Gottes. Gott ist so souverän frei, »daß Gott so sich selbst ungleich werden kann, daß er in der Weise Gott ist, daß er nicht an seine heimliche Ewigkeit und ewige Heimlichkeit gebunden ist, sondern auch zeitlich Gestalt annehmen kann und will und wirklich annimmt«[205]. Dabei bleibt er aber selbst der *Offenbarer*. Gerade als der Deus revelatus ist er der Deus absconditus[206]. Er ist souveränes Subjekt seiner Offenbarung. Schließlich bedeutet Offenbarung zugleich *Offenbarsein*. Denn die Offenbarung ist auch die dem Menschen zuteil werdende Selbstenthüllung. Sie ist ein geschichtliches Ereignis, durch das die Existenz bestimmter Menschen so ausgezeichnet wurde, daß sie Gott zwar nicht zu fassen, wohl aber ihm zu folgen und zu antworten vermochten[207]. Die Trinitätslehre Barths ist also Ausdruck der unaufhebbaren Subjektivität Gottes[208] und damit eine Variante des neuzeitlichen Themas der Subjektivität und ihrer Autonomie[209]. Die drei Seinsweisen, in denen sie sich erweist, gehören zur Selbstkonstitution des absoluten Subjekts. Dies ist eine typisch neuzeitliche, genauer gesagt: eine typisch idealistische Denkfigur, die Barth trotz aller materialen Unterschiede mit Hegel verbindet[210].

Eine ähnliche Denkstruktur finden wir bei *K. Rahner*. Entsprechend dem anthropologischen Ansatz seiner Theologie ist sein Ausgangspunkt freilich nicht die Subjektivität Gottes, sondern die des Menschen. Das bedeutet, daß er das Geheimnis der Trinität als Heilsgeheimnis verstehen will. Heil ist dort gegeben, wo die arme Verwiesenheit des Menschen auf ein absolutes Geheimnis mit der unableitbar freien und gnädigen Selbstmitteilung dieses Geheimnisses erfüllt wird. In diesem Sinn kann Rahner sagen: »Der Mensch ist das Ereignis

---

[202] K. Barth, Die Kirchliche Dogmatik I/1, 320.
[203] Ebd. 323.
[204] Ebd. 324.
[205] Ebd. 337.
[206] Ebd. 338.
[207] Ebd. 349.
[208] Besonders deutlich in: Die christliche Dogmatik im Entwurf, 140.
[209] So W. Pannenberg, aaO., 96 im Anschluß an T. Rendtorff, Radikale Autonomie Gottes. Zum Verständnis der Theologie Karl Barths und ihrer Folgen, in: ders., Theorie des Christentums. Historisch-theologische Studien zu seiner neuzeitlichen Fassung, Gütersloh 1972, 161–181.
[210] Vgl. o. 350 Anm. 139.

einer freien, ungeschuldeten und vergebenden, absoluten Selbstmitteilung Gottes«[211]. Diese Selbstmitteilung besagt »die absolute Nähe Gottes als des unbegreiflichen und in seiner Unbegreiflichkeit bleibenden Geheimnisses«, »die absolute Freiheit... dieser Selbstmitteilung« und »daß die innere Möglichkeit der Selbstmitteilung als solcher (...) nie durchschaut wird«[212]. Aus diesem Begriff der Selbstmitteilung ergibt sich aufgrund einer Art transzendentalen Reflexion auf die Bedingungen ihrer Möglichkeit die Trinitätslehre[213]. Die Trinität ist damit die Bedingung der Möglichkeit der menschlichen Subjektivität.

Rahners Ansatz für ein systematisches Verständnis der Trinität ist also der Grundbegriff seiner Gnadenlehre: der *Begriff der göttlichen Selbstmitteilung*. Im einzelnen gibt es nach Rahner zwei unterschiedene, aufeinander bezogene und sich gegenseitig bedingende Weisen der freien ungeschuldeten Selbstmitteilung Gottes, in Jesus Christus und im Geist. Beide lassen sich als Momente der einen Selbstmitteilung verstehen[214]. Denn Selbstmitteilung besagt Herkunft wie Zukunft (Ereignis des radikal Neuen), Geschichte und Transzendenz, Angebot und Annahme, schließlich Wahrheit als Offenbarung des eigenen personalen Wesens und Liebe als frei angebotene und frei angenommene Selbstmitteilung der Person[215]. Doch diese heilsgeschichtliche Selbstmitteilung wäre nicht wirklich Gottes Selbstmitteilung, würde sie Gott nicht an sich selbst zukommen, wäre also die ökonomische Trinität nicht zugleich die immanente[216]. Im Grunde hat Rahner mit dieser transzendentaltheologischen Deduktion das Wesentliche der augustinischen Trinitätsspekulation erneuert, freilich nicht auf dem Weg der analogia entis, sondern auf dem Weg einer Zusammenschau der Heilsgeschichte selbst. Auch nach Rahner gibt es zwei Momente: Erkenntnis und Liebe, die zwei real distinkte Subsistenzweisen des sich selbst mitteilenden Gottes, näherhin des Vaters[217] bilden. So kann Rahner den Sinn der Trinitätslehre zusammenfassend formulieren, daß »Gott selbst als das bleibend heilige Geheimnis, als der unfaßbare Grund des transzendierenden Daseins des Menschen, nicht nur der Gott unendlicher Ferne ist, sondern der Gott absoluter Nähe in wahrer Selbstmitteilung sein will und so in der geistigen Tiefe unserer Existenz wie auch in der Konkretheit unserer leibhaftigen Geschichte gegeben ist«[218].

Zu bewundern ist die Konsequenz, mit der Rahner eine Trinitätstheologie von innen, ausgehend von der ökonomischen Trinität, versucht, wie er zugleich Trinitätstheologie im Kontext neuzeitlicher Subjektivitätsphilosophie treibt und wie es ihm dabei last not least gelingt, dem Sinn der Formeln der klassischen Tradition gerecht zu werden. Was dabei herauskommt, ist ohne Zweifel ein großer und gelungener Wurf, den man nur an anderen großen Gestalten christlicher Theologie messen kann, und den man am ehesten mit Anselms Deduktion der Trinitätslehre aus »rationes necessariae« vergleichen kann.

[211] K. Rahner, Grundkurs des Glaubens, 122 u. ö.
[212] Ders., in: Mysal II, 374, bes. Anm. 10.
[213] Ebd. 372 Anm. 7; 382 Anm. 18; 384 Anm. 21.
[214] Ebd. 371; 372f, 374.
[215] Ebd. 378–382.
[216] Ebd. 382f; ders., Grundkurs des Glaubens, 141f.
[217] Ders., in: Mysal II, 355, 371, 373f.
[218] Ders., Grundkurs des Glaubens, 142.

Die Konsequenzen dieses Neuansatzes von K. Rahner sind freilich gewaltig. Das wird einmal schon allein dadurch deutlich, daß die Trinitätslehre in Rahners Grundkurs nicht mehr wie im altkirchlichen Credo und in der dieses auslegenden Theologie das tragende Gerüst bildet. Sie ist nicht einmal mehr ein eigener Teil, sondern nur noch ein Unterkapitel von dreieinhalb Seiten, von denen sich zwei Seiten kritisch mit der traditionellen Trinitätslehre auseinandersetzen, so daß die positive Darstellung auf eineinhalb Seiten zusammengedrängt ist. Schon in dieser äußeren Stoffverteilung wird deutlich, daß die Trinitätslehre ihren strukturbildenden Charakter an die theologische Anthropologie abgetreten hat und nur noch als Ermöglichungsbedingung der Gnadenlehre reflektiert wird. Dieser Funktionswandel hat zum zweiten erhebliche Auswirkungen auf den inneren Sinn der Trinitätslehre. Wird sie nämlich, wie es bei Rahner der Fall ist, ganz unter dem Vorzeichen der Soteriologie entfaltet, geht ihr Charakter als Doxologie verloren. Ist bei Barths trinitätstheologischer Thematisierung Gottes als absolutes Subjekt die Subjektivität des Menschen in Gefahr, so bei Rahners trinitätstheologischer Thematisierung der Subjektivität des Menschen das Du Gottes. Es gelingt Rahner zwar, die – freilich individualistisch verengte – neuzeitliche Subjektivität des Menschen ernst zu nehmen, aber es gelingt ihm nicht, die Trinität im Modus der Subjektivität zu denken. Deshalb seine radikale Abwehr des neuzeitlichen Personbegriffs in der Trinitätslehre[219]. Wir sagten schon: »Distinkte Subsistenzweisen« kann man nicht anrufen, anbeten und verherrlichen. Das letztlich namenlose Geheimnis Gottes bei Rahner kann man nur anschweigen. Nicht umsonst heißt ein bekanntes, schönes, ansprechendes und tiefes kleines Buch Rahners über das Gebet »Worte ins Schweigen«[220].

Wo so der Ort und die Sinngestalt verändert wird, da sind zum dritten Änderungen in der inneren Struktur unvermeidlich. Da bei Rahner in der Trinitätslehre alles auf das Gegenüber und die Einheit von Gott und Mensch abgestellt ist, bleibt für das Gegenüber und die Einheit der trinitarischen Personen eigentlich kein Raum mehr. Sie sind Momente der ökonomischen Selbstmitteilung Gottes an den Menschen, aber nicht Subjekte einer immanenten Selbstmitteilung. Zwar gelingt es Rahner deutlicher als der Scholastik, die unaustauschbare heilsgeschichtliche Funktion der drei göttlichen »Personen« aufzuweisen. Immer wieder polemisiert er gegen die These, daß an sich jede der drei Personen hätte Mensch werden können. Aber es gelingt ihm nicht, daraus immanente Proprietäten abzuleiten. Seine Trinitätsspekulation bleibt damit vor dem Ziel stecken; sie kann nicht mehr deutlich machen, worin Eigenart und Differenz der Hypostasen bestehen und welche faßbare Bedeutung sie haben. Man sage nicht, solche Fragen seien ein existentiell und soteriologisch unerhebliches theologisches Glasperlenspiel. Denn wenn die immanente Trinität die ökonomische ist, müssen Defizite in der immanenten Trinitätslehre notwendigerweise Rückwirkungen auf das Verständnis in der Heilsgeschichte haben. Wenn die göttlichen Hypostasen in Gott keine Subjekte sind, dann können sie auch in der Heilsgeschichte nicht als Subjekte sprechend und handelnd auftreten. Dieses Konsequenz wird deutlich in Rahners Aussagen über die hypostatische Union. Auf die Frage »Welches Ich spricht in Jesus Christus?« antwortet er zu Recht, daß man Jesus ein echt menschlich-kreatürliches Selbstbewußtsein

[219] Vgl. o. 350f.
[220] K. Rahner, Worte ins Schweigen, Freiburg–Basel–Wien ³1975.

zusprechen muß, will man nicht einer neuen Form des Monophysitismus verfallen[221]. Nicht so klar ist bei ihm aber, daß dieses menschliche Ich in der Hypostase des Logos subsistiert, so daß in Jesus Christus der Logos selbst spricht und handelt, ja, daß in dem Menschen Jesus Gott nicht nur auf eine einmalige und unüberbietbare Weise da ist, daß Jesus Christus vielmehr der Sohn Gottes *ist*[222]. Demgegenüber sieht Rahner die hypostatische Union mehr als einmalige und unüberbietbare Weise der Selbstmitteilung, die grundsätzlich allen Menschen verheißen ist; er sieht sie als inneres Moment und als Bedingung für die allgemeine Begnadigung der geistigen Kreatur[223]. Das ist innerhalb seines Ansatzes zwar konsequent, zeigt aber doch nochmals dessen innere Grenzen.

Einen *eigenen systematischen Ansatz in der Trinitätslehre* können wir nur dadurch finden, daß wir im Wissen um all die Fragen und Antworten der Tradition nochmals auf das Zeugnis der Schrift, der Urkunde des Glaubens hören. Wir gehen nochmals vom Abschiedsgebet Jesu, dem sogenannten hohenpriesterlichen Gebet Jesu in Joh 17 aus, in dem sich uns die deutlichsten neutestamentlichen Ansätze für eine Trinitätslehre zeigten[224]. Dieses Gebet ist gesprochen in dem Augenblick, in dem Jesus seine Stunde gekommen sieht, da sich das Eschaton ereignet (17,1.5.7). So enthält dieses Gebet in der Stunde des Abschieds gleichsam das Testament Jesu. In der Stunde der Erfüllung faßt es nochmals den Gesamtsinn des Heilswerkes Jesu Christi zusammen, und es tut dies in trinitarischer Form. Im Grunde enthält das hohepriesterliche Gebet in nuce die gesamte Trinitätslehre:

1. *Der Sinn der Trinitätslehre.* Das hohepriesterliche Gebet beginnt mit den Worten: »Vater, die Stunde ist da. Verherrliche deinen Sohn, damit der Sohn dich verherrlicht.« Es geht um die eschatologische Stunde, um die zusammenfassende und überbietende Erfüllung des ganzen Heilswerkes. Sie geschieht in Kreuz und Erhöhung Jesu als der eschatologischen Offenbarung Gottes. Indem der Vater den Sohn durch die

---

[221] Ders., Schriften. Bd. 1, 178–184, 188–194; ders., Schriften. Bd. 5, 222–245.

[222] Ders., Schriften. Bd. 9, 210 f; deutlich dagegen: ders., in: Mysal II, 357–359. Die Kritik von B. van der Heijden (aaO., 399 ff; 435 ff) scheint mir deshalb zwar auf ein richtiges Problem hinzuweisen, aber Rahners nicht ganz eindeutige Aussagen insgesamt doch in einer bestimmten Richtung zu deuten, die dann allerdings kritikwürdig ist.

[223] Ders., Schriften. Bd. 5, 202–217.

[224] Dies kommt vor allem in der tiefen Auslegung zum Ausdruck, die Augustinus in seinem Johanneskommentar tr. 107–111 (CCL 36, 613–633) gegeben hat. Neuere Auslegungen: R. Bultmann, Das Evangelium des Johannes (Kritisch-exegetischer Kommentar über das Neue Testament, Bd. 2), Göttingen ¹⁹1968, 374–401; W. Thüsing, Herrlichkeit und Einheit. Eine Auslegung des Hohepriesterlichen Gebetes Johannes 17 (Die Welt der Bibel 14), Düsseldorf 1962; E. Käsemann, Jesu letzter Wille nach Johannes 17, Tübingen ³1971; R. Schnackenburg, Das Johannesevangelium. Bd. 3. Freiburg–Basel–Wien ²1976, 186–231 (Herders theologischer Kommentar zum NT. Bd. IV/3); S. Schulz, Das Evangelium nach Johannes (NTD 4), Göttingen 1972, 213–220.

Erhöhung verherrlicht, wird auch der Vater durch den Sohn verherrlicht; in der Verherrlichung des Sohnes kommt des Vaters eigene
Herrlichkeit zur Erscheinung. Es ist dieselbe Herrlichkeit, die der Sohn
von Ewigkeit her beim Vater hat (V. 5). Es geht also um die eschatologische Offenbarung des ewigen Wesens Gottes, des Gottseins Gottes. Es
wird gesagt, daß Gott die Herrlichkeit seines Gottseins von Ewigkeit
darin besitzt, daß der Vater den Sohn verherrlicht und der Sohn
wiederum den Vater verherrlicht.

In diese ewige Doxologie werden nun die Gläubigen einbezogen. Sie
haben die Offenbarung der Herrlichkeit des Vaters durch den Sohn und
des Sohnes durch den Vater im Glauben angenommen und anerkannt.
So ist der Sohn in ihnen verherrlicht (V. 10). Diese Verherrlichung
geschieht durch den »anderen Parakleten«, den Geist der Wahrheit. Er
führt die Gläubigen in die ganze Wahrheit ein; weil er aber nichts aus
sich selbst heraus redet, sondern nur, was Jesu ist und was dieser vom
Vater her hat, anerkennt er die Herrlichkeit des Sohnes und des Vaters
(16,13–15). Er ist und wirkt die konkrete Vergegenwärtigung der
ewigen Doxologie von Vater und Sohn in der Kirche und in der Welt. Er
ist die eschatologische Verwirklichung der Herrlichkeit Gottes, ihr
Dasein im Raum der Geschichte. Das ist nur möglich, weil er selber vom
Vater ausgeht (15,26) und weil er als Geist der Wahrheit die Offenbar-
keit und der Glanz (Doxa) der ewigen Herrlichkeit Gottes selbst ist.
Der Skopus des trinitarischen Bekenntnisses ist also nicht eigentlich eine
Lehre über Gott, sondern die Doxologie, die eschatologische Verherrli-
chung Gottes. Die Trinitätslehre ist sozusagen nur die Grammatik der
Doxologie. Im trinitarischen Bekenntnis geht es um das »Ehre sei dem
Vater durch den Sohn im Heiligen Geist«. In diesem liturgischen
Lobpreis kommt die ewige Herrlichkeit Gottes des Vaters, des Sohnes
und des Heiligen Geistes eschatologisch-endgültig zur Offenbarung.
Die eschatologische Verherrlichung Gottes ist zugleich das Heil und das
Leben der Welt. »Das ist das ewige Leben: dich, den einzigen wahren
Gott zu erkennen und Jesus Christus, den du gesandt hast« (V. 3).
Dieses Bekenntnis ist im Sinn der Schrift keine abstrakte Spekulation,
sondern Partizipation, Lebensgemeinschaft. Es geht im trinitarischen
Bekenntnis also um das Gemeinschaftshaben mit Gott. *Die Trinitäts-
lehre hat ihren Sinn in der Spannungseinheit von Doxologie und
Soteriologie.* Die Alternative zwischen den Entwürfen von K. Barth und
K. Rahner läßt sich aufheben.

Die Spannungseinheit von Doxologie und Soteriologie bedeutet, daß die
Anerkennung der Herrlichkeit Gottes nicht eine Demütigung des
Menschen bedeutet. Die Anerkennung der absoluten Subjektivität
Gottes bedeutet keine Unterdrückung der Subjektivität des Menschen,
sie erlöst, befreit und vollendet vielmehr den Menschen. So ist das

trinitarische Bekenntnis die letzte konkrete Bestimmung der unbestimmten Offenheit des Menschen und der darin unbestimmt aufleuchtenden und allem Denken und Tun voranleuchtenden Gottesidee[225]. Es ist die überbietende Antwort auf die Frage, die der Mensch nicht nur hat, sondern ist. Der Sinn des Menschen und der Welt, ihr Leben und ihre Wahrheit bestehen in der Verherrlichung des dreieinigen Gottes, durch die wir in die innertrinitarische Verherrlichung einbezogen werden und Gemeinschaft haben mit Gott. So wird im trinitarischen Bekenntnis auch der Sinn der Botschaft Jesu vom Kommen der Herrschaft Gottes in antizipatorischer Weise erfüllt. Denn in dieser Botschaft geht es eben um die Offenbarung des Herrseins und der Herrlichkeit Gottes als dem Leben der Welt und als der Erfüllung der Hoffnung des Menschen[226]. *Die Trinitätslehre ist ihrem tiefsten Sinn nach die maßgebliche Explikation der Basileia-Botschaft Jesu.* Sie faßt das Zentrum von Jesu Botschaft zusammen und ist das Summarium des christlichen Glaubens.

2. *Der Inhalt der Trinitätslehre.* Nach dem hohenpriesterlichen Gebet geschieht die Verherrlichung Gottes wie das Leben der Welt darin, den Gott Jesu Christi als »den einzigen wahren Gott« zu erkennen und anzuerkennen (V. 3). Einheit und Einzigkeit sind Wesensprädikate Gottes. Wieder geht es also um die Erkenntnis des Wesens Gottes, um Gottes Gottsein. Diese Erkenntnis der Einzigkeit Gottes unterscheidet sich aber vom philosophischen wie vom alttestamentlichen Monotheismus dadurch, daß sie die Erkenntnis dessen einschließt, den der Vater gesandt hat (V. 3) und der mit dem Vater eins ist (V. 21 f). Die Welt hat ja die Einzigkeit Gottes nicht erkannt, erst der, der von Ewigkeit her mit dem Vater eins ist, hat davon Kunde gebracht und den Namen des Vaters geoffenbart (V. 25 f; vgl. 1,18). Die Erkenntnis der Einheit und Einzigkeit Gottes ist nur möglich durch die Erkenntnis der Einheit zwischen Vater und Sohn. In sie sollen wiederum die Gläubigen einbezogen werden. »Sie sollen eins sein, wie wir eins sind« (V. 22), und sie sollen in dieser Einheit vollendet sein (V. 23). Diese Einheit der Gläubigen untereinander wie mit dem Vater und dem Sohn ist wie im gesamten Neuen Testament so auch bei Johannes das Werk des Geistes. In Joh 14,15–24 wird dieser Zusammenhang deutlich hergestellt. Das Kommen und Bleiben des Geistes ist zugleich das Wiederkommen Jesu und sein Wohnen bei den Gläubigen, durch das Jesus in ihnen ist, wie er im Vater ist.

---

[225] Das ist der Ansatz von J. E. Kuhn, Katholische Dogmatik. Bd. 2. Die christliche Lehre von der göttlichen Dreieinigkeit, Tübingen 1857; vgl. dazu A. Brunner, Dreifaltigkeit. Personale Zugänge zum Mysterium, Einsiedeln 1976, 23.
[226] Vgl. o. 210 f. Diesen Gesichtspunkt hat vor allem J. Moltmann, Trinität und Reich Gottes. Zur Gotteslehre, München 1980 herausgearbeitet.

Die Offenbarung der Trinität ist also die Offenbarung des tiefsten, der Welt verborgenen Wesens der Einheit und Einzigkeit Gottes, die ihrerseits die Einheit der Kirche und durch sie die Einheit der Welt begründet. *Damit ist die Trinitätslehre inhaltlich die christliche Gestalt des Monotheismus; genauer: Sie konkretisiert die zunächst abstrakte Behauptung der Einheit und Einzigkeit Gottes, indem sie bestimmt, worin diese Einheit besteht. Die Einheit Gottes wird als Gemeinschaft von Vater und Sohn, indirekt und implizit auch als Gemeinschaft von Vater, Sohn und Geist, als Einheit in der Liebe bestimmt.*

Was Einheit in der Liebe genauerhin meint, wird erst verständlich, wenn wir sie gegen andere Arten der Einheit abgrenzen[227]. Im materiellen Bereich haben wir es mit quantitativer Einheit, also mit zählbaren Einheiten zu tun. Jede dieser Einheiten besteht aus einem Gemisch und aus einer Verbindung verschiedener Größen, deren letzte und kleinste Einheiten die Wissenschaft zumindest bisher nicht zu erhellen vermochte. Die Ausgrenzung und zahlenmäßige Zusammenfassung solcher quantitativer Einheiten setzt Allgemeinbegriffe der Art und der Gattung voraus. Solche Einheiten der Art und der Gattung stellen eine Abstraktionsleistung des Menschen dar. Sie setzen die Einheit der Person voraus. Sie ist in sich und für sich bestehende Einheit; deshalb kann sie die Vielheit ihrer Dimensionen im Ichbewußtsein reflektieren und konzentrieren. Sosehr die Person eine nicht mehr an eine höhere Einheit mitteilbare Einheit ist, sosehr ist sie doch nur im Mitsein mit anderen Personen möglich. Die menschliche Person ist ein Plurale tantum, das nur in gegenseitiger Anerkennung existieren kann und das seine Erfüllung nur in der Gemeinschaft der Liebe findet. Personen existieren also nur im wechselseitigen Geben und Empfangen.

Mit dieser Feststellung haben wir ein Vorverständnis erarbeitet, um die Einheit in der Liebe, wie sie nach dem Johannesevangelium in Gott existiert und das Wesen Gottes ausmacht, zu verstehen. Freilich handelt es sich lediglich um ein Vorverständnis, das wir nur analog auf Gott übertragen können. Denn im menschlichen Bereich ist das Mitsein der Personen Ausdruck ihrer Endlichkeit und Bedürftigkeit. Sie sind in der vielfältigsten Weise aufeinander angewiesen. Keine einzelne Person ist ganz mit sich identisch; keine schöpft das Wesen des Menschseins und die Fülle seiner Möglichkeiten aus. Gemeinschaft in der Liebe ist deshalb immer auch erotische, d. h. nach Erfüllung strebende Liebe. Das alles ist bei Gott wesensmäßig ausgeschlossen. Gott hat nicht Sein, er ist das Sein in absoluter Vollkommenheit und Bedürfnislosigkeit. Deshalb ist er absolute Einheit, vollkommenes Bei-sich-Sein und restloser Selbstbesitz, personale Einheit im vollkommensten Sinn. Soll Gott

[227] Vgl. o. 287; 344f.

dennoch nicht als einsames, narzißtisches Wesen verstanden werden, das – paradox formuliert – eben wegen seiner Vollkommenheit höchst unvollkommen wäre und an seiner Vollkommenheit leiden müßte, dann kann Gott nur als Mitsein begriffen werden. Soll Gott dabei aber dennoch Gott bleiben und nicht in Abhängigkeit von der Welt oder vom Menschen geraten, dann muß er in sich selbst Mitsein sein. Er muß dann in der Einheit und Einfachheit seines Wesens Gemeinschaft in der Liebe sein, die keine bedürftige, sondern nur aus der Überfülle seines Seins schenkende Liebe sein kann. Deshalb ist im Abschiedsgebet Jesu immer wieder vom Geben die Rede (V. 2. 6. 22). Weil Gott in seiner Vollkommenheit und Einfachheit alles ist und nichts hat, kann er nur sich selbst schenken. Er kann nur reines Geben und Schenken seiner selbst sein. Die Einheit Gottes muß also als Liebe gedacht werden, die ist, indem sie sich selbst gibt. So ist in Gott Selbstsein und Mitsein identisch. *Die Gemeinschaft der Liebe in Gott ist darum nicht wie die Gemeinschaft unter Menschen eine Gemeinschaft unterschiedlicher Wesen, sondern eine Gemeinschaft im einen Wesen.* Hier gilt: »Alles, was mein ist, ist dein, und was dein ist, ist mein« (V. 10). Augustinus hat diesen Sachverhalt äußerst präzise formuliert: Die Trinität ist der eine und einzige Gott, und der eine und einzige Gott ist die Trinität[228]. Die Trinitätslehre ist also konkreter Monotheismus.

Das Verständnis der communio-Einheit Gottes ist nicht ohne weitreichende *Folgen für unser Wirklichkeitsverständnis*. Schon immer war der Monotheismus auch ein politisches Programm: Ein Gott, ein Reich, ein Kaiser[229]. Dieser Zusammenhang wird in Joh 17 dadurch deutlich, daß die Einheit in Gott Modell und Grund der Einheit der Kirche ist und daß diese wiederum das Sakrament, d. h. Zeichen und Werkzeug der Einheit der Welt ist (V. 23). Doch was ist das für eine Einheit? Offensichtlich keine starre, monolithische, uniformistische und tyrannische Einheit, die jegliches Anderssein ausschließt, aufsaugt und unterdrückt. Solche Einheit wäre Armut. Gottes Einheit ist Fülle, ja Überfülle des selbstlosen Gebens und Schenkens, des liebenden Sichverströmens, eine Einheit, die nicht ausschließt, sondern einschließt, ein lebendiges, liebendes Miteinander und Füreinander. Dieses trinitarische Verständnis von *Einheit als communio* hat Konsequenzen für den politischen Bereich im weitesten Sinn des Wortes und damit für die Zielvorstellungen der Einheit in der Kirche, in der Gesellschaft und in der Menschheit, also für den Frieden in der Welt. E. Peterson hat die These aufgestellt, die

---

[228] Augustinus, De Trinitate I, 4 u. ö. (CCL 50, 31); ders., In Johannis Evangelium Tract. 105, 3; 107, 6; 111, 3 (CCL 36, 604; 615; 631).
[229] Vgl. E. Peterson, Der Monotheismus als politisches Problem, in: Theologische Traktate, München 1951, 45–147.

Trinitätslehre sei das Ende der politischen Theologie[230]. Man wird genauer sagen müssen: Sie ist das Ende einer bestimmten politischen Theologie, die als Ideologie zur Sanktionierung von Herrschaftsverhältnissen dient, in denen einer oder eine Gruppe ihre Vorstellungen von Einheit und Ordnung und ihre Interessen gegen andere durchzudrücken versucht. Sie inspiriert aber eine Ordnung, in der Einheit dadurch entsteht, daß alle am Eigenen Anteil geben und es zum Gemeinsamen machen. Das ist ebensoweit von einem kollektivistischen Kommunismus entfernt wie von einem individualistischen Liberalismus. Denn communio hebt das Eigensein und Eigenrecht der Person nicht auf, sondern bringt es im Wegschenken des Eigenen und im Empfangen des Anderen zur Erfüllung. Communio ist also Personengemeinschaft und wahrt den Primat der je einmaligen Person. Diese findet ihre Erfüllung aber nicht im individualistischen Haben, sondern im Geben und damit im Teilhabegewähren am Eigenen.

Die *Konsequenzen eines solchen trinitarischen Verständnisses der Einheit als communio-Einheit für die christliche Spiritualität* hat K. Hemmerle dargelegt[231]. Solche Spiritualität ist kontemplativ, denn sie achtet in allem auf die Spuren der Liebe, die ihr in allem, vor allem aber im Kreuz Jesu Christi begegnen. Das Sich-Geben Gottes in Jesus Christus ist nicht nur Grund, sondern auch bleibendes Maß, auf das solche Spiritualität immer wieder neu schaut, um es sich zu eigen zu machen. Solche Spiritualität ist in ihrer Kontemplation zugleich aktiv, säkular. Sie stimmt ein in Gottes Sich-Geben für die Menschen. Solche Spiritualität wird deshalb zum Dienst in der Welt und für die Welt. Solche Spiritualität ist schließlich in ihrer Kontemplation und Aktion kommunitär und ekklesial. Sie lebt vom Miteinander. Sie ist nicht ins Belieben und Verfügen des einzelnen gestellt, sie kennt vielmehr im eigentlichen Sinn des Wortes Verbindlichkeit.

3. *Das bleibende Problem der Trinitätslehre*, besser: *Das Geheimnis der Trinität*. Wir sagten schon: Die trinitarische communio-Einheit unterscheidet sich dadurch grundsätzlich von der communio-Einheit zwischen Menschen, daß sie Einheit in ein und demselben Wesen und nicht nur Gemeinschaft unterschiedlicher Wesen ist. Hier waltet eine Analogie der bei aller Ähnlichkeit je größeren Verschiedenheit. Die konkrete Art und Weise der trinitarischen Einheit bei gleichzeitiger Verschiedenheit der Personen ist deshalb für uns ein unaufhebbares Geheimnis. Die neuere Diskussion um ein angemessenes Verständnis des trinitarischen Personbegriffs zeigt nur nochmals die Schwierigkeiten und Aporien, in

---

[230] Ebd. 105.
[231] K. Hemmerle, Thesen zu einer trinitarischen Ontologie, Einsiedeln 1976, 66 ff.

374

die jedes theologische Denken an dieser Stelle gerät. Das hohepriesterliche Gebet gibt uns aber auch in dieser schwierigsten aller Fragen der Trinitätstheologie Anhaltspunkte und Wegweiser für weiteres und tieferes Nachdenken. Die Antwort geht nochmals aus von der Bewegung des Gebens und Empfangens, von der Bewegung der Liebe, die Gott ist. Bei genauem Hinhören auf den Text ergeben sich nämlich innerhalb dieser Bewegung *drei verschiedene Relationen:* Der *Vater* ist der rein Gebende und Sendende. Er ist also der *ursprungslose Ursprung* der Liebe, reine Quelle, reines Sich-Verströmen. Der *Sohn* empfängt vom Vater Leben, Herrlichkeit, Vollmacht; aber er empfängt sie nicht, um sie an sich zu reißen, zu besitzen und für sich auszukosten, sondern um sich ihrer wieder zu entäußern (Phil 2,6f) und um sie weiterzugeben. Liebe, die in der Zweieinsamkeit der Liebenden aufgehen und nicht nochmals selbstlos über sich hinausdrängen würde, wäre eine andere Form des Egoismus. Deshalb ist der Sohn der *Mittler* und die reine Vermittlung, reines Weitergeben. Im *Geist* schließlich empfangen die Gläubigen die Gabe des Vaters durch den Sohn, um an ihr Anteil zu haben. Der Geist ist gar nichts aus sich selbst, er ist reines Empfangen, reines Geschenk und *reine Gabe;* darin ist er reine Erfüllung, ewige Freude und Seligkeit, reine Vollendung ohne Ende. Da er Ausdruck der Ekstasis der Liebe in Gott ist, ist in und durch ihn Gott von Ewigkeit her über sich selbst hinaus, reiner Überschwang. Als das Gabesein in Gott ist der Geist die eschatologische Gabe Gottes an die Welt, deren endgültige Heiligung und Vollendung.

Die vollkommene communio im einen Wesen Gottes schließt also Unterschiede in der Weise des Besitzes dieses Wesens ein. Im Vater ist die Liebe als reiner Ursprung, der sich verströmt, im Sohn als reines Weitergeben und als reine Vermittlung, im Geist als Freude des reinen Empfangens. Diese drei Weisen, in denen das eine Wesen Gottes, die Liebe, subsistiert, sind irgendwie notwendig, weil Liebe gar nicht anders gedacht werden kann; insofern hat das trinitarische Bekenntnis für den Glauben eine innere Plausibilität. Dennoch bleibt es ein Geheimnis, weil es sich um eine Notwendigkeit in der Liebe und damit in der Freiheit handelt, die man weder vorgängig zu ihrer Selbstoffenbarung ableiten noch nach ihrer Offenbarung rational einsehen kann. Die Logik der Liebe hat gerade in ihrer unableitbaren und unergründlichen Freiheit ihre innere Stimmigkeit und Überzeugungskraft.

Jede der drei Weisen, in denen die eine Liebe Gottes subsistiert, ist nur in Relation zu den beiden anderen denkbar. Der Vater als reines Sich-Schenken kann nicht ohne den Sohn sein, der empfängt. Da der Sohn aber nicht etwas empfängt, sondern alles, ist er erst in und durch das Schenken und Empfangen. Er würde jedoch nicht das Sich-Schenken des Vaters empfangen, würde er es für sich behalten und nicht weiterschenken. So ist er, indem er sich ganz vom Vater empfängt und sich wiederum ganz dem Vater hingibt, indem er, wie es im Abschiedsgebet Jesu heißt, seinerseits den Vater verherrlicht. Der Sohn ist also als ganz verdankte Existenz, selbst reiner Dank, ewige Eucharistie, reines gehorsames Entsprechen auf das Wort und den Willen des Vaters. Doch diese wechselseitige Liebe drängt nochmals über sich hinaus; sie ist reines Geben nur, wenn sie sich auch der Zweieinigkeit entleert und entledigt und aus reiner Gnade einen Dritten hereinnimmt, in dem die Liebe als reines Empfangen ist, der also nur ist, indem er sich aus der gemeinsamen Liebe zwischen Vater und Sohn empfängt. *Die drei trinitarischen Personen sind also reine Relationalität; sie sind Relationen, in denen das eine Wesen Gottes in je unaustauschbar verschiedener Weise subsistiert. Sie sind subsistente Relationen*[232].

Mit diesen Bestimmungen haben wir in neuer Weise den augustinisch-thomanischen Begriff der trinitarischen Person als subsistenter Relation erreicht. Wir haben diesen Gedanken im Anschluß an die Überlegungen des Richard von St. Viktor konkretisiert. Zugleich haben wir eine systematische Konzeption der Trinitätslehre gefunden, in der die Anliegen der griechischen und der lateinischen Trinitätslehre in einer höheren Einheit »aufgehoben« werden können. Prinzipiell setzt diese Sicht mit den Griechen beim Vater, dem Ursprung ohne Ursprung, an; indem sie diesen aber als reine Liebe, als reines Sich-Schenken begreift, kann sie die Hervorgänge des Sohnes und des Geistes nach Art der lateinischen Theologie in ihrer inneren »Logik« verstehen und im Glauben als Gestalten der einen unerfindlichen und unbegreiflichen Liebe Gottes und als Ausdruck des einen Mysteriums des Heils begreifen.

Die Frage ist freilich: Was bringt eine solche systematische Darstellung der Trinitätslehre? Was hat sie zu tun mit dem doxologischen und soteriologischen Sinn des Trinitätsbekenntnisses? Eine erste Antwort auf diese Frage haben wir bereits gegeben: Es geht um den *intellectus fidei*, um ein inneres Verstehen des Glaubens. Damit ist kein rationalistisches Verstehen gemeint, ein Verstehen unter dem Maßstab und im Rahmen der menschlichen ratio, die damit gegenüber dem Glauben das Größere und Umfassendere wäre, das als Maßstab dienen könnte. Es geht vielmehr um ein Begreifen aus dem Glauben und um ein Verstehen im Glauben, das nicht aus dem Glauben heraus in ein vermeintlich höheres Wissen hineinführt. Es geht um eine tiefere Einführung in den Glauben selbst, um ein gläubiges Verständnis des Geheimnisses als Geheimnis, nämlich als Geheimnis einer unergründlichen und eben darin überzeugenden Liebe.

[232] Vgl. o. 342f.

Damit ist eine zweite Antwort bereits vorbereitet. Weil das Geheimnis der Liebe der durch die Offenbarung selbst aufgerichtete höchste Maßstab ist, ergeben sich von da aus nun Maßstäbe, um die Wirklichkeit neu und tiefer zu verstehen. Die trinitarische communio-Einheit erweist sich auf dem Wege der Analogie als *Modell des christlichen Wirklichkeitsverständnisses.* Die Ausbildung der Trinitätslehre bedeutet nämlich den Durchbruch durch ein Wirklichkeitsverständnis, das vom Primat der Substanz und des Wesens geprägt war, hin zu einem Wirklichkeitsverständnis unter dem Primat der Person und der Relation. Die letzte Wirklichkeit ist hier nicht die in sich stehende Substanz, sondern die Person, die erfüllt nur in der Relationalität des Gebens und des Empfangens denkbar ist. Man könnte auch sagen: Der Sinn von Sein ist die Selbstlosigkeit der Liebe. Eine solche »trinitarische Ontologie«[233] läßt sich selbstverständlich – wie übrigens jede Ontologie – induktiv nicht zwingend begründen. Selbstbehauptung, blinde Faktizität, abstrakte Geschichtlichkeit oder letzte Undeutbarkeit der Wirklichkeit drängen sich immer auf und wollen einer solchen Deutung widersprechen. Sie hat ihre Plausibilität indes darin, daß sie mehr Wirklichkeitserfahrung integriert und doch nichts vereinnahmt. Sie kann auch die Wirklichkeitserfahrungen einbeziehen und »stehen lassen«, die in keinem System aufgehen: Schuld, Einsamkeit, Trauer der Endlichkeit, Scheitern. Sie ist letztlich eine Deutung auf Hoffnung hin, eine Antizipation der eschatologischen Doxologie unter dem Schleier der Geschichte.

Schließlich ergibt sich aus dem trinitarischen Bekenntnis das *Modell einer christlichen Spiritualität* der Hoffnung und des selbstlosen Dienstes aus der Kraft der Hoffnung. Die trinitarischen Personen sind ja durch ihre Selbstlosigkeit charakterisiert. Sie sind je auf ihre Weise reines Wegschenken, Selbstentäußerung. Die kenotische Existenz von Ewigkeit ist die Bedingung der Möglichkeit der zeitlichen Kenosis des Sohnes und damit Typos der christlichen Demut und des selbstlosen Dienens[234]. Damit ist es im Wesen und Gehalt des trinitarischen Bekenntnisses selbst begründet, daß es beim Akt der Taufe, die das Christsein begründet, gesprochen wird. Dieses Bekenntnis ist nicht nur Inbegriff des christlichen Glaubens, sondern auch der darin grundgelegten Nachfolge Jesu und des Hineingenommenwerdens in Tod und Auferstehung des Herrn.

---

[233] Vgl. K. Hermmerle, aaO., 38 ff.

[234] Den kenotischen Charakter der trinitarischen Personen als Relationen hat im Anschluß an neuere russische Theologen (vor allem Solowjew, Tarajew, Bulgakov) H. U. v. Balthasar, Mysterium paschale, in: Mysal III/3, 152 f herausgestellt.

4. Aus dem zuletzt Gesagten ergibt sich der *systematische Ort der Trinitätslehre*. Sie ist gewissermaßen *die Summe des ganzen christlichen Heilsmysteriums* und zugleich dessen Grammatik. Sie ist die *Grammatik*, denn sie ist die innere Möglichkeitsbedingung der Heilsgeschichte. Nur weil Gott in sich vollendete Freiheit in der Liebe ist, kann er Freiheit in der Liebe nach außen sein. Weil er in sich dadurch bei sich ist, daß er beim anderen und im anderen ist, kann er sich in der Geschichte entäußern und eben in der Entäußerung seine Herrlichkeit offenbaren. Weil Gott in sich reines Geschenk ist, kann er im Heiligen Geist sich selbst schenken; als das innerste Wesen Gottes ist der Geist zugleich das Äußerste, die Möglichkeitsbedingung der Schöpfung und der Erlösung. Damit ist das trinitarische Bekenntnis zugleich die Summe des ganzen christlichen Heilsmysteriums. Denn daß Gott der Vater durch Jesus Christus seinen Sohn im Heiligen Geist das Heil der Welt ist, das ist das eine Geheimnis des Glaubens in den vielen Glaubensgeheimnissen. Der Vater als ursprungsloser Ursprung in Gott ist auch Grund und Ziel der Heilsgeschichte; von ihm geht alles aus und zu ihm kehrt alles zurück. Der Sohn als die reine Vermittlung in Gott ist der Mittler, den der Vater sendet und der uns wiederum den Heiligen Geist schenkt. Der Geist schließlich ist als die Vollendung in Gott die eschatologische Vollendung von Welt und Mensch. So wie er der Weg Gottes nach außen ist, bewirkt er auch die Rückkehr aller geschöpflichen Wirklichkeit zu Gott. Durch den Geist endet die Soteriologie wieder in Doxologie; in sie wird am Ende der Zeit, wenn Gott »alles in allem« sein wird, einmal die gesamte Wirklichkeit einbezogen sein (1 Kor 15,28).

Aus der These, die Trinitätslehre sei die Grammatik und die Summe des ganzen christlichen Heilsmysteriums, ergibt sich abschließend die Antwort auf die vieldiskutierte Frage nach dem *Ort der Trinitätslehre innerhalb der Dogmatik*[235]. Das ist bei dem Gewicht, das der Trinitätslehre zukommt, keineswegs nur eine wissenschaftsorganisatorische, sondern weit mehr eine folgenschwere inhaltliche theologische Frage, die über den theologischen Gesamtansatz eines dogmatischen Entwurfs entscheidet.

Drei klassische Lösungen stehen zur Diskussion. Die *erste Lösung*, klassisch ausgebildet von Thomas von Aquin, behandelt die Trinitätslehre nach der dogmatischen Erkenntnislehre am Anfang der Dogmatik. Dabei geht dem Traktat »De Deo trino« der Traktat »De Deo uno« voraus. Diese Einteilung impliziert eine doppelte theologische Vorentscheidung: Sie setzt den Vorrang der theologia gegenüber der oiconomia

---

[235] Vgl. dazu W. Breuning, Stellung der Trinitätslehre, in: Bilanz der Theologie im 20. Jahrhundert. Hrsg. v. H. Vorgrimler / R. van der Gucht. Bd. 3, Freiburg–Basel–Wien 1970, 26–28; K. Rahner, Art. Trinitätstheologie, in: Sacram. mundi IV, 1024–26.

voraus; sie macht ernst damit, daß es in der Heilsgeschichte und in der diese auslegenden Theologie vor allem um Gottes Handeln und Gottes Sprechen geht, daß also alles in der Theologie sub ratione Dei behandelt werden muß. Die Vorordnung des Traktats »De Deo uno« vor den Traktat »De Deo trino« impliziert aber auch eine Option für die hauptsächlich von Augustinus grundgelegte westliche Trinitätslehre, die vom einen Wesen Gottes ausgeht, die drei Personen innerhalb des einen Wesens Gottes behandelt und so faktisch zu einer weitgehenden Funktionslosigkeit der Trinität in der Heilsökonomie führt. Trotz ihrer Vorordnung vor die anderen dogmatischen Traktate wird die Trinitätslehre in diesem Konzept im weiteren Verlauf der dogmatischen Darlegungen deshalb wenig wirksam. Die *zweite Lösung* wird von der erneuerten evangelischen Theologie unseres Jahrhunderts, klassisch ausgeprägt bei K. Barth, vertreten. In dieser Theologie ist das »solus Christus« nicht nur eine grundlegende material-theologische Aussage, die besagt, daß wir alles Heil allein durch Christus erlangen, sie ist vielmehr auch ein grundlegendes formal-theologisches Prinzip, das besagt, daß wir allein durch Jesus Christus und durch ihn vermittelt von Gott sprechen können. Die dadurch bedingte kritische Einschätzung der natürlichen Theologie führt dazu, daß bereits die Prolegomena der Dogmatik, oder wie man in der nachbarthschen Theologie mit Vorliebe sagt: die theologische Hermeneutik, von der Christologie und Trinitätslehre sprechen muß. Die Prolegomena sind jetzt keine Vorrede mehr zur Dogmatik, sondern das in der Dogmatik zuerst und vor allem zu Sagende, die Anweisung, wie überhaupt in der rechten Weise von Gott zu reden ist. Aus diesem Grundansatz folgt, daß die Unterscheidung der Traktate »De Deo uno« und »De Deo trino« aufgegeben und die Trinitätslehre in die dogmatischen Prolegomena bzw. in die dogmatische Hermeneutik transponiert und so zur Grammatik aller anderen dogmatischen Aussagen gemacht wird. Die Folge einer solchen radikal christologisch begründeten a-theistischen Theologie ist, daß die Abgrenzung gegenüber dem wirklichen Atheismus im Glauben zwar emphatisch behauptet, aber denkerisch kaum hinreichend geleistet werden kann. Es legt sich also zunächst ein *dritter Weg* nahe, den der Vater des Neuprotestantismus, F. Schleiermacher, konsequent beschritten hat und der heute, etwa im »Holländischen Katechismus«[236], auch in der katholischen Theologie versucht wird: Die Trinitätslehre wird als krönender Abschluß und insofern als Summe der ganzen Dogmatik behandelt. Daß sie damit faktisch freilich auch zum Anhängsel werden kann, wird bei Schleiermacher hinreichend deutlich.

---

[236] Glaubensverkündigung für Erwachsene. Deutsche Ausgabe des Holländischen Katechismus, Freiburg–Basel–Wien 1966, 555 f.

Der innere Grund ist leicht einsichtig: Wird die Trinitätslehre nur noch als Summe behandelt, dann ist schwer verständlich zu machen, inwiefern sie auch die Grammatik aller anderen dogmatischen Aussagen ist; aus der Trinitätslehre als Grundsatz der Theologie wird also notgedrungen ein Zusatz zur Theologie.

Aus dem zuletzt genannten Gesichtspunkt: die Trinitätslehre als Grammatik der gesamten Theologie, folgt, daß *ein präludierender Traktat »De Deo trino« am Anfang der Dogmatik unerläßlich ist.* »Aber dieser Traktat am Anfang müßte auch so verstanden werden, nicht als Traktat, der sein Thema absolviert und hinter sich bringt, sondern als ein Traktat, der vorausorientiert über ein Thema, das erst kommt«[237]. Vielleicht könnte man noch besser sagen: Dieser Traktat müßte ein Thema behandeln, das nachher wie in einer Fuge in verschiedenen Variationen immer wieder auftaucht. Die Dogmatik ist ja nicht in dem Sinn ein System, daß alles logisch von einem Prinzip ableitbar wäre. Sie ist ein Strukturganzes, in dem jede Teilaussage in verschiedener Weise das Ganze reflektiert. Denn wenn die Trinität das eine Geheimnis in den vielen Geheimnissen ist, dann gibt es von der Sache her eine »Perichorese« der einzelnen dogmatischen Traktate, die alle unter einem bestimmten Aspekt das Ganze behandeln. *In der Trinitätslehre wird nun das eine Thema in den vielen Themen der Dogmatik selbst thematisch.* Bei dieser Reflexion auf das Eine und Ganze der Dogmatik setzt die Trinitätslehre aber nicht so sehr die anderen dogmatischen Traktate voraus als das Bekenntnis der Kirche, das sie als Ganzes reflektiert im Blick auf seinen letzten Grund und sein letztes Ziel. Das *Materialobjekt der Trinitätslehre* ist also das ganze Glaubensbekenntnis mit allen seinen drei Teilen: »Ich glaube an den einen Gott, den allmächtigen Vater... Und an den einen Herrn, Jesus Christus... Ich glaube an den Heiligen Geist...« Das *Formalobjekt,* unter dem die Trinitätslehre das Ganze des christlichen Glaubens behandelt, ist Gott als Grund und Ziel aller dieser Bekenntnisaussagen. Die materialdogmatischen Aussagen der anderen Traktate sind als theologische Aussagen nur verständlich, wenn zuerst das Formalobjekt, unter dem sie stehen, benannt ist, wenn also deutlich ist, was wir als Christen meinen, wenn wir von Gott sprechen, nämlich den Gott Jesu Christi, zu dem wir im Heiligen Geist Zugang haben. Aus allen diesen Überlegungen heraus wird man an der Vorordnung der Trinitätslehre vor den anderen Traktaten festhalten müssen.

Will man jedoch den negativen Konsequenzen entgehen, die dieses Verfahren sowohl in der klassischen katholischen wie in der neueren protestantischen Theologie hatte, dann muß man die *innere Struktur der*

[237] K. Rahner, aaO., 1025 f.

Gotteslehre, konkret: das Verhältnis der Traktate »De Deo uno« und »De Deo trino« neu bedenken. Man muß dann ernst damit machen, daß wir, wenn wir von Gott und zu Gott sprechen, nach biblischem und frühkirchlichem Verständnis immer den Vater meinen, der uns durch den Sohn im Heiligen Geist bekannt ist. Der eine Gott ist also, wie Augustinus immer wieder betont, der dreieine. Das aber schließt es aus, zuerst allgemein vom Wesen Gottes zu sprechen und dann erst von den drei göttlichen Personen. Es gilt vielmehr nach Art der östlichen Trinitätslehre vom Vater als Ursprung und Quelle der Trinität auszugehen und zu zeigen, daß der Vater das eine Wesen Gottes in der Weise besitzt, daß er es weiterschenkt an den Sohn und an den Geist. *Es gilt also, die abstrakte Lehre vom Wesen Gottes wieder in die Lehre von der konkreten Wesensoffenbarung Gottes und damit in die Trinitätslehre zu integrieren.* Es ist das Verdienst der Dogmatik von M. Schmaus, in diese Richtung einen wichtigen Vorstoß unternommen zu haben[238]. Dieser der ostkirchlichen Tradition verpflichtete Ansatz braucht nicht dazu zu führen, die Errungenschaften der augustinischen Trinitätslehre aufzugeben. Der Ausgangspunkt vom Vater als Ursprung und Quelle der Trinität führt ja dazu, das eine Wesen Gottes als Liebe zu begreifen. Von dorther läßt sich die Trinität, mehr als dies der östlichen Theologie möglich ist, etwa im Sinn des Richard von St. Viktor durchaus aus ihrer inneren Wurzel heraus verstehen: als Geheimnis vollkommener Liebe der Selbstmitteilung und Selbstentäußerung und insofern als Grammatik und Summe des ganzen christlichen Heilsmysteriums.

Dieser heilsökonomische Ansatz braucht auch nicht zur Verabschiedung der natürlichen Theologie und damit der legitimen Anliegen des alten Traktats »De Deo uno« zu führen. Die Heilsökonomie setzt sich ja die natürliche, besser: die kreatürliche Frage des Menschen nach Gott voraus und beantwortet sie in überbietender Weise[239]. *Die trinitarische Selbstoffenbarung Gottes ist also die überbietende Antwort auf die Frage, die der Mensch nicht nur hat, sondern ist: die Frage nach Gott.* Die trinitarische Offenbarung und das Trinitätsbekenntnis sind die letzte, eschatologisch-endgültige Bestimmung der unbestimmten Offenheit des Menschen. Die Trinitätslehre ist konkreter Monotheismus. Mit dieser These hat sich der Kreis unserer Überlegungen, der von der heutigen Situation des Atheismus ausging, geschlossen. Es hat sich ergeben, daß das trinitarische Bekenntnis die christliche Antwort auf die Anfrage des neuzeitlichen Atheismus ist. Diese These führt uns zu einer zusammenfassenden Schlußüberlegung.

---

[238] M. Schmaus, Katholische Dogmatik. Bd. 1, München ⁵1953.
[239] Vgl. dazu W. Kasper, Christologie und Anthropologie, in: ThQ 162 (1982) 202–221.

Schluß: Das trinitarische Bekenntnis – die Antwort auf den modernen Atheismus

Der Weg von der Situation, die durch den modernen Atheismus bestimmt ist, bis zum trinitarischen Bekenntnis war weit, für viele vielleicht zu weit. Ihnen scheint, es komme heute in erster Linie darauf an, die Frage nach Gottes Existenz, aber nicht so sehr die nach seinem inneren Geheimnis zu beantworten. Die Trinitätslehre erscheint ihnen ohnedies oft als vorwitziges Eindringen in das Geheimnis Gottes. So begnügen sie sich mehr oder weniger mit einem theistischen Bekenntnis. Doch eben diese theologische Genügsamkeit sollte in den vorausgehenden Kapiteln als in sich unhaltbar erwiesen werden. Der Theismus ist ein durch die Aufklärung und durch den Atheismus bereits zersetzter christlicher Glaube, und er schlägt von der Sache her notwendig immer wieder in den Atheismus um, dem er doch wehren will, dessen Argumenten er sich aber nicht erwehren kann. *Angesichts der radikalen Infragestellung des christlichen Glaubens hilft ein schwächlicher, allgemeiner und vager Theismus nicht weiter, sondern nur das entschiedene Zeugnis vom lebendigen Gott der Geschichte, der sich durch Jesus Christus im Heiligen Geist konkret erschlossen hat.*
Der Weg jenseits von Theismus und Atheismus, wie ihn gegenwärtig viele maßgebende Vertreter der evangelischen Theologie versuchen, ist freilich vor den dem Theismus drohenden Gefahren nur dann gefeit, wenn er das Kind nicht mit dem Bade ausschüttet, wenn er also die Fragen des Atheismus nicht unter Umgehung der Probleme der natürlichen Theologie durch einen unmittelbaren Sprung in einen vermeintlich radikalen Glauben beantwortet, und wenn er die Theismuskritik nicht vorschnell zu einer Monotheismuskritik ausweitet. Denn der Monotheismus ist die Antwort auf die natürliche Frage nach Einheit und Sinn aller Wirklichkeit. Eben diese unbestimmt offene Frage wird durch die trinitarische Selbstoffenbarung Gottes konkret bestimmt, so daß das Trinitätsbekenntnis konkreter Monotheismus und als solcher die christliche Antwort auf die Gottesfrage des Menschen ist. *Der Gott Jesu Christi, der Gott also, der sich durch Jesus Christus im Heiligen Geist zu erkennen gibt, ist die letzte, eschatologisch-endgültige Bestimmung der unbestimmten Offenheit des Menschen; er ist demnach auch die christliche Antwort auf die Situation des modernen Atheismus.* So kommt der Verkündigung des dreieinigen Gottes gerade in der heutigen Situation höchste pastorale Bedeutung zu.
Gegenstand der *Verkündigung des trinitarischen Geheimnisses Gottes* sind selbstverständlich nicht unmittelbar die komplizierten exegetischen, historischen und spekulativen Fragen, mit denen sich die theologische Trinitätslehre herumschlagen muß. Diese Erörterungen sind

notwendig, um das Bekenntnis gegen seine Infragestellung zu schützen, um es den »Gebildeten unter seinen Verächtern« zumindest diskutabel zu machen, noch mehr aber, um es seinen Liebhabern im Glauben zu erschließen. Diese Erörterungen sind also für die Verkündigung, wenn auch nur in indirekter Weise, von grundlegender Bedeutung. Unmittelbar wird die Verkündigung, wie das Glaubensbekenntnis der Kirche, mit der heilsökonomischen Trinität einsetzen und den Gott Jesu Christi verkünden, der uns im Heiligen Geist Leben und Freiheit, Versöhnung und Frieden schenkt. Stehenbleiben kann sie dabei freilich nicht. Denn das wahre Leben besteht nach dem Abschiedsgebet des Herrn ja eben darin, daß wir Gott erkennen und verherrlichen. Die Soteriologie muß sich also um der Soteriologie willen in Doxologie überschreiten. Denn in allem Wandel und Unbestand der Geschichte besteht das Heil des Menschen darin, Gemeinschaft zu haben mit Gott, der in alle Ewigkeit Liebe *ist*. Eben eine anthropologisch orientierte Theologie muß also eine theologische Theologie sein, die sich Rechenschaft darüber gibt, daß das »ad maiorem hominis salutem« nur durch das »ad maiorem Dei gloriam« möglich ist. Die Theologie kann deshalb die anthropologische Relevanz ihrer Aussagen nur dadurch entfalten, daß sie Theologie bleibt und nicht Anthropologie wird. Gerade die Anerkennung des Gottseins Gottes führt zur Vermenschlichung des Menschen.

Das *Programm einer theologischen Theologie,* wie es bereits zu Beginn dieses Buches aufgestellt wurde, ist ohne Zweifel ein Pleonasmus; die Formel »theologische Theologie« ist nur als polemische Formel sinnvoll, die dazu dient, die Theologie an ihr eigenes und eigentliches Thema zu erinnern. Die Infragestellung durch den Atheismus und noch mehr dessen eigene Krise muß die Theologie veranlassen, die vom Atheismus geleugnete, verdrängte oder einfach vergessene theologische Dimension als das Ein und Alles des Menschen wieder ins Bewußtsein zu rücken. Das ist umsomehr notwendig, als eben die Proklamation des Todes Gottes inzwischen zur offenen Proklamation des Todes des Menschen geführt hat. Soll diese Antwort nicht auf halbem Wege steckenbleiben und soll sie den Gott Jesu Christi voll zur Geltung bringen, dann ist das nur in Form des trinitarischen Bekenntnisses möglich, das eben, weil es das Gottsein Gottes, seine Freiheit in der Liebe, ernst nimmt, die von Gott durch Jesus Christus im Heiligen Geist geschenkte Freiheit in der Liebe und zur Liebe und so die Menschlichkeit des Menschen in der Situation ihrer höchsten Bedrohtheit retten kann.

ABKÜRZUNGSVERZEICHNIS

BKV   Bibliothek der Kirchenväter, hrsg. v. F. X. Reithmayr, fortges. v. V. Thalhofer, 79 Bände, Kempten 1869–1888.

BSLK   Die Bekenntnisschriften der evangelisch – lutherischen Kirche, hrsg. v. Deutschen Evangelischen Kirchenausschuß, Göttingen ^{3}1956.

CA   Confessio Augustana (in: BSLK).

CCL   Corpus Christianorum Series Latina, Turnholt 1953ff.

CSEL   Corpus scriptorum ecclesiasticorum latinorum, Wien 1866ff.

DS   H. Denzinger – A. Schönmetzer, Enchiridion Symbolorum, Definitionum et Declarationum de rebus fidei et morum, Freiburg ^{33}1965.

DThC   Dictionnaire de théologie catholique, hrsg. v. A. Vacant und E. Mangenot, fortges. v. E. Amann, Paris 1930ff.

EKL   Evangelisches Kirchenlexikon, Kirchlich-theologisches Handwörterbuch, hrsg. v. H. Brunotte und O. Weber, Göttingen 1955ff.

EvTh   Evangelische Theologie, München 1934ff.

FS   Festschrift.

FZThPh   Freiburger Zeitschrift für Theologie und Philosophie, Freiburg/Schweiz 1954ff.

GCS   Die griechischen christlichen Schriftsteller der ersten drei Jahrhunderte, Leipzig 1897ff.

HDG   Handbuch der Dogmengeschichte, Freiburg–Basel–Wien 1956ff.

HWPH   Historisches Wörterbuch der Philosophie, Basel 1971ff.

LThK   Lexikon für Theologie und Kirche, hrsg. v. J. Höfer und K. Rahner, Freiburg ^{2}1957ff.

LThK Vat   Lexikon für Theologie und Kirche. Ergänzungsbände: Das Zweite Vatikanische Konzil. Dokumente und Dokumentation, Freiburg 1966–1968.

MThZ   Münchener Theologische Zeitschrift, München 1950ff.

Mysal   Mysterium Salutis. Grundriß heilsgeschichtlicher Dogmatik, hrsg. v. J. Feiner und M. Löhrer, Einsiedeln–Zürich–Köln 1965ff.

NR   J. Neuner/H. Roos, Der Glaube der Kirche in den Urkunden der Lehrverkündigung, hrsg. v. K. Rahner und K.-H. Weger, Regensburg ^{8}1971.

PG	Patrologia Graeca, hrsg. v. J. P. Migne, 161 Bände, Paris 1857–1866.
PL	Patrologia Latina, hrsg. v. J. P. Migne, 217 Bände, Paris 1878–1890.
RAC	Reallexikon für Antike und Christentum, hrsg. v. Th. Klauser, Stuttgart 1941 (1950)ff.
RevSR	Revue des Sciences Religieuses, Straßburg 1921ff.
RGG	Die Religion in Geschichte und Gegenwart, Tübingen ³1956ff.
SC	Sources Chrétiennes, Paris 1941ff.
Theol. Phil.	Theologie und Philosophie. Vierteljahresschrift für Theologie und Philosophie, Freiburg 1966 ff.
ThLZ	Theologische Literaturzeitung, Leipzig 1878ff.
ThQ	Theologische Quartalschrift, Tübingen 1818ff.
ThWNT	Theologisches Wörterbuch zum Neuen Testament, hrsg. v. G. Kittel, fortges. v. G. Friedrich, Stuttgart 1933ff.
TRE	Theologische Realenzyklopädie, Berlin 1974ff.
TThZ	Trierer Theologische Zeitschrift, Trier 1888ff.
TU	Texte und Untersuchungen zur Geschichte der altchristlichen Literatur. Archiv für die griechisch-christlichen Schriftsteller der ersten drei Jahrhunderte, Leipzig–Berlin 1882.
WA	M. Luther, Werke. Kritische Gesamtausgabe, Weimar 1883ff.
WW	Gesammelte Werke.
ZKG	Zeitschrift für Kirchengeschichte, Stuttgart 1887ff.
ZKTh	Zeitschrift für katholische Theologie, Wien 1886ff.
ZNW	Zeitschrift für die neutestamentliche Wissenschaft und die Kunde der älteren Kirche, Berlin 1900ff.
ZThK	Zeitschrift für Theologie und Kirche, Tübingen 1891ff.

Alle übrigen Abkürzungen entsprechen den Verzeichnissen in: LThK I, 16* – 18*, und TRE, Abkürzungsverzeichnis.

SACHREGISTER

393

PERSONENREGISTER

Walter Kasper
Jesus der Christus
8. Auflage · 332 Seiten · Leinen

Die gegenwärtige Glaubensunsicherheit vieler Christen ist letztlich eine Unsicherheit ihres Christusglaubens. Die vorliegende Christologie behandelt entsprechend im ersten Teil die „Frage nach Jesus Christus heute". Hier steht u. a. das Problem an, ob von unserer heutigen Erfahrungswirklichkeit her überhaupt ein Zugang zum Glauben an Jesus Christus möglich ist.

Der zweite Teil wendet sich „Geschichte und Geschick Jesu Christi" zu. Hier werden die Probleme von Jesu Auftreten, seiner Verkündigung und seiner Wunder, seines Anspruches und seines Weges ans Kreuz erörtert.

Im dritten Teil wird das biblische und das kirchliche Christus-Bekenntnis interpretiert als Auslegung von Geschichte und Geschick Jesu. Dabei stellt sich heraus, daß das Bekenntnis „Jesus ist der Christus" eine grundlegende kritische Neuinterpretation des Wirklichkeitsverständnisses bedeutet.

„Das Buch von Walter Kasper versucht, eine heute zu verantwortende Lehre von Jesus Christus zu entwerfen. In einem interessanten Überblick über die moderne theologische Situation zeigt sich, daß im Unterschied zu den Hauptströmungen katholischer und evangelischer Dogmatik fast vom Beginn der Dogmengeschichte bis in die Moderne hinein Wirklichkeit nicht mehr in den Kategorien des naturhaften Wesens, sondern unter geschichtlichen und personalen Aspekten gesehen werden muß. Im zweiten Teil wird ein Überblick über die exegetische Arbeit am Neuen Testament gegeben. Der Verfasser zeigt sich sehr belesen und gut unterrichtet, so daß eine brauchbare Grundlage für das Folgende gelegt wird. Der große dritte Abschnitt bietet eine sehr schöne Repetition der Dogmengeschichte. – Ein wirklich hilfreicher Ansatz für die weitere theologische Arbeit." *Neue Zürcher Zeitung*

Matthias-Grünewald-Verlag · Mainz

Tübinger Theologische Studien

Herausgegeben von Alfons Auer · Walter Kasper · Hans Küng · Max Seckler

Wilhelm Korff · Norm und Sittlichkeit
Untersuchungen zur Logik der normativen Vernunft

Hans Wagenhammer · Das Wesen des Christentums
Eine begriffsgeschichtliche Untersuchung

Arno Schilson · Geschichte im Horizont der Vorsehung
G. E. Lessings Beitrag zu einer Theologie der Geschichte

Gerhard Heinz · Das Problem der Kirchenentstehung in der deutschen protestantischen Theologie des 20. Jahrhunderts

Hermann Josef Pottmeyer · Unfehlbarkeit und Souveränität
Die päpstliche Unfehlbarkeit im System der ultramontanen Ekklesiologie des 19. Jahrhunderts

Nabil El-Khoury · Die Interpretation der Welt bei Ephraem dem Syrer
Beitrag zur Geistesgeschichte

Dietmar Mieth · Dichtung, Glaube und Moral
Studien zur Begründung einer narrativen Ethik

Wolfgang Gramer · Musik und Verstehen
Eine Studie zur Musikästhetik Theodor W. Adornos

Johann Figl · Atheismus als theologisches Problem
Modelle der Auseinandersetzung in der Theologie der Gegenwart

Thomas Broch · Das Problem der Freiheit im Werk von Pierre Teilhard de Chardin

Rudolf Hasenstab · Modelle paulinischer Ethik
Beiträge zu einem Autonomie-Modell aus paulinischem Geist

Wolfgang Wieland · Offenbarung bei Augustinus

Wilhelm Geerlings · Christus Exemplum
Studien zur Christologie und Christusverkündigung Augustins

Thomas Michael Loome · Liberal Catholicism · Reform Catholicism · Modernism
A Contribution to a New Orientation in Modernist Research

Walter Fürst · Wahrheit im Interesse der Freiheit
Eine Untersuchung zur Theologie J. B. Hirschers

Peter Walter · Die Frage der Glaubensbegründung aus innerer Erfahrung auf dem I. Vatikanum
Die Stellungnahme des Konzils vor dem Hintergrund der zeitgenössischen römischen Theologie

Konstantinos Delikostantis · Der moderne Humanitarismus
Zur Bestimmung und Kritik einer zeitgenössischen Auslegung der Humanitätsidee

Arno Schilson · Theologie als Sakramententheologie
Die Mysterientheologie Odo Casels

Gerhard Mertens · Ethik und Geschichte
Der Systemansatz der theologischen Ethik Werner Schöllgens

Matthias-Grünewald-Verlag · Mainz

DATE DUE

HIGHSMITH   #LO-45220